Ein drückend heißer Sommer liegt über dem Peak District im Norden Englands. Hier wirkt die ländliche Idylle noch intakt, und die Zeit scheint still zu stehen. Doch das friedliche Bild trügt. Seit Tagen durchkämmen Dutzende von Polizeibeamten ein Waldstück, und das Dröhnen von Hubschraubern zerreißt die Stille: Ein Mädchen wird vermisst, die fünfzehnjährige Laura Vernon. Doch als man sie schließlich findet, ist es längst zu spät. Laura ist tot, ermordet. Ein Spaziergänger, der wortkarge Harry Dickinson, hatte einen Turnschuh des Mädchens entdeckt und die Polizei zum Fundort geführt. Detective Ben Cooper argwöhnt schon bald, dass Harry Dickinson mehr über Lauras Tod weiß, als er zugibt. Und auch Lauras Eltern, die erst vor wenigen Jahren nach Edendale gezogen waren, scheinen einiges zu verheimlichen. Cooper, der in dem Ort aufwuchs und sämtliche Einwohner kennt, verlässt sich bei den Ermittlungen ganz auf seine Intuition und Menschenkenntnis. Und er spürt, dass einige Leute in Edendale versuchen, ihn von der richtigen Spur abzubringen. Als man Cooper auch noch die ehrgeizige, von Birmingham aufs Land versetzte Diane Fry zur Seite stellt, erschweren berufliche wie persönliche Differenzen zwischen den beiden zusätzlich die Suche nach dem Mörder…

Autor

Stephen Booth wurde in Burnley, im englischen Lancashire geboren. Er arbeitet seit fünfundzwanzig Jahren als Journalist für Zeitungen und beim Rundfunk und hatte bereits einige Kurzgeschichten veröffentlicht, bevor er mit »Kühler Grund« seinen ersten und sofort international gefeierten Roman schrieb. Mittlerweile liegt bereits der nächste Fall für das Ermittlerpaar Ben Cooper und Diane Fry vor, der ebenfalls bei Goldmann erscheinen wird. Ein dritter ist in Vorbereitung. Stephen Booth lebt mit seiner Frau in der Nähe von Retford in Nottinghamshire.

Stephen Booth

Kühler Grund

Roman

Christina

Aus dem Englischen
von Regina Rawlinson

GOLDMANN

Die Originalausgabe erschien 2000
unter dem Titel »Black Dog«
bei HarperCollins Publishers, London

Umwelthinweis:
Alle bedruckten Materialien dieses Taschenbuches
sind chlorfrei und umweltschonend.

Taschenbuchausgabe Mai 2003
Copyright © der Originalausgabe 2000
by Stephen Booth
Copyright © der deutschsprachigen Ausgabe 2002
by Wilhelm Goldmann Verlag, München,
in der Verlagsgruppe Random House GmbH
Umschlaggestaltung: Design Team München
Umschlagfoto: Photonica/Johner
Satz: Uhl + Massopust, Aalen
Druck: Elsnerdruck, Berlin
Titelnummer: 45518
AB · Herstellung: Sebastian Strohmaier
Made in Germany
ISBN 3-442-45518-9
www.goldmann-verlag.de

1 3 5 7 9 10 8 6 4 2

Für Lesley

1

Das jähe grelle Licht tat den Augen der jungen Frau weh, als sie aus der Hintertür des Cottage ins Freie stürzte. Sie hastete barfuß über die Steinfliesen, und das Haar floss ihr in roten Wellen über die nackten Schultern.

Das Gezeter aus dem Haus endete abrupt, als die Tür hinter ihr ins Schloss fiel. Während sie den Gartenweg entlanglief, wirbelte zwischen den Platten der Staub der sonnengedörrten Erde auf. Der Dorn einer scharlachroten Strauchrose, die halb über den Weg rankte, riss ihr beim Vorbeilaufen den Arm auf, doch sie nahm den Schmerz kaum wahr.

»Warte!«, rief sie.

Aber das alte hölzerne Gartentor war schon geräuschvoll zugeschlagen, bevor sie es erreichte. Sie reckte sich über die Trockenmauer und hielt den alten Mann auf der anderen Seite am Ärmel fest. Trotz der Hitze trug er eine Wolljacke, und durch den Stoff hindurch fühlte sich sein Arm steif und sehnig an. Als die junge Frau fester zugriff, spürte sie, wie sich seine Muskeln über die Knochen schoben, als wäre sie mit ihrer Hand tief in seinen Körper eingedrungen.

Harry Dickinson blieb stehen und drehte den Kopf weg, um der Bitte in den Augen seiner Enkelin zu entgehen. Die einzige Veränderung in seinem Gesicht war ein leichtes Zucken der Mundwinkel, als er an Helen vorbei über die Reihe der steinernen Cottages blickte. Die Mauern mit den weiß gestrichenen Sprossenfenstern, die bereits im abendlichen Schatten lagen, kühlten allmählich ab, obwohl die Sonne noch immer tief über den Schieferdächern hing und gnadenlos vom Himmel brannte.

Harrys Pupillen zogen sich zu ausdruckslosen schwarzen Punkten zusammen, bis er den Kopf wendete, sodass ihn der Schirm seiner Mütze gegen die Sonne schützte.

Helen stieg der Geruch von Erde, Schweiß und Tieren in die Nase, der tief in die Wolle der Jacke eingedrungen war und nur überlagert wurde von dem vertrauten Duft kalten Tabakrauches. »Es hat keinen Sinn, einfach zu verschwinden. Früher oder später musst du den Tatsachen ja doch ins Gesicht sehen. Du kannst nicht ewig davonlaufen.«

Ein lautes Knattern, das hinter Harry durch das Tal hallte, ließ ihn zusammenfahren. Seit über einer Stunde rollte der Lärm nun schon über den dichten Wald, der bis in die Talsenke hinunterreichte. Das Geräusch prallte von den gegenüberliegenden Hängen zurück wie das wütende Flügelschlagen eines Vogels, hämmerte auf Ginster und Heidekraut ein und erschreckte die Schafe auf den höher gelegenen Hängen.

»Wir würden es verstehen«, sagte Helen. »Wir sind doch deine Familie. Wenn du nur mit uns reden würdest…«

Der alte Mann hielt den rechten Arm unnatürlich abgeknickt, sodass sich der Ärmel seiner Jacke zu einer hässlichen Ziehharmonika zusammenschob.

Helen wusste, dass die Wälder eine starke Anziehungskraft auf Harry ausübten, der er sich kaum entziehen konnte, auch wenn er sich noch so sehr dagegenstemmte. Einen Moment lang wirkte er unentschlossen, doch dann schienen die widerstreitenden Emotionen seine Abwehr noch zu verstärken. Seine Miene drückte Entschlossenheit aus, bei seinem einmal gefassten Entschluss zu bleiben.

»Granddad? Bitte.«

Sie spürte die scharfen Kanten der Gartenmauer durch ihre Shorts, und der linke Handteller tat ihr weh, wo sie sich an den schartigen Decksteinen aufgeschürft hatte. Nachdem sie, von ihren Gefühlen überwältigt, hinter ihm hergestürzt war, wusste sie nicht mehr, was sie sagen sollte. Sie spürte die Machtlosigkeit der Konventionen, die die Kommunikation unter Erwachsenen regelten, selbst wenn sie zur selben Familie gehörten. Genau wie ihrem Großvater fehlten auch ihr die Worte, um ihre Gefühle auszudrücken. Vor allem den Menschen gegenüber, die ihr am nächsten standen.

»Grandma ist wütend«, sagte Helen. »Aber sie beruhigt sich bald wieder. Sie macht sich doch nur Sorgen um dich.«

Helen war bei Harry immer ohne viele Worte ausgekommen. Er hatte stets genau gewusst, was sie wollte, und auf ihren Blick reagiert, auf das schüchterne Lächeln, auf den Sonnenglanz in ihrem Haar, auf die kleine Hand, die sich vertrauensvoll in die seine legte. Doch dieses Kind gab es nicht mehr, schon seit Jahren nicht mehr. Als Lehrerin hatte sie sich eine andere Form der Verständigung aneignen müssen, basierend auf Distanz, nicht auf Nähe. Aber Harry verstand sie noch immer. Er wusste, was sie in diesem Augenblick von ihm wollte. Doch er konnte es nicht tun, weil es seinen lebenslangen Gewohnheiten widersprach.

Nach und nach verebbte das Knattern, von den Bäumen und dem bergigen Gelände zu einem dumpfen Brummen abgemildert. Nun machten sich die leisen Geräusche des Abends bemerkbar – das Rascheln einer Brise in den Buchen, das Muhen einer Kuh im Tal, das Lied einer Lerche über dem Heidekraut. Harry lauschte, als hörte er eine Stimme, die niemand sonst vernehmen konnte. Sie verstärkte die Trauer in seinen Augen, aber auch seine Entschlossenheit. Er straffte den Rücken und ballte die Fäuste. Sein Griff um die abgewetzte schwarze Lederschlaufe, die er in der einen Hand hielt, wurde fester.

»Komm zurück und rede mit uns. Bitte, Granddad«, sagte Helen.

Sie hatte die Stimme nie gehört. Sie hatte es oft versucht, wenn sie beobachtete, wie sich der Gesichtsausdruck ihres Großvaters veränderte, aber nicht zu fragen gewagt, was er vernahm. Stattdessen hatte sie selbst die Ohren gespitzt, um vielleicht wenigstens ein schwaches Echo zu erhaschen. Wie die meisten Männer, die unter Tage gearbeitet hatten, verbrachte auch Harry so viel

Zeit wie möglich an der frischen Luft. Wenn sie mit ihm zusammen war, konnte Helen die Geräusche des Waldes und des Himmels hören, die winzigen Bewegungen im Gras, die Richtungsänderungen des Windes, das Springen der Fische im Bach. Doch was ihr Großvater hörte, hatte sie nie gehört. Sie war in dem Glauben aufgewachsen, dass diese Stimme nur ein Mann vernehmen konnte.

»Wenn du schon nicht mit Grandma darüber sprechen willst, warum erzählst du es dann nicht wenigstens mir, Granddad?«

Langsam schwoll das Knattern wieder an, es kam auf sie zu, während es dem Verlauf der Straße folgte, die sich durch das Tal schlängelte. Es kam immer näher, über die steinigen Hänge der Raven's Side, um eine schroff hervortretende schwarze Felsennase herum, immer weiter auf das Dorf zu, bis es fast über ihnen war. Das Getöse war so laut, dass jede Verständigung unmöglich war. Ausgerechnet in diesem Moment entschloss Harry sich, etwas zu sagen, trotzig erhob er die Stimme, um sich gegen den Lärm durchzusetzen.

»Verdammte Radaubrüder«, sagte er.

Der Hubschrauber stand reglos in der Luft, der blaue Rumpf flirrte im Schatten der Rotorblätter. In der Kabine beugte sich ein Mann nach vorn und starrte auf die Erde. Der Hubschrauber trug die Aufschrift POLIZEI.

»Sie suchen das vermisste Mädchen«, sagte Helen, der die Worte regelrecht von den Lippen gerissen wurden. »Die Kleine aus der Villa.«

»Aye, gut. Aber müssen sie deswegen so einen Krach machen?«

Harry räusperte sich ausgiebig und spuckte den Schleim in das gelbe Jakobskraut neben dem Gartentor.

Als wäre er beleidigt, wandte sich der Hubschrauber plötzlich vom Dorfrand ab und schwebte auf eine Reihe hoher Nadelbäume zu, die auf dem Grundstück eines großen weißen Hauses wuchsen. Die Klanghöhe veränderte sich, als das Geräusch an dem Gebäude vorbeiglitt und über die Dächer und Schornsteine streifte, wie ein Echolot, das einen Tiefseegraben abtastete.

»Wenigstens wird die Bande da oben auch aufgeweckt.«

»Granddad...«

»Mehr gibt es nicht zu sagen. Jedenfalls jetzt nicht.«

Helen seufzte, bedrängt von Gedanken, die sie nicht ausdrücken, und von Gefühlen, die sie nicht vermitteln konnte.

»Ich muss weiter, Kind«, sagte er. »Sonst reißt mir Jess noch den Arm aus.«

Helen schüttelte den Kopf, aber sie ließ ihn los. Wo der Dorn sie gekratzt hatte, lief ein dünner Faden Blut über ihren Arm. Schon halb geronnen glänzte er dunkel auf ihrer hellen Haut. Sie sah ihrem Großvater nach, wie er den Berg hinunterging, in Richtung des Waldes unterhalb der Felsen. Jess, seine schwarze Labradorhündin, lief voraus und zerrte aufgeregt an der Leine, weil sie es kaum erwarten konnte, zum Bach zu kommen, wo sie sich austoben durfte.

Nein, man kann nicht ewig davonlaufen, dachte Helen. Aber man kann sich verdrücken und ein Stück mit dem Hund spazieren gehen.

Weiter unten am Hang stand Ben Cooper und schwitzte. Der Schweiß rann ihm durch das Brusthaar und legte sich als klebriger Film auf die Bauchmuskeln. Unter den Armen und am Rücken war sein T-Shirt klitschnass, und seine Kopfhaut kribbelte.

Noch hatte keine Brise den Weg durch die Bäume gefunden, um die stehende Hitze, welche die Nachmittagssonne zurückgelassen hatte, erträglicher zu machen. Jede Lichtung war eine kleine Sonnenfalle, in der sich die Wärme wie in einem Trichter sammelte. Selbst tiefer im Wald war die Luftfeuchtigkeit noch so hoch, dass es ihn am ganzen Körper juckte und er von winzigen schwarzen Fliegen geplagt wurde, die in dichten Wolken unter den Bäumen hingen und von seinem Schweißgeruch angezogen wurden.

Alle Männer in der Reihe hielten eine Holzstange in der Hand, mit der sie das hohe Gras durchstöbern und Farne und

Brombeerranken zur Seite schieben konnten. Die zertretenen Blätter rochen feucht und nach Erde, und Coopers braune Bergstiefel hatten sich bis weit über die Sohle hinauf dunkel verfärbt. Wenn er die Stange aus dem Unterholz zog, hingen Kletten daran, und kleine Raupen und Insekten klammerten sich an ihr fest. Alle paar Minuten musste er stehen bleiben, um sie auf dem Boden oder an einem Baumstamm abzuklopfen. Den anderen Männern in der Reihe erging es ebenso, und das dumpfe Klopfen und Schlagen begleitete die sporadisch aufkommenden Gespräche.

Nach einiger Zeit tat Cooper vom gebückten Gehen der Nacken weh. Als die Reihe kurz anhielt, damit die Männer in der Mitte ein dichtes Brombeergestrüpp durchsuchen konnten, reckte er erleichtert den Hals und blickte nach oben über den Waldrand hinweg. Auf der anderen Seite des Tals erhob sich die Flanke von Win Low. Dort oben, auf den kahlen Felsnasen, die Witches – Hexen – genannt wurden, war es sicher wesentlich kühler. Bestimmt ging auf dem Gipfel ein frischer Westwind, ein Wind, bei dem man immer das Gefühl hatte, er käme direkt aus den walisischen Bergen und über die Cheshire-Ebene herübergeweht.

Seit zwei Stunden ärgerte er sich nun schon, dass er nicht daran gedacht hatte, eine Kopfbedeckung mitzunehmen, um sich vor der Sonne zu schützen. Ausnahmsweise einmal beneidete er die uniformierten Kollegen weiter unten in der Reihe, die sich die dunklen Schirmmützen tief in die Stirn gezogen hatten und deren Abzeichen in der Sonne glänzten. Bei der Kriminalpolizei zu sein, hatte manchmal auch Nachteile.

»Mann, was für eine Zeitverschwendung.«

Der Police Constable neben Ben Cooper kam von der Dienststelle Matlock, ein angegrauter Landpolizist, der früher einmal Ambitionen gehabt hatte, sich zu einer Spezialeinheit nach Chesterfield versetzen zu lassen. Doch während die Spezialeinheit ein Stück weiter unten am Hügel im Einsatz war, direkt unterhalb der Villa, war PC Garnett zusammen mit dem Kripobeamten aus Edendale zu einer spontan zusammengewürfelten

Suchmannschaft abkommandiert worden, der auch einige National Park Ranger angehörten. Man sah es seinem blauen Overall an, dass Garnett mehr Wert auf Bequemlichkeit legte als auf modisches Aussehen, und er hatte so wild mit seiner Stange herumgefuchtelt, dass die Kollegen nach und nach immer weiter von ihm abgerückt waren, um ihre Schienbeine vor ihm in Sicherheit zu bringen.

»Meinen Sie?«

»Aye, auf jeden Fall«, antwortete Garnett. »Die Kleine soll doch angeblich mit ihrem Freund durchgebrannt sein.«

»Ach ja?«, sagte Cooper. »Davon weiß ich nichts. Bei der Einsatzbesprechung wurde nichts davon erwähnt. Nur, dass sie vermisst wird.«

»Vermisst? Dass ich nicht lache. Verlassen Sie sich darauf, die treibt es mit irgendeinem pickeligen Knaben. Fünfzehn Jahre alt, was will man heutzutage schon anderes erwarten?«

»Vielleicht haben Sie Recht. Trotzdem müssen wir der Sache nachgehen.«

»Das kann ich Ihnen sagen, wenn sich eine von meinen beiden so was erlauben würde, würde ich sie umbringen.«

Garnett drosch mit solcher Wut auf einen kleinen Holunderschössling ein, dass er in zwei Teile zerbrach, die zarten jungen Zweige auf die Erde fielen und klebriger Saft herauslief. Dann trat er auf den abgeknickten Stamm und rammte ihn mit seinem Polizeistiefel ins Gras. Falls irgendwelche zerbrechlichen Beweisstücke im Wald herumlagen, konnte Cooper nur hoffen, dass er sie fand, bevor Garnett in ihre Nähe kam.

Doch dann sah er den Police Constable an und musste lächeln. Der Mann meinte es nicht böse. Er war nur ein gealterter Familienvater, dem jeder berufliche Ehrgeiz mit zunehmender Leibesfülle abhanden gekommen war, aber er war kein schlechter Mensch. Cooper konnte förmlich sehen, welche kleinen Alltagssorgen an Garnett nagten, angefangen von seinem zurückweichenden Haaransatz über die wiederkehrenden Kreuzschmerzen bis hin zur Höhe seiner Telefonrechnung.

»Seien Sie froh um die Überstunden«, sagte er. »Die können wir alle gebrauchen.«

»Ah, da haben Sie Recht, mein Junge. Wie wahr. Da braucht es schon einen Fall wie diesen, dass die Geizkrägen da oben mal ein paar Pfund extra lockermachen.«

»Das liegt an den Sparmaßnahmen.«

»Sparmaßnahmen!« Garnett stieß es wie einen Fluch hervor. Beide Männer blieben einen Augenblick stehen, um dem Wort hinterherzulauschen, und schüttelten resigniert den Kopf.

»Bleiben Sie mir bloß mit diesen Buchhalterseelen vom Leib«, sagte Garnett. »Für die sind wir doch keine Polizisten mehr, sondern eine Zahlenkolonne auf einem Stück Papier. Alles dreht sich nur noch um spektakuläre Einsätze und Aufklärungsquoten. Für einen Polizisten vom alten Schlag ist heute kein Platz mehr.«

Verbittert sah er zu der Spezialeinheit hinüber, die sich hinter einer Reihe von Pyramidenpappeln, die wie dunkle Stacheln aus der Landschaft ragten, durch das Gebüsch kämpfte.

»Aber wem sage ich das? Sie sind anders, mein Junge. Ganz der Vater, wie man hört. Hut ab, kann man da nur sagen. Viel Glück wünsche ich Ihnen.«

»Danke.«

Cooper war gerade erst aus seinem zweiwöchigen Sommerurlaub zurückgekommen. Gleich an seinem ersten Arbeitstag war er für die Suche nach Laura Vernon eingeteilt worden, fünfzehn Jahre alt, seit Samstagabend vermisst. Sie hatte kurzes, dunkles, rot-gefärbtes Haar, trug eine silberne Perle in der Nase, war 1,75 Meter groß und reif für ihr Alter. Gleichzeitig suchten sie auch nach ihrer Kleidung – schwarze Jeans, rotes, kurzärmeliges Baumwoll-T-Shirt, weißer Sport-BH, blauer Slip, blaue Söckchen, ein Paar Turnschuhe Marke Reebok, Größe 38, slim fit. Dass die Suche ihrer Leiche gelten würde, sobald sie die Kleidung gefunden hatten, verstand sich von selbst.

»Was diese Kleine angeht: Wenn Sie mich fragen, ist sie längst über alle Berge«, sagte Garnett. »Mit ihrem Freund durchgebrannt. Irgendein Halbstarker aus Manchester mit einem Motorrad. Aber so geht es eben heutzutage zu bei den Teenagern. Und wen wundert das? Schließlich lernen sie in der Schule alles über Verhütung, wenn sie noch keine zwölf Jahre alt sind. Und die Eltern haben natürlich keine Ahnung. Eltern wie die hier bestimmt nicht. Meistens kriegen sie doch kaum mit, dass es das Kind überhaupt gibt.«

Cooper hatte noch Muskelkater in den Beinen von seiner Klettertour in den steilen, imposanten Cuillin Hills auf der Isle of Skye. Seine Freunde Oskar und Rakesh, die zur Bergrettung von Edendale gehörten, konnten von den Bergen einfach nicht genug bekommen. Er selbst hätte heute allerdings gegen einen ruhigen Tag am Schreibtisch nichts einzuwenden gehabt: ein paar Telefonate vielleicht, sich informieren, was in den letzten vierzehn Tagen passiert war, sich den neuesten Revierklatsch anhören. Alles wäre ihm lieber gewesen als diese Kraxelei.

Aber er kannte sich in der Gegend aus, das Dorf, aus dem er stammte, lag nur wenige Kilometer entfernt. Die meisten Männer, die für die Suchmannschaft eingeteilt worden waren, kamen aus anderen Gebieten oder Dienststellen. Einige von ihnen waren sogar aus der Stadt. In diesem Gelände wären sie reihenweise in die alten Minenschächte gefallen, wenn ihnen nicht einer erklärt hätte, wo oben und unten war.

Natürlich konnte PC Garnett durchaus Recht behalten. Es geschah schließlich oft genug, dass sich Jugendliche im ländlichen Peak District langweilten und den Verlockungen der Großstadt erlagen. Und einen Freund hatte die Kleine sicher auch gehabt, einen Jungen, den ihre Eltern ablehnten. Laut Protokoll hatten die Vernons ausgesagt, es habe bei ihnen zu Hause keinen Ärger gegeben, keinen Familienstreit, nicht den geringsten Grund, warum Laura hätte weglaufen sollen. Aber sagten das betroffene Eltern nicht immer? In jeder Familie gab es Missverständnisse und Dinge, die niemand ahnte. Vor allem, wenn es sich um eine Familie handelte, der die nötige Zeit oder das Interesse fehlte, miteinander zu reden.

Andererseits hatte Laura nichts zum Anziehen mitgenommen, kein Geld, keinerlei Habseligkeiten. Und sie war, wie erste Befragungen ergeben hatten, am Samstagabend dabei gesehen worden, wie sie am Rande des Baulk, eines ausgedehnten Waldgebietes, mit einem jungen Mann gesprochen hatte.

Als Cooper auf dem Hügel unterhalb des Dorfes Moorhay angekommen war, hatte er sich daran erinnert, dass er schon einmal in Laura Vernons Elternhaus gewesen war. Es war das große weiße Haus, The Mount genannt, das, hinter den Bäumen verborgen, allein auf einem Geländevorsprung stand, oberhalb der Stelle, die von dem Suchtrupp durchkämmt wurde. Die Villa, die ursprünglich einem Bergwerksbesitzer gehört hatte, war groß und protzig. Sie hatte einen streng gestalteten Garten voller Rhododendren und Azaleen und eine Terrasse mit einem überwältigenden Blick über das Tal. Cooper war dort zum achtzehnten Geburtstag eines Klassenkameraden eingeladen gewesen. Dass der Junge wohlhabende Eltern hatte, wussten an der alten Edendale High School alle, noch bevor sie in den Genuss einer Hausführung gekommen waren. Die damaligen Besitzer waren nicht die Vernons gewesen, sondern Einheimische, die Familie eines Mannes, der im Peak District eine Hand voll kleinerer Tankstellen geerbt hatte und von Edendale und den umliegenden Dörfern aus bis über die Grenzen Derbyshires hinaus expandiert hatte, bis nach Süd-Yorkshire und an den Rand der Großstädte.

Natürlich hatte er das Geschäft letztlich an eine größere Gesellschaft verkauft und dabei tüchtig abkassiert. Anschließend war er weggezogen. Ins Ausland, hieß es. Nach Südfrankreich oder Italien, so wurde allgemein vermutet.

Die Villa hatte eine Zeit lang leer gestanden, bis zum Ende der Rezession. Abbildungen ihrer eleganten Fassade fanden sich regelmäßig in den exklusiveren Immobilienanzeigen der Landhaus-Magazine. Wenn die Dorfbewohner im Wartezimmer des Arztes saßen, staunten sie über die Anzahl der Bäder, rätselten darüber, was wohl ein Wirtschaftsraum war, und schüttelten ungläubig den Kopf über die vielen Nullen im Kaufpreis. Irgendwann hatten dann die Vernons die Villa gekauft. Niemand wusste, woher sie kamen oder was Mr. Vernon beruflich genau machte, außer dass er Geschäftsmann war. Er fuhr jeden Morgen mit seinem Jaguar XJS Richtung Sheffield und blieb manchmal tagelang fort. Gehörte er auch zu denen, die im Peak District nur eine kleine Zwischenstation einlegten, bevor sie sich in der Toskana niederließen?

»Das Überstundengeld kommt Ihnen doch bestimmt auch nicht ungelegen. Waren Sie nicht gerade im Urlaub?«, fragte Garnett.

»In Schottland«, antwortete Cooper.

»Ach, du lieber Himmel. Schottland? Da ist es doch genauso wie hier, bloß mit ein bisschen feuchter. Das wäre nicht mein Fall. Wenn ich in Urlaub fahre, will ich Sand und Sonne sehen. Und mich billig volllaufen lassen. Ich stehe auf Ibiza. Jede Menge englische Pubs und Kasinos. Ein paar Flaschen Sangria, eine Paella und dann nichts wie ran an die Spielautomaten. Das ist für mich das Höchste. Außerdem würde meine Frau sich scheiden lassen, wenn ich ihr mit etwas anderem käme. Im nächsten Jahr will sie auf die Malediven. Ich weiß noch nicht mal, wo die liegen.«

»Irgendwo östlich von Ibiza, glaube ich«, sagte Cooper. »Aber da würde es Ihnen auch gefallen.«

Die Reihe bewegte sich wieder vorwärts, und Cooper verscheuchte einen Fliegenschwarm vor seinem Gesicht. Sonne, Sand und billigen Fusel, an so etwas konnte er jetzt nicht denken. Selbst während der vierzehn Tage in den Steilwänden der Isle of Skye war er oft in Gedanken nicht ganz bei der Sache gewesen, sondern schon bei den Auswahlgesprächen für eine mögliche Beförderung, die in wenigen Tagen stattfinden sollten. In der Dienststelle E wurde in Kürze eine Stelle als Detective Sergeant frei. DS Niles war nun schon seit Wochen krankgeschrieben, und alles schien auf die übliche krankheitsbedingte Frühpensionierung hinauszulaufen – eine weitere Belastung des ohnehin schon überstrapazierten Polizeihaushalts. Ben Cooper hielt sich für Niles' idealen Nachfolger: zehn Jahre im Polizeidienst, fünf davon bei der Kripo, bessere Ortskenntnisse als die übrigen Kollegen in seiner Schicht zusammengenommen. Er wollte und musste den Posten als Sergeant bekommen. Außerdem war es der Wunsch seiner Familie. Cooper dachte an den verzweifelt hoffnungsvollen Blick seiner Mutter, wenn er von der Arbeit nach Hause kam, an die Frage, die sie genauso oft unausgesprochen ließ, wie sie sie stellte. Er musste tagsüber oft an sie denken, jedes Mal, wenn er einen kranken oder alten Menschen sah. Er dachte an ihre Schmerzen, die anscheinend gar nicht mehr besser werden wollten, an ihren Kummer und an das Einzige, was er tun konnte, um ihr Leid vielleicht ein wenig zu lindern. Er sehnte sich danach, ihr das zu geben, was sie sich am meisten wünschte, nur dieses eine Mal.

Die Reihe der Männer war inzwischen so weit unter die Bäume vorgedrungen, dass das Laubdach den Lärm des Polizeihubschraubers dämpfte, der noch immer über dem Tal kreiste und die Wälder mit der Wärmebildkamera absuchte. Der Übergang von der gleißenden Sonne in den dunklen Schatten machte es schwierig, irgendwelche Einzelheiten im Unterholz zu erkennen. Hinter den brusthohen Brombeersträuchern und Weidenröschen hätten ganze Trupps Soldaten auf der Lauer liegen können, die bloß darauf warteten, dass ein argloser Bobby im blauen Overall auf sie stieß, lediglich mit einer Holzstange bewaffnet, an der schleimige Schnecken klebten.

In der Nähe keckerte ein Fasan und flog aufgeschreckt davon. Weiter entfernt war ein anderes Geräusch zu hören. Die Bäume standen zu dicht, um sagen zu können, aus welcher Richtung es kam. Es war das Bellen eines Hundes, einmal nur.

2

Charlotte Vernon hatte sich seit einer Viertelstunde nicht mehr bewegt. Vielleicht lag es an den Tabletten oder dem Alkohol, vielleicht auch an den wilden Spekulationen, die ihr durch den Kopf schossen, jedenfalls wechselten sich schon den ganzen Tag Phasen der Unrast mit Augenblicken vollständiger Lähmung ab. Immer wenn es ihr scheinbar gelungen war, ihre Gedanken über einen kurzen Zeitraum hinweg vollkommen auszublenden, schlug erneut eine Welle der Angst über ihr zusammen. Das Warten war ihr zum Lebensinhalt geworden.

Charlotte stand auf der Terrasse, an die Steinbalustrade gelehnt, und sah dem Hubschrauber nach, der über sie hinwegflog. Sie verfolgte die Bewegungen der Rotorblätter, als hoffte sie, in deren Flirren eine Botschaft lesen zu können. Auf dem Tisch neben ihr standen ein halbes Glas Bacardi und ein überquellender Aschenbecher mit zerdrückten Kippen, die Filter zinnoberrot verschmiert.

Sie stand schon den ganzen Nachmittag auf der Terrasse und schien kaum zu bemerken, wie die Sonne nun allmählich hinter dem Haus verschwand und die Luft merklich kühler wurde. Sie hatte sich nur gerührt, wenn hinter ihr im Haus das Telefon geklingelt hatte. Dann hatten sich ihre Muskeln gespannt und ihre Finger die Balustrade fester umklammert, bis Graham den Hörer abnahm. Erst hatte sie sich angestrengt, sein Gemurmel zu verstehen, dann hielt sie sich die Ohren zu, als ob sie nichts davon hören wollte.

Doch es waren immer nur Anfragen von Freunden oder sogar geschäftliche Gespräche gewesen, die Graham mit gesenkter Stimme erledigte, wobei er sich, mit einem Blick auf den Rücken seiner Frau, schuldbewusst abwandte. Er schien erleichtert, sie nicht ansehen zu müssen, vor der Bergkulisse der Witches, den Kopf zum Himmel erhoben, wie die Heldin eines Ritterromans, die auf Nachricht aus einer fernen Schlacht wartet.

Nach dem letzten Anruf legte Graham den Hörer auf und wandte sich wieder um zur Terrassentür.

»Das war Edward Randle von AET«, sagte er. »Er lässt dich grüßen. Und er wollte wissen, ob Martina und er morgen Abend trotzdem kommen sollen.«

Charlotte sagte kein Wort. Nur das leise Surren der Ventilatoren und das ferne Bellen eines Hundes unten im Dorf waren zu hören.

»Ich habe ihm natürlich zugesagt. Wir können sie schließlich nicht wieder ausladen. Das Leben geht weiter.«

Graham fragte sich, ob sie ihn überhaupt gehört hatte. Sie war in ihrer eigenen Welt versunken, wo für Banalitäten wie Allied Electronics kein Platz war. Graham ging ein paar Schritte auf sie zu, unsicher, ob er sie berühren sollte. Vielleicht brauchte sie jetzt menschliche Nähe, vielleicht würde dadurch aber auch alles nur noch schlimmer werden. Er wusste es nicht.

Er roch das Sonnenöl auf ihrer Haut. Ihr blond gefärbtes Haar hing glatt herunter, bis auf den Rand des Tuchs, das sie sich um die Schultern geschlungen hatte. Die Muskeln ihrer schlanken, gebräunten Beine waren straff gespannt. Graham unterdrückte das in ihm aufsteigende Verlangen. Vielleicht wäre seine Frau bis zum Abend wieder etwas empfänglicher für seine Avancen. Vielleicht auch erst morgen.

»Hast du gehört, Charlotte?«

»Können wir nicht einfach den Hörer daneben legen?«

»Aber dann würden wir nichts hören … wenn es etwas Neues gibt.«

»Wenn sie Laura finden, wolltest du sagen.«

Charlotte klang müde, die Anstrengungen der letzten 48 Stunden forderten ihren Tribut, auch wenn sie das nur ungern zugeben würde.

»Sie werden sie doch finden, Graham?«

»Aber natürlich.«

Seit zwei Tagen beschwichtigte Graham sie nun schon mit den gleichen Worten. Obwohl er sich um einen möglichst überzeugenden Ton bemühte, bezweifelte er, dass seine Frau ihm glaubte. Er glaubte sich ja selbst nicht.

Der Hubschrauber beschrieb eine Kurve, und die Rotorblätter verschwanden hinter der Hügelkette. Charlotte sah ihm verzweifelt nach, als ob sie sich nicht genug bemüht hätte, die Botschaft zu entziffern. Von der Terrasse aus war keines der Häuser, die zum Dorf gehörten, zu erkennen. Man sah nur ein paar Farmen, hoch oben auf der gegenüberliegenden Bergflanke, deren verwitterte Wände mit dem übrigen Gestein verschmolzen. Kein Wunder, dass Charlotte den Hubschrauber nur ungern aus den Augen verlor. Er war das einzige Zeichen von Leben, das sie vom Mount aus sehen konnte.

»Man hört so oft, dass ein Mädchen von zu Hause wegläuft und für immer verschwindet«, sagte sie. »Nach London zum Beispiel. Könnte sie in London sein, Graham? Und wie sollte sie dort hingekommen sein?«

»Sie ist doch erst fünfzehn«, sagte er. »Man würde sie wieder zurückbringen.«

»Wie soll sie hingekommen sein?«, wiederholte sie. »Woher hätte sie das Geld gehabt? Sie könnte natürlich per Anhalter gefahren sein. Weiß sie überhaupt, wie man trampt? Warum hat sie nichts zum Anziehen mitgenommen?«

Seit zwei Tagen stellte sie nun schon zu viele Fragen, die Graham nicht beantworten konnte. Er hätte ihr gern gesagt, dass Laura höchstens bis Bakewell gekommen sein konnte und dass die Polizei sie spätestens diese Nacht aufgreifen würde. Er hatte versucht, es ihr zu sagen, aber er hatte es nicht über die Lippen gebracht.

»Willst du nicht reinkommen? Du musst etwas essen.«

»Noch nicht«, sagte sie.

»Es wird schon dunkel. Du solltest dir wenigstens etwas überziehen.«

»Ich bleibe hier draußen«, sagte sie.

»Charlie …«

»So lange sie noch nach ihr suchen«, sagte sie. »So lange möchte ich hier draußen bleiben.«

Ein kaum angelesenes Buch lag aufgeklappt auf dem Tisch. Graham sah am Einband, dass es der neueste Krimi aus einer Bestsellerserie über eine amerikanische Gerichtsmedizinerin war, die eine Leiche nach der anderen sezierte und scharenweise Serienkiller fing. Auf dem Umschlag war der kaum identifizierbare Teil eines nackten Körpers vor einem dunklen Hintergrund zu sehen.

»Ich weiß wirklich nicht, wo wir sie noch suchen könnten«, sagte Charlotte. »Obwohl ich mir so das Hirn zermartere. Aber wir haben sie doch schon überall gesucht. Fällt dir nicht noch etwas ein, Graham?«

»Wir haben es überall probiert«, sagte Graham.

»Was ist mit dem Mädchen aus Marple?«

»Da haben wir auch schon nachgefragt. Ihre Eltern sagen, dass sie den Sommer über in Frankreich ist.«

»Ach ja, das hatte ich vergessen.«

»Wenn sie in schlechte Gesellschaft geraten ist …«

»Wie denn?«, sagte Charlotte schnell. »Wir haben doch immer so gut auf sie aufgepasst. Wie sollte sie da in schlechte Gesellschaft geraten?«

»So etwas kommt vor, da dürfen wir uns nichts vormachen. Auch wenn … Auch wenn ihre Freunde aus den besten Familien stammen, können sie auf die schiefe Bahn geraten sein.«

»Möglich wäre es.«

»Und dann gibt es diese Rave-Partys. Ich habe gehört, dass sie manchmal das ganze Wochenende dauern.«

Charlotte schauderte. »Meinst du, sie nimmt Drogen?«

»Wenn sie wieder da ist, müssen wir jedenfalls ernsthaft mit ihr reden.«

Nachdem der Hubschrauber abgedreht hatte, trug die Abendbrise leise Stimmen und Rufe zum Haus herauf. Wegen des dichten Baumbestandes konnten Graham und Charlotte niemanden sehen, doch sie wussten beide, dass es die Männer waren, die am Berg nach ihrer Tochter suchten.

»Wahrscheinlich kennen wir nicht alle ihre Freunde«, sagte Graham. »Darüber brauchen wir uns keine Illusionen zu machen. Und manchmal hat sie sich bestimmt auch an Orten herumgetrieben, von denen wir nichts wissen sollten.«

Charlotte schüttelte den Kopf. »Laura hatte keine Geheimnisse vor mir«, entgegnete sie. »Vor dir natürlich schon. Aber nicht vor mir.«

»Wenn du meinst, Charlotte.«

Charlotte kräuselte irritiert die Stirn, weil er ihre Kritik so widerspruchslos hinnahm. »Weißt du vielleicht mehr als ich, Graham? Weißt du etwas, was du mir nicht sagen willst?«

»Natürlich nicht.«

Er dachte an sein letztes Gespräch mit Laura. Es war am späten Donnerstagabend gewesen, als sie in sein Arbeitszimmer geschlüpft war und ihn überredet hatte, ihr ein Glas Whisky einzuschenken. Sie war aufgeregt gewesen, hatte sich auf die Schreibtischkante gesetzt, seinen Arm gestreichelt und ihn mit dem verführerischen Lächeln angesehen, das, wie sie sehr wohl wusste, auf alle männlichen Besucher des Hauses eine unwiderstehliche Wirkung hatte. Sie hatte sich wieder einmal die Haare gefärbt, ein dunkleres Rot als je zuvor, fast schon violett, und ihre Fingernägel waren so dunkel lackiert gewesen, dass sie schwarz wirkten. Dann hatte sie ihm mit diesem wissenden Blick in ihren Augen und diesem verstohlenen Zwinkern gesagt, was sie von ihm wollte. Am nächsten Morgen hatte er Lee Sherratt entlassen. Es war bereits der zweite Gärtner, den er in diesem Jahr verlor.

»Nein, natürlich nicht, Charlotte.«

Sie akzeptierte seine Antwort. »Und was ist mit dem Jungen, diesem Lee?«

Graham schwieg. Er legte ein weiches, ledernes Lesezeichen zwischen die Seiten des Romans und klappte ihn zu. Er nahm das Buch und das halb volle Glas Bacardi vom Tisch. Die Sonne war inzwischen fast völlig aus dem Tal verschwunden. Nur die zerklüfteten Grate der Witches glühten noch im Abendrot, von dem sich die bereits im Schatten liegenden Felsrinnen wie schwarze Streifen abhoben.

»Was ist mit ihm, Graham? Was ist mit dem Jungen?«

Er wusste, dass Charlotte in Laura noch immer das unverdorbene, unschuldige Mädchen sah. Und das würde ihre Tochter auch immer für sie bleiben. Aber Graham sah sie seit einiger Zeit mit anderen Augen. Und der Junge? Der Junge hatte seine Strafe bereits bekommen. Die Strafe dafür, dass er nicht nach Lauras Pfeife tanzen wollte. Lee Sherrat war zu stur gewesen, um sich auf ihre Spielchen einzulassen, und außerdem hatte er noch ein paar andere Eisen im Feuer. Deshalb hatte Graham ihn entlassen. Laura hatte es so gewollt.

»Er ist von der Polizei vernommen worden. Er hat ausgesagt, dass er Laura seit Tagen nicht mehr gesehen hat.«

»Glaubst du das?«

Er zuckte mit den Achseln. »Wer kann im Moment schon sagen, was man glauben soll?«

»Ich will mit ihm sprechen. Ich will ihn selbst fragen. Ich will ihn zwingen, die Wahrheit zu sagen.«

»Das wäre bestimmt keine gute Idee, Charlie. Überlass das lieber der Polizei.«

»Aber sie wissen Bescheid über ihn?«

»Natürlich. Sie haben ihn sowieso in ihren Akten. Wegen des Autodiebstahls.«

»Was für ein Autodiebstahl?«

»Du weißt doch. Vom Parkplatz oben auf dem Kliff wurde ein Wagen gestohlen. Laura hat uns davon erzählt.«

»Wirklich?«, sagte Charlotte vage.

Schließlich erlaubte sie ihm doch, sie zurück ins Wohnzimmer zu führen, wo sie die Hände über die vertrauten Einrichtungsgegenstände gleiten ließ – ein Kissen, die Rückseite eines bezogenen Stuhls, den Klavierhocker, eine Reihe goldgerahmter Fotos in einer Vitrine. Sie öffnete ihre Handtasche, zog sich die Lippen nach und zündete sich eine Zigarette an.

»Wer wollte morgen Abend sonst noch kommen?«, fragte sie.

»Die Wingates, Paddy und Frances. Sie bringen Freunde aus Totley mit, die offenbar groß im Computergeschäft sind und zurzeit in Doncaster und Rotherham Systeme installieren. Paddy meint, sie haben eine echte Zukunft in der Branche. Sie wären die idealen Klienten, aber ich müsste zusehen, dass ich möglichst schnell den Kontakt knüpfe.«

»Dann sollte ich mich wohl um das Essen kümmern.«

»Bist ein Schatz.«

Als sie sich zu ihrem Mann umdrehte, hatte sie keine Tränen in den Augen. Graham war erleichtert. Charlotte war keine Frau, die leicht weinte, und er hätte nicht gewusst, wie er damit umgehen sollte. Stattdessen nestelte sie an ihrem Tuch, sodass er ihre braunen Schenkel und die sanfte Wölbung ihres Bauchs über dem Bikinihöschen sehen konnte.

»Du stehst auf Frances, nicht wahr?«, sagte sie.

Graham grinste, den Spruch kannte er schon. »Nicht so sehr wie auf dich, Charlie.«

Er wollte auf sie zugehen, aber sie wandte sich ab, nahm einen Fotorahmen aus der Vitrine und strich über die Ränder.

»Kannst du nicht zu Lee Sherratt gehen, Graham? Damit wir Laura zurückbekommen.«

»Lass es gut sein, Charlie.«

»Warum?«

»Weil die Polizei sie sowieso findet.«

»Meinst du?«

Der Rahmen, den sie in der Hand hielt, war leer. Sie hatten das Bild der Polizei gegeben, damit Laura identifiziert werden konnte, wenn man sie fand. Graham nahm Charlotte den Rahmen ab und stellte ihn wieder in die Vitrine.

»Ganz bestimmt«, sagte er.

Der Wutausbruch der alten Frau war vorbei, doch ihre knochigen Hände huschten immer noch fahrig über die geblümten Armlehnen des Sessels. Helen sah zu, wie sie sich allmählich wieder beruhigte und wie sie die Strickjacke hochzog, die ihr in der Aufregung von den Schultern gerutscht war.

»Ich habe Wasser aufgesetzt, Grandma.«

»Wie du meinst.«

»Möchtest du deine Spezialmischung?«

»Mach einfach eine Kanne Beuteltee. Aber tu einen mehr rein. Du weißt ja, wie ich ihn am liebsten mag.«

Helen stellte sich an das schmale Küchenfenster des Dial Cottage und wartete, dass das Wasser kochte. Wegen all der Küchengeräte, die ihr Vater seinen Schwiegereltern geschenkt hatte, war kaum noch Platz, um sich zu bewegen. Zwischen dem Herd und dem überdimensionalen Holztisch, der quer zur Spüle in den Raum gequetscht worden war, konnten nicht einmal zwei Leute stehen.

Der Tisch war mit Küchensachen übersät; Sets mit Szenen aus einem nordwalisischen Seebad, Minze- und Thymiansträußchen, ein Glas Orangenmarmelade, ein Glas mit hölzernen Kellen und Kochlöffeln, ein Kartoffelschäler mit Holzgriff, ein Hackbrett und eine Schüssel Wasser, in der eine halbe Zwiebel lag. Auf dem Linoleum neben der Hintertür standen ein Paar Gummistiefel und ein Spazierstock, und an dem Haken, der normalerweise für Harrys Mütze reserviert war, hing eine dunkelgrüne gewachste Jacke mit Cordkragen. Die Jacke hatte Helen ihm zum fünfundsiebzigsten Geburtstag geschenkt.

»So habe ich ihn noch nie erlebt«, sagte ihre Großmutter nebenan aus dem Sessel, ohne die Stimme erheben zu müssen, weil es bis zur Küche nur wenige Schritte waren. »So schlimm nicht. Wenn er überhaupt mit mir redet, dann nur, um mich anzuraunzen.«

»Hast du ihn mal gefragt, was mit ihm los ist?«

»Gefragt? Harry? Da kann ich genauso gut mit der Wand reden.«

»Vielleicht ist er krank, Grandma.«

»Na ja, er hatte letztens eine Erkältung.«

Helen sah, dass ihre Großmutter glaubte, Harry irgendwie verärgert und gegen sich aufgebracht zu haben. Sie selbst hatte eher den Verdacht, dass er schwer erkrankt war, dass ihn etwas quälte, was er lieber für sich behielt, ein schreckliches Geheimnis, das er seiner Frau und seiner Familie nicht zumuten wollte.

Bei einem Mann von Ende siebzig, der Raucher war, fast sein gesamtes Arbeitsleben in einer Bleimine zugebracht und in einem Weltkrieg gekämpft hatte, war so etwas nicht auszuschließen. Solche Gedanken wären ihrer Großmutter, Gwen, nie in den Sinn gekommen. Erst wenn man Harry auf den Friedhof von St. Edwin brachte, würde sie glauben, dass er etwas Ernsteres als eine schlimme Erkältung gehabt hatte.

»Aber krank oder nicht, es hat ihn jedenfalls nicht davon abgehalten, mit Jess spazieren zu gehen. Es hindert ihn auch nicht daran, mit seinen Freunden herumzuziehen.«

»Nein, Grandma.«

Helen spülte die Kanne heiß aus, gab drei Teebeutel hinein und goss kochendes Wasser auf.

Während sie den Tee ziehen ließ, blickte sie aus dem Fenster, hinaus in den Garten und hinunter ins Tal. Der Garten mit den Petunien- und Veilchenbeeten, den Reihen von Kartoffeln mit ihren weißen und gelben Blüten und den Stangen, um die sich die Bohnen rankten, wirkte hell und freundlich. Aber die Wälder, die sich bis ins Tal erstreckten, sahen beklemmend düster aus. Eine halbe Meile entfernt stand der Polizeihubschrauber über den Baumwipfeln. Sie suchten immer noch. Sie hatten die Hoffnung noch nicht aufgegeben.

»Er hat sich verändert. Und daran sind seine Freunde schuld. Er denkt mehr an sie als an mich. Mehr als an seine Familie.«

»Aber Granddad geht die Familie doch über alles.«

»Sie sind schuld. Wilford Cutts und der andere, Sam Beeley.«

»Sie sind doch nur seine Freunde. Seine alten Arbeitskollegen. Sie haben nichts damit zu tun.«

»Doch, das ist alles ihre Schuld.«

»Sie haben bestimmt nichts getan, Grandma. Es sind bloß seine Freunde aus der Glory Stone Mine. Er kennt sie doch schon ewig.«

»Aber früher war es anders, als sie noch gearbeitet haben. Jetzt haben sie ihn mir weggenommen und ihn auf komische Gedanken gebracht.«

»Ich weiß nicht, was du meinst«, sagte Helen.

Dabei hatte sie selbst schon gerätselt, was die drei alten Männer wohl trieben, wenn sie zusammen auf dem Berg waren oder auf Wilfords heruntergekommener kleiner Farm, wo er eine Schar Hühner und eine seltsame Menagerie alter Tiere hielt. Manchmal brachte Harry eine Mütze voll gesprenkelter brauner Hühnereier oder einen Sack Kartoffeln von der Koppel mit, aus der Wilford und er ein großes Gemüsebeet gemacht hatten. Manchmal gingen die drei auch nur zusammen ins Wirtshaus, wo Sam Beetley in seinem Element war und die Runden bezahlte.

»Seit er nicht mehr arbeitet, ist er ein anderer geworden«, sagte Gwen. »Alle drei haben sich verändert. Es tut Männern nicht gut, wenn sie nichts zu tun haben. Jedenfalls diesen Männern nicht. Müßiggang ist aller Laster Anfang.«

»Jetzt redest du aber wirklich Unsinn, Grandma.«

Helen fand im Kühlschrank eine Packung H-Milch und gab vorsichtig ein paar Tropfen in die Tasse, damit der Tee schön stark blieb.

Ihre Großmutter hatte sich von dem alten Linoleum in der Küche nicht trennen können. Als im Wohnzimmer der neue Teppichboden verlegt wurde, hatte sie so lange behauptet, Linoleum sei wunderbar sauber zu halten, bis ihrem Schwiegersohn Andrew nichts anderes übrig geblieben war, als nachzugeben. Helen konnte sich die Küche ohne das blaue Linoleum genauso wenig vorstellen wie ohne die dunkle Eichenholzvertäfelung, die unebenen Wände und die weiß getünchten Türrahmen.

»Auf jeden Fall denkt er mehr an seine Freunde als an mich. Das steht fest. Das hat er gerade wieder bewiesen.«

»Denk einfach nicht mehr daran, Grandma. Lass dir deinen Tee schmecken.«

»Du bist ein gutes Kind. Du warst immer sein Liebling, Helen. Warum redest du nicht mal mit ihm?«

»Ich werde es versuchen«, versprach Helen.

Sie stellte sich neben den Sessel der alten Frau, deren Kopfhaut rosa durch das schüttere weiße Haar hindurchschimmerte. Am liebsten hätte sie ihr den Arm um die Schultern gelegt, sie gedrückt und ihr gesagt, dass alles wieder gut werden würde. Aber es wäre ihrer Großmutter peinlich gewesen, und außerdem war sie sich selbst nicht ganz sicher, ob sich wirklich alles wieder einrenken würde. Überwältigt von einem Gefühl der Zuneigung und der Frustration, wandte sie sich ab.

Dann sah sie ihren Großvater, eine kleine Gestalt unten auf dem Bergpfad, die gerade am Fuß der Raven's Side aus den Bäumen hervortrat. Ob es an der Art lag, wie er sich bewegte, oder an seinen durchgedrückten Schultern, konnte sie selbst nicht sagen, aber sie wusste sofort, dass etwas nicht stimmte.

Gwen legte den Kopf auf die Seite und musterte sie, als wäre ihr Helens gespanntes Schweigen aufgefallen.

»Was hast du, Kind?«

»Nichts, Grandma.«

Helen entriegelte die Hintertür und stellte sich auf die weiß getünchte Stufe. Plötzlich hatte sie das Gefühl, Erinnerungen würden aus dem alten Cottage hinter ihr aufsteigen, wie Rauchwolken aus einem brennenden Haus. Es waren Kindheitserinnerungen, hauptsächlich an ihren Großvater – wie er sie an der Hand nahm und mit ihr den Weg hinunter zum Bach ging, wo sie Fische beobachtete und Blumen für eine Gänseblümchenkette pflückte, wie ihr Großvater sie stolz auf seinen Schoß setzte und ihr zeigte, wie er seine Pfeife stopfte, die er mit einem langen bunten Papierfidibus anzündete. Sogar Gerüche schienen ihr in die Nase zu steigen und in Sekundenschnelle wieder zu verfliegen, aber die mit ihnen verbundenen Gefühle waren so intensiv, dass ihr die Tränen in die Augen stiegen. Es waren die erinnerten Gerüche von Pfeifenrauch, Pomade und Schuhcreme.

Harry hatte schon damals ständig seine Schuhe geputzt, und bis heute war diese Manie ein unverwechselbares Kennzeichen, an dem sie ihren Großvater erkannte, so sehr er sich auch sonst im Laufe der Jahre verändert hatte. Ohne dieses und einige andere Merkmale wäre er für das Kind, das ihn als starken, unverwüstlichen Mittfünfziger erlebt hatte, im Alter vielleicht zum Fremden geworden.

In diesem Augenblick hätte sie ihren Großvater allein an seinem Gang erkannt. Es war ein gemessener, zielgerichteter Gang, aufrecht und feierlich, der Schritt eines Soldaten bei einem Begräbnis, den Sarg eines verstorbenen Kameraden auf den Schultern.

Der Hubschrauber drehte abermals ab und kam genau auf sie zu. Zwei Gesichter starrten zu ihr herunter, ausdruckslos hinter dunklen Brillengläsern. Helen hatte das Gefühl, als ob die Polizisten direkt in ihr Herz sehen könnten. Ihre Anwesenheit war irgendwie persönlich, fast intim, und doch waren sie immer zu weit entfernt.

3

Okay, Leute. Pause.«

Der Befehl kam von dem uniformierten Sergeant am anderen Ende der Reihe. Die Männer in den blauen Overalls und den Gummistiefeln verteilten sich und setzten sich im Halbkreis in das ausgedörrte, lange Gras. Irgendjemand holte eine Thermosflasche Tee heraus, ein anderer ließ eine Flasche Orangensaft kreisen.

PC Garnett machte es sich bequem; er legte seine Stange weg und nahm die Mütze ab, wobei ein kurz geschnittener Haarkranz zum Vorschein kam. Angeblich lag es an den Helmen, dass vielen Polizisten schon früh die Haare ausgingen. Cooper war sich darüber im Klaren, dass auch er früher oder später Geheimratsecken bekommen würde. Wie er von allen Seiten zu hören bekam, hatte er das gleiche feine, braune Haar wie sein Vater, der, so lange er sich erinnern konnte, eine Halbglatze getragen hatte. Aber bis jetzt konnte er sich das Haar noch in die Stirn fallen lassen, wie er es schon seit Ewigkeiten trug. Modetrends berührten ihn wenig.

Garnett wischte sich mit dem Ärmel den Schweiß von der Stirn und bereitete sich grinsend auf einen gemütlichen Plausch vor. »Und, was sagen Sie zu dem Neuzugang in Ihrer Abteilung? Dem neuen DC?«

»Ich habe ihn noch nicht kennen gelernt. Ich bin eben erst aus dem Urlaub gekommen.«

»Er ist eine Sie, Kollege, eine Sie. Diane Fry.«

»Ach so.«

»Sie kommt aus Birmingham.«

»Ich habe noch nichts von ihr gehört. Sie wird schon in Ordnung sein.«

»Dave Rennie meint, sie ist ein ziemlich harter Brocken. Wenn sie wollte, könnte sie klasse aussehen, sagt er, aber sie will nicht. Blond, aber kurze Haare. Zu groß, zu dünn, kein Make-up, trägt nur Hosen. Ein richtiger Drachen.«

»Sie kennen sie doch gar nicht«, protestierte Cooper.

»Na ja, aber man kennt doch diesen Typ Frau. Wahrscheinlich eine Lesbe.«

Cooper stieß laut den Atem aus. »Das ist lächerlich. Wie können Sie solche Gerüchte verbreiten? Sie wissen doch gar nichts über sie.«

Cooper klang so gereizt, dass Garnett vorsichtshalber den Mund hielt und ihm nicht widersprach. Er riss einen Löwenzahn aus und zerrupfte die Blätter. Aber Cooper konnte das Thema nicht auf sich beruhen lassen.

»Sie wissen doch genauso gut wie ich, wie schwer es Frauen bei der Polizei haben, Garnett. Deshalb gehen sie es manchmal etwas zu verbissen an. Aber das gibt sich in ein, zwei Wochen wieder. Das ist doch immer so.«

»Na, ich weiß nicht. Auf jeden Fall habe ich das Gefühl, dass Ihnen nicht viel Zeit bleiben wird, sich mit ihr anzufreunden, mein Junge. Die hat Sie im Handumdrehen überholt und abgehängt.«

»Wieso? Ist sie Rennfahrerin?«

»Ha, ha.« Der Sarkasmus prallte wirkungslos an Garnett ab, so vertieft war er in seine Klatschgeschichte. »Man könnte sagen, ihr Ruf eilt ihr voraus. Sie soll ein echter Senkrechtstarter sein. Karrieregeil.«

»Ach ja? Na, erst muss sie mal beweisen, was sie drauf hat.«

»Wer weiß.«

Angezogen vom Schweiß und dem süßen Geruch des Orangensafts, schwärmten die kleinen Fliegen in immer dichteren Wolken um die Köpfe der Männer. PC Garnett lächelte süffisant.

»Was soll denn das nun wieder heißen?«, sagte Cooper. »Man wird doch nicht einfach so befördert, ohne dass man es sich verdient hat.«

»Wachen Sie auf, Kollege. Sie ist eine Frau. Schon mal was davon gehört? Zwei Titten und eine Möse, klappt die Klobrille immer runter.«

»Doch, ist mir bekannt. Und weiter?«

»Und weiter? Und weiter? Bei der Polizei gibt es nicht genug Frauen, vor allem in leitenden Stellungen, vor allem bei der Kripo. Lesen Sie keine Berichte? Sie werden es erleben, mein Junge – solange sie sich nichts zu Schulden kommen lässt und ihren Vorgesetzten immer brav zulächelt, wird Detective Constable Fry die Karriereleiter raufschießen, als ob sie eine Rakete im Arsch hätte.«

Cooper wollte eben widersprechen, als er vom Verbindungsmann gerufen wurde. »DC Cooper! Ist DC Cooper hier? Ihr Chef will Sie sprechen. Dringend.«

Die Anweisungen von DI Hitchens waren knapp, die Adresse, die er Cooper nannte, war in Moorhay, dem Dorf, das jenseits des Waldes auf der Hügelkuppe zu sehen war. In dieser Gegend lagen die meisten Gemeinden oberhalb von 300 Metern, da die Talsohlen für Siedlungen nicht breit genug waren.

»Gehen Sie der Sache nach, Cooper. Entweder wir finden das Mädchen in den nächsten beiden Stunden, oder wir verlieren die ganze Nacht. Sie wissen, was das bedeuten kann.«

»Bin schon unterwegs, Sir.«

»Nehmen Sie jemanden mit. Wer käme in Betracht?«

Cooper sah sich die Beamten an, die im Gras saßen. Sein Blick glitt über PC Garnett und ein paar ältere Bobbys, einen übergewichtigen Sergeant, zwei weibliche Police Constables aus Matlock und die drei Ranger hinweg.

»Von der Kripo ist niemand hier, Sir. Ich muss mir einen Uniformierten ausborgen.«

Cooper hörte ein leises Seufzen am anderen Ende der Leitung.

»Einverstanden. Aber Beeilung.«

Nachdem Cooper dem Sergeant die Sachlage so schnell wie möglich erklärt hatte, wurde ihm ein hochgewachsener, kräftiger

Bobby namens Wragg zugeteilt, der um die zwanzig war und bei der Aussicht auf ein bisschen Abwechslung sichtlich aufblühte.

»Folgen Sie mir, so gut Sie können.«

»Keine Bange. Ich halte schon mit«, sagte Wragg und ließ seine Schultermuskeln spielen.

Der Weg hinauf nach Moorhay führte zwischen den Bäumen hindurch zu einer Trockenmauer mit einem Schwinggatter. Dahinter lag eine Wiese, auf der Kühe weideten, die eben erst vom Melken zurückgetrieben worden waren. Nur wenige Wochen nach der Heuernte war das Gras noch nicht wieder nachgewachsen, und der weiche Boden federte unter Ben Coopers Füßen, als er an der Mauer entlanglief, mit Schweiß auf der Stirn und mit Krämpfen in den schmerzenden Beinen. Obwohl Wragg mühelos mit ihm Schritt hielt, verkniff er sich schon bald seine Fragen, da Cooper ohnehin nicht darauf einging. Er brauchte seinen Atem zum Laufen.

Die Kühe sahen ihnen mit großen Augen nach, malmten bedächtig und zuckten mit den Ohren. Früher am Nachmittag hatte die Suchmannschaft warten müssen, bis der Farmer die Kühe zum Melken in den Stall gebracht hatte, bevor sie das Feld durchkämmen konnte. Unvermeidliche Witze über Kuhfladen hatten die Runde gemacht.

An einer Stelle war die Mauer eingefallen und mit einem Elektrozaun ausgebessert worden, damit das Vieh nicht weglaufen konnte, bevor sich jemand fand, der die Mauer reparieren konnte. Bevor ihm die Kühe neugierig nachlaufen konnten, hatte Cooper bereits das nächste Gatter erreicht. Er lief um die angrenzende Wiese herum und einen geschotterten Feldweg hinauf.

Auf den letzten hundert Metern wurde der Weg so steil, dass Cooper sich in die Cuillin Hills zurückversetzt fühlte. Wragg fiel immer weiter zurück, er kam nur noch im Schritttempo voran und musste sich mit den Armen auf den Knien abdrücken, um sich den Berg hinaufzuquälen.

Sein Oberkörper war kräftig gebaut, dafür fehlten ihm in den Oberschenkeln und Waden die Muskeln, die man zum Bergsteigen brauchte. Manche der alten Leute, die ihr ganzes Leben in einem dieser hoch gelegenen Dörfer gewohnt hatten, hätten den jungen Police Constable mit Leichtigkeit überholt.

Schließlich kam Cooper zu der hohen dunklen Mauer des Friedhofs von St. Edwin. Die Kirche, die offenbar auf einem weiteren Hügel stand, thronte hoch über der Dorfstraße und erinnerte vom Talgrund aus gesehen an den Wall einer Burgmauer. Der quadratische normannische Kirchturm zeichnete sich dunkel vor dem Himmel ab. Er war so hoch, dass er von den Proportionen her überhaupt nicht zu dem verkürzten Hauptschiff zu passen schien. Insgesamt glich die Kirche einem liegenden L.

Der Friedhof lag so hoch, dass Cooper den Eindruck hatte, er könnte den Toten in ihren vermoderten Eichensärgen in die Augen sehen, wenn die Mauersteine und die schwere, dunkle Erde durchsichtig wären.

Die Kirche war von großen Bäumen umgeben, von Kastanien, Eichen und zwei uralten Eiben. Die Luft roch feucht nach frisch geschnittenem Gras. Als Cooper am Friedhof vorbeilief und von hinten auf eine Reihe von Cottages zuhielt, wurde er über die Mauer hinweg von einem Mann angestarrt, der ein rotkariertes Hemd mit aufgekrempelten Ärmeln trug. Auf einen großen Motorrasenmäher gestützt, stand er zwischen einem ordentlich gemähten Streifen Gras und der büscheligen Fläche, die noch vor ihm lag, und ruhte sich aus. Unangenehm berührt sah er dem vorbeihastenden Mann nach, als wäre der Abendfrieden durch einen ausgesprochen unerfreulichen Anblick gestört worden.

Im Garten des ersten Cottage goss eine Frau die Blumenbeete, die bereits im Schatten lagen. Sie hielt die Gießkanne senkrecht in der behandschuhten Hand, während Cooper sich bemühte, wieder zu Atem zu kommen, um sie nach dem Weg zu fragen. Er atmete keuchend den schweren, süßen Duft ein, den das frisch gegossene Geißblatt und die Rosen verströmten. Auf dem Friedhof sprang der Rasenmäher an, und eine kleine Schar Dohlen flatterte zeternd aus den Kastanienbäumen auf.

»Dial Cottage?«

Die Frau starrte ihn an, dann schüttelte sie kaum merklich den Kopf, als ob ihr selbst diese Mühe zu viel wäre. Sie drehte ihm ostentativ den Rücken zu und widmete sich einer Zwergrose mit blassgelben Blüten. Vor Cooper hing ein Schild an der Gartenmauer: »Parken verboten. Wenden verboten. Durchgang verboten.«

Zwei Häuser weiter saß eine Frau mit einer Perserkatze auf dem Schoß auf einem Gartenstuhl. Cooper wiederholte seine Frage, und sie deutete den Hügel hinauf.

»Bis zur Straße rauf, dann links und am Wirtshaus vorbei. Es liegt auf der linken Seite. Dial Cottage ist eines von den Häusern mit den grünen Türen.«

»Danke.« Mit einem Blick auf PC Wragg, der sich noch immer hinter ihm den Berg heraufkämpfte, lief Cooper weiter, froh, endlich wieder Asphalt unter den Füßen zu haben.

Da Moorhay abseits der Touristenrouten lag, kam nur ab und zu einmal ein Auto vorbei, das zum Ladybower Staudamm oder zu den Kalksteinhöhlen in Castleton wollte. Auf dem Kopfsteinpflaster vor dem kleinen Pub »The Drover« parkten zwei, drei Wagen. Den Reklameschildern zufolge wurde dort Robinson's Bier ausgeschenkt, eine von Ben Coopers Lieblingssorten. So wie er sich im Augenblick fühlte, hätte er für ein Bier alles gegeben, aber er konnte nicht anhalten.

Unweit einer Abzweigung, die Howe Lane hieß, kam er an der Einmündung eines Feldweges vorbei, die von einer holzgedeckten Scheune und einem Traktorschuppen eingerahmt wurde. Der Weg führte zu einer Farm, das Touristen Bed and Breakfast offerierte. Vor ihm erstreckte sich die Straße, dicht von Bäumen gesäumt. In der Ferne konnte er das Hochmoor ausmachen, mit einem einsamen Baum auf der höchsten Erhebung.

200 Meter hinter der Kirche fing die Häuserreihe mit den einstöckigen Cottages an, erbaut aus dem für die Gegend typischen Mühlensandstein, mit Schieferdächern und kleinen Sprossen-

fenstern. Sie hatten keine Vorgärten, dafür standen vor einigen von ihnen Steintröge, die mit Ringelblumen und Petunien bepflanzt waren. Manche der Häuschen hatten schlichte, dunkelgrün gestrichene Eichenholztüren ohne Fenster und mit schiefen, weiß getünchten Schwellen.

Bis Cooper das Dial Cottage schließlich gefunden hatte, lief ihm der Schweiß in Strömen über Stirn und Nacken, und das Hemd klebte ihm klitschnass am Körper. Keuchend und mit hochrotem Kopf klopfte er an. Als die Tür geöffnet wurde, war er so außer Atem, dass er kaum sprechen konnte.

»Detective Constable Cooper, Edendale Police.«

Die Frau, die ihm geöffnet hatte, nickte, ohne auch nur einen Blick auf den Ausweis zu werfen, den er in der verschwitzten Hand hielt.

»Kommen Sie herein.«

Die alte Eichentür fiel hinter ihm ins Schloss. Cooper brauchte eine Weile, bis er sich blinzelnd auf das Dämmerlicht im Haus eingestellt hatte. Die Frau war ungefähr in seinem Alter, sieben- oder achtundzwanzig. Sie trug ein rückenfreies Top und Shorts, und mit ihrer hellen Haut kam sie ihm in dem düsteren Raum so fehl am Platz vor wie ein Tanzmädchen, das sich in ein Beerdigungsinstitut verirrt hatte. Ihr Haar glänzte, als ob sie von draußen ein paar Sonnenstrahlen mit hereingebracht hätte.

Sie standen in einer schmalen Diele, die dadurch noch enger wirkte, dass ein schweres Mahagoni-Sideboard hineingezwängt worden war, beladen mit Kristallvasen und einer Obstschale, die auf Spitzendeckchen standen. In der Mitte stand ein Familienfoto, irgendwo am Meer aufgenommen. Die noch recht neue magnolienfarbene Raufasertapete konnte die Unebenheiten der darunter liegenden Wand nicht kaschieren. Ein Immobilienmakler hätte bei diesem Anblick wohl von einem reizvoll ursprünglichen Flair geschwärmt.

Cooper blieb einen Augenblick stehen und rang nach Luft. Er wischte sich mit dem Handrücken den Schweiß von der Stirn, damit er ihm nicht in die Augen lief.

»Im Revier ist eine Meldung eingegangen«, japste er. »Ein Telefonanruf.«

»*Ben* Cooper?«

»Richtig.« Er erkannte die junge Frau erst auf den zweiten Blick, wie immer, wenn man jemanden in einer Umgebung sah, in der man ihn nicht erwartet hatte.

»Helen? Helen Milner?«

»Genau. Ich habe mich sicher ein bisschen verändert, seit wir auf der Edendale High-School waren.«

»Das ist ja auch schon ein Weilchen her.«

»Neun Jahre, glaube ich«, sagte sie. »Du hast dich nicht sehr verändert, Ben. Außerdem habe ich vor einiger Zeit dein Bild in der Zeitung gesehen. Du hattest irgendeinen Preis gewonnen.«

»Ja, beim Schießen. Sag mal, könnten wir …?«

»Ich zeige dir den Weg.«

»Wohnst du hier?«

»Nein, es ist das Haus meiner Großeltern.«

Sie führte ihn in ein weiter hinten gelegenes Zimmer, das kaum weniger düster war als die Diele, obwohl das Fenster zum Garten hinausging. Auf dem Sims eines gekachelten Kamins aus den Fünfzigerjahren drängten sich Fotos und Feriensouvenirs – ein Strohesel, eine spanische Flamenco-Tänzerin, eine Postkarte aus Marokko mit grinsenden Kamelen und einem Meer, das unnatürlich blau leuchtete. In dem großen, goldgerahmten Spiegel, der über dem Kamin hing, spiegelte sich ein düsterer Jagdstich mit rot berockten Reitern, die im Galopp ihre unsichtbare Beute in ein schattiges Wäldchen verfolgten. In den Geruch nach Möbelpolitur mischte sich der Mief alter Kleider, verstaut in Schubladen, die mit uralten Zeitungen ausgelegt waren.

In zwei Sesseln, die einander gegenüber standen, saßen zwei alte Leute, eine Frau, die ein geblümtes Kleid und eine blaue Strickjacke trug, und ein Mann in Cordhosen und einem Wollpullover. Sie hielten sich kerzengerade und hatten die Füße möglichst nah an die Sessel herangezogen, als ob sie einander nicht zu nahe kommen wollten.

Vor dem leeren Kamin stand ein elektrischer Heizlüfter. Trotz der seit Tagen andauernden Hitze, hatte Cooper den Eindruck, dass er erst kürzlich noch benutzt worden war. Er selbst empfand die Kühle in dem Zimmer als angenehm, und sein Schweiß war schon fast getrocknet, als sich die alten Leute ihm zuwandten.

»Das ist Ben Cooper, Granddad«, sagte Helen.

»Aye, das sehe ich. Sergeant Coopers Junge.«

Cooper war diese Begrüßung gewöhnt, vor allem vom älteren Teil der Bevölkerung in und um Edendale. Für manche von ihnen war er nur ein Schatten seines Vaters, dessen Ruhm und Beliebtheit keine Grenzen zu kennen schien.

»Guten Tag, Sir. Sie haben das Revier angerufen?«

Harry antwortete nicht, und Cooper vermutete schon fast, dass der alte Knabe taub war, als seine Enkelin das Wort ergriff.

»Das war ich«, sagte Helen. »Großvater hat mich darum gebeten.«

Harry zuckte mit den Achseln, als wollte er sagen, dass es ihm herzlich egal war, ob sie angerufen hatte oder nicht.

»Ich dachte mir bloß, die Polizei würde es vielleicht wissen wollen.«

»Und Sie heißen, Sir?«

»Dickinson.«

Cooper wartete geduldig auf eine Erklärung. Aber sie kam von der Enkelin, nicht von dem alten Mann.

»Es liegt in der Küche«, sagte sie und ging durch eine zweite Tür voraus. Eine noch ziemlich neue Waschmaschine, eine Kühl-Gefrierkombination und eine Aluminiumspüle waren zwischen die weiß gestrichenen Holzschränke gequetscht. Die alten Leute standen nicht auf, sondern sahen ihnen vom Sessel aus zu. Die Zimmer waren so klein, dass sie jedes Wort mithören konnten.

»Großvater hat das hier gefunden.«

Der Turnschuh lag auf dem Küchentisch, ein bizarres Bündel zwischen den getrockneten Minzesträußchen und den braun glasierten Töpfen. Jemand hatte einen Bogen Zeitungspapier darunter gelegt, damit die Erde, die an der Gummisohle klebte, nicht auf den Tisch fiel. Der Turnschuh lag genau auf einem Artikel über die Neueröffnung eines kantonesischen Restaurants, die Schnürsenkel ringelten sich über das Foto einer lächelnden Chinesin, die einen Teller Rippchen mit Bohnensprossen servierte. Auf der Seite gegenüber waren die Spalten mit den Geburts-, Todes- und Hochzeitsanzeigen und den Glückwünschen zum einundzwanzigsten Geburtstag.

Cooper wischte sich die feuchten Handflächen an der Hose ab und holte einen Stift heraus, mit dem er behutsam die Lasche des Turnschuhs anhob, um hineinzusehen. Er gab Acht, dass die leicht angetrocknete Erde in den Rillen der Sohle, die bereits zu bröckeln begann, nicht herausrieselte.

»Wo haben Sie das gefunden, Mr. Dickinson?«

»Unterhalb der Raven's Side.«

Cooper kannte die Raven's Side. Es war eine Wildnis aus Felsen, Löchern und dichtem Gestrüpp. Die Suchmannschaften waren der Felswand im Laufe des Nachmittags nur langsam näher gekommen, fast als ob sie sich vor einem Durchkämmen der Gegend scheuten, in der ihnen verstauchte Fußknöchel und aufgerissene Finger drohten.

»Können Sie etwas genauer sein?«

Der alte Mann machte ein gekränktes Gesicht, als ob man ihn der Lüge bezichtigt hätte. Cooper fragte sich mittlerweile, warum er geglaubt hatte, dass es im Cottage kühler war als draußen. Obwohl die Fenster offen standen, drang nicht der leiseste Luftzug herein. In der Küche war es stickig und dunkel. Als Helen in die Diele ging, weil es an der Haustür geklopft hatte, schien sie den letzten Rest Licht mitzunehmen.

»Da unten gibt es eine große Stelle mit Brombeersträuchern und Farnkraut, oberhalb vom Bach«, sagte der alte Mann. »Da gehe ich immer mit Jess spazieren.«

Plötzlich hörte Cooper ein leises Kratzen von Krallen. Ein schwarzer Labrador blickte unter dem Tisch hervor, als sein Name fiel. Der Hund, der schmutzige Pfoten hatte, lag auf der

Eden Valley Times, auf dem Sportteil, wie es aussah. Der Edendale FC hatte das Eröffnungsspiel der Saison verloren.

»Lag da nur der Turnschuh? Sonst nichts?«

»Sonst habe ich nichts gesehen. Eigentlich hat Jess ihn gefunden. Sie stöbert da immer nach Kaninchen und anderem Viehzeug.«

»Gut«, sagte Cooper. »Wir werden uns das gleich mal ansehen. Sie können mir sicher die genaue Stelle zeigen.«

Helen kam wieder zurück, begleitet von einem völlig erschöpften PC Wragg.

»Bringt euch das weiter?«, fragte sie.

»Wir werden sehen.« Cooper zog eine Plastiktüte aus der Gesäßtasche und ließ den Turnschuh vorsichtig hineinfallen. »Würdest du bitte hier warten? Einer meiner Vorgesetzten wird vermutlich mit dir sprechen wollen.«

Helen nickte und sah ihren Großvater an, der keine Miene verzog. Sein Gesicht war steinern, wie das eines Mannes, der sich in einen unabänderlichen Kummer fügte.

Auf der Straße holte Cooper sein Funkgerät heraus, um die Zentrale der Dienststelle Edendale zu verständigen, wo DI Hitchens seine Meldung sicher schon erwartete. Er hielt den Plastikbeutel ins Licht und starrte auf den Inhalt, während er seine Nachricht durchgab.

Bei dem Turnschuh handelte es sich um einen Reebok, Größe 38, slim fit. Und die braunen Flecken auf der Spitze sahen verdächtig nach Blut aus.

4

Die Polizei-Zentrale der Dienststelle E in Edendale hatte ihrem Architekten in den Fünfzigerjahren einen Preis eingebracht. Aber in den letzten Jahrzehnten hatten vor sich hin gammelnde Akten, Zigarettenqualm und schlechtes Essen ihre Spuren an den Wänden und ihren Geruch im Teppichboden hinterlassen. Vor kurzem waren aus dem knappen Etat der Derbyshire Polizeiverwaltung Mittel bereitgestellt worden, um die Wände zu tapezieren, die Fensterrahmen zu erneuern und in einigen Büros eine Klimaanlage zu installieren. Auch die alten Holzschreibtische waren gegen moderne ausgetauscht worden, die besser zu den neuen Computern passten.

DC Diane Fry las Berichte. Sie hatte mit den aktuellsten begonnen und war dann die Fälle der vergangenen Wochen durchgegangen. Sie wollte sich einen Überblick über die jüngsten Ermittlungen der Abteilung verschaffen. Obwohl sie nun schon seit fast zwei Wochen in Edendale war, fühlte sie sich immer noch fremd, so frisch wie die Farbe an der Außenwand neben dem Fenster, die aus unerfindlichen Gründen nicht trocknen wollte. Alle Fenster auf dieser Seite gingen auf das Tor C und die Osttribühne des Fußballvereins hinaus, dessen Mannschaft in den unteren Regionen einer der zahllosen Ligen herumkrebste.

Ganz oben auf der Prioritätenliste standen zurzeit die Aktivitäten von Autoknackern an beliebten Ausflugsorten. Dem gelangweilten Ton einiger Berichte nach zu urteilen, schien das Problem zu dieser Jahreszeit in der Dienststelle E immer höchste Priorität zu genießen. Die Touristenscharen, die im Sommer den Nationalpark Peak District besuchten, zogen ihre eigene Verbrechenswelle nach sich, wie ein Ozeanriese sein Kielwasser. Die Besucher parkten an abgelegenen Stellen, auf provisorischen Parkplätzen im offenen Gelände, in stillgelegten Steinbrüchen und am Straßenrand. Natürlich waren die Autos mit Kameras, Ferngläsern, dicken Brieftaschen, Kreditkarten und allen möglichen anderen Wertgegenständen voll gestopft. Gleichzeitig reisten aus den Ballungszentren Sheffield im Osten und Manchester im Westen Kriminelle an, die auf eben diese leichte Beute aus waren. Nur wenige Minuten mit einem unbeaufsichtigten Fahrzeug genügten ihnen, dann waren sie schon wieder auf dem Rückweg in die Stadt und ließen verzweifelte Touristen und zerstörte Urlaubsträume hinter sich zurück.

Das Problem schien unlösbar. Es war nicht möglich, die Autobesitzer zu warnen, weil die Touristenströme ständig in Bewegung waren und kaum jemand mehrere Tage an einem Ort blieb. Es war auch nicht möglich, die besonders gefährdeten Stellen zu überwachen, dazu reichten die verfügbaren Kräfte nicht aus. Es gab nur eine praktikable Lösung, nämlich potenzielle Straftäter im Vorfeld zu identifizieren und sie durch die Kollegen in der Großstadt beobachten zu lassen. Das Prinzip Hoffnung.

Diane Fry warf einen Blick auf Detective Sergeant Rennie. Er telefonierte, und das schon seit geraumer Zeit. Sie konnte nicht hören, was er sagte, aber sie war sich ziemlich sicher, dass er sich mit dem Kugelschreiber, auf dem er herumkaute, noch keine einzige Notiz gemacht hatte. Er hatte breite Schultern und einen Stiernacken und war, wie sie einem seiner Gespräche mit einem anderen Detective Constable entnommen hatte, ein altgedienter Stürmer im Rugby-Team der Dienststelle. Außerdem wusste sie, dass er mit Vornamen David hieß, verheiratet war und zwei halbwüchsige Kinder hatte.

Es hatte nicht lange gedauert, bis ihr aufgefallen war, wie er sie heimlich von der Seite ansah, wie sein Blick zu ihr hinüberwanderte, wenn er sich unbeobachtet fühlte. Sie kannte diese Blicke von früher, zaghafte erste Annäherungsversuche an eine jüngere Kollegin, die, wenn es nach den Männern ging, in einem Techtelmechtel endeten. Natürlich ging es bei vielen nie über dieses erste Manöver hinaus; es drückte eher eine vage Hoffnung als eine konkrete Absicht aus. Aber es gab auch Kollegen, die lästig werden konnten, und Fry vermochte noch nicht einzuschätzen, zu welcher Sorte Rennie gehörte. Immerhin war sie nun vorgewarnt und konnte selbst entscheiden, wann es Zeit wurde, ihm eine Abfuhr zu erteilen. Affären mit Kollegen standen bei ihr nicht auf der Tagesordnung. Ganz und gar nicht.

Obwohl ein Detective Chief Inspector im Haus war, der jeden Augenblick hereinkommen konnte, machte Rennie sich noch nicht einmal die Mühe, so zu tun, als ob er arbeitete.

»Sergeant?«, sagte Fry, als er endlich den Telefonhörer aufgelegt hatte.

Rennie sah sich um, als wäre er erstaunt, dass sie noch da war. Dann grinste er und rang sich fast so etwas wie ein Zwinkern ab. Er trug eine dunkelgrüne Krawatte mit einem kleinen Goldwappen; sein Anzug war zwar gut geschnitten und kaschierte seine breiten Schultern, aber er hatte eine Reinigung nötig. Er steckte sich einen Streifen Kaugummi in den Mund, eine leidige Angewohnheit, aus der Fry schloss, dass er sich erst vor kurzem das Rauchen abgewöhnt hatte.

»Was kann ich für Sie tun, Diane?«

»Es geht um die Projektgruppe, die sich um die Autoknacker kümmert.«

»Ja?«

»Ich habe mich gefragt, ob die Sache wohl schon mal mit dem Computer gecheckt worden ist. Ein Abgleich von Orten und Zeiten. Eine Analyse der Vorgehensweisen. Wir könnten ein Computermodell erstellen.«

»So was macht bei uns normalerweise Ben Cooper«, sagte Rennie. »Am besten lassen Sie den Computer in Ruhe, bis Sie mit ihm gesprochen haben.«

»Mit Hilfe eines Computermodells könnten wir die Taten vielleicht vorhersagen und bestimmte Zielorte anpeilen. Es wäre einen Versuch wert, Sergeant.«

»Wie ich schon sagte, fragen Sie Ben. Er musste nach Moorhay raus, aber Gott sei Dank kommt er später noch mal ins Büro.«

Während ihrer ersten Woche in Edendale hatte Fry Ben Coopers Namen bereits des Öfteren gehört. Anscheinend war er ein Ausbund an Tugend und wusste einfach alles. DC Cooper kannte die Gegend wie seine Westentasche, hieß es. Er kannte offenbar alle einheimischen Straftäter und sogar ihre Familien. Er wusste, wie alles im Büro funktionierte. Er bewältigte Berge von Papierkram, über denen die anderen Kripobeamten verzweifelten, mit links. Nun war er offenbar auch noch der einzige, der wusste, wie man einen Computer bediente. Aber Diane Fry hatte eine Informatikausbildung, und sie hatte auf der Polizeiakademie in Bramshill einen Kurs über Datenanalysen absolviert. Bei der ersten sich bietenden Gelegenheit würde sie ihnen schon zeigen, wer sich hier mit dem Computer auskannte. Vorläufig wollte sie es aber erst einmal mit einer anderen Taktik probieren.

»Jemand vom NCIS hat über dieses Problem vor ein paar Monaten einen Bericht verfasst. Ich habe in Bramshill davon gehört.«

»Ach, ja?«

Rennie schien nicht interessiert.

»Vom National Criminal Intelligence Service.«

»Danke, ich weiß, was der NCIS ist.«

»Ich habe mich nur gefragt, ob jemand die Sache recherchiert hat. In den Unterlagen steht nichts davon. Vielleicht hat die Arbeitsgruppe den Ansatz aufgegriffen?«

»Glaube ich kaum.«

»Ich könnte es nachprüfen, wenn Sie wollen, Sergeant.«

Rennie zerrte mürrisch an seiner Krawatte, wühlte auf seinem Schreibtisch nach einem Zettel und griff wieder zum Telefonhörer.

»Soll ich, Sergeant?«

»Von mir aus.«

Fry machte sich eine Notiz und markierte den Eintrag mit einem Sternchen. Dann legte sie die Akten über die Autoknacker zur Seite und vertiefte sich in den Bericht über das vermisste Mädchen, Laura Vernon. Sie hatte ihn bereits einmal gelesen und sich die spärlichen Einzelheiten eingeprägt, die darin enthalten waren. Für solche Dinge hatte sie ein ausgezeichnetes Gedächtnis. Sie kannte sämtliche Kleidungsstücke, die das Mädchen zuletzt getragen hatte, bis hin zu dem blauen Slip und den Reeboks, Größe 38, slim fit. Wenn sie als Erste auf einen dieser Gegenstände stieß, würde sie ihn sofort erkennen. Aber dafür müsste man sie natürlich zuerst einmal an der Suche beteiligen.

Alle verfügbaren Kräfte waren bereits mit der Fahndung nach Laura Vernon beschäftigt. Das heißt, alle Kräfte bis auf Detective Constable Diane Fry und Detective Sergeant David Rennie. Sicher, Fry war neu in der Dienststelle, aber was hatte Rennie verbrochen? Zurzeit war er in der Dienststelle E für die Alltagsdelikte zuständig, und Fry war seine einzige Mitarbeiterin. Nicht gerade ein Gespann, das den Eindruck erweckte, eine Verbrechenswelle aufhalten zu können. Und im Moment versuchten sie es nicht einmal.

Fry stand von ihrem Schreibtisch auf und ging hinüber, um sich den aktuellen Stand der Ermittlungen in Sachen Laura Vernon anzusehen. Der Fall war zwar noch keine 48 Stunden alt, aber die Akte war schon jetzt ziemlich dick. Die Maschinerie des Polizeiapparats hatte sich in Bewegung gesetzt, obwohl der Fall noch nicht zur Mordsache erklärt worden war – schließlich gab es auch noch keine Leiche. Teenager liefen schließlich dauernd von zu Hause weg und tauchten normalerweise ein paar Tage später, ausgehungert und verlegen, wieder auf. Laura hatte Geld – ihre Eltern gaben an, dass sie bis zu 30 Pfund bei sich haben könnte; offensichtlich wurde sie nicht knapp gehalten. Aber sie hatte weder Kleidung oder sonst etwas mitgenommen. Das war ein signifikanter Faktor. Doch es gab noch zwei weitere Gründe, warum die Ermittlungen in diesem Fall besonders schnell angelaufen waren. Zum einen hatte eine Zeugin Laura Vernon kurz vor deren Verschwinden hinter der elterlichen Villa mit einem jungen Mann sprechen sehen, und danach hatte sie seit fast zwei Tagen niemand mehr zu Gesicht bekommen.

Der andere dringende Grund, der in der Akte heruntergespielt wurde, sich aber wie ein roter Faden durch alle Berichte zog, war der noch ungeklärte Mord an der sechzehnjährigen Susan Edson in der benachbarten Dienststelle B vor wenigen Wochen.

Jeder wusste, dass es bei den Ermittlungen besonders auf die ersten zwei, drei Tage ankam, falls sich erweisen sollte, dass es sich um einen Mord oder ein anderes Gewaltverbrechen handelte. Während der ersten 72 Stunden waren die Erinnerungen der Zeugen noch frisch, und der Täter hatte kaum Zeit, sich der Beweise zu entledigen oder ein Alibi zurechtzubasteln. Gleichzeitig erhöhte schnelles Handeln die Chancen, Laura Vernon lebend zu finden.

Fry stellte interessiert fest, dass der Polizei bereits im Anfangsstadium ein möglicher Tatverdächtiger präsentiert worden war, ein junger Mann namens Lee Sherratt, auf den die Eltern hingewiesen hatten und der bereits im Zuge der Erstermittlungen von Beamten befragt worden war. Er bestritt, der junge Mann zu sein, mit dem Laura zuletzt gesprochen hatte, aber er hatte kein Alibi. Man hatte Sherratts Vorstrafen aus dem Zentralregister abgerufen – einige kleinere Delikte, manche davon noch aus Teenagertagen. Es war nicht viel, aber es reichte, um seinen Namen zunächst ganz oben in der Akte zu führen, bis er endgültig als Tatverdächtiger ausgeschlossen werden konnte.

Den Berichten zufolge wurde die Suche im Gelände von einem uniformierten Beamten der Spezialeinheit aus Chesterfield geleitet. Für die kriminalpolizeilichen Ermittlungen war Detective Inspector Paul Hitchens zuständig, der wiederum Detective Chief Inspector Steward Tailby unterstellt war. Da Moorhay nur ein kleines Dorf war, hatten die Beamten bereits sämtliche Häuser abklappern können. Alle Freunde, Bekannten und Verwandten in der näheren Umgebung waren befragt worden. Keine Spur von Laura Vernon, keine Anhaltspunkte für ihren Verbleib.

Inzwischen war die gründliche Durchsuchung des Gebietes im

vollen Gange. Beamte, die eigentlich dienstfrei hatten, und Hundestaffeln unterstützten die Suche am Boden, der Hubschrauber war im Einsatz. Außerdem beteiligten sich Nationalparkranger an der Aktion, und das Team von der Bergrettung durchkämmte die Hochmoore oberhalb der Dörfer. Und natürlich war auch Detective Constable Mr. Perfect persönlich an Ort und Stelle. Dann war der Fall ja so gut wie gelöst.

Fry hatte DI Hitchens an ihrem ersten Arbeitstag kennen gelernt. Er war ihr Vorgesetzter – zumindest kam er gleich nach DS Rennie, und dass Rennie nicht zählte, stand für sie jetzt schon fest. Hitchens war jünger als der Sergeant und besser ausgebildet. Also eine schnelle Beförderung; vielleicht war er auch ein Überflieger, genau wie sie. Er würde bestimmt Karriere machen, und in den oberen Etagen legte man auf seine Meinung sicher Wert. Fry wünschte sich nichts sehnlicher, als draußen im Gelände zu sein und an einem großen Fall zu arbeiten, als rechte Hand von DI Hitchens, mit der Chance, Eindruck zu machen. Sie hatte nicht die Absicht, sich lange mit Autoknackerstatistiken herumzuschlagen. Ein Mordfall wäre genau das Richtige. Aber er war zu früh gekommen, sie war noch zu neu im Revier. Also hielt sie vorerst mit Rennie im Büro die Stellung.

In ein, zwei Stunden musste die Suche nach Laura Vernon ohnehin abgebrochen werden. Selbst im August wurde es in den Bergen irgendwann dunkel, die Suchtrupps würden sich auflösen, die Beamten niedergeschlagen nach Hause gehen. Morgen würde es in der Zeitung und im Fernsehen Aufrufe an die Öffentlichkeit geben, und zivile Freiwillige würden sich melden, um sich an der Suche zu beteiligen.

Fry wusste, dass sie nur zwei Alternativen hatte. Entweder sie vertrieb sich irgendwie die Zeit, bis Rennie ihr eine Aufgabe zuwies, oder sie ergriff selbst die Initiative und fing langsam an, den neuen Kollegen zu zeigen, aus welchem Holz sie geschnitzt war. Aber sie hielt den Mund. Die Zeit war noch nicht reif – sie musste erst ihre Stellung festigen. Außerdem lohnte es die Mühe nicht, DS Rennie zu beeindrucken.

Dann ging die Tür auf und DI Hitchens steckte den Kopf ins Büro. »Wen haben wir hier? Ach, ja.«

Er sah enttäuscht aus, wie der Kapitän einer Mannschaft, dem bei der Spielerauswahl nur noch die Nieten geblieben waren, die sonst niemand haben wollte. Hitchens trug kein Jackett, die Manschetten seines Hemdes hatte er hochgerollt, sodass man seine stark behaarten Arme sah. Er war Mitte dreißig und wirkte immer so, als ob er gleich lächeln wollte. Fry, die seinen Blick aufgefangen hatte, sah zu Rennie hinüber, der zwar den Fuß vom Schreibtisch genommen, sich aber ansonsten kaum gerührt hatte.

Hitchens nickte. »Kommen Sie hier für eine Weile allein klar, Dave?«

»Aber sicher, Sir.«

Fry sprang auf. »Wohin gehen wir, Sir? Hat es etwas mit der vermissten Laura Vernon zu tun?«

»Was sonst? Ja, es wurde ein Fund gemeldet. Wir haben einen guten Mann vor Ort, der die Sache zurzeit noch überprüft, aber es klingt vielversprechend. Können Sie in zwei Minuten fertig sein?«

»Natürlich.«

Als der DI das Büro wieder verlassen hatte, ging Diane Fry zu ihrem Schreibtisch, um die Berichte über die geknackten Autos wegzuräumen. Dabei achtete sie darauf, Dave Rennie den Rücken zuzudrehen, damit er ihr Lächeln nicht sehen konnte.

Edendale war in ein breites Tal eingebettet, das den Peak District in zwei völlig unterschiedliche Hälften teilte. Auf der einen Seite lag der White Peak, der sich mit seinen sanften Kalksteinhügeln und den bewaldeten Tälern an Bakewell und Wyedale vorbei bis in das Gebiet der Dienststelle B und an die Grenzen von Staffordshire erstreckte, auf der anderen der spärlich besiedelte Dark Peak mit seinen trostlos kahlen Mooren und den Gipfeln des Mam Tor und des Kinder Scout, die wachsam auf die abgelegenen, stillen Talsperren unterhalb vom Snake Pass hinunterblickten.

Edendale war eine von zwei Städten, die innerhalb der Grenzen des Nationalparks lagen, die andere war Bakewell, einige Kilometer weiter südlich, eins der Reviere der Dienststelle E. Andere Städte, wie Buxton, wo die Zentrale der Dienststelle B lag, waren bei der Festlegung der Nationalparkgrenzen absichtlich ausgegliedert worden.

Um Buxton, wie auch um Matlock und Ashbourne, machte die Grenze einen großen Bogen. Aber Edendale lag zu tief in den Bergen, um aus dem Nationalpark herausgetrennt zu werden. Deshalb galten die strengen Naturschutz- und Bauvorschriften für die Stadt genauso wie für die Felswände des Mam Tor oder die Blue-John-Höhlen in Castleton.

Diane Fry musste sich mit der Geografie von Stadt und Tal erst noch vertraut machen. Bis jetzt kannte sie nur die unmittelbare Umgebung des viktorianischen Gebäudes, in dem ihre Wohnung lag, und die Straßen in der Nähe der Wache – einschließlich des Blicks auf die Tribüne des Edendale FC. Immerhin wusste sie schon, dass es, wenn man aus Edendale hinausfuhr, immer nur eine Richtung gab und zwar bergauf, ganz gleich, welche Route man auch wählte, ob zu den abgelegenen Höfen im Moor oder zu den Dörfern im nächsten Tal.

Fry war eine gute Autofahrerin, sie hatte bei der Polizei der West Midlands ein spezielles Verfolgungstraining absolviert. Aber DI Hitchens lenkte den Wagen selbst aus der Stadt auf das Hochmoor zu, das Edendale vom nächsten Tal trennte.

»Es ist nur ein Schuh«, sagte Hitchens.

»Ein Turnschuh?«, fragte Fry. »Reebok, Größe 38?«

Der DI sah sie überrascht an.

»Sie haben sich über den Fall Vernon informiert.«

»Ja, Sir.«

»Es war von Anfang an nicht auszuschließen, dass ihr etwas passiert ist, obwohl man das den Eltern natürlich nicht sagen kann. Sie hatte außer Geld nichts bei sich. Bei ihren Freunden und Bekannten haben wir nur Nieten gezogen. Wir müssen wohl damit rechnen, ihre Leiche zu finden.«

»Was ist sie für ein Mädchen?«

»Wohlhabendes Elternhaus, keine Geldsorgen. Ich würde sagen, es hat ihr nie an etwas gefehlt. Sie besucht eine Privatschule, die High Carrs heißt, und hätte nächstes Jahr die Mittlere Reife machen sollen. Sie bekommt Klavierunterricht und hat ein eigenes Pferd, ein Geschenk ihrer Eltern. Es ist in einem Stall außerhalb von Moorhay. Manchmal nimmt sie an Turnieren teil.«

»Im Springreiten?«

»Nehme ich an.«

»Und ist sie in irgendetwas davon gut?«

Hitchens nickte anerkennend. »Wenn Sie die Eltern hören, ist sie in allem perfekt. Studium in Oxford oder Cambridge und später vielleicht noch eine Karriere als Konzertpianistin. Natürlich nur, wenn sie bis dahin bei der Olympiade keine Goldmedaille gewonnen hätte. Bei ihren Freunden hört sich das alles etwas anders an.«

»Jungengeschichten?«

»Natürlich. Was sonst? Mum und Dad streiten es allerdings ab. Sie sagen, dafür hat sie keine Zeit, wegen der Schule und der Reiterei. Aber wir sind schon dabei, die Jungen zu ermitteln.«

»Streit zu Hause? Irgendwelche Auseinandersetzungen?«

»Nichts. Jedenfalls …«

»Jedenfalls nicht, wenn man den Eltern glauben darf?«

»Volltreffer.«

Hitchens lächelte. Fry mochte es, wenn ihre Vorgesetzten lächelten, solange es im Rahmen blieb. Sie betrachtete seine Hände, die auf dem Lenkrad lagen. Kräftige Hände mit sauberen, gepflegten Fingernägeln. Die Nase war im Profil etwas zu groß geraten. Eine so genannte Adlernase. Aber ein Mann konnte sich eine solche Nase leisten – sie verlieh ihm Charakter. Sie warf einen Blick auf seine linke Hand. Kein Ehering, dafür aber eine weiße Narbe, die sich über die mittleren Knöchel dreier Finger zog.

»Die Eltern geben an, Laura sei an dem Nachmittag vor ihrem Verschwinden mit ihrer Mutter einkaufen gewesen«, sagte Hitchens. »Sie waren in Belper, im De Bradelei Centre.«

»Was gibt es da?«

»Ach – Klamotten«, sagte er unbestimmt.

»Dad war nicht mit?«

»Wahrscheinlich hatte er keine Lust. Außerdem haben ihm die beiden Frauen ein Geburtstagsgeschenk gekauft, sie hätten ihn also sowieso nicht mitgenommen. Er ist zu Hause geblieben und hat gearbeitet. Graham Vernon ist Finanzberater und sagt, das Geschäft läuft sehr gut. Die Familie scheint wirklich ziemlich reich zu sein.«

»Und als sie wieder zu Hause waren?«

»Da war es ungefähr halb sechs. Weil es immer noch warm war, hat Laura sich umgezogen und ist ein bisschen in den Garten gegangen. Als sie bis zum Abendessen um halb acht nicht zurück war, bekamen es die Vernons mit der Angst zu tun.«

Fry war beeindruckt, dass er alle Einzelheiten im Kopf hatte und sie mühelos abrufen konnte. Offensichtlich besaß Hitchens die Art von Intelligenz, die heutzutage bei der Polizei hoch im Kurs stand. Viele Beamte hätten die Informationen nicht wiedergeben können, ohne auf ihre Notizen zurückzugreifen.

»Die Eltern geben sich gegenseitig ein Alibi?«

»Ja.«

»Aber sie wurde doch mit einem jungen Mann gesehen, bevor sie verschwand, nicht wahr?«

»Sehr gut, Diane. Ja, wir haben eine Frau ausfindig gemacht, die am Rande des Baulk Blumen gepflückt hat. Sie ist Mitglied des Frauenvereins und hilft bei der Dekoration für ein Brunnenfest in Great Hucklow. Kaum zu glauben, aber es war ihr peinlich, darüber zu reden. Sie dachte, wir würden sie verhaften, weil sie Wildblumen gestohlen hat. Ihre Kinder haben ihr erzählt, so etwas sei eine Umweltsünde. Aber die Dekoration des Brunnens war ihr offenbar so wichtig, dass sie sich vom Pfad der Tugend hat abbringen lassen. Jedenfalls hat sie sich trotzdem gemeldet und Laura Vernon anhand einer Fotografie identifiziert. Den Jungen, mit dem sie gesprochen hat, konnte die Frau allerdings nicht beschreiben. Er war zu weit entfernt.«

»Und jetzt ein Turnschuh.«

»Ja, das ist alles, was wir bis jetzt haben, aber es ist immerhin ein Anhaltspunkt. Wir haben Ben Cooper vor Ort – er war bei einem der Suchtrupps. Ben hat ein gutes Urteilsvermögen.«

»Da bin ich mir sicher.«

»Ach, dann haben Sie Cooper schon kennen gelernt? Er ist erst heute aus dem Urlaub zurückgekommen.«

»Nein, aber ich habe von den Kollegen schon viel über ihn gehört.«

»Verstehe.« Hitchens schwieg eine Zeit lang und konzentrierte sich auf eine Kreuzung, an der in regelmäßigen Abständen schwere Lastwagen vorbeidonnerten, die eine Wolke aus Kalksteinstaub am Straßenrand verteilten. Fry versuchte seine Gedanken zu erraten. Sie fragte sich, ob sie vielleicht etwas Falsches gesagt hatte. Aber sie konnte sich darauf verlassen, dass ihre Stimme keine Emotionen preisgab. Sie hatte es so lange geübt, bis sie immer nur positiv klang.

»Und wie gefällt es Ihnen bei uns, Diane? Haben Sie sich schon etwas eingelebt?«

»Sehr gut, Sir. Es wird zwar manches etwas anders gehandhabt, als ich es gewohnt bin, aber damit komme ich schon zurecht.«

»Das ist gut. Dave Rennie behandelt Sie anständig?«

»Kein Problem«, sagte Fry. Ihr war nicht entgangen, dass der DI sie Diane nannte, seit sie mit ihm allein im Auto saß. Sie achtete auf solche Dinge, für den Fall, dass sie eine tiefere Bedeutung hatten. Vielleicht konnte sie ihrerseits auf das Sir verzichten. Mal sehen, ob sie damit den richtigen Ton traf. Freundlichkeit unter Kollegen, statt Förmlichkeit zwischen Vorgesetztem und Untergebener. Aber mehr nicht.

»Ist es Ihnen bei uns in Derbyshire nicht zu ruhig nach den West Midlands?«

»Eine angenehme Abwechslung«, sagte Diane. »Außerdem hat die Dienststelle E sicher auch genügend Herausforderungen zu bieten.«

Hitchens lachte. »Die anderen Dienststellen nennen uns E wie einfach.«

Fry hatte von ihren neuen Kollegen bereits gehört, dass es einzig und allein alphabetische Gründe gewesen waren, warum Edendale als Sitz der Zentrale der Dienststelle E den Vorzug vor Bakewell oder auch Matlock bekommen hatte. Es war eine Eigentümlichkeit der Polizeistruktur in Derbyshire, dass alle regionalen Zentren in Städten angesiedelt waren, die mit dem passenden Buchstaben begannen – A in Alfreton, B in Buxton, C in Chesterfield und D in Derby.

Deshalb wäre es nie in Frage gekommen, die Dienststelle E in Bakewell oder Matlock einzurichten. Es hätte nicht zum Profil einer modernen Polizeitruppe gepasst. Und hätte es nicht zufälligerweise schon eine Stadt gegeben, die Edendale hieß, hätte man wohl eine erfinden müssen.

»Ich dachte eher an die Freizeitmöglichkeiten«, sagte Hitchens. »Edendale ist ja nicht gerade die Vergnügungsmetropole Europas. Ein bisschen öde im Vergleich zu Birmingham, würde ich meinen.«

»Es kommt wohl immer darauf an, wonach man sucht.«

Er wandte sich ihr zu, die Hände lässig auf dem Lenkrad. »Und wonach genau sucht Diane Fry?«

Gute Frage. Es gab nur eine Antwort, die Fry auch sich selbst gegenüber gelten ließ. Vielleicht war es nicht das, was Hitchens hören wollte, aber es war etwas, was er wissen musste. Besser früher als später.

»Ich möchte in meinem Beruf vorankommen«, sagte sie.

»Aha.« Er zog die Augenbrauen hoch, und ein Lächeln huschte über sein Gesicht. Er sah wirklich nicht übel aus, und er trug keinen Ehering.

»Ich bin gut«, sagte sie. »Ich möchte nach oben kommen. Das ist mir wichtig. Zurzeit zumindest.«

»Warum auch nicht? Es gefällt mir, dass Sie so ehrlich sind.«

Die Hauptstraße nach Buxton führte immer höher hinauf, bis sie auf eine Hochebene mündete, wo die Kalksteinbrüche mit den Mooren als Hintergrundkulisse wetteiferten. An einer günstigen Stelle stand das Light House, ein Wirtshaus, von dem man eine überwältigende Aussicht auf die zwei Nachbartäler und die dahinter liegenden Berge hatte. Hitchens bog in eine Nebenstraße ab, bevor sie die Steinbrüche erreichten, und dann begann das sanfte Auf und Ab der kleineren Täler und Hügel, sacht abfallend in Richtung Wyedale. Hin und wieder glitt das Gatter einer Farm vorbei, mit einem schwarzweißen Schild, auf dem der Name einer Milchviehherde stand. Auf den Feldern hinter den Steinmauern lagerten runde Strohballen oder in schwarzes Plastik gewickelte Silage.

»Ich kenne natürlich Ihre Personalakte«, sagte Hitchens. »Nicht schlecht.«

Fry nickte. Sie wusste, dass sie nicht schlecht war. Sie war verdammt gut. Sie hatte bei allen Prüfungen als eine der Besten abgeschnitten. Seit sie bei der Kripo war, hatte sie eine überdurchschnittliche Aufklärungsrate aufzuweisen. In den West Midlands hatte sie eine Karriere vor sich gehabt und war für größere Aufgaben vorgesehen gewesen. Das konnte jeder sehen.

»Es ist eine Schande, dass Sie Ihre alte Truppe verlassen mussten«, sagte Hitchens.

Sie schwieg und wartete auf die Bemerkung, die unweigerlich folgen musste.

»Aber es ist verständlich. Unter diesen Umständen.«

»Ja, Sir.«

Unter diesen Umständen. Genauso versuchte es auch Fry inzwischen zu betrachten. Die Umstände. Ein wunderbar kalter und objektiver Ausdruck. Umstände waren etwas, was andere Leute betraf, nicht etwas, was das eigene Leben auf den Kopf stellte, was einem die Selbstachtung raubte und alles zu zerstören drohte, was man je für erstrebenswert gehalten hatte. Über die Umstände konnte man sich nicht aufregen. Man konnte damit weiterleben und sich auf wichtigere Dinge konzentrieren. Unter Umständen.

Sie fuhren einen Hügelkamm entlang, auf dessen einer Seite

ein steiniger Hang steil zu einem kleinen Fluss hin abfiel. Allmählich verstellten immer mehr Bäume den Blick. Hier und da stand in einiger Entfernung zur Straße ein Haus, nicht alle davon bewirtschaftete Farmen.

»Keine bleibenden Folgen?«, fragte Hitchens.

Fry konnte es ihm eigentlich nicht verdenken, dass er noch einmal nachhakte. Das war früher oder später zu erwarten gewesen. Natürlich war das Thema auch bei ihrem Vorstellungsgespräch zur Sprache gekommen, und sie hatte die vorsichtig formulierten Fragen angemessen beantwortet, sehr vernünftig und emotionslos. Aber damit war die Sache bei Leuten wie DI Hitchens, auf deren Fürsprache sie angewiesen war, wenn sie weiterkommen wollte, noch längst nicht vom Tisch. Sie sah es nur als eine weitere Hürde, die sie nehmen musste.

»Überhaupt keine«, sagte sie. »Damit bin ich fertig. Ich denke nicht mehr daran. Ich will einfach nur meine Arbeit machen.«

»Berufsrisiko, hm? Augen zu und durch?«

»So könnte man es vielleicht ausdrücken, Sir.«

Er nickte beruhigt. Einen Augenblick lang fragte sich Fry, wie er wohl reagieren würde, wenn sie das täte, wonach ihr im Innersten wirklich zu Mute war, wenn sie brüllte und schrie und ihm mit den Fäusten das selbstgefällige Lächeln aus dem Gesicht prügelte. Sie war stolz auf ihre Selbstbeherrschung; sie hatte gelernt, die Wut fest in sich zu verschließen.

Plötzlich wurde die Bebauung auf beiden Seiten der Straße dichter, obwohl noch kein Schild auf das Dorf hingewiesen hatte. Rechts lagen eine kleine Schule, einige ehemalige Farmgebäude, in denen jetzt kunstgewerbliche Werkstätten untergebracht waren, und ein winziges Dorfpostamt mit angeschlossenem Laden. Über den Dächern ragte der eckige Turm einer Kirche auf, umgeben von stattlichen Kastanien- und Ahornbäumen.

Auf einem geschotterten Parkplatz standen mehrere Autos und Lieferwagen. Sobald DI Hitchens angehalten hatte, kam Police Constable Wragg an das Fenster des Wagens, einen Plastikbeutel in der Hand, in dem ein Reebok-Turnschuh lag. Wragg schwitzte.

»Wragg? Wo ist DC Cooper?«

»Der alte Mann zeigt ihm, wo er den Schuh gefunden hat, Sir.«

»Wie kommt Cooper denn dazu? Er hätte warten müssen«, sagte Hitchens.

»Der Alte wollte nicht warten. Heute ist nämlich sein Domino-Abend. Entweder jetzt oder nie, hat er gesagt.«

»Sein *Domino*-Abend?«

Wragg machte ein verlegenes Gesicht. »Er schien es wirklich ernst zu meinen«, sagte er.

Im Grunde sah dieser Abschnitt des Weges genauso aus wie jeder andere. Der staubige Boden war von Baumwurzeln durchzogen, die durch die Erde brachen und an den steilen Stellen Stufen bildeten. Rechts und links klammerten sich Eichen und Birken an die Hänge, die Stämme dicht von Farn umringt. Halb im Farnkraut verborgen lagen einige große Felsbrocken wie überwucherte Trümmer eines Steinzeittempels. Vögel raschelten im Unterholz und stießen Warnrufe aus, untermalt vom Rauschen eines nahen Baches.

»Aye, ungefähr hier«, sagte Harry.

»Sind Sie sicher?«

»Müsste stimmen.«

Ben Cooper wusste nicht recht, was er von Harry Dickinson halten sollte. Normalerweise konnte er die Gefühle der Menschen, mit denen er bei dieser Art von Arbeit in Kontakt kam, wenigstens zum Teil deuten. Sie waren oft aufgeregt, ängstlich, wütend oder fassungslos vor Schock und Sorge. So reagierten diejenigen, die sich zum ersten Mal im Leben mit etwas so Furchtbarem wie einem Gewaltverbrechen konfrontiert sahen. Manche Leute wurden nervös oder unverhältnismäßig aggressiv. Auch das waren interessante Reaktionen, oft die ersten Anzeichen von Schuld. Bei den Menschen, mit denen er beruflich zu tun hatte, achtete er sehr genau auf solche Signale. Das gehörte für ihn zu den notwendigen polizeilichen Instinkten.

Harry Dickinson aber hatte keinerlei Gefühle gezeigt, weder

im Cottage bei seiner Frau und seiner Enkelin, noch jetzt, da er mit Cooper an der Stelle stand, wo er und sein Hund den blutigen Turnschuh gefunden hatten.

Auf dem Weg hinunter zum Fuß der Raven's Side war Harry schweigend und steif vorneweg marschiert, den Rücken durchgedrückt, mit den Armen gleichmäßig ausholend. Er hatte kein Wort mehr gesagt, seit sie das Haus verlassen hatten, und lediglich mit einem Kopfnicken die Richtung angedeutet, wenn sie an eine Abzweigung kamen. Es war, als ob der alte Mann aus Holz wäre. Cooper hätte ihn gern überholt, um zu sehen, ob er in seinen Augen etwas lesen konnte.

»Ist Ihnen klar, dass Laura Vernon möglicherweise schwer verletzt ganz in der Nähe liegen könnte, Mr. Dickinson?«

»Ja.«

»Oder sogar tot?«

Harry hielt Coopers Blick stand. Was war das für ein Ausdruck, der kaum wahrnehmbar in seinen Augen aufblitzte? Belustigung? Nein, Spott. Ungeduld über die überflüssigen Worte.

»Das weiß ich selber. Ich bin doch nicht blöde.«

»Es ist ungeheuer wichtig, dass Sie uns den genauen Fundort des Turnschuhs zeigen. Mr. Dickinson.«

Harry spuckte ins Gras und kniff vor der tief stehenden Sonne die Augen zusammen, wie ein Indianer, der eine Fährte aufnahm. Mit dem Schirm seiner Mütze deutete er nach rechts.

»Da unten? Neben dem Bach?«

»Jess ist gern da unten, am Wasser«, sagte Harry.

»Was ist hinter den Felsen?«

»Gestrüpp, ein Dickicht. Da gibt es Kaninchen.«

»Kam da der Turnschuh her?«

Harry zuckte die Achseln. »Sehen Sie selber nach, mein Junge.«

Cooper ging zu den Felsen hinüber. Nur die Spitzen traten aus dem Gras zu Tage, scharfe Kanten, die glitschig und tückisch aussahen. Freiwillig wäre er hier nicht spazieren gegangen, dafür gab es in der Umgebung genug bequemere Wege. Aus den kurzen, struppigen Grashalmen schloss er, dass hier gelegentlich Schafe weideten. Zwischen den Steinen zeichneten sich schmale Pfade ab, und auf der Erde lagen angetrocknete schwarze Kotkugeln.

Cooper balancierte so gut wie möglich über die Felsen ins dichte Unterholz, um keine Fußspuren zu verwischen. Einige Schritte zu seiner Rechten, unterhalb einer glatten, grasigen Böschung, plätscherte der Bach, der an dieser Stelle recht seicht war. Ein verschwiegenes Plätzchen, der ideale Ort für ein ungestörtes Stelldichein.

Er blickte über die Schulter zurück. Harry Dickinson war ihm nicht gefolgt. Er stand auf einer flachen Felsplatte, als ob er den Weg bewachte, und schien überhaupt nicht wahrzunehmen, was um ihn herum vorging. Ab und zu schloss er die Hand zur Faust, als vermisste er seine Hundeleine. Er wirkte vollkommen ruhig.

Während Cooper tiefer ins Unterholz vordrang, streifte er Adlerfarn und blieb an wuchernden Brombeerranken hängen. Einige aufgescheuchte Wespen schwirrten um seinen Kopf, starteten blitzschnelle Scheinangriffe und wichen seinen sinnlosen Abwehrversuchen aus. Allmählich schloss sich das Laubdach über ihm, und es war wie in einer dunklen Höhle.

Ein Stück voraus und etwa zehn Meter tiefer konnte er auf der gegenüberliegenden Seite des Baches einen mit kleinen Steinen eingefassten, breiten Weg erkennen, in den Holzbohlen eingelassen waren, die als Stufen dienten. Er zog sich wie eine Autobahnschneise durch die Natur, von zahllosen Füßen blank gewetzt und frei von jeglicher Vegetation. Cooper wurde klar, dass das der Eden Valley Trail sein musste, ein Wanderweg, der sich etwas weiter nördlich mit dem Pennine Way vereinigte. Es war eine sehr beliebte Route, die im Sommer Tausende von Wanderern anlockte.

Aber an der einsamen, abgelegenen Stelle, wo er stand, war von dem belebten Wanderweg genauso wenig zu spüren wie auf dem Gipfel des Mam Tor. Ein vorbeikommender Wanderer hätte Cooper hier oben im Farnkraut nicht entdecken können, selbst wenn er sich die Mühe gemacht hätte, heraufzusehen.

Er drehte sich um, verscheuchte die Fliegen, die um sein Gesicht brummten, und blickte durch die Bäume und das dichte Dornengestrüpp zurück. Es war wie ein Blick durch einen dunklen Tunnel, an dessen Ende Harry Dickinson stand, eingerahmt von einem Geflecht aus Ästen und Zweigen, die nach ihm zu greifen schienen. Cooper musste blinzeln, so scharf war der Kontrast zwischen dem hellen Licht und den kräftigen Farben der Hügelflanke. Der alte Mann stand im Schein der tief stehenden Sonne, und die aufgeheizten Felsen um ihn herum glühten. Im Hitzedunst, der vom Boden aufstieg, schien sich seine dunkle Silhouette langsam im Tanz zu wiegen. Zitternd und zuckend verlor sich der riesige, ausgefranste Schatten, den er auf die Felsen warf, im Dickicht.

Der Ausdruck in Harrys Augen war nicht zu deuten, sein Gesicht lag halb im Schatten seiner Mütze. Cooper konnte nicht einmal erkennen, in welche Richtung er sah, ob er sich abgewandt hatte oder durch die Bäume zu ihm herüberstarrte.

Am liebsten hätte er den alten Mann bei den Schultern gepackt und kräftig durchgeschüttelt. Es war tatsächlich jemand an dieser Stelle gewesen, und zwar erst kürzlich. Es war nicht zu übersehen – und man konnte es riechen. Zwei Menschen waren hier gewesen, und wenigstens einer von ihnen hatte es nicht nur auf Kaninchen abgesehen gehabt. Der Geruch, der unter den Bäumen in der Luft hing, war der nach geronnenem Blut, verwesendem Fleisch und Urin. Und die Fliegen hatten etwas Verlockenderes gefunden als Coopers Schweiß.

5

Okay. Alles abgesperrt?«

»Polizei an allen Zugängen«, antwortete Hitchens prompt.

»Tatortteam?«

»Unterwegs.«

Diane Fry stand hinter DI Hitchens und Detective Chief Inspector Tailby, keine zehn Meter von der Stelle entfernt, wo die Leiche des Mädchens lag. Der Tatort war bereits bestens durchorganisiert. Obwohl Hitchens eine regelrechte Staatsaktion daraus gemacht hatte, die Polizisten auf dem Weg zu postieren und sich mit Informationen versorgen zu lassen, die er nun an den DCI weitergab, hatte Fry den Eindruck, dass schon vor seinem Eintreffen alles Notwendige veranlasst worden war.

»Spurensicherung?«

»Ebenfalls im Anmarsch.«

»Fahndungsgruppe?«

»Unter Leitung von DI Baxter.«

Tailby war schlank und mehr als einen Kopf größer als Hitchens, und wie viele hoch gewachsene Männer ließ auch er ein wenig die Schultern hängen. Sein Haar war vorn leicht angegraut, aber länger als das der meisten seiner jüngeren Kollegen, die Kurzhaarschnitte bevorzugten. Er trug grüne Gummistiefel, nicht gerade das ideale Schuhwerk, wenn man durch unebenes Gelände stapfen musste, das steinig und mit Kaninchenlöchern übersät war. Er konnte sich glücklich schätzen, dass er es bis zum Tatort geschafft hatte, ohne sich einen Knöchel zu verstauchen. Fry war froh, dass sie es sich zur Gewohnheit gemacht hatte, robuste flache Schuhe und Hosen zu tragen.

»Der Fotograf?«, sagte Tailby.

»Eingetroffen und einsatzbereit.«

»Er soll anfangen.«

Fry erwartete als Nächstes die Frage nach dem Arzt, doch dann sah sie, dass Dr. Inglefield bereits den Weg herunterkam.

»Der Finder?«, sagte Tailby.

»Wieder in seinem Cottage, Sir. Mit DC Cooper.«

»Dann wollen wir uns mal anhören, was der Doc zu sagen hat.«

Der Arzt nannte einem Police Constable, der auf der halben Höhe des Weges stand, seinen Namen. Tailby wurde immer ungeduldiger, während die beiden Männer ihre Uhren verglichen und der PC die genaue Ankunftszeit in sein Notizbuch eintrug. Die meisten anderen Beamten, die sich am Tatort eingefunden hatten, waren wieder fortgeschickt worden, um die Suche fortzusetzen, die ihnen nun noch sinnloser erschien als vorher.

Rings um die Tote spannte sich in einem Radius von mehreren Metern ein blauweißes Band um die Baumstämme und einen schwarzen Felsvorsprung. Von ihrem Standort aus konnte Fry von Laura Vernon lediglich einen Unterschenkel erkennen. Der schwarze Stoff ihrer Jeans stand im scharfen Kontrast zu dem weißen nackten Fuß, dessen Zehennägel blutrot lackiert waren. Der Rest der Leiche lag hinter dichtem Farnkraut verborgen, das umliegende Gelände war zertrampelt, Stängel waren abgeknickt, das Gras platt getreten. Die Chancen, auf dem Boden Spuren zu sichern, die zu einer schnellen Festnahme führen konnten, standen demnach nicht schlecht. Fry wäre zu gern näher an die Leiche herangegangen, um das Gesicht des Mädchens zu sehen. Wie war sie gestorben? War sie erwürgt oder erschlagen worden? Keiner sagte etwas. Zu diesem Zeitpunkt wollte sich niemand festlegen. Alle warteten ab, während der Arzt die nötigen Formalitäten erledigte, dem Posten schweigend zunickte und sich vorsichtig über einen abgesteckten Geländestreifen auf das niedergedrückte Farnkraut zubewegte.

Obwohl kaum Zweifel bestehen konnten, dass es sich bei der Toten um Laura Vernon handelte, galt dies erst dann als gesicherte Tatsache, wenn sie durch ein Elternteil offiziell identifiziert worden war.

»Ausgeschlossen, den Caravan hier herunterzuschaffen«, sagte Tailby.

»Jedenfalls nicht weit genug, Sir«, pflichtete Hitchens ihm bei.

»Gibt es keinen Feldweg in der Nähe? Was ist hinter den Bäumen?«

»Ich weiß nicht, Sir.«

Hitchens und Tailby drehten sich um. Als Hitchens sah, dass Fry hinter ihnen stand, runzelte er die Stirn, als hätte er jemand anderen erwartet.

»Sehen Sie mal zu, was Sie finden können, Fry«, sagte er. »Einen möglichst nahe gelegenen Stellplatz für den Caravan.«

»Ja, Sir.«

Fry hatte keine Ahnung, wie sie diesen Auftrag ausführen sollte. Es war kein bewohntes Gelände zu sehen. Das Dorf selbst war hinter den Felsen verborgen. Hinter ihr erhob sich eine Steilwand, vor ihr war bis zur Straße alles dicht bewaldet.

Ihr wurde bewusst, dass der DCI sie musterte. Er hatte ein schmales, knochiges Gesicht und kluge graue Augen mit einem wachsamen Blick. Bis jetzt hatte sie ihm noch nie gegenüber gestanden. Er war ihr nur einmal gezeigt worden, als er in einiger Entfernung vorüberging, und sie hatte ihn sich gemerkt, weil er etwas zu sagen hatte. Auf gar keinen Fall durfte er bei ihrem ersten Zusammentreffen den Eindruck bekommen, dass sie nicht zu gebrauchen war. Ein erster Eindruck wirkte lange nach.

»Vielleicht kann Ihnen dabei jemand helfen, der über bessere Ortskenntnisse verfügt«, schlug Tailby vor.

Hitchens sagte: »Oder wir fragen lieber…«

Plötzlich wusste Diane Fry, was das für ein Geräusch war, das sie schon die ganze Zeit störte, dieses stetige Dröhnen und Knattern über den Bäumen etwas weiter östlich. Der Hubschrauber behielt seine Position fürs Erste bei, bis die Crew die Anweisung bekam, zum Stützpunkt zurückzufliegen.

Fry nahm ihr Funkgerät heraus und lächelte. »Ich glaube, ich habe eine bessere Idee, Sir.«

Der DCI verstand sofort. »Ausgezeichnet. Sagen Sie ihnen, sie sollen sich auch gleich nach einem Stellplatz für die Wagen des Tatortteams und der Spurensicherung umsehen.«

Es dauerte nur wenige Minuten, bis Dr. Inglefield den Weg wieder heraufkam und auf Tailby zuging.

»Mausetot«, sagte er. »Den Schädel eingeschlagen, mal ins Unreine gesprochen. Einzelheiten natürlich erst nach der Autopsie, aber viel mehr gibt es sowieso nicht zu sagen. Die Leichenstarre hat sich bereits weitgehend gelöst, und die Verwesung hat eingesetzt. Außerdem haben wir an den üblichen Stellen die ersten Maden. Augen, Mund, Nasenhöhlen. Sie wissen ja… Die Gerichtsmedizin dürfte den Todeszeitpunkt relativ präzise bestimmen können. Normalerweise würde ich sagen, mindestens vierundzwanzig Stunden, aber bei diesem Wetter…« Er zuckte viel sagend mit den Schultern.

»Vergewaltigt?«

»Mmm. Es hat sich mit Sicherheit jemand an ihrer Kleidung zu schaffen gemacht. Mehr kann ich nicht sagen.«

»Ich sehe sie mir schnell an, während wir auf die Pathologie warten«, sagte Tailby zu Hitchens.

Er zog Plastikhandschuhe an und näherte sich bis auf wenige Schritte der Toten. Er würde weder die Leiche selbst noch irgendetwas in der Umgebung anfassen, um keine vor Gericht verwertbaren Spuren zu zerstören. Dr. Inglefield warf einen neugierigen Blick auf Fry, die ihr Funkgerät wieder wegsteckte. Sie hatte dem Gespräch aufmerksam gelauscht, während sie die Anweisungen an den Hubschrauber durchgab.

»Sie sind neu, nicht wahr?«, sagte Inglefield. »Tut mir Leid, das mit den Maden.«

»Nur neu in der Gegend, aber nicht in dem Beruf«, sagte Fry. »Ich habe so etwas schon öfter gesehen. Die meisten Leute ahnen ja gar nicht, wie schnell Fliegen in die Körperöffnungen eindringen und ihre Eier ablegen.«

»Bei diesem Wetter sind die kleinen Biester schon wenige Minuten nach Eintritt des Todes da. Acht Stunden später können die ersten Maden schlüpfen. Wie lange wurde das Mädchen schon vermisst?«

»Seit fast zwei Tagen«, sagte Fry.

»Da haben Sie's ja. Zeit genug. Aber nehmen Sie mich nicht beim Wort...«

»Das kann nur die Gerichtsmedizin beantworten. Ist schon klar.«

»Mrs. Van Doon wird es Ihren Kollegen genau sagen können. Ein forensischer Entomologe kann das Entwicklungsstadium der Larven feststellen und was Sie sonst noch wissen müssen. Damit lässt sich der Todeszeitpunkt ziemlich präzise bestimmen.«

Hinter den Bäumen waren Motorengeräusche zu hören, und dann tauchte der Hubschrauber wieder auf. Im Tiefflug geleitete er einen kleinen Konvoi einen Waldweg entlang.

»Ich gehe lieber mal los und zeige ihnen den Weg«, sagte Fry.

»Die haben mehr Glück als ich«, sagte der Arzt. »Mein Wagen steht irgendwo oben am Berg. Na ja, ein bisschen Bewegung kann nicht schaden. Das sage ich zumindest meinen Patienten immer.«

Fry begleitete die Pathologin und das Tatortteam den Berg hinunter. Der Mann und die Frau vom Tatortteam schwitzten in ihren weißen Overalls und Überschuhen, während sie ihre Koffer zu der Absperrung schleppten. Als sie sich die Kapuzen über den Kopf zogen, sahen sie wie Außerirdische aus. Tailby machte dem Fotografen Platz, der in den immer länger werdenden Schatten, die sich mittlerweile über den Tatort legten, seine Scheinwerfer aufbaute. Die genaue Lage der Leiche musste mit Fotoapparat und Videokamera festgehalten werden, bevor sich die Gerichtsmedizinerin die Maden näher ansehen konnte. Fry wandte sich ab. Als Nächstes würde die Ärztin die Rektaltemperatur des Mädchens messen.

Fry registrierte, dass DI Hitchens auf seinem Handy angerufen wurde.

»Hitchens hier. Was gibt's?«

Seine Miene verdüsterte sich zusehends.

»Setzen Sie jeden verfügbaren Mann dafür ein. Sicher, sicher, ich weiß. Aber die Sache hat höchste Priorität. Wir stehen ja wie komplette Vollidioten da. Sie können so viele Leute von anderen Aufgaben abziehen, wie Sie brauchen.«

Hitchens blickte sich suchend nach Tailby um; der DCI kam gerade wieder den Berg herauf.

»Verdammt!«, sagte Hitchens und steckte das Handy ein.

»Stimmt etwas nicht?«, fragte Fry.

»Ein Team wollte zu Lee Sherratt, um ihn festzunehmen, aber er ist getürmt.«

Fry runzelte die Stirn. Es war ausgesprochenes Pech, den Haupttatverdächtigen entwischen zu lassen, wenn der Fall nach den ersten Zeugenaussagen schon so gut wie geklärt schien und man darauf hoffen durfte, nach Auswertung der Laborergebnisse zu einem raschen Abschluss der Ermittlungen kommen zu können. Während sie auf den DCI warteten, der an seinen Plastikhandschuhen nestelte, nahm Fry sich vor, dafür zu sorgen, dass nichts von diesem Pech auf sie abfärbte.

»Es kommt darauf an, den Todeszeitpunkt so genau wie möglich zu bestimmen«, sagte Tailby. »Außerdem muss eine zweite Befragung der Dorfbewohner veranlasst werden, Paul.«

»Ja, Sir.«

»Und wir brauchen die Tatwaffe. Sobald die Spurensicherung hier fertig ist, sollen die Suchtrupps loslegen.«

»Ja, Sir.«

»Was war das für ein Anruf? Hat man den Jungen schon festgenommen? Diesen Sherratt?«

Hitchens zögerte zum ersten Mal.

»Nein, Sir.«

»Und warum nicht?«

»Sie können ihn nicht finden. Er ist seit gestern Nachmittag nicht mehr zu Hause gewesen.«

»Das soll hoffentlich ein Witz sein.«

Hitchens schüttelte den Kopf. »Nein, Sir.«

Tailbys Gesichtsausdruck verfinsterte sich, noch verstärkt durch seine zusammengezogenen buschigen Augenbrauen. »Nicht zu fassen. Da befragen wir den Burschen am Sonntag, als es nur um eine Vermisstensache geht, und kaum taucht die Leiche auf, geht er uns durch die Lappen.«

»Es gab keinen Grund …«

»Aber dafür gibt es jetzt einen Grund und zwar einen sehr guten. Meinen Sie nicht auch?«, sagte Tailby wütend und deutete auf die Stelle, wo Laura Vernon lag.

»Die Fahndung läuft. Aber weil so viele Männer hier unten bei der Suche im Einsatz waren …«

»Sie sollen sich verdammt noch mal ranhalten. Die Sache muss so schnell wie möglich vom Tisch, Paul. Wenn uns das nicht gelingt, fangen die Leute an, eine Verbindung zum Fall Edson herzustellen, und dann haben wir den Salat. Eine Massenhysterie, weil ein Serienmörder frei herumläuft. Das ist das Letzte, was wir gebrauchen können.«

Hitchens warf Fry einen Hilfe suchenden Blick zu. Sie verzog keine Miene. Sie hatte nicht die Absicht, sein Pech freiwillig mit ihm zu teilen.

»Okay«, sagte Tailby. »Was nun? Wie hieß der Mann noch gleich? Der Finder?«

»Dickinson, Sir«, antwortete Hitchens. »Harry Dickinson.«

Harry war in der Küche. Er hatte die Jacke ausgezogen und die Hemdsärmel hochgekrempelt, sodass seine weißen, sehnigen Arme zu sehen waren. Eine deutliche Linie oberhalb der Handgelenke markierte die Grenze zwischen der blassen, von der Sonne unberührten Haut und den braunen, wettergegerbten Händen, die mit Altersflecken und dunklen, tief in den Poren sitzenden Pünktchen übersät waren. Harry stand an der Spüle, schrubbte mit einer blauen Bürste die Teetassen aus und wusch die Löffel ab. Dabei machte er ein so konzentriertes Gesicht, als wäre er mit einer Gehirnoperation beschäftigt.

»Er macht immer den Abwasch«, erklärte Gwen den Beamten, die in der Tür standen. »Angeblich kann ich es nicht richtig.«

»Wir möchten nur kurz mit ihm sprechen, Mrs. Dickinson«, sagte Tailby. »Es geht um unsere Ermittlungen.«

Allmählich schien Harry die Beamten wahrzunehmen. Er legte die Spülbürste weg, trocknete sich gründlich die Hände ab, rollte die Ärmel herunter, nahm seine Jacke vom Haken hinter der Tür und zog sie wieder an. Dann ging er gemächlich und ohne ein Wort zu sagen an ihnen vorbei in das dunkle Wohnzimmer, wo man durch einen Spalt in der weißen Gardine die Straße erkennen konnte.

Als Hitchens und Tailby hereinkamen, saß er bereits kerzengerade auf einem Stuhl. Er erwartete sie wie ein Richter, der die Angeklagten musterte, die auf der Anklagebank Platz nahmen. Die Beamten zogen sich zwei Stühle unter einem Mahagoni-Esstisch hervor und bauten sie vor dem alten Mann auf. Diane Fry schlüpfte leise durch die Tür und lehnte sich mit ihrem Notizbuch an die Wand, während Hitchens und Tailby ihre Namen nannten und sich auswiesen.

»Harry Dickinson?«, fragte Hitchens. Der alte Mann nickte. »Das ist Detective Chief Inspector Tailby, Harry. Ich bin Detective Inspector Hitchens. Aus Edendale.«

»Wo ist denn der Junge?«, fragte Harry.

»Wer?«

»Der vorher hier war. Sergeant Coopers Junge.«

Tailby sah Hitchens an und zog eine Augenbraue hoch.

»Ben Cooper ist nur ein Detective Constable, Harry. Aber wir ermitteln in einem Mordfall. Verstehen Sie? Detective Chief Inspector Tailby ist der verantwortliche Beamte, der die Ermittlungen leiten wird.«

»Aye«, sagte Harry. »Der Mann am Drücker.«

»Sie wissen, dass wir eine Leiche gefunden haben, Mr. Dickinson?«, fragte Tailby. Er sprach laut und deutlich, als ob er einen Schwachsinnigen vor sich hätte.

Harry ließ den Blick langsam von Hitchens zu Tailby wandern.

Anfangs hatte er sich nur unbeeindruckt gezeigt, jetzt wirkte er störrisch.

»Das Mount-Mädchen, hm?«

»Die Familie Vernon lebt im Mount«, erläuterte Hitchens Tailby. »Die Villa heißt so.«

»Die Tote ist noch nicht offiziell identifiziert worden, Mr. Dickinson«, sagte Tailby. »Bis es so weit ist, können wir dazu noch keine eindeutige Aussage treffen. Allerdings ist allgemein bekannt, dass wir seit mehreren Stunden eine breit angelegte Suche nach einem fünfzehnjährigen Mädchen dieses Namens durchgeführt haben. Unter den gegebenen Umständen besteht die große Wahrscheinlichkeit, dass es sich bei den in der Nähe aufgefundenen sterblichen Überresten um die von Laura Vernon handelt.«

Die Sekunden verstrichen. Auf dem Kaminsims tickte eine alte Kutscheruhr leise vor sich hin, das einzige Geräusch im Raum. Fry hatte überhaupt den Eindruck, dass die Zeit in diesem Zimmer ganz besonders langsam verging, als ob es, vom Rest der Welt abgeschottet, in einer eigenen Zeitzone lag, wo die normalen Regeln nicht galten.

»Sie reden ja mächtig geschwollen daher«, sagte Harry.

Tailby ließ sich nicht aus der Ruhe bringen.

»Wir hätten gerne von Ihnen erfahren, wie es dazu kam, dass Sie den Turnschuh gefunden haben, Mr. Dickinson.«

»Das habe ich doch …«

»Ja, ich weiß, dass Sie es schon mal erzählt haben. Aber schildern Sie es bitte noch einmal.«

»Als ob ich nichts Besseres zu tun hätte.«

»Ja, ich weiß«, sagte Tailby frostig. »Heute ist Ihr Domino-Abend.«

Harry nahm seine Pfeife aus der Jackentasche und kratzte die Asche in eine Keramikschale. Seine Bewegungen waren langsam und entspannt, seine Miene betont gelassen. Hitchens wurde unruhig, aber Tailby bedeutete ihm zu schweigen.

»Eines Tages kommen Sie auch noch dahinter«, sagte Harry. »In meinem Alter kann man nicht mehr zweimal an einem Nachmittag den Berg rauf und runter rennen und am Abend noch etwas unternehmen, ohne ein Nickerchen zwischendurch. Dafür reichen die Kräfte nicht mehr. Da beißt die Maus keinen Faden ab.« Er fuhr sich mit der Hand durch das akkurat geschnittene Haar und strich die grauen, pomadigen Strähnen glatt. »Auch wenn Sie noch so viele Leichen finden.«

»Je schneller wir es hinter uns bringen, desto eher lassen wir Sie wieder in Frieden.«

»Es hilft alles nichts, da können Sie noch so ein hohes Tier sein und noch so große Worte machen. Dieses ganze Kommen und Gehen und dauernd irgendwelche fremden Leute im Haus – das ist mir alles zu viel.«

Tailby seufzte. »Wir würden die Geschichte gern noch einmal in Ihren eigenen Worten hören, Mr. Dickinson. Erzählen Sie uns einfach die Geschichte.«

Harry starrte ihn trotzig an. »Die Geschichte. So, so. Wie hätten Sie sie denn am liebsten, soll ich ein bisschen Hintergrundmusik dazu spielen lassen?«

Diane Fry hatte den Eindruck, dass die Befragung unmerklich gekippt war und sich die Rollen vertauscht hatten, sodass die beiden Beamten darauf warteten, von dem alten Mann vernommen zu werden, statt umgekehrt. Hitchens und Tailby waren nervös, sie rutschten auf den harten Stühlen herum und wussten nicht recht, was sie sagen sollten, um die Atmosphäre aufzulockern. Harry hingegen blieb völlig gleichmütig. Entspannt und ruhig saß er da, die Füße auf einer abgewetzten Stelle im Teppich als wären sie angewurzelt. Er hatte das Fenster im Rücken, sodass er sich von der hellen Straße draußen abhob, eine schwache Aura um Kopf und Schultern. Hitchens und Tailby mussten ins Licht sehen, während sie darauf warteten, dass der alte Mann weitersprach.

»Also keine Musik, hm?«

»Wie Sie möchten, Mr. Dickinson.«

»Ich war mit Jess unterwegs.«

»Jess?«

»Mein Hund.«

»Natürlich. Sie sind mit Ihrem Hund spazieren gegangen.«

Harry zündete einen Fidibus an und zog an seiner Pfeife. Er schien abzuwarten, ob Tailby die Geschichte vielleicht selbst zu Ende erzählen wollte.

»Ich bin mit meinem Hund spazieren gegangen, wie Sie sagen. Wir gehen immer da runter. Das habe ich dem Jungen schon erzählt. Sergeant Coopers …«

»Sergeant Coopers Jungen, ja.«

»Sie fallen einem gerne ins Wort, was?«, sagte Harry. »Ist das eine bestimmte … Wie heißt es noch gleich? Eine Verhörtechnik?«

Fry hatte den Eindruck, dass der Anflug eines Lächelns über Tailbys Gesicht huschte. Hitchens dagegen, der im Büro immer so leutselig war, sah nicht so aus, als ob ihm nach Lachen zu Mute war.

»Fahren Sie bitte fort, Mr. Dickinson«, sagte Tailby.

»Wir gehen immer am Fuß der Raven's Side spazieren. Jess läuft gerne am Bach lang. Hinter den Karnickeln her. Dabei hat sie noch nie eins gefangen. Ist ein Spiel, verstehen Sie?«

Der Qualm von Harrys Pfeife stieg als Wolke zur Decke und wallte um eine schalenförmige Glaslampe, die an dünnen Ketten unter einer Sechzigwattbirne hing. In der Mitte des Raums war die Deckentapete gelb von Rauch.

Fry blickte der Wolke nach. Wahrscheinlich saß der alte Mann jeden Tag in diesem Zimmer und rauchte, immer auf demselben Stuhl. Was wohl seine Frau in der Zwischenzeit machte? Ob sie sich im Nebenzimmer eine Krankenhausserie im Fernsehen ansah? Und was machte Harry, während er rauchte? In der Nische neben dem Kamin standen einige Bücher in einem Regal. Die Titel, die sie entziffern konnte, lauteten *Bergarbeiter in Krisen- und Kriegszeiten, Die Gewerkschaften Großbritanniens, Wege zur Freiheit* und *Der Ripper und das Königshaus*. Soweit sie sah, gab es nur einen einzigen Roman, *Vaterland* von Robert Harris. Er stand mitten unter den anderen Büchern, die akkurat zwischen zwei geschnitzten Buchstützen aus Eichenholz aufgereiht waren. In einem Zeitungsständer neben dem Kamin lagen drei oder vier Ausgaben des *Guardian.* Einen Fernsehapparat, ein Radio oder eine Stereoanlage gab es hier nicht. Wenn der alte Mann die Zeitung ausgelesen hatte, konnte er in diesem Zimmer nichts weiter tun, als auf das Ticken der Uhr zu lauschen und nachzudenken.

Fry merkte, dass Harry sie ansah. Plötzlich hatte sie das Gefühl, dass er ihre Gedanken lesen konnte. Ihr selbst wollte es bei ihm nicht gelingen. Seine Miene war ausdruckslos. Er hatte etwas von einem Aristokraten an sich, der eine Demütigung mit Fassung über sich ergehen ließ.

»Ein Spiel, Harry…«, soufflierte Hitchens. Er war ungeduldiger als der DCI. Jedes Mal, wenn er den alten Mann »Harry« nannte, schienen sich dessen Schultern noch ein wenig mehr zu versteifen. Tailby war höflicher, nachsichtiger. Fry achtete bei ihren Vorgesetzten genau auf solche Merkmale. Wenn sie genug Beobachtungen zusammengetragen hatte, konnte sie sie vielleicht analysieren, durch den Computer jagen und die idealen Charaktereigenschaften herausfinden, die man als angehender DCI brauchte.

»Manchmal schleppt sie Sachen an«, sagte Harry. »Ich setze mich auf einen Felsen, rauche meine Pfeife und sehe mir den Bach und die Vögel an. Manchmal kann man Otter beobachten, die hinter den Fischen her sind. Wenn man sich still verhält, bemerken sie einen nicht.«

Tailby nickte. Vielleicht war er auch ein Naturfreund. Fry wusste nicht viel über Tiere. Außer Tauben und streunenden Hunden hatte es in Birmingham kaum welche gegeben.

»Und während ich da sitze, bringt Jess mir irgendwelches Zeugs. Stöckchen und so. Oder einen Stein. Im Maul. Manchmal findet sie auch was Totes.«

Harry hielt inne. Fry kam es so vor, als ob er zum ersten Mal unabsichtlich ins Stocken geraten war. Er schien sich selbst über seinen letzten Satz zu wundern. Dann zuckte er mit den Achseln.

»Ich meine ein Wiesel oder eine Amsel. Einmal war es auch ein

Eichhörnchen. Wenn sie noch nicht zu lange tot sind und nicht allzu mitgenommen aussehen, gebe ich sie einem Mann in Hathersage, und der friert sie ein.«

»Wie bitte?«

»Er stopft sie aus«, sagte Harry. »Alles legal.«

»Ein Präparator«, sagte Hitchens.

Tailby runzelte die Stirn. Harry zog genüsslich an seiner Pfeife, als hätte er gerade einen kleinen Sieg errungen .

»Aber wie war es heute, Mr. Dickinson?«, fragte Tailby.

»Ach, heute. Heute hat Jess mir was anderes gebracht. Sie lief los, stöberte im Farnkraut rum und so hab ich nicht besonders auf sie geachtet, ich saß bloß da. Dann kam sie wieder und hatte irgendwas im Maul. Zuerst wusste ich nicht, was es war. Aber es war der Schuh.«

»Haben Sie gesehen, wo der Hund ihn gefunden hat?«

»Nein, das habe ich doch schon gesagt. Ich konnte Jess nicht sehen. Ich habe ihr den Schuh abgenommen. Dann ist mir diese Kleine eingefallen, die Sie suchen, das Mount-Mädchen. Der Schuh sah mir so aus, als ob er ihr gehören könnte. Also habe ich ihn mitgenommen. Und meine Enkelin hat angerufen.«

»Sie kannten Laura Vernon?«

»Ich kenne wohl jeden im Dorf«, sagte Harry. »Wir sind hier schließlich nicht in Buxton. Ich habe sie ein paar Mal gesehen.«

»Und wann haben Sie sie zuletzt gesehen, Mr. Dickinson?«, fragte Tailby.

»Ah. Kann ich nicht sagen.«

»Es könnte sehr wichtig sein.«

»Mmhm?«

»Wenn sie regelmäßig auf dem Baulk spazieren gegangen ist, wo Sie immer Ihren Hund ausführen, Mr. Dickinson, könnten Sie sie vorher gesehen haben.«

»Sie könnten auch ihren Mörder gesehen haben«, ergänzte Hitchens.

»Glaube ich nicht«, sagte Harry. »Da ist nie einer.«

»Aber Sie müssen doch…«

»Da ist nie einer.«

Harry funkelte Hitchens an, plötzlich aggressiv. Der DI verlor für einen Augenblick die Beherrschung.

»Wir ermitteln in einem Mordfall, Harry! Vergessen Sie das nicht! Wir erwarten Ihre volle Unterstützung.«

Der alte Mann schürzte die Lippen. Die Falten um seinen Mund vertieften sich, aber sein Blick blieb hart und frostig. »Ich würde sagen, ich habe mein Teil getan. Ich habe langsam die Nase voll von Ihnen.«

»Nun denn. Das hier ist kein Kaffeeklatsch, Harry. Es ist kein Spiel, wie Sie es mit Ihrem Hund spielen, wenn Sie ihn Stöckchen holen lassen. Das ist eine ernste Angelegenheit, und wir sind auf Ihre Aussage angewiesen.«

»Haben Sie sonst noch jemanden auf dem Baulk gesehen, Mr. Dickinson?«, fragte Tailby freundlich.

»Wenn es so wäre, würde ich mich wohl noch daran erinnern«, sagte Harry.

Hitchens schnaubte wütend und wäre fast aufgesprungen. »Unverschämtheit.«

»Lassen Sie es gut sein, Paul«, beruhigte Tailby ihn automatisch.

»Richtig. So lasse ich in meinem Haus nicht mit mir reden«, sagte Harry. »Höchste Zeit, dass Sie sich trollen, und zwar allesamt. Tun Sie etwas Nützliches.« Er deutete mit dem Pfeifenstiel auf Fry und ihr Notizbuch. »Und nehmen Sie Ihre Sekretärin mit. Sie macht mir einen Fleck an die Wand.«

»Detective Constable Fry muss noch Ihre Aussage aufnehmen.«

»Dann wird sie mich wohl erst wecken müssen.«

Tailby und Hitchens erhoben sich von den harten Stühlen und streckten sich. Der DCI wirkte zu groß für den Raum. Das Haus stammte noch aus einer Zeit, als niemand größer wurde als 1,80 Meter. Wahrscheinlich hatte er den Kopf eingezogen, um durch die Tür zu kommen, aber Fry hatte nichts davon bemerkt.

»Vielleicht müssen wir noch einmal auf Sie zurückkommen, Mr. Dickinson«, sagte Tailby.

»Dann schicken Sie mir nächstes Mal lieber den Jungen vorbei.«

»Ich fürchte, Sie werden sich mit DI Hitchens und mir begnügen müssen. Wir wollen Sie nicht unnötig stören, aber wir erwarten, dass Sie uns bei unseren Ermittlungen nach besten Kräften unterstützen, auch wenn es länger dauern sollte. Haben Sie uns fürs Erste wirklich nichts mehr zu sagen, Mr. Dickinson?«

»O doch«, sagte Harry.

»Und das wäre?«

»*Hauen Sie ab.*«

6

Die Kriminalbeamten waren kaum gegangen, als sich das kleine Cottage erneut mit Menschen füllte. Helen, die in der Tür zur Küche stand, sah zu, wie ihre Mutter und ihr Vater ins Esszimmer liefen und sich aufgeregt um ihre Großeltern scharten. Sie sprachen mit ihnen wie mit ungezogenen Kindern, die eine Strafpredigt und Trost zugleich verdient hatten.

»Du lieber Himmel, ihr zwei. Was ist denn passiert? Das ganze Haus voller Polizei. Was *hast* du bloß angestellt, Harry?«

Zu einem kurzärmeligen Baumwollhemd mit einem etwas gewagten blaugrünen Muster trug Andrew Wilner noch die dunkelgraue Hose des Anzugs, den er immer ins Büro anzog. Er roch schwach nach Seife und Whisky. Helen wusste, dass ihr Vater bereits geduscht hatte, als er von der Arbeit nach Hause gekommen war, und sich das erste Glas Glenmorangie gegönnt hatte, als ihn ihr Anruf erreichte. Den Sonnenschutz an seiner Brille hatte er nach oben geklappt, als er ins Haus getreten war. Jetzt standen die dunklen Gläser waagerecht von seiner Stirn ab wie übertriebene Augenbrauen.

Harry blickte ohne ein Lächeln der Begrüßung aus dem Sessel zu Andrew hoch.

»Helen hat euch bestimmt schon alles gesagt, was es zu sagen gibt.«

Margaret Milner fächelte sich mit einem Strohhut Luft zu. Sie war eine korpulente Frau, die stark unter der Hitze litt. Ihr bunt geblümtes Kleid schwang um ihre Knie, und wenn sie sich bewegte, verbreitete sich im Zimmer der penetrante Geruch von Deospray.

»Eine Leiche. Wie schrecklich. Ihr Ärmsten.«

»Was dein Dad gefunden hat, war ein Schuh«, sagte Gwen aufgeregt. »So einen Turnschuh. Sie haben gesagt, dass da auch ein totes Mädchen lag, aber dein Dad hat sie nicht gesehen. Du hast sie doch nicht gesehen, oder, Harry?«

»Es war Jess«, sagte Harry. »Jess hat den Schuh gefunden, nicht ich.«

»Und da war ... War da wirklich Blut dran?«

»Scheint so.«

»Der junge Polizist hat ihn mitgenommen«, sagte Gwen.«

»Der junge Cooper.«

»Wer?«

»Der Sohn von Sergeant Cooper. Der Polizist. Du erinnerst dich doch sicher noch an die Geschichte?«

»Ach, jetzt weiß ich wieder.« Margaret wandte sich ihrer Tochter zu. »Warst du nicht in der Schule mit ihm befreundet, Helen? Jetzt erinnere ich mich. Du mochtest ihn, nicht wahr?«

Helen war verlegen. Am liebsten wäre sie in die Küche geflüchtet, um schnell noch eine Kanne Tee zu kochen. Sie liebte ihre Eltern und ihre Großeltern, aber mit allen vieren in einem Raum fühlte sie sich immer unbehaglich. Sie kam gut mit jedem einzelnen zurecht, aber wenn sie als Familie zusammen waren, schien kein Gespräch mehr möglich.

»Ja, Mum. Ben Cooper.«

»Ihr habt euch gut verstanden. Aber es ist nie etwas aus euch geworden. Ich fand das immer sehr schade.«

»Mum ...«

»Ich weiß, ich weiß. Es geht mich nichts an.«

»Lass es gut sein, Mum. Ein andermal.«

»Man hat eine Leiche gefunden«, sagte Gwen klagend, fast flehend, als ob sie hoffte, jemand würde sie trösten oder ihr sagen, dass überhaupt nichts geschehen war.

»Und es ist wirklich die kleine Vernon?«, fragte Andrew ungeduldig. Helen hörte den leichten schottischen Akzent ihres Vaters heraus, das gerollte R, das immer durchklang, wenn er unter Stress stand. »Steht schon fest, dass es Laura Vernon ist?«

»Sie muss erst noch identifiziert werden, haben die zwei Beamte gesagt.« Gwen sah Harry herausfordernd an. Er sollte ruhig wissen, dass sie an der Tür gelauscht hatte, als er von der Polizei befragt worden war. Harry nahm keine Notiz davon. Er betastete seine Jackentasche, als ob er sich nichts sehnlicher wünschte, als sich mit seiner Pfeife in das Wohnzimmer zurückzuziehen, in seinen sicheren Hafen.

»Sie glauben schon, dass sie es ist«, sagte Harry.

»Das arme Ding«, sagte Margaret. »Sie war doch noch ein Kind. Wer würde so etwas tun, Helen?«

»Sie war fünfzehn. Möchtet ihr Tee?«

»Fünfzehn, eben. Noch ein Kind. Sie haben ihr alles gegeben, ihr Vater und ihre Mutter. Privatschule, eigenes Pferd. Was das gekostet haben muss, überleg doch mal. Und nun so etwas.«

»Ich frage mich, wie Graham Vernon es aufnehmen wird«, sagte Andrew.

»Wie meinst du das, Dad?«

»Es ist so schrecklich. Stell dir doch mal vor, in was für einer Verfassung er jetzt ist. Und dann muss es ausgerechnet mein eigener Schwiegervater sein, der sie findet.«

»Ich bitte dich, was spielt das denn für eine Rolle? Seine Tochter ist tot, da ist es doch vollkommen egal, wer sie gefunden hat.«

»Aber unangenehm ist es trotzdem.«

»Andrew gefällt sich in der Rolle von Graham Vernons treuem Lakaien«, sagte Margaret. »In den Mord an seiner Tochter verwickelt zu sein, passt nicht besonders gut ins Bild.«

»*Verwickelt?* Also wirklich nicht«, protestierte Andrew.

»Wenn auch nur am Rande, natürlich«, sagte Margaret mit einem zufriedenen Lächeln. »Aber das reicht wahrscheinlich, um dir Angst zu machen, es würde etwas an dir hängen bleiben.«

»Hör auf, Margaret.«

»Vielleicht wäre es besser gewesen, wenn Dad einfach weitergegangen wäre und niemandem etwas gesagt hätte. Für dich wäre es auf jeden Fall besser gewesen. Ich bin überrascht, dass er in dem Moment überhaupt nicht an deinen guten Ruf gedacht hat. Wie konntest du nur, Dad?«

Harry holte seine leere Pfeife heraus, kaute auf dem Stiel herum und sah von einem zum anderen. Helen hatte den Eindruck, dass er der Einzige im Zimmer war, der an dem Gespräch seine Freude hatte.

»Andererseits ist es um den Ruf der Vernons natürlich auch nicht besonders gut bestellt«, sagte Margaret.

»Das ist nicht fair. Sie sind angesehene Leute.«

Margaret schnaubte verächtlich. »Angesehen? Aber nicht in diesem Haus. Was sagst du dazu, Dad?«

»Verdammte Geldsäcke. Ungehobeltes Gesindel.«

Helen lächelte. »Das musste auch mal gesagt werden. Sie haben unserer Familie genug angetan. Wieso sollten wir unsere Meinung wegen dieser Sache ändern? Es tut mir Leid für sie, aber es ist ihre Angelegenheit, nicht unsere. Und mit Großvater hat es gleich gar nichts zu tun. Zum Teufel mit den Vernons. Wir müssen uns um Grandma und Granddad kümmern.«

»Aber natürlich. Andrew?«

»Schon gut, schon gut.«

»Wie gut, dass wir eine richtige Familie sind, die zusammenhält«, sagte Margaret. »Nicht wie die Vernons. Das ist nämlich genau das Problem bei denen. Das war auch der Grund für alles, was vorgefallen ist. Sie wissen nicht, was eine Familie ist. Und ihr werdet sehen, das ist auch diesmal wieder der Grund.«

»Wir müssen darüber reden«, sagte Helen. »Wir hätten schon längst darüber reden sollen.«

»*Er* will nicht«, sagte Gwen. »Er will mit keinem darüber sprechen.«

»Dafür gibt's keinen Grund«, sagte Harry. »Lasst es gut sein.«

Helen ging zu seinem Sessel und legte ihm die Hand auf den Arm. »Granddad?«

Er tätschelte ihre Hand und lächelte ihr zu. »Glaub mir, Kind, es gibt keinen Grund.«

Sie seufzte. »Nein, wir haben noch nie über irgendetwas Wich-

tiges gesprochen. Noch nie, die ganze Familie nicht. Außer wenn
wir wütend oder aufgeregt sind. Und in so einem Augenblick
kann man nichts besprechen. In so einem Augenblick kann man
gar nichts tun.«

»Also, ich weiß wirklich nicht, was du meinst«, sagte Margaret.
»Ich bin durchaus in der Lage, über alles zu reden, ohne mich auf-
zuregen.«

Ihre Stimme klang schrill. Sie warf den Kopf nach hinten, nestelte an ihrem Ohrring und funkelte ihren Mann an, als ob sie seinen Widerspruch herausfordern wollte. Aber Andrew wandte
sich mit hängenden Schultern ab. Sein Blick fiel auf Jess, die sich
ins Zimmer geschlichen hatte und ihn mit traurigen Augen ansah. Ihre Ohren zuckten, während sie versuchte, den Klang der
Stimmen einzuordnen und die Stimmung zu deuten. Was sie
hörte, schien ihr nicht zu gefallen.

»Es war wirklich nicht nötig, dass ihr hergekommen seid«, sagte
Harry. »Überhaupt nicht nötig. Wir sind wunderbar allein zu-
rechtgekommen, wir und Helen.«

»Wir konnten euch doch nach einem solchen Schreck nicht
einfach allein lassen«, sagte Margaret. »Wir sind schließlich eure
Familie.«

Harry stand auf und ging langsam auf die Treppe zu. »Ich gehe
mir ein bisschen die Beine vertreten«, sagte er.

Bevor ihn jemand fragen konnte, was er vorhatte, war er verschwunden. Das Rauschen von Wasser und das Knarren einer
Schranktür drangen durch die alten Dielenbretter zu ihnen herunter.

»Wo will er denn hin?«, fragte Andrew.

»Doch nicht ins Pub?«, sagte Margaret. »Doch nicht an einem
solchen Tag?«

»Und ob«, sagte Gwen. »Er ist mit *denen* verabredet.«

Eine halbe Stunde später war Harry aus dem Cottage geflohen.
In der vertrauten Atmosphäre seiner Stammkneipe ließ er sich
nicht lange bitten, seine Geschichte zu erzählen. Als er fertig war,

würdigten nachdenkliche Ruhe, ein paar Schluck Bier und kameradschaftliches Schweigen den Ernst der Lage.

»Mann, Harry. Die Polizei im Haus.«

»Aye, die Polizei, Sam. Ein ganzer Haufen Polizisten.«

»Die können einem sicher ganz schön auf die Nerven gehen.«

»Versuchen tun sie es. Aber mich stören sie nicht.«

Die Ecke im Drover zwischen Kamin und Fenster roch nach alten Männern und nassen Hunden. Die Sitze der hölzernen Wandbänke waren von den Männern über die Jahre blank poliert und abgewetzt worden, und ihre Stiefel fanden wie von selbst die vertrauten Dellen in dem dunklen Teppich.

Sam Beeley hatte seinen Spazierstock an den Tisch gelehnt. Der Schäferhundkopf aus Elfenbein, der den Griff bildete, starrte verächtlich auf die Tischplatte aus gehämmertem Messing. Hin und wieder strich Sam mit der knochigen Hand über das Elfenbein, kraulte dem Schäferhund mit gelben Fingern die abgestoßenen Ohren oder klopfte mit seinem verwachsenen Daumennagel auf die Ecke der Messingplatte. Seine Knie knackten, wenn er sich bewegte, und obwohl seine Füße in weichen Wildlederschuhen steckten, schien er keine Stellung zu finden, die ihm keine Schmerzen bereitete. Er war der hagerste der drei Männer, doch das sah man kaum, da er trotz des warmen Abends mehrere Schichten Kleidung übereinander trug. Seine Hagerkeit zeigte sich am deutlichsten an den Händen und im Gesicht. Die Wangen waren eingesunken, und die trüben, blauen Augen lagen tief in den dunklen Höhlen.

»Verdammte Bullen«, sagte er, die Stimme rau vom Zigarettenrauch. »Was meinst du, Wilford?«

»Auf die können wir verzichten, Sam.«

»Recht hast du.«

»Aye.«

Wilford Cutts hatte seine Mütze abgenommen. Die helle Kopfhaut mit dem weißen Haarkranz hob sich scharf von seiner gesunden Gesichtsfarbe ab. Er hatte einen struppigen weißen Schnurrbart und spärliche Koteletten, die früher einmal buschiger gewesen waren. Sein breiter, sehniger Hals ging in schwere Schultern über, die sich weich und kraftlos unter seinem Pullover abzeichneten. Seine Handflächen starrten vor Dreck, und die Finger, mit denen er das Bierglas umschloss, hatten schwarze Nägel. An seiner Cordhose mit den abgewetzten Knien, die er sich stramm in die Socken gestopft hatte, hingen dunkle Fasern. Die Füße hatte er unter die Bank geschoben, damit der Wirt die festgeklebte Erde an den Sohlen seiner Schnürstiefel nicht sehen konnte.

»Dann ist es also ein Mordfall, Harry? Wissen sie schon, was mit dem Mädchen passiert ist?«

»Haben sie nicht gesagt, Wilford.«

»Nein?«

»Nein.«

»Verdammte Bullen.«

Harry behielt seine Mütze auf. Natürlich war er der Held des Tages und stand im Mittelpunkt des Interesses, aber das war noch lange kein Grund, aus dem Häuschen zu geraten. Er hatte für den Besuch im Pub ein frisches Hemd angezogen und sich einen Schlips mit einem dezenten Paisley-Muster umgebunden. Die Füße hielt er weit von sich in den Raum gestreckt, sodass sich das Licht der Wandlampen in den gewienerten Kappen seiner Stiefel spiegelte.

Ab und zu grüßte ein anderer Gast herüber, was Harry mit einem Kopfnicken zur Kenntnis nahm, nicht unhöflich, aber reserviert. Finster musterte er eine laut lachende Gruppe Jugendlicher, die er nicht kannte. Sie standen am anderen Ende des Pubs und versuchten einander an Lautstärke zu übertreffen, und ab und zu grölten sie ein Lied.

Nach einer stillschweigenden Übereinkunft saß Sam dem Kamin am nächsten, obwohl es Sommer war und kein Feuer brannte. Wilford hatte den entferntesten Platz, mit dem Rücken zur Tür, im Schatten der Nische verborgen. Auf dem Tisch standen zwei große Gläser Marston's Bitter und ein kleines Glas Stout, daneben ein Haufen zerschrammter Dominosteine, die genauso dalagen, wie sie aus der Schachtel gefallen waren. Zusammen mit dem Bier hatte auch eine Tüte Bacon-Chips den Weg zum Tisch gefunden. Wilford steckte sie ein.

»Und wie kommt die Familie damit klar?«, fragte Sam. »Wahrscheinlich ein ziemlicher Schock für die Frauen, was?«

Harry zuckte die Achseln. »Mein Herr Schwiegersohn ist das größte Waschweib von allen«, sagte er. »Er ist fix und fertig. Hat Angst um seine kostbare Stelle bei Vernon.«

»Der würde nie im Leben dichthalten. Tut mir Leid, wenn ich das sagen muss, Harry. Aber wenn der Knabe Dreck am Stecken hätte und unter Verdacht stünde, würde er garantiert singen wie 'ne Kreissäge.«

Harry schmunzelte leise. Genau wie Sam hatte er den Slangausdruck am Abend vorher im Fernsehen gehört, in einer Krimiserie, die in der Londoner Drogenszene spielte und wo die Polizisten schlimmere Verbrechervisagen hatten als die Verbrecher.

»Und? Hat er?«, fragte Wilford plötzlich.

»Hat wer was?«

»Hat Andrew Milner Dreck am Stecken?«

»Dass ich nicht lache«, antwortete Harry. »Unsere Margaret kennt ihn in- und auswendig, bis zum kleinsten Loch in der Socke. Der arme Trottel könnte nicht mal einen Pickel am Popo geheim halten.«

»Aber die Polizei ist sowieso unfähig«, sagte Sam. »Sie wissen nie, mit wem sie reden müssen oder welche Fragen sie stellen sollen. Wenn die hier bei uns was aufklären wollen, muss ihnen schon Kommissar Zufall helfen.«

Wilford lachte. »Nicht wie im Fernsehen, Sam.«

»Im Fernsehen kriegen sie den Täter immer. Ist doch auch klar. Es sind bloß Geschichten. Deshalb werden sie ja im Fernsehen gezeigt.«

»Dabei werden sie gar nicht geschnappt«, sagte Sam. »Jedenfalls nicht im richtigen Leben. Die eine Hälfte wird nie erwischt. Und die paar, die doch gefasst werden, lässt der Richter wieder laufen. Sie kriegen Bewährung oder ... Wie heißt das noch?«

»Sozialdienst«, sagte Harry langsam, als ob er das Wort noch nie laut ausgesprochen hätte, sondern es nur vom Hörensagen oder aus den Gerichtsreportagen des *Buxton Advertiser* kannte.

Sam verzog den Mund. »Aye. Sozialdienst. Und so was nennt sich Strafe? Die Halunken zu ehrlicher Arbeit zu zwingen? Da kann man sie genauso gut gleich freisprechen. Es stimmt schon, heutzutage kommt man mit allem ungeschoren davon. Sogar mit Mord.«

»Aber die Leute, die vor dem Fernseher sitzen, wissen das nicht«, sagte Wilford. »Die meisten haben nicht die leiseste Ahnung. Sie denken, was sie in der Flimmerkiste sehen, ist das wahre Leben. Vor allem die Kinder. Und natürlich die Frauen. Die kennen den Unterschied nicht. Sie denken, wenn jemand ein Verbrechen begangen hat, kommt der gute alte Inspector Morse aus dem Fernsehen, setzt sich mit seinem Bleistift und einem Stück Papier in eine Kneipe, tüftelt gemütlich aus, wer der Täter ist, und schon sitzt der Mörder hinter Gittern.«

»Hinter Gittern, genau. Lebenslänglich.«

Sie versanken wieder in Schweigen, starrten auf die Biergläser und versuchten sich vorzustellen, wie es wohl sein mochte, den Rest seines Lebens im Gefängnis zu verbringen. Eine lebenslange Freiheitsstrafe konnte zehn, zwanzig oder sogar dreißig Jahre bedeuten – für einen Mann, der die siebzig oder achtzig überschritten hatte, lief es auf das Gleiche hinaus. Er würde nie wieder herauskommen.

»Nie mehr an die frische Luft zu kommen, das muss schrecklich sein«, sagte Sam.

Die beiden anderen nickten und drehten automatisch den Kopf zum Fenster, wo trotz der Dämmerung die Umrisse der Witches zu erkennen waren, die sich schwarz und zerklüftet vom südlichen Himmel abhoben. Ein unbehagliches Gefühl machte sich am Tisch bemerkbar. Sam fröstelte und packte unwillkürlich seinen Stock fester, als ginge von dem glatten Elfenbein etwas Beruhigendes aus. Wilford kratzte sich nervös am Kopf und griff nach seinem Glas. Selbst Harry wirkte plötzlich verschlossener und eine Spur vorsichtiger.

»Nein. Das wäre nicht zum Aushalten«, sagte er. »Ums Verrecken nicht.«

Die drei alten Männer sahen sich von der Seite an, sie verstanden sich auch ohne Worte. Eine bedächtige Handbewegung oder eine bestimmte Neigung des Kopfes genügte. So hatten sie sich schon während ihres Arbeitslebens miteinander verständigt, abgeschnitten vom Rest der Welt, abgesondert in einer Umgebung, in der das Sprechen überflüssig und manchmal sogar unmöglich gewesen war. Noch immer konnten sie die Welt einfach ausblenden, so taub und blind für das lärmende Treiben im Wirtshaus, als wären sie wieder in einem dunklen Stollen, anderthalb Kilometer unter der Erde.

Sam kramte eine Schachtel Embassy und Streichhölzer heraus und zündete sich eine Zigarette an. Der Rauch, der reglos in der Luft stand und sein Gesicht verschleierte, ließ ihn blinzeln. Wilford fuhr sich mit den schmutzigen Fingern durch das Haar, wobei für einen Augenblick eine unnatürlich weiße, kahle Stelle zum Vorschein kam, an der sich die Kopfhaut, dünn wie Papier, über dem Knochen spannte. Harry nestelte an seiner kalten Pfeife und schob mit dem Stiel ein paar verdeckt auf dem Tisch liegende Dominosteine auseinander. Er starrte sie gebannt an, als ob er durch die gemusterten Rückseiten die Zahlen erkennen könnte.

»Aber es gibt sicher auch welche, denen würde ihre Tat schwer auf dem Gewissen liegen«, sagte Wilford. »Und das soll schlimmer sein als jede Strafe.«

»So was kann einen um den Verstand bringen«, pflichtete Sam ihm bei.

»Als wäre man in seiner eigenen Hölle, so stelle ich mir das vor. Das wäre wirklich eine Strafe, die sich gewaschen hat.«

»Auf jeden Fall schlimmer als Sozialdienst.«

»Schlimmer als das Gefängnis?«, fragte Harry.

Sie machten ein skeptisches Gesicht. Sie sahen es vor sich, enge, schmale Zellen und Gitter, zusammengepfercht mit Hunderten anderer Männer, eine Stunde Hofgang am Tag. Für immer von Licht und Luft abgeschnitten.

»Natürlich muss man erst mal ein Gewissen haben«, sagte Wilford.

»Und wer hat das heute schon«, stimmte Sam ihm zu.

Sie sahen Harry an und warteten auf seine Antwort. Doch der schien darüber nicht nachdenken zu wollen. Er stand mit steifen Gliedern auf, sammelte die Gläser ein und ging zur Theke. Ohne nach links oder rechts zu schauen, bahnte er sich den Weg durch die Jugendlichen, den Rücken durchgedrückt, wie ein Mann, der mit sich selbst genug zu schaffen hatte. Die anderen Gäste machten ihm automatisch Platz, und der Wirt schenkte ein, ohne dass Harry die Bestellung aussprechen musste.

Mit Jackett und Schlips wirkte Harry seltsam fehl am Platz zwischen den T-Shirts und Shorts der anderen Gäste, wie ein Bestattungsunternehmer, den es auf eine Hochzeitsfeier verschlagen hatte. Wenn er den Kopf drehte, schien der Schirm seiner Mütze die Kulisse aus Freizeithemden und sonnenverbrannten Gesichtern zu durchschneiden.

»Und der Kerl, der die Kleine umgebracht hat«, sagte Harry, als er an den Ecktisch zurückkam. »Meint ihr, der kommt auch ungeschoren davon?«

»Kommt darauf an«, antwortete Wilford. »Kommt darauf an, ob die Bullen Glück haben. Vielleicht hat einer was gesehen und beschließt, es ihnen zu erzählen. Oder ein Bobby stellt aus Versehen die richtige Frage. Anders kriegen sie ihn nicht.«

»Sie haben sicher einen Verdacht.«

»Ein Verdacht allein genügt nicht. Ohne Beweise können sie überhaupt nichts machen«, sagte Wilford zuversichtlich.

»Beweise. Aye, sie werden Beweise brauchen.«

»Die haben sie nötig. Bitter nötig.«

»Der junge Sherratt soll ausgebüchst sein«, sagte Sam.

»So ein Trottel.«

»Aber solange die Bullen nach ihm fahnden, haben sie wenigstens was zu tun. Er ist bestimmt der Hauptverdächtige.«

»Außer, sie wollen es einem aus der Familie anhängen«, sagte Wilford. »Da vermuten sie den Täter immer zuerst.«

»Aye«, sagte Sam. Plötzlich hellte sich seine Miene auf. »Oder sie verdächtigen ihren Freund.«

»Aber welchen?«, sagte Harry.

»Eben. Das ist genau die Frage, bei dem Früchtchen.«

»Und gerade mal fünfzehn Jahre alt«, sagte Sam.

Sie schüttelten ratlos den Kopf.

»Aber das ist das einzig Gute daran, nicht wahr, Harry?«

»Aye«, sagte Harry. »Das ist das Beste, dass bei den Nachforschungen alles Mögliche ans Licht kommen wird, auch über die Vernons. Dann weiß die Polizei endlich, mit was für einer feinen Familie sie es zu tun hat.«

»Und dann…«

»…dann sind sie vielleicht nicht mehr so versessen darauf, den Täter zu finden.«

»Vielleicht verleihen sie ihm sogar einen Orden«, sagte Harry.

Die Jugendlichen am anderen Ende des Raumes drehten sich erstaunt um und starrten herüber. Ausnahmsweise war das Gelächter der drei alten Männer noch lauter als ihr eigenes. Und noch unechter.

Helen stand mit ihrer Großmutter im Hauseingang des Cottage und sah zu, wie die Rücklichter des Renault hinter der Kurve bei der Kirche verschwanden. Es war ein klarer, warmer Abend, und die Sterne leuchteten am tiefblauen Himmel. Nur im Umkreis der Straßenlaternen hier und da schien es wirklich dunkel zu sein.

»Es war nett, Sergeant Coopers Sohn wieder zu sehen. Hat er sich nicht prächtig herausgemacht?«

»Ja, Grandma.«

»Ben heißt er, richtig?«

»Ja.«

»Er ist der, den du früher manchmal nach der Schule mit nach Hause gebracht hast, nicht wahr, Helen?«

»Nur ein-, zweimal, Grandma. Und das ist schon Jahre her.«

»Aber ich erinnere mich trotzdem noch daran. Ich weiß genau, wie du ihn angesehen hast. Und einmal hast du gesagt, du willst ihn heiraten, wenn du groß bist. Das weiß ich noch.«

»Alle kleinen Mädchen haben einen Schwarm. Jetzt haben wir überhaupt keinen Kontakt mehr. Ich hätte ihn fast nicht erkannt.«

»Mag schon sein. Aber er hat schöne Augen. Dunkelbraun.«

Sie gingen wieder ins Haus. Helen bemerkte, dass Gwen sich kaum überwinden konnte, in die Küche zu schauen, geschweige denn hineinzugehen, obwohl die Polizei den blutigen Turnschuh und die Seiten des *Buxton Advertiser* längst mitgenommen hatte.

»Jetzt sind sie sicher oben in der Villa«, sagte Helen. »Um diese Aufgabe sind sie nicht zu beneiden. Sie müssen Mr. und Mrs. Vernon sagen, was sie gefunden haben.«

Ihre Großmutter sah auf die Uhr, nestelte an ihrer Strickjacke, zog ein rosa Papiertaschentuch aus dem Ärmel und faltete es umständlich auseinander.

»Einer von ihnen muss die Leiche identifizieren. Ich nehme an, das wird er machen. Aber sie wird es hart treffen, Charlotte Vernon. Meinst du nicht auch, Grandma?«

Gwen schüttelte den Kopf, und Helen sah, dass sich in ihrem Augenwinkel eine kleine Träne gebildet hatte, die die trockene Haut ihrer Wange einen Augenblick lang hell aufschimmern ließ.

»Ich weiß ja, ich weiß«, sagte Gwen. »Eigentlich müssten sie mir Leid tun. Aber sie tun mir nicht Leid. Ich kann nichts dagegen machen, Helen.«

Helen setzte sich auf die Armlehne des Sessels, in dem ihre Großmutter saß, und legte ihr den Arm um die schmächtigen Schultern.

»Ist schon gut, Grandma. Das ist verständlich. Nimm es dir nicht so zu Herzen. Soll ich dir einen Kakao machen? Vielleicht finden wir etwas im Fernsehen, was du dir ansehen möchtest, bis Granddad nach Hause kommt.«

Gwen nickte und suchte schniefend nach einem frischen Taschentuch, um sich die Nase zu putzen. Helen tätschelte ihr die Schulter, stand auf, ging ein paar Schritte in Richtung Küche, bis die Stimme ihrer Großmutter sie stoppte. Sie klang schrill und ängstlich, der Verzweiflung nahe.

»Was wird nur mit Harry passieren?«, sagte sie. »Lieber Gott, was werden sie nur mit Harry machen?«

7

Der Pathologie-Assistent schlug das Plastiklaken vorsichtig zurück. Die Angehörigen sollten die Verletzungen nur zu sehen bekommen, wenn es unbedingt nötig war. Das Gesicht sah schlimm genug aus, auch wenn es in der Kürze der Zeit so gut wie möglich hergerichtet worden war. Die Maden waren eingesammelt und in Gläser gefüllt, die Augen gereinigt und geschlossen, das getrocknete Blut abgeschabt und zur Untersuchung ins Labor geschickt worden. Das Haar hatte man so nach hinten gekämmt, dass die Kopfverletzungen kaum zu erkennen waren.

»Ja«, sagte Graham Vernon, ohne zu zögern.

»Sie identifizieren die Tote als Ihre Tochter Laura Vernon, Sir?«, fragte DCI Tailby.

»Ja. Das habe ich doch gesagt.«

»Vielen Dank, Sir.«

»War das alles?«

»Es ist eine Formalität, die es uns erlaubt, die nötigen Schritte einzuleiten.«

Der Assistent zog bereits wieder das Laken über Lauras Gesicht und gab ihr damit bis zum Ende der Obduktion die Anonymität der Verstorbenen zurück.

»Gehört zu diesen Schritten vielleicht auch die Verhaftung des Mörders meiner Tochter, Chief Inspector?«, fragte Vernon, ohne den Blick von der Toten zu nehmen.

Für Tailby bestand eigentlich keine Veranlassung, bei der Identifizierung der Leiche durch Graham Vernon persönlich anwesend zu sein, aber er betrachtete es als günstige Gelegenheit, die Reaktionen der Angehörigen zu studieren. Er beobachtete Vernon, während dieser sich von den zugedeckten sterblichen Überresten entfernte, die einmal seine Tochter gewesen waren. Er sah, wie Vernons Augen mit einem faszinierten Schaudern an den losen Falten des grünen Plastiks hingen, unter dem sich das Gesicht des toten Mädchens verbarg. Seine Hände waren ständig in Bewegung. Er berührte sein Gesicht und seinen Mund, strich sein Jackett glatt oder rieb sich die Finger, eine Reihe unwillkürlicher Gesten, die sowohl Nervosität als auch dicht unter der Oberfläche liegende Trauer bedeuten konnten. Sein Gesicht sprach Bände.

Viele Eltern und Ehepartner von Verstorbenen hatten Tailby gesagt, dass der Tod für sie in diesem Augenblick noch jenseits der Realität war. Sie stellten sich vor, dass sich der Tote plötzlich aufrichtete und über den Streich lachte, den er ihnen gespielt hatte, dass das Laken von ihm abglitt und Leben und Gesundheit in sein Gesicht zurückkehrten.

Waren das auch Graham Vernons Gedanken? Sah und hörte er noch die lebendige Laura? Und wenn ja, was sagte sie zu ihm, dass er so ein erschrockenes Gesicht machte?

Fälle wie dieser waren immer ein Balanceakt. Man musste mit den Hinterbliebenen mitfühlend und rücksichtsvoll umgehen, obwohl neunzig Prozent aller Morde im Familien- oder Bekanntenkreis geschahen und der Täter ein Verwandter oder Freund war. Tailby berührte der Schmerz der Angehörigen kaum noch. In seinem Beruf war es nicht ratsam, Gefühle an sich heranzulassen. Manchmal allerdings musste er sich eingestehen, dass sich das negativ auf seine Psyche auswirkte; er hatte schon lange keine enge Beziehung mehr aufbauen können.

»Sie werden sicher verstehen, dass wir noch einmal mit Ihnen und Ihrer Frau sprechen müssen, Sir«, sagte er, als Vernon sich schließlich abwandte.

»Ich habe Ihnen bereits alles gesagt, was weiß ich.«

»Wir müssen so viel wie möglich über Lauras Hintergrund in Erfahrung bringen. Wir müssen ihre Freunde und Bekannten noch einmal befragen. Wir müssen möglichen Kontakten nachgehen, von denen wir bis jetzt noch nichts wissen. Wir müssen überprüfen, wo sie sich am Tag ihres Todes aufgehalten hat. Es gibt viel zu tun.«

»Finden Sie Lee Sherratt!«, knurrte Vernon. »Mehr brauchen Sie nicht zu tun, Chief Inspector.«

»Bei unseren Nachforschungen beziehen wir auch diesen Aspekt mit ein, Sir.«

»Und was soll das heißen, verdammt noch mal?«

Die beiden Männer gingen durch die Flügeltür in den Flur hinaus und ließen den antiseptischen Geruch hinter sich. Ihre Schritte hallten über den gefliesten Boden. Tailby musste sich anstrengen, um mit Vernon Schritt zu halten, der offenbar so schnell wie möglich hier weg wollte.

»Wir werden den Jungen finden, Sir. Es ist nur eine Frage der Zeit. Ich bin zuversichtlich.«

Vernon blieb so unvermittelt stehen, dass Tailby einen Zusammenprall nicht verhindern konnte. Sie standen sich fast Auge in Auge gegenüber, obwohl der Beamte eine gute Handbreit größer war. Vernon starrte ihn böse an, das attraktive Gesicht zur Grimasse verzerrt. Seine müden Augen waren von roten Äderchen durchzogen, und eine Gesichtshälfte war schlecht rasiert.

»Mir ist fast so, als hätte ich das schon einmal gehört, Chief Inspector. Vor fast zwei Tagen. Aber da haben Sie mir ja auch noch versichert, dass Sie meine Tochter finden würden.«

Tailby hielt Vernons Blick ruhig stand. »Ja, Sir.«

»Doch dann ist Ihnen jemand zuvorgekommen.«

Tailby erinnerte sich an die deprimierende Szene am frühen Abend, als er die Villa aufgesucht hatte, um den Vernons die traurige Nachricht zu überbringen. Die Eltern hatten über sein Erscheinen keinerlei Erstaunen an den Tag gelegt, nur Verzweiflung und Resignation.

Charlotte Vernon hatte einen Weinkrampf bekommen und war immer hysterischer geworden, bis sie sich in ihr Schlafzimmer zurückziehen und Graham Vernon einen Arzt anrufen musste. Natürlich waren beide geschockt und entsetzt gewesen, aber jeder war mit seiner Reaktion allein geblieben. In den ersten Minuten nach seiner Eröffnung hatte Tailby nicht die kleinste Geste gegenseitigen Trosts beobachten können.

Die beiden Männer standen auf der Treppe vor der Gerichtsmedizin, als Tailby erneut das Wort ergriff. Rechts von ihnen, hinter einer Hecke aus Koniferen, waren die erleuchteten Fenster des Endendale General Hospitals zu sehen, die modernen zweistöckigen Anbauten des weitläufigen Krankenhauses, das noch aus viktorianischer Zeit stammte. Die Lichter wirkten freundlich und hell im Vergleich zu der schlichten Fassade der Gerichtsmedizin und dem schwach erleuchteten Parkplatz.

»Abgesehen von der Tatsache, dass er nicht aufzufinden ist, gibt es zurzeit noch keine konkreten Beweise dafür, dass Lee Sherratt etwas mit dem Tod Ihrer Tochter zu tun haben könnte«, sagte der DCI sachlich.

»Und genau das ist Ihre Aufgabe, Chief Inspector. Es liegt an Ihnen, diese Beweise zu finden. Ich hoffe nur, Sie strengen sich jetzt ein bisschen mehr an.«

Seit sie die beklemmende Atmosphäre der Gerichtsmedizin hinter sich gelassen hatten, war seine Stimme immer lauter geworden. Er hatte sich wieder in den brüsken, ungeduldigen Geschäftsmann verwandelt, als der er auch sonst auftrat. Es war interessant gewesen, mit anzusehen, welche Veränderung beim Anblick seiner toten Tochter in ihm vorgegangen war. Aber die Veränderung hatte nicht lange vorgehalten.

»Wir wissen von Lee Sherratt lediglich, dass er in den letzten vier Monaten als Gärtner bei Ihnen gearbeitet hat. Sie haben ihn eingestellt, nachdem er sich auf ein Stellenangebot gemeldet hatte, das Sie im Postamt in Moorhay ausgehängt hatten. Offenbar kannte er Ihre Familie vorher nicht. Seine Tätigkeit beschränkte sich auf körperlich anstrengende Arbeiten, wie umgraben oder Unkraut jäten, Rasen mähen oder Abfallbeseitigung. Über besonderes gärtnerisches Fachwissen verfügt er anscheinend nicht, da er keine Ausbildung und auf dem Gebiet auch keine Erfahrung hat. Ist das korrekt?«

»Mehr brauchen wir nicht, nur einen Mann fürs Grobe. Die Fachkenntnisse hat meine Frau.«

»Aha. Bis auf eine kurze Aushilfstätigkeit als Packer im Lager eines Supermarktes hier in Edendale war es Sherratts erste Arbeitsstelle, obwohl er schon zwanzig Jahre alt ist. Er geht gern in die Kneipe, gibt zu, dass er mehrere Freundinnen hat, und ist Anhänger des Sheffield Wednesday FC. Daraus lassen sich keine eindeutigen Schlüsse ziehen, Sir.«

»Aber sein Vater sitzt wegen Hehlerei im Gefängnis«, sagte Vernon. »Und der Junge selbst war an einem Autodiebstahl beteiligt. Was sagen Sie dazu?«

»Eine kriminelle Vergangenheit, hm? Warum haben Sie ihn dann eingestellt, Mr. Vernon?«

Vernon wandte sich ab und starrte den Polizeiwagen an, der auf dem Parkplatz wartete. »Ich wollte ihm eine Chance geben. Ich finde, solche jungen Männer brauchen eine Beschäftigung, sonst geraten sie nur auf die schiefe Bahn. Was ist denn daran auszusetzen? Außerdem schien er mir ein kräftiger Bursche zu sein, der für die schweren Arbeiten geeignet war. Schon gut, ich gebe ja zu, dass ich einen Fehler gemacht habe, aber woher hätte ich wissen sollen, als was er sich entpuppen würde?«

»Seine Mutter sagt, er ist ein ganz normaler Junge, der gern ins Pub geht und auf Mädchen und Fußball steht.«

»Quatsch!«, entgegnete Vernon. »Graben Sie etwas tiefer, Chief Inspector. Dann werden Sie sehen, dass Sherratt ein gewalttätiger Kerl ist, der es krankhaft auf meine Tochter abgesehen hatte. Ich habe ihn gewarnt, und dann habe ich ihn gefeuert. Und ein paar Tage später wird Laura überfallen und ermordet. Wer soll denn sonst als Täter in Frage kommen?«

Damit marschierte Vernon zu dem Streifenwagen, der ihn nach Moorhay zurückbringen sollte. Stewart Tailby blieb noch einen Augenblick auf der Treppe der Gerichtsmedizin stehen und dachte über Vernons letzte Frage nach. Wenn er es sich recht überlegte, war er froh, dass Vernon seine Antwort nicht abgewartet hatte.

Diane Fry fuhr mit zwei Verkehrspolizisten nach Edendale zurück. Sie hatte für den Abend dienstfrei bekommen, nachdem DCI Tailby persönlich zur Villa gefahren war, um die Vernons um die Identifizierung der Leiche zu bitten.

Während sie hinter den Verkehrspolizisten saß, deren gelb fluoreszierende Jacken leise raschelten, schlug ihre Stimmung allmählich in Niedergeschlagenheit um, je mehr die Spannung von ihr abfiel und ihr Adrenalinspiegel sank. Schon bald würde sie die letzten Arbeiten des Tages erledigt haben und sich einen weiteren Abend lang der düsteren Realität ihres Privatlebens stellen müssen.

»Schönen Dank, Kollegen!«, rief sie, als die Männer sie am Revier abgesetzt hatten.

Der Polizist am Steuer winkte ihr lässig zu, aber sein Partner drehte sich nach ihr um, als der Rover wieder anrollte. Er musterte sie neugierig und sagte etwas zu dem Fahrer, was Fry nicht verstehen konnte. Sie verschwendete keinen unnötigen Gedanken daran. Sie hatte oft genug erlebt, dass Kolleginnen überempfindlich auf jede Geste oder Bemerkung reagierten und ihre Polizeikarriere aufs Spiel setzten, nur weil sie sich von irgendwelchen Bagatellen aus der Ruhe bringen ließen.

Zuerst ging sie ins Kripo-Büro. Alle Lampen brannten, und auf ein, zwei Computerbildschirmen flackerten Bildschirmschoner, die so aussahen, als ob alle Sterne der Galaxie an der Brücke des Raumschiffs Enterprise vorbeirasten. Aber es war kein Mensch zu sehen, nicht einmal der Dienst habende Detective Constable. Fry setzte sich an ihren Schreibtisch und fasste ihre Notizen über die Befragung Harry Dickinsons zusammen. Sie wollte Tailby den Bericht am nächsten Morgen noch vor der Frühbesprechung unaufgefordert präsentieren können. Es wäre erstens ein kleiner Pluspunkt für sie und würde zweitens bedeuten, dass sie auf der Stelle einem Ermittlungsteam zugeordnet werden konnte.

Sie brauchte nicht lange für den Bericht. Sie konnte gut tippen, und ihre Notizen waren akkurat und gut lesbar. Nur einmal zögerte sie kurz und zwar, als sie an das Ende der Befragung kam, aber dann beschloss sie, Harry Dickinsons abschließende Bemerkung der Vollständigkeit halber doch mit aufzunehmen. Als sie schrieb, dass der alte Mann DCI Tailby aufgefordert hatte, »abzuhauen«, musste sie unwillkürlich schmunzeln. Doch dann setzte sie rasch wieder eine ernste Miene auf und blickte sich in dem leeren Büro um, ob sie auch niemand beobachtet hatte. Es war nicht ihre Art, sich über ihre Vorgesetzten lustig zu machen – sie hatte sich noch nie an den respektlosen Scherzen und derben Witzen in der Kantine beteiligt, weder hier noch in den West Midlands. Sie konnte selbst nicht verstehen, warum sie über Harry Dickinsons Bemerkung hatte grinsen müssen.

Sie druckte den Bericht zweimal aus und legte ein Exemplar in die Ablage auf DI Hitchens' Schreibtisch. Dann ging sie in den Einsatzraum, wo ein Detective Sergeant und ein Computerexperte vor einem Telefon und einem Bildschirm voller Daten hockten. Die Männer ignorierten sie, als sie sich nach der Ermittlungsakte umsah, um die zweite Kopie ihres Berichts abzuheften. Am Morgen, wenn die reguläre Tagesschicht zum Dienst erschien, würde in diesem Raum hektische Betriebsamkeit herrschen. Nach allem, was sie bisher von Tailby gesehen hatte, würde er bestens informiert sein und sich bis ins Detail mit den jüngsten Entwicklungen vertraut gemacht haben, wenn die anderen zu der Besprechung eintrafen.

Schließlich gab es wirklich nichts mehr für sie zu tun. Sie zog leise die Tür hinter sich zu und ging durch das fast menschenleere Gebäude zum Parkplatz.

Nachdem sie die Alarmanlage ihres schwarzen Peugeot ausgeschaltet hatte, blieb sie noch einen Augenblick stehen und starrte auf die Rückseite des Polizeireviers. Es gab nichts zu sehen, nur ein paar erleuchtete Fenster, hinter denen hin und wieder der schattenhafte Umriss eines Polizeibeamten auftauchte. Wahrscheinlich ärgerten sich einige von ihnen, dass sie Dienst schieben mussten, obwohl sie lieber bei ihrer Familie oder im Pub oder sonst wo gewesen wären. Es wäre wohl kaum einer böse darüber gewesen, nach Hause gehen zu müssen. Fry startete den Peugeot und fuhr eine Spur zu schnell vom Hof.

Wie in anderen Kleinstädten waren auch in Edendale die Straßen abends oft wie ausgestorben. Nur zwischen acht und neun Uhr, wenn kleinere Gruppen von Jugendlichen die Pubs ansteuerten, und um halb elf, wenn sie unsicheren Schrittes wieder herauskamen und schwankend nach Bussen und Taxis Ausschau hielten, um noch in einen Night Club oder auf eine Party zu fahren, belebten sie sich vorübergehend.

Viele der jungen Leute, die sich nachts auf der Straße herumtrieben, waren nicht nur angetrunken, sondern auch minderjährig. Diane Fry war erfahren genug, ein Auge zuzudrücken, wenn sie ihnen begegnete. So lange nicht noch ein anderes Delikt hinzukam – Ruhestörung, Beleidigung oder Erregung öffentlichen Ärgernisses zum Beispiel – wurde es von allen Beamten so gehandhabt. Gegen den Alkoholkonsum von Jugendlichen konnte man nur in den Kneipen selbst vorgehen, aber es gab immer dringendere Aufgaben, immer andere Prioritäten.

Heute war Montag, und an einem solchen Abend waren selbst die Jugendlichen spärlich gesät, als Fry die Greaves Road in Richtung Stadtzentrum hinunterfuhr. Nach dem Kreisverkehr am Ende der Fußgängerzone sah sie automatisch nach links, das Clappergate hinunter. In der Apotheke und bei McDonald's brannte Licht. Drei Jugendliche, die sich vor dem Schnellrestaurant auf der gusseisernen schwarzen Bank lümmelten, aßen Chicken McNuggets und Pommes frites, deren Verpackungen sicher über kurz oder lang den Abfall auf dem Gehweg vermehren würden.

Die meisten Läden waren dunkel, die Nacht gehörte den Pubs und Restaurants. Für Fry war die Auswahl der Geschäfte in Edendale noch gewöhnungsbedürftig. So gab es im Clappergate eine kleine Bäckerei, vor der tagsüber Weidenkörbe, eine bemalte Milchkanne und ein mit Zwiebeln dekoriertes, altes Lieferantenfahrrad auf dem Bürgersteig standen. Einige Türen weiter war ein New-Age-Laden, aus dem es nach Aromaölen und Duftkerzen roch und in dessen Schaufenster Kristalle glitzerten. Dazwischen lagen ein Brillendiscounter, eine chemische Reinigung und eine Filiale der Derbyshire Building Society.

In der Hulley Road, unweit des Marktplatzes, stand ein etwa dreißigjähriges Pärchen vor dem dunklen Fenster eines Immobilienmaklers. Wahrscheinlich verglichen sie die Preise von Objekten in Catch Wind und Pysenny Banks, den malerischsten und gepflegtesten Wohngegenden Edendales, wo die mit Steinmauern gesäumten Straßen kaum breit genug für ein Auto waren und die Vorgärten mit ihren Lobelien und den Flechten bewachsenen Mühlsteinen an den Fluss grenzten. Diane Fry fragte sich, warum die beiden noch so spät am Abend beim Immobilienmakler vorbeischauten. Wo wollten sie hin, wo kamen sie her? Was für intime Pläne schmiedeten sie?

Am anderen Ende des Platzes musste sie an der Ampel warten. Rechts von ihr führten steile, mit Kopfsteinen gepflasterte Gassen mit Namen wie Nimble John's Gate und Nick i'th Tor bergab. An den Kreuzungen drängten sich schmale Kneipen, Cafés und Kunstgewerbeläden, wie Zuspätgekommene, denen nur der Rand des Geschäftszentrums geblieben war. Und sie waren tatsächlich Nachzügler – angelockt von den Touristenströmen der jüngeren Zeit, nicht vom traditionellen Handel des alten Marktfleckens.

Fry, die sich über ihre neue Heimat kundig gemacht hatte, wusste, dass ein großer Teil der 22 Millionen Besucher, die Jahr für Jahr in den Peak District reisten, früher oder später auch nach Edendale kam. Tagsüber war auf dem Marktplatz manchmal kaum ein Durchkommen, so dicht war der Verkehr, und in der Nähe der öffentlichen Toiletten und der Recyling-Container bildeten sich lange Schlangen.

Ein schwerer Lastwagen rollte langsam vorbei, auf die Rückseite des Supermarktes zu, der kürzlich in einer ehemaligen Baumwollspinnerei eröffnet worden war. Hinter der Kreuzung stieg die Castleton Road den Berg hinauf, gesäumt von rauverputzten Doppelhaushälften. Auf beiden Seiten lagen dicht bebaute Wohngebiete mit engen, sich bergauf windenden Straßen, die sich mit jähen Biegungen und Kehren den Konturen der welligen Landschaft anpassten. Durch die Stoßstange an Stoßstange parkenden Autos, die die Kurven nur knapp freiließen, wurde die Fahrbahn noch zusätzlich verengt. Die größeren Häuser hatten Einfahrten und Garagen, aber die bescheideneren Cottages waren nicht für Autobesitzer gebaut worden.

Je weiter die Häuser vom Stadtzentrum entfernt waren und je höher sie am Berg lagen, desto neuer wurden sie. Aber auch sie waren aus dem gleichen weißen Stein gemauert. Am Stadtrand lagen kleine Sozialbausiedlungen, wo die Grundstücke mit einem Grasstreifen an die Straße grenzten. Schließlich dünnte sich die Bebauung aus, verstreute Bauernhöfe und kleinere Molkereibetriebe bestimmten das Bild. Der Übergang von der Stadt zum Land war fließend und an manchen Stellen schwer zu erkennen. Zu Wohnhäusern und Eigentumswohnanlagen umgebaute Farmen lagen unmittelbar neben schlammigen Höfen und Weiden mit schwarzbuntem Vieh, und über allem hing ein durchdringender Landgeruch.

Früher oder später würde die Nachfrage nach Bauland die Grundstückspreise in die Höhe treiben, und die Stadt würde sich weiter ausbreiten. Doch noch wurde Edendale von den umliegenden Bergen in der Talsenke festgehalten.

Fry bog von der Castleton Road in die Grosvenor Avenue ein und hielt vor der Nummer zwölf. Dem solide gebauten Haus, eine der zahlreichen viktorianischen Villen in einer von Bäumen gesäumten Straße, merkte man an, dass es einmal bessere Zeiten gesehen hatte. Die Eingangstür war von Säulen eingerahmt, und die winzigen möblierten Zimmer in der obersten Etage waren nur über versteckte Dienstbotentreppen erreichbar.

Ihre eigene Wohnung im ersten Stock bestand aus Wohnzimmer, Schlafzimmer, einem Bad mit Dusche und einer Kochnische. Die Tapete war blassbraun gestreift, und das Muster auf dem Teppich war ein kompliziertes Gewirr aus verwaschenen Blau-, Rosa- und Gelbtönen, das extra zu dem Zweck hätte entworfen sein können, verschüttete Flüssigkeiten spurlos aufzusaugen. Nach dem Geruch zu urteilen, der in der Wohnung hing, musste im Laufe der Jahre einiges auf den Boden gekippt worden sein, was Fry sich lieber nicht ausmalte. Die meisten anderen Bewohner des Hauses waren Studenten, die das High Peak College im Westen der Stadt besuchten.

Fry machte sich einen Käsetoast und eine Tasse Tee und nahm einen Diätjogurt aus dem Kühlschrank, in dem es verdächtig nach gammeligem Fisch und Zwiebeln roch. Obwohl sie ihn gründlich geschrubbt hatte, war sie den Mief nicht losgeworden, aber sie hatte ohnehin nicht vor, mehr als das Notwendigste an Lebensmitteln darin aufzubewahren. Sie ging lieber öfter einkaufen, froh um jeden Anlass, die Wohnung zu verlassen. Wenige Minuten entfernt gab es einen kleinen Laden, der von einem jungen asiatischen Ehepaar betrieben wurde, das einen netten Eindruck machte. Ein paar freundliche Worte, während sie Brot und Milch kaufte, würden vielleicht ab und zu ganz gut tun.

Nach dem Essen machte sie zehn Minuten leichte Gymnastik, um sich zu entspannen, wie nach einer Übungsstunde im Dojo. Sie dehnte die Muskeln, lockerte die Gelenke und streckte die Glieder. Dann duschte sie und zog ihren alten schwarzen Seidenkimono an, der auf dem Rücken mit einem chinesischen Drachen und auf der Vorderseite mit Yin- und Yangsymbolen bestickt war.

Sie beschloss, sich am nächsten Tag die Gelben Seiten zu besorgen und Namen und Adressen der Kampfsportzentren in Edendale herauszusuchen. Einen Lehrer wie ihren alten Shotokanmeister in Warley würde sie hier wohl kaum finden, und sie würde sich auch an neue Techniken gewöhnen müssen, aber sie konnte es sich nicht leisten, aus der Übung zu kommen. Dafür war es ihr viel zu wichtig, sich verteidigen zu können. Außerdem genoss sie das Selbstvertrauen und die Kraft, die sie dem Karate verdankte. Darüber hinaus erforderte der Sport ihre völlige Konzentration. So lange sie Shotokan und ihre Arbeit hatte, brauchte sie vielleicht nie mehr an irgendetwas anderes zu denken.

Fry beschäftigte sich nicht lange mit dem Mord an Laura Vernon. Ohne konkrete Daten und Fakten, auf deren Grundlage sie Schlüsse ziehen und Verbindungen herstellen konnte, wäre sie sowieso nicht weit gekommen. Sie freute sich schon darauf, dass sie bei der Besprechung am nächsten Morgen reichlich mit Informationen eingedeckt werden würde. Dann konnte man sehen, welche Ermittlungsansätze sich anboten und welche Chancen sich für sie selbst daraus ergaben.

Plötzlich wurde ihre Vorfreude durch einen unschönen Gedanken getrübt, eine kleine Irritation. Irgendwann würde sie sich mit diesem Problem wohl befassen müssen. Das Problem hieß DC Ben Cooper. Der Polizist, den alle liebten, der Mann, der ihr wahrscheinlich am meisten im Weg stehen würde. Sie sah ihn fast vor sich, ein Bild von einem Mann mit breiten Schultern und perfekten Zähnen, der selbstgefällig grinste. Doch sie hielt sich nicht lange mit diesem Gedanken auf. Unüberwindliche Hindernisse gab es nicht. Es gab keine Probleme, nur Herausforderungen.

Bevor sie ins Bett ging, sah sie sich noch einen Spätfilm im Fernsehen an, einen uralten Horrorschinken in Schwarzweiß. Aus dem zerschlissenen Sessel, in dem sie saß, konnte sie mit der Hand unter das Bett greifen, ohne den Bildschirm aus den Augen lassen zu müssen. Sie zog eine große Schachtel Pralinen hervor und biss langsam in einen Wiener Trüffel. Die Frau auf dem Bildschirm, die allein durch die Nacht ging, fuhr herum, als sie plötzlich Schritte hinter sich hörte. Dann fiel ein dunkler Schatten über ihr Gesicht, und sie schrie und schrie.

Sieben Kilometer von der Grosvenor Avenue entfernt fuhr Ben Cooper, die übelsten Schlaglöcher souverän umkurvend, in seinem Toyota den holprigen Feldweg zur Bridge End Farm hinunter. Stellenweise war die Fahrspur mit Erde oder einem Stück Backstein ausgebessert worden. Der erste heftige Winterregen würde alles wieder wegspülen, wenn das Wasser den Berg hinunterlief und den schmalen Weg in einen Bach verwandelte.

Im Vorbeifahren fiel ihm auf, dass an einer Stelle die Decksteine der Mauer heruntergefallen waren und dass sich die Mauer zum Feld hin wölbte. Er nahm sich vor, diesen Job an seinem nächsten freien Tag für Matt zu erledigen.

Cooper versuchte bewusst, sich mit solchen Alltagsdingen abzulenken. Aber in Gedanken war er noch immer mit dem Fall Laura Vernon beschäftigt. Es war eine Ermittlung, die er nicht so schnell vergessen würde. Der alte Mann, Harry Dickinson, war ihm ein Rätsel. Er hatte schon oft beobachtet, wie Menschen reagierten, die zufällig in ein schwereres Verbrechen verwickelt worden waren, doch noch bei keinem war ihm eine solch verwirrende Mischung aus Gleichgültigkeit und klammheimlicher Freude begegnet.

Da er keine Erklärung für das Verhalten des alten Mannes finden konnte, konzentrierte er sich auf den Haupttatverdächtigen, den flüchtigen Lee Sherratt. Er kannte Lee nicht und hatte noch nie etwas mit ihm zu tun gehabt. Aber er erinnerte sich an seinen Vater, Jackie Sherratt, einen kleinen Gauner. Zurzeit saß er in Derby zwei Jahre wegen Hehlerei ab, aber in der Gegend um Edendale war er besser als erfahrener Wilderer bekannt.

Am häufigsten jedoch wanderten Coopers Gedanken zu dem Augenblick zurück, als er die Leiche des toten Mädchens gefunden hatte. Die Eindrücke waren so stark gewesen, dass sie sich unauslöschlich in seine Sinne eingegraben hatten. Selbst der Abendwind, der durch die offenen Fenster des Toyota wehte, konnte den Geruch nach getrocknetem Blut und Urin nicht vertreiben, der ihn zu umgeben schien. Und nicht einmal die Kassette von den Levellers, die er eingelegt hatte, konnte das Brummen der Fliegen, die ihre Eier in Laura Vernons Mund abgelegt hatten, nicht übertönen, das er noch in den Ohren hatte, oder das verächtliche Kreischen der zerzausten Krähe, die unwillig von ihrem Gesicht aufgeflattert war. Direkt vor seinen Augen, wie auf die Innenseite der Windschutzscheibe geprägt, sah er die eine leere Augenhöhle und den verblüffenden Kontrast zwischen dem leuchtend weißen Streifen Oberschenkel und dem dichten, schwarzen Schamhaar. In dem Moment wusste Cooper, dass Laura Vernons dunkelrotes Kopfhaar gefärbt war.

Es war beileibe nicht seine erste Leiche gewesen. Aber es wurde trotz der Erfahrung nicht leichter. Jedenfalls nicht, wenn sie so aussahen wie diese Tote. Er wusste, dass ihn dieser Anblick noch tage-, wenn nicht wochenlang verfolgen würde, bis die Eindrücke von etwas noch Schlimmerem überdeckt wurden. Doch es war auch möglich, dass sie blieben.

Cooper wurde das Gefühl nicht los, dass in dem Cottage in Moorhay, wo Harry und Gewn Dickinson wohnten, etwas nicht stimmte. Auch die Enkelin, Helen Milner, hatte es gespürt. Er konnte nicht genau sagen, was ihn störte; es waren keine klaren Fakten, die er in seinen Bericht aufnehmen konnte, kein logischer Schluss, den er irgendwie hätte begründen können. Er war sich noch nicht einmal unbedingt sicher, dass die gespannte Atmosphäre etwas mit dem Auffinden von Laura Vernons Leiche zu tun gehabt hatte. Trotzdem war im Dial Cottage irgendetwas faul gewesen. Darin irrte er sich bestimmt nicht.

Der Toyota klapperte über einen Viehrost auf den Hof der Brigde End Farm. Die Reifen verspritzten frischen Kuhdung, den die Herde auf dem Weg von der Weide zum Nachmittagsmelken und wieder zurück hinterlassen hatte. Einige Kälber, die für den Markt in Bakewell bestimmt waren, muhten Cooper aus einem der Wirtschaftsgebäude an, die den Hof säumten. Aber er achtete nicht auf sie, sondern sah im Vorbeifahren in den Traktorschuppen, wo der große grüne John Deer und der alte graue Gergie untergestellt waren und eine Reihe von Gerätschaften an den Wänden lehnte. Von seinem Bruder war keine Spur zu sehen, obwohl er um diese Zeit eigentlich immer an irgendwelchen Maschinen herumbastelte.

Als er vor dem Wohnhaus hielt, wurde ihm das Herz schwer. Seine Nichten Amy und Josie saßen auf der Mauer zwischen dem Feldweg und dem kleinen Vorgarten. Sie spielten nicht und redeten auch nicht miteinander, sondern saßen nur da, traten mit den Absätzen gegen die Steine und malten mit den Spitzen ihrer

Turnschuhe im Staub herum. Sie blickten zwar hoch, als er den Toyota parkte, aber sie lächelten ihm zur Begrüßung nicht zu. Cooper sah der erst sechsjährigen Josie an, dass sie geweint hatte. Sie hatte gerötete Augen, ihre Nase war verschmiert, und auf den braunen Wangen hatte sie schmutzige Streifen. Auf der Mauer lag unbeachtet ein Comic-Heft, und auf der Erde breitete sich eine himbeerfarbene Eispfütze aus.

»Hallo, ihr zwei«, sagte er.

»Hi, Onkel Ben.«

Amy sah ihn an, eine unbestimmte Trauer in den großen Augen. Sie warf einen ängstlichen Blick über die Schulter auf das Farmhaus. Die Tür stand offen, doch es drang kein Geräusch nach draußen. Eine schwarzweiße Katze, die aus dem Garten kam, ging bis zur Schwelle, blieb stehen und schnupperte. Dann lief sie schnell in Richtung der offenen Scheune davon.

»Mum ist in der Küche«, sagte Amy, ohne dass er zu fragen brauchte.

»Und wo ist euer Dad?«

»Er musste gleich nach dem Melken in den Burnt Wood. Irgendwelche Gatter reparieren.«

»Ach so.«

Cooper lächelte, doch die Mädchen zeigten keine Reaktion. Er erkannte die beiden Kinder kaum wieder, die normalerweise fröhlich angelaufen kamen, um ihn zu begrüßen. Aber er konnte sich denken, warum sie so niedergeschlagen waren.

In der großen Küche fand er seine Schwägerin Kate. Sie bewegte sich so steif vom Tisch zum Herd, als hätte sie Arthritis. Ihr kurzes blondes Haar war zerwühlt, und sie hatte einen Schweißfilm auf der Stirn, der nicht nur durch den heißen Tag oder den dampfenden, leeren Topf auf dem Herd zu erklären war. Auch sie hatte geweint.

Als sie ihn sah, ließ sie das Tranchiermesser fallen, das sie in der Hand hielt, als wäre es eine Erleichterung, es loszuwerden. Normalerweise duftete es in der Küche nach Kräutern und selbst gebackenem Brot, manchmal auch nach Knoblauch und Olivenöl. Heute Abend aber roch es nach Desinfektionsmitteln, und es hingen noch üblere Gerüche in der Luft, die in Cooper eine böse Vorahnung aufsteigen ließen. Seine Bauchmuskeln krampften sich zusammen.

»Was ist passiert, Kate?«

Seine Schwägerin schüttelte den Kopf und musste sich auf den Holztisch stützen, völlig erschöpft von dem Versuch, um der Mädchen willen den Anschein von Normalität aufrechtzuerhalten. Nach allem, was Cooper draußen gesehen hatte, hätte er ihr sagen können, dass ihre Anstrengungen vergeblich gewesen waren.

»Sieh es dir selber an«, sagte sie. »Ich kann nicht mehr, Ben.«

Als er ihr die Hand auf die Schulter legte, kamen ihr wieder die Tränen.

»Lass mich nur machen«, sagte er. »Kümmere du dich um die Mädchen.«

Er ging in die Diele, die mitten durch das Haus lief, und sah die Treppe hinauf. In seiner Kindheit war es in der Diele und auf der Treppe immer finster gewesen. Wände und Holz waren dunkel lackiert und die Dielenbretter zu beiden Seiten des schmalen Läufers schwarz gestrichen gewesen. Der Läufer selbst hatte jede Farbe verloren gehabt, so aussichtslos war der Kampf gegen den Schmutz, den sein Vater, sein Onkel, ihre Kinder, drei Hunde, zahlreiche Katzen und manchmal auch andere Tiere, die im Haus aufgepäppelt werden mussten, hereintrugen. Das alles war längst anders geworden. Die Diele war mit einem dicken Teppichboden ausgelegt, die Wände waren weiß gestrichen. Das abgebeizte Holz verbreitete einen goldenen Schimmer, und überall hingen Spiegel und Bilder, die das spärliche Licht, das durch die halbmondförmigen Fenster in den beiden Dielentüren hereinkam, einfingen und zurückwarfen.

So hell, luftig und einladend die Treppe inzwischen auch geworden war, heute graute es Cooper die erste Stufe zu betreten wie seit seiner Kindheit nicht mehr. Auf einer der mittleren Stufen sah er einen rosafarbenen, flauschigen Hausschuh, der mit Exkrementen beschmiert war.

Der Pantoffel lag auf der Seite, so harmlos und unschuldig, dass er schockierend obszön wirkte. Die fröhliche Farbe biss sich mit der des Teppichs. Ein blutiges Herz auf der Treppe hätte Cooper nicht mehr entsetzen können.

Während er langsam nach oben ging, bückte er sich nach dem Hausschuh und hob ihn vorsichtig auf, als wäre er ein wichtiges Beweisstück. Auf dem Treppenabsatz blieb er stehen, legte den Kopf auf die Seite und lauschte dem verzweifelten, fiependen Wimmern hinter der Tür. Es waren unmenschliche Laute, wie das undeutliche Klagen eines leidenden Tieres, ohne Worte.

Dann öffnete Cooper die Tür. Er musste kräftig drücken, weil auf dem Boden ein Hindernis lag. Er trat ein. Das Zimmer glich einem Schlachtfeld, und es bot sich ihm ein Bild der Verwüstung, wie er es noch an keinem Tatort gesehen hatte.

8

Gefunden von einem Mann, der mit seinem Hund spazieren ging.«

Ein wachsames Schweigen machte sich breit. Diane Fry, ihr aufgeschlagenes Notizbuch auf den Knien, setzte eine aufmerksame Miene auf. Dabei konzentrierte sie sich vor allem auf die verschlungenen Krakel, mit denen sie langsam das Papier füllte und die aus der Entfernung wahrscheinlich wie Kurzschrift aussahen. Eine Schmeißfliege flog brummend gegen das Fenster des Konferenzraums, jemand scharrte mit den Füßen, die Stahlrohrbeine eines Stuhls knarrten gequält.

»Gefunden von einem Mann, der mit seinem *Hund* spazieren ging«, wiederholte der Superintendent mit einem gefährlichen Unterton in der Stimme.

Einige Beamte sahen an die Decke, andere nahmen einen Schluck Kaffee, um Jepsons Blick zu entgehen. Fry fragte sich, warum die Fliegen immer die offenen Fenster ignorierten und lieber erfolglos gegen die verschlossenen anbrummten.

»Es war ein alter Knabe, der Dickinson heißt, Sir«, sagte DS Rennie. »Anscheinend geht er jeden Abend dieselbe Route über den Baulk.«

Rennie war an der Suche nicht beteiligt gewesen. Aber genau wie alle anderen im Raum hatte auch er erkannt, dass es Zeit wurde, sich den Rücken freizuhalten, den Schaden zu begrenzen und sich selbst möglichst viele Pluspunkte zu sichern. Wer an der Suche teilgenommen hatte, hielt lieber den Mund. Logischerweise würde der Superintendent jeden, der es wagte, sich zu Wort zu melden, für unschuldig halten. Rennie wartete auf einen anerkennenden Blick aus den blauen Augen, dem er entnehmen konnte, dass seine Bemerkung angekommen war.

»Aha. Ein Mann, der mit seinem Hund spazieren ging. Ein alter Knabe namens Dickinson, um genau zu sein. Herzlichen Dank, Rennie.« Der Superintendent nickte. Er lächelte wie ein Kanalarbeiter, der mit einem besonders scharfen Geruchssinn ausgestattet war. »Und auf der anderen Seite wir, die Elite Ihrer Majestät. Ein Hubschrauber, der in der Minute weiß Gott wie viel kostet, und vierzig Beamte unten im Gelände, die fünf Stunden lang die Wälder absuchen, ohne auch nur soviel wie ein gebrauchtes Kondom aufzustöbern. Die Polizei steht vor einem Rätsel, wie es immer so schön in den Medien heißt. Und dann – dann passiert was?«

Diesmal antwortete niemand, nicht einmal Rennie. Fry sah, dass sie einen ganzen Schwarm kleiner blauer Fliegen gemalt hatte, die mit ihren zarten Flügeln schlugen, aber nirgendwohin gelangten.

»Die Leiche«, sagte Jepson, »wird von einem *Mann* gefunden, der mit seinem *Hund* spazieren geht.«

»Früher oder später…«, begann DI Hitchens. Doch das hätte er besser bleiben lassen. Als Inspector vom Dienst war er technisch gesehen für die Suche verantwortlich, auch wenn er selbst nicht vor Ort gewesen war. Der Superintendent schnitt ihm das Wort ab.

»Können Sie mir eine Frage beantworten?«, sagte er. »Warum muss es *immer* ein Mann mit einem Hund sein? Man könnte fast auf die Idee kommen, sie machten sich extra auf den Weg, um die Polizei zu blamieren. Irgendwo liegt eine Leiche im Wald? Keine Bange, Chef, irgendein alter Knabe, der mit seinem Hund spazieren geht, wird sie schon finden. Wir haben keine Beschreibung des Fluchtfahrzeugs, das gestern Nacht bei dem bewaffneten Raubüberfall benutzt wurde? Kein Problem – irgendein alter Knabe, der seinen armen alten Rex durch die Straßen geschleift hat, weil er nicht schlafen konnte, hat sich garantiert das Kennzeichen aufgeschrieben. Wir können nicht beweisen, dass sich der

Verdächtige am Tatort aufgehalten hat? Albert und Bello haben beim Gassigehen bestimmt beobachtet, wie er die Beute verstaut hat. Tja. Immer diese Männer, die mit ihren Hunden spazieren gehen. Schade, dass sie nicht in der *Eden Valley Times* annoncieren und ihre Dienste anbieten, dann könnten wir ein Vermögen sparen.«

»Chef, ich glaube nicht…«, sagte Hitchens.

»Und dann«, fuhr Jepson fort, »könnten wir die gesamte Polizei von Derbyshire auflösen und sie durch ein paar Dutzend Gassigeher ersetzen. Was meinen Sie, wie das die Aufklärungsrate in die Höhe treiben würde?«

Diane Fry degradierte Hitchens auf ihrer Hierarchie-Skala ein paar Stufen nach unten. Um den bestmöglichen Eindruck zu machen, musste sie immer am Ball bleiben und versuchen, sich die Namen und Dienstränge der neuen Kollegen einzuprägen und herauszufinden, wer den größten Einfluss hatte. Als ihr DI hatte Hitchens auf ihrer Skala fast ganz oben begonnen, doch nun baute er langsam ab.

Ein Beamter, den Fry noch nicht kannte, hob die Hand und meldete sich, wie ein Klassenstreber, der im Mittelpunkt stehen will. Dabei war er bereits unangenehm aufgefallen, indem er mit großer Verspätung zu der Besprechung erschienen war, was an Frys bisherigen Arbeitsplätzen als Disziplinarverstoß gegolten hatte. Als er hereinkam, wirkte er leicht ramponiert und mitgenommen, als wäre er gerade erst aufgestanden, und er hatte sich einen finsteren Blick von Jepson eingehandelt. Nun waren sämtliche Augen auf ihn gerichtet. Alle waren froh, dass sich ein Prügelknabe gefunden hatte, auch wenn sie sich wunderten, dass er sich freiwillig auf die Opferbank legen wollte. Obwohl er wie Ende zwanzig aussah, strahlte er etwas jungenhaft Unschuldiges aus, was den anderen Beamten im Raum fehlte. Er war groß und schlank, und er hatte hellbraunes Haar, das ihm wirr in die Stirn fiel.

»Entschuldigen Sie, Sir. Ich verstehe da etwas nicht.«

»Ach nein! Und was verstehen Sie nicht, mein Junge?«

»Wir hatten doch die Hundestaffel aus Ripley für die Suche angefordert, nicht wahr? Wieso haben die Suchhunde nichts gefunden, dafür aber der Hund des alten Mannes?«

Jepson musterte ihn scharf, eine verächtliche Replik auf den Lippen. Doch dann sah er, dass dem Beamten bereits eine leichte Röte in die Wangen gestiegen war. Der Superintendent seufzte, sein Ärger war plötzlich verraucht.

»Sie werden die Lösung schon finden, Cooper«, sagte er. »Der Hund ist nicht der Schlüssel. Es ist der alte Knabe.«

Schließlich gab Jepson die Gesprächsleitung an DCI Tailby ab, den Leiter der Ermittlung. Unter leisen Seufzern der Erleichterung und dem üblichen lockeren Geplauder wandte sich die Besprechung weniger heiklen Themen zu – den Prioritäten der Ermittlungsarbeit, der Einteilung der Befragungsteams, der Zuordnung der einzelnen Aufgaben. Aber einige Tage später würde Diane Fry zu ihrer Verblüffung feststellen, dass sich zwischen ihre detaillierten anatomischen Zeichnungen der gewöhnlichen Stubenfliege Jepsons abschließende Bemerkung eingeschlichen hatte, Wort für Wort genau zitiert.

»Der vorläufige Bericht der Gerichtsmedizin kommt zu dem Ergebnis, dass der Tod durch zwei bis drei schwere Schläge mit einem harten, glatten Gegenstand verursacht wurde. Die Sondereinheit wird die Suche nach der Tatwaffe heute Vormittag fortsetzen.«

Alle Blicke waren auf das Bild vom Tatort gerichtet, das hinter Tailby auf die Leinwand projiziert worden war. Die Aufnahme der im Unterholz liegenden Toten wurde durch eine Nahaufnahme des Kopfes abgelöst. Laura Vernons Haarfarbe wirkte auf dem Foto unnatürlich grell, und die dunklen, blutverklebten Stellen waren kaum zu erkennen. Das Rot ihres T-Shirts ließ endgültig an der Akkuratheit der Farbwiedergabe zweifeln.

»Erste Hinweise, basierend auf der Körpertemperatur und dem Entwicklungsstadium der in Augen, Mund und Vagina gefundenen Insektenlarven, lassen darauf schließen, dass Laura

Vernon etwa zwei Stunden vor beziehungsweise nach Eintreffen der Vermisstenanzeige – das heißt Samstagabend zwanzig Uhr – getötet wurde. Wie Sie wissen, haben wir bereits eine erste Zeugenaussage, nach der Laura zuletzt um circa 18.15 Uhr im Gespräch mit einem jungen Mann gesehen wurde, nur wenige Meter vom eigenen Garten entfernt, auf einem Fußweg. Das ist ziemlich weit von der Stelle entfernt, wo sie gefunden wurde, einem Waldstück namens The Baulk. Wir müssen also ihren letzten Weg zurückverfolgen. Die Befragungs-Teams werden sich darauf konzentrieren, jeden zu ermitteln, der sich zu dieser Zeit in der näheren Umgebung aufgehalten hat, und herauszufinden, ob Laura Vernon später noch einmal von Zeugen gesehen wurde.«

Das nächste Bild zeigte eine Aufnahme von Lauras unterer Körperhälfte. Die schwarzen Jeans waren bis zu den Knien heruntergezogen, sodass der obere Rand eines blauen Slips zu sehen war und ober- und unterhalb des dunklen Schamhaars eine Handbreit weißer Haut zum Vorschein kam.

»Wie Sie sehen, hat sich jemand an Lauras Kleidung zu schaffen gemacht. So lange allerdings die Autopsie, die heute Vormittag durchgeführt wird, nichts anderes ergibt, sieht die Gerichtsmedizinerin keinerlei Anhaltspunkte für einen Missbrauch, weder vor noch nach Eintritt des Todes. Mit einer möglichen Ausnahme.«

Tailby gab ein Zeichen mit dem Kopf, und ein neues Dia erschien. Diesmal war eine kleine Stelle am rechten Oberschenkel des toten Mädchens zu sehen. Die Beamten runzelten die Stirn und sahen genauer hin. Es war eine Verfärbung der Haut, eine Art Bluterguss, aber seltsam regelmäßig geformt.

»Mrs. Van Doon vermutet«, sagte Tailby, »dass diese Verletzung wahrscheinlich um den Zeitpunkt des Todes herum eingetreten ist.«

Es wurde unruhig im Raum. Viele Beamte schwitzten, es war drückend schwül.

»Ich weiß, dass Sie es kaum erwarten können, endlich loszulegen«, sagte Tailby, dem die Ungeduld seiner Mitarbeiter nicht entgangen war. »DI Hitchens wird Ihnen in Kürze Ihre Aufgaben zuteilen. Haben Sie bitte noch ein paar Minuten Geduld.«

Als das Bild von der Wand hinter dem DCI verschwand, seufzten einige Männer erleichtert auf.

»Zunächst konzentrieren wir uns voll auf die Fahndung nach Lee Sherratt, zwanzig Jahre alt, zuletzt bei den Vernons als Gärtner beschäftigt. Die Details finden Sie in Ihren Akten. Aber wir müssen außerdem wissen, ob Laura Vernon möglicherweise noch andere Beziehungen hatte. Vor allem solche, von denen ihre Eltern vielleicht nichts wussten.«

»Gehen wir davon aus, dass die Familie als Täter ausscheidet, Sir?«, fragte DS Rennie.

»Wir gehen nie von irgendetwas aus, Rennie«, sagte der DI mit einem leisen Lächeln. »Wer zu schnell von irgendetwas ausgeht, kann auch ganz schnell eingehen.«

Rennie verstand nicht gleich. Erst als jemand kicherte, merkte er, dass er abserviert worden war.

»Danke, Sir.«

»Natürlich werden wir sowohl Graham als auch Charlotte Vernon noch einmal befragen. Es gibt offenbar auch noch einen Bruder, der irgendwo studiert. Ansonsten haben wir erfahren, dass Laura Vernon mit den Bewohnern von Moorhay nicht viel zu tun hatte. Das sagen zumindest die Eltern. Wenn das nicht stimmen sollte, werden Sie es herausfinden. In der Zwischenzeit werden, wie üblich, alle bekannten Sexualstraftäter überprüft. DI Armstrong von der Dienststelle B wird diesen Aspekt der Ermittlungen koordinieren.«

Der Chief Inspector deutete auf eine Beamtin, die auf der einen Seite des Raumes saß. Sie war ein wenig korpulent, und das graue Kostüm, das sie trug, spannte sich über ihren Schultern. Ihr dunkles Haar war auf Höhe des Kragens gerade abgeschnitten.

»Manche von Ihnen werden vielleicht wissen, dass DI Armstrong zu dem Ermittlungsteam in Sachen Susan Edon gehört, dem Mädchen, das vor fünf Wochen in der Nähe von Buxton getötet wurde. Wir können also von den in der Dienststelle B bereits geleisteten Routineüberprüfungen profitieren und so mögliche Überschneidungen vermeiden.«

Einige Beamte tauschten fragende Blicke aus. Tailby ging sofort auf ihre Reaktion ein. »Die Öffentlichkeit darf auf keinen Fall den Eindruck bekommen, dass zwischen den beiden Fällen eine Verbindung besteht. Ich will nicht, dass jemand aus diesem Team das Wort Serienmörder in den Mund nimmt, und ich will es auch nicht in der Zeitung lesen.«

Dabei richtete er den Blick scharf auf einen Zivilisten, der einen Anzug, einen bunten Schlips und eine große, blau gerahmte Brille trug. Fry vermutete, dass er einer der Polizeisprecher war, deren Aufgabe darin bestand, die Aufmerksamkeit der Presse abzulenken und so wenig Informationen wie möglich über den Fall nach außen dringen zu lassen.

»Natürlich werden diese Ermittlungen ihre Zeit brauchen«, sagte Tailby. »Aber ich muss Sie wohl nicht daran erinnern, dass die ersten Stunden entscheidend sind.«

Diane Fry war noch ganz in den Anblick von DI Armstrong vertieft, als Ben Cooper noch einmal die Hand hob. Tailby sah ihn fast mitleidig an.

»Ja, Cooper?«

»Harry Dickinson, Sir. Der Mann, der den Turnschuh gefunden hat.«

»Ach ja, der alte Knabe«, sagte jemand, und die Spannung löste sich.

»Der mit dem Hund«, sagte ein anderer.

»Soll er noch einmal vernommen werden, Sir?«

Fry fragte sich kurz, ob Cooper vielleicht ihr Protokoll von der ersten Vernehmung Harry Dickinsons gelesen hatte und sich über den DCI lustig machen wollte. Aber Tailby war offensichtlich zu dem Schluss gekommen, dass so etwas weder Coopers Art noch seine Absicht war.

»Harry Dickinson ist achtundsiebzig Jahre alt«, sagte er.

»Ja, Sir«, antwortete Cooper. »Aber deshalb gehen wir doch nicht davon aus, dass er als Verdächtiger ausscheidet, oder?«

»Natürlich nicht«, sagte Tailby. »Wir gehen von gar nichts aus.«

Füße scharrten, Stuhlbeine schabten über den Boden. Eine Beamtin drehte sich zu Ben Cooper um und fragte ihn, ob es ihm gut ginge. Sie schien besorgt zu sein, aber er nickte nur und konzentrierte sich weiter auf den Chief Inspector. Fry bemerkte, dass Coopers Lederjacke eine abgewetzte Stelle hatte und dass seine Krawatte schief saß. Sein schlampiges Äußeres schien mit Ordnung und Disziplin unvereinbar. Der Mann war nie im Leben so perfekt, wie alle behaupteten.

»Eines möchte ich noch betonen, bevor ich Sie entlasse.« Tailby hob die Stimme, um sich in der allgemeinen Aufbruchsstimmung verständlich zu machen. »Sie finden es zwar ebenfalls in Ihren Unterlagen, aber ich möchte es Ihnen doch noch einmal einschärfen. DC Cooper hat den Turnschuh erwähnt, der von Mr. Dickinson und seinem Hund gefunden wurde und der uns zum Fundort der Leiche geführt hat. Im Zusammenhang damit wäre noch ein Punkt zu erwähnen, der für unsere Ermittlungen von ausschlaggebender Bedeutung sein und zu einem schnellen Fahndungserfolg führen könnte, wenn wir gründlich arbeiten – und wenn wir ein bisschen Glück haben. Denken Sie bitte immer daran, dass Laura Vernons zweiter Turnschuh noch immer nicht gefunden wurde.«

»DC Fry zu mir, bitte.«

Fry ging zielstrebig zu Hitchens, der sich lässig gegen die Wand lehnte und ein Bein über die Kante eines Schreibtischs baumeln ließ. Er hatte einen Stapel Akten in der Hand. Fry konnte sich denken, dass er sie gleich einem Ermittlungsteam zuteilen würde.

»Sie sind noch neu bei uns, Diane. Deshalb spannen wir Sie fürs Erste mit Ben Cooper zusammen. Er kennt die Gegend wie seine Westentasche.«

»Das habe ich schon gehört.«

»Wir wollen doch schließlich nicht, dass Sie sich im Moor verirren. Dann müssten wir die Suchhunde wieder losschicken.«

Fry rang sich ein möglichst überzeugend wirkendes Lächeln ab. »Wir kommen bestimmt gut miteinander aus.«

Hitchens musterte sie. »Sie werden sich schon vertragen.«

»Natürlich.«

»Also dann. DC Cooper! Wo ist Ben Cooper?«

»Er musste dringend telefonieren«, sagte ein Beamter. »Im CID-Raum.«

»Okay. Also, Sie beide übernehmen die Befragung der Einwohner in Moorhay«, sagte Hitchens. »Dabei werden Sie von uniformierten Kollegen unterstützt. Hier finden Sie die Ihnen zugeteilten Gebiete. Achten Sie darauf, dass niemand übersehen wird.«

Er reichte ihr eine fotokopierte Straßenkarte, die mit rotem, blauem und gelbem Neonmarker in drei Abschnitte unterteilt war.

»Dann mache ich mich mal mit DC Cooper bekannt«, sagte Fry. »Falls ich mich nicht verirre und den CID-Raum finde.«

Ben Cooper saß an seinem Schreibtisch und beugte sich über den Berg von Unterlagen, der sich während seines Urlaubs angesammelt hatte. Er las nicht darin, er schien die Papiere nicht einmal zu sehen. Er hatte den Telefonhörer am Ohr und lauschte seinem Gesprächspartner mit ausdrucksloser Miene.

»Dann muss es wohl sein, wenn es für sie das Beste ist«, sagte er. »Aber für wie lange? Ja, ich weiß, dass Kate eine Auszeit braucht, aber Matt…«

Er bemerkte, dass die Neue hereingekommen war. Sie schlenderte mit kühler Gelassenheit auf ihn zu, ohne ihn anzusehen. Stattdessen ließ sie den Blick über die Tische und Aktenschränke wandern, als ob sie nach Beweisen für ein Fehlverhalten ihrer abwesenden Kollegen suchte. Cooper wäre nicht überrascht gewesen, wenn sie sich gebückt hätte, um auf dem Teppichboden nach Fußspuren zu suchen, oder wenn sie im Vorbeigehen einen Briefumschlag umgedreht hätte, um die Adresse zu überprüfen. Sie hatte ein hageres Gesicht und kurze helle Haare, und sie war sehr schlank – schlanker als die Frauen, die er sonst kannte. Seine Mutter hätte gesagt, dass sie eine Krankheit ausbrütete. Dabei wirkte sie drahtig und robust. Keineswegs wie eine Mimose, auf die man ständig Rücksicht nehmen musste.

Er hatte sich natürlich längst zusammengereimt, wer sie war. Sie war die Neue, von der PC Garnett ihm erzählt hatte, die aus den West Midlands gekommen war und der ein bestimmter Ruf vorauseilte. Garnett lag mit seiner Beschreibung gar nicht so falsch. Die einzige Überraschung war, dass sie tatsächlich ziemlich attraktiv war – obwohl ihr ein Lächeln sicher nicht geschadet hätte, bei der starren Miene und den dunklen Ringen unter den Augen.

»Ja, Matt. Du hast ja Recht. Für zwei Tage also. Und am Donnerstag sprechen wir es dann gründlich durch, ja? Aber ich weiß nicht, ob ich so lange warten kann.«

Die neue Kollegin hatte Coopers Schreibtisch erreicht. Sie stand da, sah sich das Durcheinander an und schlug ein paar Mal lässig mit der Moorhay-Akte gegen ihren Oberschenkel. Er drehte sich weg, um das Telefon zu verbergen. Dabei war es offensichtlich, dass der Anruf nichts mit der Arbeit zu tun hatte. Sie musste längst gemerkt haben, dass es ein Privatgespräch war. Wahrscheinlich dachte sie, dass er über seine Freundin redete.

Verdutzt sah er zu, wie sie sich seelenruhig hinsetzte und seinen Computer startete, noch immer ohne ihn anzusehen.

»Einen Augenblick, Matt.«

Als der Computer hochgefahren war und sie sich in die Datenbank einklinkte, begann sie zu lächeln. Zu den ersten beiden Seiten bekam sie noch Zugang, doch als sie etwas abrufen wollte, erschien ein Datenfeld.

»Sie brauchen das Passwort«, sagte Cooper.

»Wie bitte?«, sagte Matt.

»Nichts.«

»Und wie heißt es?«, fragte sie.

»Das kann ich Ihnen nicht einfach sagen. Sie brauchen eine Befugnis.«

»Ach ja? Dann muss ich mir wohl selber helfen.«

Sie tippte auf der Tastatur herum, um sich Zugang zum Sicherheitsprogramm zu verschaffen. Ein silberner Ohrstecker blitzte unter den kurz geschnittenen Haaren hevor.

»Ohne das richtige Passwort kommen Sie nicht weiter.«

»Ben, wenn du keine Zeit hast…«

»Entschuldige, Matt, ich muss jetzt Schluss machen«, sagte Cooper. »Dann bis heute Abend.«

Er legte den Hörer auf und hielt den Kopf einen Augenblick lang gesenkt, als ob er sich erst innerlich sammeln und auf eine völlig neuartige Herausforderung einstellen müsste.

»Verdammt!«

Auf dem Bildschirm prangte »fatal error«. Der Computer hatte das unbefugte Herumgefummel nicht vertragen und war abgestürzt.

»Ich habe Ihnen doch gesagt, dass Sie es ohne Passwort nicht schaffen«, fuhr er sie an.

»Sie sind mein neuer Partner«, sagte Fry. »Das heißt, wenn Sie abkömmlich sind.«

Cooper atmete tief durch. »Okay. Hi, ich bin Ben Cooper. Sie müssen DC Fry sein.«

Nun war sie am Zug. Er wusste ihren Vornamen nicht.

»Meine Freunde nennen mich Diane.«

Er nickte bedächtig. Die Doppeldeutigkeit der Antwort war ihm nicht entgangen. »Was steht an?«

»Befragung der Einwohner von Moorhay zusammen mit ein paar Plattfüßen.«

»Lassen Sie das bloß nicht die uniformierten Kollegen hören.«

Fry zuckte mit den Achseln. »Von mir aus kann es losgehen. Ich bin zwar noch neu hier, aber so weit ich gehört habe, sollen Mordermittlungen meistens ziemlich eilig sein.«

»Alles klar. Ich bin fertig.«

Im Korridor wurden sie von DI Hitchens aufgehalten.

»Gegen Mittag bin ich wegen einer Besprechung selbst vor Ort, dann kann ich mir gleich Ihre Berichte anhören«, sagte er. »Gibt es nicht eine Gaststätte in Moorhay, Cooper?«

»Den Drover, Sir.«

»Wenn ich das gestern bei der Fahrt durch das Dorf richtig gesehen habe, gibt es da Marston's.«

»Das stimmt.«

»Wir treffen uns dort – sagen wir um halb eins. Und Ben...«

»Ja, Sir?«

»Kommen Sie nicht wieder zu spät, ja?«

»Es tut mir Leid, Sir. Familiäre Probleme.«

»Das sieht Ihnen gar nicht ähnlich. Lassen Sie das nicht zur Gewohnheit werden.«

»Nein, Sir.«

»Da wäre noch etwas, was alle Beamten wissen sollten. Mr. Tailby hat darauf hingewiesen, wie entscheidend bei einem Mordfall die ersten Stunden sind. Das ist uns allen klar. Aber übertreiben Sie es nicht, wenn Ihre Schicht vorbei ist. Keine Überstunden.«

»Wie bitte?«

»Der Etat ist ausgeschöpft. Die hohen Tiere denken, wir können den Fall auch ohne Überstunden lösen.«

»So ein Wahnsinn«, sagte Cooper.

Hitchens zuckte mit den Achseln. »Es lässt sich nicht ändern. Okay, Sie wissen, was Sie zu tun haben. Dann mal los.«

Cooper und Fry waren bereits auf dem Parkplatz hinter dem Revier, als sie plötzlich zögerten. Fry konnte die Gedanken ihres Kollegen ahnen.

»Mein Wagen steht da drüben«, sagte sie. »Der schwarze Peugeot. Und ich bin eine gute Fahrerin.«

»Mein Toyota hat Vierradantrieb«, sagte Cooper. »Das könnte uns auf den engen Landstraßen rings um Moorhay nützlich werden. Außerdem kenne ich die Gegend.«

Fry gönnte ihm den kleinen Sieg. »Okay.«

Auf dem Weg aus der Stadt wechselten sie kaum ein Wort miteinander. Cooper nahm eine Route, die Fry nicht kannte, über kleine Seitenstraßen, die sich quer durch die Stadt schlängelten, vorbei an der Kirche und der Edendale Community School. Als sie auf der Buxton Road herauskamen, stellte sie fest, dass es ihm gelungen war, die Staus im Clappergate und in den anderen Ausfallstraßen zu umfahren. Er legte es wirklich darauf an, ihr seine berühmten Ortskenntnisse zu demonstrieren.

Cooper konnte beim Fahren kaum den Blick von der Landschaft wenden. Er freute sich jedes Mal, wenn er aus Edendale herauskam und in die Berge fuhr, deren wechselnde Stimmungen ihn immer wieder aufs Neue überraschen und begeistern konnten.

Nirgendwo war der Kontrast zwischen dem White Peak und dem Dark Peak auffälliger als auf dem Anstieg südlich von Edendale, hinter den letzten bebauten Flächen, hinter dem Sportplatz und dem Exerzitienhaus, das von den Schwestern Unserer Lieben Frau betrieben wurde. Auf der höchsten Stelle, einem idealen Aussichtspunkt, stand das Light House, eine Gaststätte, von der aus man eine atemberaubende Aussicht auf die Kalkstein- und Mühlensandsteinformationen hatte.

Nach Süden hin breitete sich ein Fleckenteppich aus Feldern und Wäldern aus, einladend und zugänglich, von der Sonne beschienen, aber voll von verborgenen Abgründen und tückischen Kurven. Das Land war von einem Zickzackmuster weißer Trockensteinmauern durchzogen; hier und da brachen steile Kalksteinfelsen hervor. Stellenweise wurde das Bild durch die Überreste verlassener Bergwerksanlagen unterbrochen. Obwohl es vor allem eine Kulturlandschaft war, von Menschen besiedelt und gestaltet, konnte man hier doch auch jahrtausendealte Spuren der Geschichte finden, wenn man sich die Mühe machte, danach zu suchen.

Nach Norden erstreckten sich die Hochmoore des Dark Peak, düster und abweisend, eine raue Landschaft, alles andere als menschenfreundlich. Die nackten Sandsteinwände schienen das

Sonnenlicht eher zu schlucken als es zurückzuwerfen, wie es der Kalkstein tat. Sie wirkten unnahbar und trist, von Menschen unberührt. Gerade deshalb stellten sie eine Herausforderung dar, der viele nicht widerstehen konnten. Manchen gelang es, die Gipfel zu besteigen, aber viele scheiterten auch, bezwungen durch die Unerbittlichkeit der dunklen Hänge und das unaufhörlich schlechte Wetter.

Aber der äußere Anschein konnte täuschen. Auch der White Peak trug Narben der Zivilisation, große, schartige Wunden, wo Kalksteinbrüche und Tagebaue ihre hässlichen Spuren hinterlassen hatten.

»Und, wie finden Sie Edendale?«, fragte Cooper, als sie sich in eine Kolonne hinter einem Caravan einreihen mussten, der sich mühsam durch die Kehren nach oben quälte. Es schien wieder ein heißer Tag werden zu wollen; zum Schutz vor der Sonne, die auf die Windschutzscheibe brannte und vom Asphalt reflektiert wurde, hatten sie die Sonnenblenden heruntergeklappt. Auf der rechten Seite blieben die Außenbezirke der Stadt immer weiter zurück, die Schieferdächer verschwanden zwischen den Bäumen, die Häuser am silbernen Band des River Eden wurden spärlicher. Auf einem Campingplatz am Fluss leuchteten blaue und grüne Zelte wie exotische Pflanzen, die in der Morgensonne blühten. »Das fragt mich jeder«, sagte Fry. »Wie finden Sie Edendale. Ist das wichtig?«

»Ich denke doch«, antwortete Cooper verwundert.

»Hier ist mein Arbeitsplatz. Und Straftaten wird es vermutlich auch geben. Ich schätze, Edendale hat eine Hand voll Berufsverbrecher, eine Menge armer Würstchen und ansonsten lauter langweilige Ehrenmänner. Es ist überall das Gleiche.«

»Aber es lebt sich hier doch bestimmt besser als in Birmingham.«

»Wieso?«

»Darum...« Er nahm die Hand vom Lenkrad und deutete auf die Berge, den Fluss und den Fleckenteppich aus Feldern und Mauern, auf die Dächer und Kirchtürme der Stadt und den dunkelgrünen Eden Forest, der sich bis zu den Stauseen im Moor den Berg hinaufschob. Er wusste nicht recht, wie er es ihr erklären sollte, wenn sie es nicht selbst sah.

»Außerdem habe ich gar nicht in Birmingham gewohnt«, sagte sie. »Sondern in Warley.«

»Wo liegt das?«

»Im Black Country. Kennen Sie die Gegend?«

»Ich war einmal mit dem Zug in Birmingham. Da bin ich auch durch Wolverhampton gekommen. Ist das in der Nähe?«

»Was soll ich Ihnen dann noch erzählen?«

Sie hatten die Kuppe des Berges erreicht, ein gerades Stück Straße, und Cooper gab Gas, um sich der Kolonne anzuschließen, die den Caravan überholte.

»Und wieso hat es Sie dann nach Edendale verschlagen, wenn Sie gern im Black Country gewohnt haben?«

Fry drehte das Gesicht weg und blickte über die Hochebene zum Wye Valley, wo Moorhay lag. Aber Cooper war ihre Grimasse nicht entgangen.

»Ich vermute, diese Frage stellt Ihnen auch jeder.«

»Sie vermuten richtig.«

»Tja«, sagte er. »Trotzdem, willkommen an Bord, Diane.«

Fry war für die Akte verantwortlich, die Hitchens ihnen mitgegeben hatte. Sie zog die Straßenkarte heraus, um Cooper nicht ansehen zu müssen.

»Es gibt nur die Hauptstraße durch das Dorf und ein paar kleine Straßen, die davon abzweigen. Manche haben keinen Namen und scheinen nur zu Farmen zu führen. Und dann sehe ich hier noch eine Ansammlung von Häusern, die Quith Holes heißt. Kennen Sie das?«

»Die Cottages in Quith Holes grenzen hinten an den Baulk«, antwortete er. »Nicht weit vom Fundort der Leiche. Und dann liegt da auch die Alte Mühle. Man kann dort Tee trinken, außerdem vermieten sie Zimmer.«

»Das machen ja offenbar alle in dieser Gegend«, sagte Fry, als sie wieder einmal an einem Farmhaus vorbeikamen, das um Übernachtungsgäste warb.

121

Sie musste zugeben, dass Ben Cooper ein guter Fahrer war. Sie konnte sich den Inhalt der Akte einprägen, bevor sie in Moorhay ankamen. Da war ein Foto von Laura Vernon, als sie noch gelebt hatte, aber die Haarfarbe war anders als bei der Toten – nicht ganz so knallrot. Es war eine Vergrößerung der Aufnahme, die die Vernons der Polizei am Tag ihres Verschwindens mitgegeben hatten. Fry hatte sie sich einmal angesehen, bevor aus der Vermisstenanzeige ein Mordfall geworden war. Auf dem Original stand die junge Laura in einem Garten, hinter ihr einige in voller Blüte stehende Rhododendronsträucher, auf der einen Seite ein Stück von einer Balustrade und die obersten Stufen einer Treppe, im Gras zu ihren Füßen ein schlafender schwarzweißer Border Collie. Der vergrößerte Ausschnitt zeigte nur Kopf und Oberkörper des Mädchens. Der Hintergrund war wegretuschiert worden. Man hatte Laura die vertraute Umgebung und ihre Vergangenheit geraubt, genau wie ihr Leben.

Fry fand eine Liste mit den Namen und Adressen aller bekannten Kontaktpersonen von Laura Vernon in Moorhay und Umgebung. Für ein fünfzehnjähriges Mädchen war es eine traurig kurze Liste. An oberster Stelle stand Lee Sherratt, zwanzig, wohnhaft Wye Close 12, Moorhay. Er hatte als Gärtner bei den Vernons gearbeitet, bis er am vergangenen Donnerstag von Lauras Vater entlassen worden war. Sherratt war kurz nach Lauras Verschwinden befragt worden, aber seit Sonntag unauffindbar. Anders als die Vernons hatten die Sherratts ihren Sohn nicht als vermisst gemeldet. Sein Name war rot unterstrichen, was bedeutete, dass die Fahndung nach ihm höchste Priorität hatte.

Weiter unten auf der Liste standen Andrew und Margaret Milner mit ihrer Tochter Helen. Den Aufzeichnungen zufolge war Andrew ebenfalls bei Graham Vernon angestellt. Fry erinnerte sich an Helen, von ihrem Besuch im Dial Cottage mit Tailby und Hitchens. Sie war ganz nah bei dem alten Mann geblieben, als die Polizei kam – fast näher als seine eigene Ehefrau. Enge familiäre Bindungen kamen Diane Fry immer ein wenig verdächtig vor, weil sie selbst nicht viel damit anfangen konnte.

Sie hob den Kopf und sah Cooper an, sein Profil, während er fuhr. Fast hätte sie ihm gesagt, er solle sich ein bisschen herrichten, bevor sie sich in der Öffentlichkeit zeigten. Am liebsten hätte sie ihm die Krawatte zurechtgerückt und ihm die Haare aus der Stirn gekämmt. Sie konnte dieses jungenhafte Getue nicht ausstehen.

Doch er machte ein verschlossenes Gesicht und war völlig in seine Gedanken vertieft. Fry hatte den Eindruck, dass es keine angenehmen Gedanken waren, aber das ging sie nichts an. Sie konzentrierte sich wieder auf die Akte.

Ben Cooper dachte an den Geruch. Der Gestank war schlimmer gewesen als alles, was er jemals auf einer Farm gerochen hatte. Keine Senkgrube, kein Jauchefass, keine Innereien eines frisch ausgenommenen Kaninchens oder Fasans konnten den Geruch übertreffen, der in dem Zimmer hing. Die Wände waren mit Exkrementen beschmiert, das Bettzeug lag zusammengeknüllt auf dem Boden. Auf dem Teppich war eine halb eingetrocknete Urinpfütze, unweit ähnlicher, älterer Flecken, die mit Desinfektionsmittel und Bürste bearbeitet worden waren und helle Stellen hinterlassen hatten wie die Spuren einer bösartigen Hautkrankheit. Auf dem Bettvorleger lag ein Stuhl, dem ein Bein fehlte. Ein Vorhang war von der Stange gerissen, und überall waren Seiten aus Büchern und Zeitschriften verstreut, die wie welkes Laub alle Flächen bedeckten. In einer hölzernen Obstschale auf der Kommode lag der zweite rosafarbene Hausschuh. Ein dünner Faden Blut lief an der obersten Schublade hinunter und gabelte sich über dem Griff. Schubladen und Schrank waren leer, die Kleider türmten sich auf dem Bett.

Das Geräusch kam aus dem Kleiderhaufen, monoton und unmenschlich, ein leises, verzweifeltes Wimmern. Als er auf das Bett zuging, bewegte sich der Haufen, und das Wimmern schwoll zu einem ängstlichen Winseln an. Cooper wusste, dass die Krise vorerst vorbei war. Aber so schlimm wie heute war es mit Sicherheit noch nie gewesen. Die Beweise dafür waren im ganzen Zimmer zu sehen.

Er beugte sich über einen Mantel mit einem Webpelzkragen, aber hütete sich davor, das Bett zu berühren, um nur ja keine heftige Reaktion auszulösen. Der vertraute Duft, der aus dem Mantel stieg, schnürte ihm die Kehle zu.

»Ich bin es. Ben«, sagte er leise.

Eine weiße Hand kam zum Vorschein, die nach einem Ärmel und einem Rocksaum griff, um sich besser zu verbergen. Dann wanderten die Finger wieder in die dunkle Kleiderhöhle, wie ein Krebs, der sich in seine Schale zurückzieht. Das Winseln hörte auf.

»Das war der Teufel«, sagte eine dünne Stimme aus der Tiefe des Kleiderhaufens. »Der Teufel hat es mir eingegeben.«

Cooper glaubte, sich erbrechen zu müssen, so unerträglich war das Geruchsgemisch aus altem Parfüm, Schweiß, Exkrementen und Urin. Er schluckte und schlug einen besonders ruhigen Ton an.

»Der Teufel ist nicht mehr da.«

Als die Hand langsam wieder hervorkam, hielt Cooper sie fest. Sie war eiskalt.

»Du kannst wieder rauskommen, Mum«, sagte er. »Der Teufel ist weg.«

»Ben?«, sagte Fry.

»Ja?« Mit einem Ruck tauchte er aus seinen Gedanken auf. Auf Fry machte er den Eindruck, als ob er geschlafen und geträumt hätte, einen stets wiederkehrenden Albtraum vielleicht.

»Warum haben Sie heute Morgen bei der Besprechung nach Harry Dickinson gefragt?«

Es interessierte sie, warum er im ungünstigsten Augenblick die Aufmerksamkeit auf sich gezogen hatte, obwohl ihm weitaus besser damit gedient gewesen wäre, den Mund zu halten und nicht weiter aufzufallen. Aber das konnte sie ihn so direkt nicht fragen.

»Wer eine Leiche findet, ist immer verdächtig«, sagte er.

»Ach, ja? Ich dachte, Dickinson hätte nur den Turnschuh entdeckt. Die Leiche haben Sie doch selbst gefunden.«

»Sie wissen schon, was ich meine.«

»Jedenfalls ist Dickinson achtundsiebzig Jahre alt. Ein harter alter Knochen, das gebe ich gern zu. Aber doch wohl eher der Typ Pfeifenraucher in Filzpantoffeln. Man traut ihm kaum zu, dass er den Reißverschluss an seiner Hose allein aufbekommt, von einem brutalen Angriff auf eine kerngesunde Fünfzehnjährige ganz zu schweigen.«

»Ich bin mir nicht sicher, ob Sie Recht haben, Diane.«

»Ach, nein? Und worauf begründet sich Ihr Verdacht?«

»Auf nichts Konkretes eigentlich. Es ist mehr ein Gefühl, das ich in dem Cottage hatte. Und das Gefühl hatte etwas mit der Familie zu tun.«

»Ein Gefühl? Alles klar, Ben.«

»Ich weiß, was Sie sagen wollen.«

»Tatsächlich? Ist das noch so ein Gefühl? Wissen Sie was? Tun Sie mir einen Gefallen, verschonen Sie mich mit Ihren Gefühlen, solange wir ein Team sind. Ich stehe mehr auf Fakten.«

Den Rest der Fahrt brachten sie wieder schweigend hinter sich. Fry gab nicht viel auf Ben Coopers Gefühle. Wahrscheinlich hatte er keine Ahnung, was in einer Familie wirklich ablief. Für sie gehörte er zu der Sorte Polizisten, die sie Sozialklempner nannte – einer, der glaubte, dass es keine Verbrecher gab, nur Opfer, dass jeder Mensch, der gegen das Gesetz verstieß, krank war und Hilfe brauchte. Und nicht nur das; er war offensichtlich beliebt, unkompliziert und mit sich zufrieden. Bestimmt hatte er Dutzende von Freunden und Verwandten, die ihn mit Zuspruch und Hilfe überhäuften, bis er die reale Welt nur noch durch eine rosa Brille sehen konnte.

Sie glaubte nicht, dass er auch nur die leiseste Ahnung hatte, wie schrecklich es in einer Familie wirklich zugehen konnte.

9

Die Straße Wye Close lag in der Mitte einer kleinen Sozialsiedlung am nördlichen Ende von Moorhay. Die mit Schiefer gedeckten Häuser waren aus dem gleichen grauweißen Stein wie die übrigen des Dorfes und hatten auf der Straßenseite ein nicht eingezäuntes Stück Rasen, das eher an einen Randstreifen als an einen Vorgarten erinnerte. Auf der einen Seite stand eine Reihe Seniorenbungalows, die von den bescheidenen Einfamilienhäusern durch einen niedrigen Zaun getrennt waren, der die Kinder nicht daran hindern konnte, unter den Fenstern der alten Leute zu spielen.

Die Siedlung, die aus höchstens 30 Häusern bestand, war auf dem Feld einer der großen Molkereibetriebe errichtet worden. Als die Fläche von der Gemeinde als Bauland deklariert wurde, konnte der Farmer den Verlockungen der gestiegenen Grundstückspreise angesichts der Krise in der Landwirtschaft nicht widerstehen. Nun grenzte jedes Haus mit der Rückseite an eine Weide oder hatte eine phantastische Aussicht über die Landschaft, bis hinüber zur Farm. Einige Bewohner der Siedlung arbeiteten in den kleinen Gewerbegebieten am Stadtrand von Edendale, andere in der gut zehn Kilometer entfernten Molkerei. Viele gingen gar keiner Beschäftigung nach. Auf dem Land gab es für die Sozialschwachen zwar ein Dach über dem Kopf, aber keine Arbeit.

Vor dem Haus Wye Close 12 stand der Wagen einer Zivilstreife. Dieser oder ein ähnlicher Wagen stand nun schon seit Montagabend hier und wartete auf die Rückkehr von Lee Sherratt. Die Kinder der Siedlung, die nicht viel mit sich anzufangen wussten, weil noch Schulferien waren, hatten sich an diesem Morgen ein neues Spiel ausgedacht. Sie spielten Einbrecher, Räuber und Mörder, schlichen sich an und taten dann so, als ob sie den Polizeiwagen gerade entdeckt hätten, um dann kreischend um die nächste Ecke zu rennen. Dem Beamten, der das Haus observierte, gingen sie gehörig auf die Nerven. Die brütende Hitze im Wagen hatte ihn müde und gereizt gemacht. Die Kinder raubten ihm den letzten Nerv.

Ein grüner Ford bog in die Siedlung ein und hielt vor dem Haus Nummer zwölf. Nachdem DCI Tailby ausgestiegen war, warf er einen finsteren Blick auf die andere Straßenseite. Diesmal schienen sich die Kinder wirklich zu fürchten, wegen seiner Größe vielleicht oder wegen des grauen Anzugs. Sie flüchteten hinter den Zaun der Bungalowanlage und beobachteten ihn. Erst ging er zu dem Beamten, der im Wagen saß. Der setzte sich gerade hin und schüttelte den Kopf. Dann marschierte Tailby zur Haustür und betätigte den Klopfer.

»O nein, nicht schon wieder«, sagte die rundliche Frau, die ihm öffnete. Sie trug Sandalen, zerschlissene Jeans und ein loses, rosafarbenes Oberteil, das nur aus einem Geschäft für Umstandskleidung stammen konnte. Das Haar hatte sie hoch gesteckt, aber einzelne Strähnen hatten sich gelöst und fielen ihr bis auf den molligen Hals. Sie roch nach Zigarettenqualm. Tailby schätzte sie auf Ende dreißig, höchstens vierzig.

»Es wird nicht lange dauern, Mrs. Sherratt«, sagte er.

»Er ist noch nicht wieder da.«

»Ich weiß. Hat er sich gemeldet?«

»Nein.«

»Ich hätte noch ein paar Fragen.«

Molly Sherratt sah auf die Straße, wo die Kinder große Augen machten und sich gegenseitig in die Rippen stießen.

»Na, dann kommen Sie in Gottes Namen rein.«

Tailby zog den Kopf ein, als er durch die Tür ging, und suchte sich vorsichtig einen Weg durch die Diele, die mit Fahrrädern, Schuhen und Kleiderstapeln voll gestopft war. Mrs. Sherratt führte ihn in die winzige Küche, die mit einer Einbauküche im Teakholzdesign und einer nagelneuen Waschmaschine eingerichtet war. Die Überreste eines Frühstücks standen noch auf der Arbeitsplatte – eine aufgerissene Packung Cornflakes, eine Halbliterpackung Milch und ein mit Butter verschmiertes Messer. Der Toaster thronte in einem Meer verbrannter Brotkrümel.

»Ich wollte gerade spülen«, sagte Mrs. Sherratt trotzig, als sie sah, wie der Beamte instinktiv die Küche inspizierte.

»Machen Sie ruhig weiter. Ich möchte Sie bestimmt nicht stören.«

»Ich wüsste nicht, was Sie sonst machen.«

»Ich werde mich so kurz wie möglich fassen«, sagte Tailby höflich.

Sie drehte den Hahn auf, spritzte Spülmittel in eine blaue Plastikschüssel und ließ das Wasser so lange laufen, bis der Schaum alles zudeckte, was sich darin verbarg. Die Tür der Waschmaschine stand einen Spaltbreit offen, und Tailby sah, dass sie voll war. Vermutlich hatte er Mrs. Sherratt auch noch bei der großen Wäsche gestört.

»Ich habe Ihren Leuten schon alles gesagt, was ich weiß«, sagte sie.

»Wir müssen so viel wie möglich über Lee in Erfahrung bringen, damit wir ihn finden können. Deshalb die vielen Fragen. Es ist wichtig, dass wir ihn finden.«

»Damit Sie den Tatverdacht gegen ihn ausräumen können. So haben es zumindest die anderen Polizisten gesagt.«

»Das ist richtig, Mrs. Sherratt.«

Sie presste die offene Spülmittelflasche an ihre Brust, sodass ein dünner Strahl klebrig grüner Flüssigkeit auf ihren rosafarbenen Hänger spritzte. Sie schien es nicht zu bemerken.

»Lee hat nichts gemacht«, sagte sie.

»Er hat bei den Vernons gearbeitet«, sagte Tailby. »Also kannte er Laura. Und da sein derzeitiger Aufenthaltsort unbekannt ist…«

»Ich weiß, ich weiß. Das haben die anderen Polizisten auch immer gesagt. Aber das hat nichts zu bedeuten. Er ist öfter mal für ein, zwei Tage weg. Mein Lee ist eben ein kleiner Rumtreiber. Aber das heißt noch lange nicht, dass er was angestellt hat.«

»Wenn Sie uns helfen, ihn zu finden, können wir das bald nachprüfen.«

»Außerdem hat er ja sowieso nicht mehr da gearbeitet. In der Villa. Letzten Donnerstag haben sie ihn rausgeschmissen. Diese Vernons. Das war ungerecht.«

»Hat er sich über die Kündigung geärgert?«

»Was denken Sie denn? Es war unfair. Er hatte nichts getan.«

Tailby wusste aus Erfahrung, dass die eigenen Kinder, wenn man die Eltern fragte, nie etwas anstellten. Sie waren Unschuldslämmer und konnten kein Wässerchen trüben, alle, wie sie da waren. Es war ein Wunder, dass überhaupt Verbrechen begangen wurden.

»Mr. Vernon sagt aus, Lee hätte seine Tochter belästigt.«

»Blödsinn. Lee hat eine feste Freundin. Vielleicht heiraten sie sogar.«

»Ach, ja?«

»Deswegen wollte er die Stelle doch unbedingt haben, weil er Geld brauchte. In dieser Gegend gibt es für die jungen Leute keine Arbeit. Die Vernons haben ihm zwar nicht viel gezahlt, aber Kleinvieh macht auch Mist.«

»Da haben Sie Recht. Das muss aber noch lange nicht heißen, dass er kein Auge auf Laura Vernon geworfen hatte.«

Mrs. Sherratt schniefte. »Also, wenn Sie die Wahrheit wissen wollen, sie war nicht sein Typ. Ich weiß ja, über Tote soll man nicht schlecht reden, aber Lee hatte noch nie was für solche eingebildeten Ziegen übrig, mit ihrem feinen Getue und ihren Reithosen. Es war eher andersrum. Ich glaube, sie hatte ein Auge auf ihn geworfen. Er sieht gut aus, mein Lee. Jede Wette, so war es. Und es hat Mr. Großkotz Vernon bestimmt nicht gefallen, dass seine Tochter auf einen kleinen Angestellten scharf war.«

»Falls es so gewesen ist, meinen Sie nicht, dass Lee auf ihre Annäherungsversuche eingegangen wäre?«

»Nein. Ich sage Ihnen doch, sie war nicht sein Typ.«

»Hat er oft von Laura Vernon gesprochen?«

»Fast nie. Er hat überhaupt nie viel über die Vernons erzählt. Aber er hat ja auch nicht viel von ihnen zu sehen gekriegt, schon gar nicht von dem Mädchen, außer in den Ferien. Wenn er gearbeitet hat, war meistens nur die Alte da.«

»Sie meinen Mrs. Vernon?«

»Genau. Aber ich denke mal, sie wird ihm höchstens gesagt haben, was er machen soll. Die Vernons geben sich nämlich mit den Leuten aus dem Dorf nicht ab. Sie bilden sich ein, sie wären was Besseres, bloß weil sie sich ein großes Haus und schicke Autos leisten können. Aber da täuschen sie sich. Nur weil einer Geld hat, ist er noch lange kein anständiger Mensch. Deswegen steht er noch lange nicht über den anderen Leuten. Mancher von uns weiß eben von sich aus, was richtig und was falsch ist. Wenn Sie mich fragen, haben die Vernons so viel Kohle, dass sie nicht mehr wissen, was sich gehört.«

Tailby war abgelenkt. Sein Blick fiel durch das Küchenfenster in einen kleinen Garten, in dem sich ein paar Gemüsepflanzen durch das Unkraut ans Licht kämpften. Vor einem wackeligen Schuppen badeten ein paar Spatzen im Staub. Von dem dahinterliegenden Feld war das Grundstück nur durch einen niedrigen Zaun getrennt. Kein Hindernis, wenn man sich dem Haus von hinten statt von der Straße aus nähern wollte.

»Soweit Ihnen bekannt ist, bestand also keine Beziehung zwischen Lee und Laura Vernon, einmal abgesehen davon, dass sie die Tochter seines Arbeitgebers war?«

»Wie oft wollen Sie es denn noch hören? Er konnte sie nicht leiden.«

»Das hat er selbst gesagt?«

»Ja. Das weiß ich genau. Eingebildete Zicke hat er sie genannt oder so ähnlich.«

»Warum hat er sie so genannt? Hatte er einen bestimmten Grund dafür?«

Mrs. Sherratt verzog das Gesicht, was Tailby als Zeichen dafür deutete, dass sie nachdachte. »Das hat er zum ersten Mal gesagt, als er gerade erst bei den Vernons angefangen hatte. Er muss wohl irgendwie mit ihr aneinander geraten sein.«

»Mit Laura Vernon? Habe ich Sie richtig verstanden?«

»Sag' ich doch. Irgendwann war sie mal zu Hause. Vielleicht hatte sie Schulferien. Keine Ahnung. Aber er hat erzählt, dass sie im Garten war. Sie hat ihn sich beguckt und ihn ausgefragt. Lee hat wohl einen Witz gemacht, den sie nicht vertragen konnte. Er soll seine Scherze für sich behalten, hat sie gesagt. Er war ziemlich sauer, als er es mir erzählt hat, und seitdem konnte er sie nicht leiden.«

»Könnte das etwas mit seiner Kündigung zu tun haben?«

»Kann ich wirklich nicht sagen. Weil sie was gegen ihn hatte und es ihrem Dad gesteckt hat, meinen Sie? Ich weiß nicht. Lee hat auf jeden Fall nichts angestellt, das weiß ich genau.«

»Könnte Lee sich vielleicht heimlich mit Laura verabredet haben, nachdem er von Mr. Vernon entlassen worden war?«

»Auf keinen Fall. Er hat sich höchstens gefreut, dass er sie los war. Er wollte nichts mit ihr zu schaffen haben.«

»Mrs. Sherratt, wo geht Lee normalerweise hin, wenn er mal ein, zwei Tage nicht zu Hause ist?«

»Das weiß ich doch nicht«, antwortete sie. »Meinen Sie, das erzählt er mir?«

»Zu seiner Freundin?«

»Glaube ich kaum. Aber Sie können sie ja selber fragen. Ich habe den anderen Polizisten schon gesagt, wie sie heißt und wo sie wohnt. Man hilft, wo man kann.«

»Ja, ich weiß.« Tailby seufzte. Sie hatten das Mädchen bereits befragt, und auch noch einige andere, die ihnen von Lee Sherratts Saufkumpanen genannt worden waren. Wenn er tatsächlich heiraten wollte, hinderte es ihn nicht daran, die Hälfte der weiblichen Bevölkerung des Tals zu beglücken. Aber angeblich wusste keine von ihnen, wohin Lee ging, wenn er auf Achse war. Außerdem war natürlich das Haus seiner Mutter durchsucht, sein Zimmer auf den Kopf gestellt und der Schuppen im Garten überprüft worden.

»Und überhaupt«, sagte Mrs. Sherratt, als wäre ihr plötzlich eine Eingebung gekommen. »Die Kleine aus der Villa. Die war doch erst fünfzehn, oder?«

»Ja, Mrs. Sherratt.«

»Na also, nichts für meinen Lee.«

Nachdem Tailby das Haus verlassen hatte, ging er noch einmal zu dem Beamten in dem Zivilfahrzeug hinüber.

»Warten Sie ein paar Minuten ab, dann sehen Sie sich noch einmal den Schuppen hinter dem Haus an«, sagte er. »Aber unauffällig. Man weiß nie, vielleicht ist der heilige Lee ja auf wundersame Weise doch wieder aufgetaucht.«

Als Helen Milner ihren Großvater fand, saß er auf einem Felsblock am Rande des Fußwegs, der zur Raven's Side hinaufführte. Eine Wolke Pfeifenrauch hatte ihn verraten. Er hockte breitbeinig da, den Rücken so gerade, als säße er auf einem der alten Stühle im Cottage. Jess lag zu seinen Füßen und kaute an einem Stock, dessen Rinde in Fetzen herunterhing. Sie zerbiss das weiche Holz, dass die Späne wie Konfetti zu Boden fielen. Als Helen näher kam, blickte sie argwöhnisch hoch, sah sie tiefsinnig an und machte sich wieder über den Stock her. Leuchtend weiß schlugen ihre scharfen Zähne in das Holz.

Harry hatte sich für seinen Morgenspaziergang eine andere Route als sonst ausgesucht. Der Grund dafür war weiter unten am Hang zu erkennen. Ein weißer Caravan stand am Rande eines Feldes, von einem Land-Rover hingeschleppt, drei weitere Geländewagen dahinter. Weiter kam man mit dem Auto nicht durch, denn gleich darauf begann der Wald, und das Gelände fiel steil und steinig zum Tal hin ab. Am Hang, innerhalb eines weiten Kreises, in dem das Dickicht gerodet und entfernt worden war, bewegten sich Gestalten in weißen Kapuzenoveralls. Ringsum waren weitere Beamte unter den Bäumen zu sehen. Einige lagen auf den Knien, als flehten sie einen Gott um Führung bei ihrer bizarren Aufgabe an. Das blaue Plastikband, das den Fundort von Laura Vernons Leiche markierte, flatterte glänzend in der Sonne.

»Wenn der Boden nicht so trocken wäre, hätten sie den Wohnwagen nie auf das Feld schleppen können«, sagte Harry, als sich seine Enkelin zu ihm setzte.

»Wofür brauchen sie ihn?«

»Um Tee zu kochen und einen Happen zu essen, soweit ich sehe.«

Helen fiel ein hemdsärmeliger Police Constable auf, der an dem Gatter zwischen Wohnwagen und Wald stand. Er hatte das Gesicht zum Berg gewandt und spähte ab und zu hinter vorgehaltener Hand gegen die Sonne zu ihnen herauf. Er beobachtete Harry.

»Sie wissen, dass du hier bist«, sagte Helen.

»Und es gefällt ihnen nicht, aber sie können nichts dagegen machen. Es ist ein öffentlicher Fußweg, und ich bin ihrer kostbaren Absperrung nicht zu nahe gekommen.«

»Haben sie etwas gesagt?«

»Aye. Vor einer halben Stunde haben sie einen Kerl zu mir raufgeschickt, der mit mir reden sollte. Er wollte wissen, wer ich bin und was ich hier mache. Er hat sich meinen Namen in sein kleines Büchlein geschrieben. Der wusste ganz genau, wer ich bin. Ich dachte schon, er wollte ein Autogramm von mir. Ich bin eine richtige Berühmtheit. Wie ein Prominenter aus dem Fernsehen.«

»Hat dich der Polizist aufgefordert wegzugehen?«

»Ja.«

»Und was hast du gesagt?«

Harrys Augen funkelten belustigt. Helen seufzte.

»Ach, Granddad. Das solltest du nicht tun. Es bringt doch nichts, sie zu verärgern.«

»Die können mich mal. Irgendwer muss sie schließlich auf Trab halten.«

Während Helen ihren Großvater ansah, fragte sie sich, ob es richtig gewesen war herzukommen. Sie war zu einer Ferienkonferenz in der Schule gewesen, hatte sich aber die Erlaubnis geben lassen, früher zu gehen. Dann war sie auf dem schnellsten Weg zurück nach Moorhay gerast, um nach ihren Großeltern zu sehen. Gwen war bedrückt, aber gefasst; Harry war nicht zu Hause gewesen. Nun hatte sie ihn gefunden, doch sie erkannte ihn kaum wieder. Er schien sich noch mehr zu amüsieren als am Vortag. Dabei war ihr Großvater kein grausamer oder herzloser Mensch. Er würde sich niemals am Tod eines jungen Mädchens weiden. Aber irgendwie sah er das Ganze als persönliche Herausforderung an. Vielleicht wäre es besser gewesen, wenn sie gar nicht gekommen wäre. Sie wollte sich nicht mit ihm streiten.

»Hast du die Zeitungen gesehen?«, fragte Harry.

»Ein paar.«

»Die schreiben sich vielleicht einen Käse zusammen«, beschwerte er sich. »Zwei haben sogar meinen Namen falsch geschrieben.«

»Die Lokalzeitungen bringen sicher noch mehr darüber.«

»Aber die erscheinen ja erst Ende der Woche. Bis dahin ist womöglich schon alles vorbei.«

»Meinst du, Granddad?«

Harry hatte die Pfeife im Mund, die Kiefer fest zusammengepresst. Helen konnte seinen Gesichtsausdruck nicht deuten. Was war nur aus dem harmonischen Verhältnis geworden, das sie immer zu ihm gehabt hatte, aus dem Gefühl zu wissen, was er dachte, ohne dass er es aussprechen musste? Diese Verbundenheit bestand nicht mehr. Seit gestern war sie wie abgeschnitten.

»Könnte sein«, sagte er. Er paffte an seiner Pfeife, als ob er die Frage gründlich überdenken müsste. »Wenn die Bullen ein bisschen Tempo vorlegen. Aber auch, wenn sie sich Zeit lassen. Vielleicht ist es bis dahin trotzdem schon vorbei.«

»In der Zeitung steht, dass sie nach dem jungen Sherratt fahnden.«

Er schnaubte. »An dem werden sie ihre wahre Freude haben.«

»Er ist verschwunden. Das finden sie wohl verdächtig.«

»Der hätte es bei den Vernons sowieso nicht lange ausgehalten«, sagte Harry. »Der nicht. Ich begreife immer noch nicht, warum sie ihn eingestellt haben.«

»Dad sagt, dass Graham Vernon ihm eine Chance geben wollte.«

»Der?«, sagte Harry. »Der würde dem Teufel die Chance geben, im Kirchenchor mitzusingen.«

»Sieht so aus, als ob er diesmal falsch gelegen hätte.«

Harry nahm die Pfeife aus dem Mund und tippte damit ein paar Mal an den Felsblock.

»Ich will dir was sagen, Mädchen. Der Kerl ist ein ganz falscher Fuffziger.«

»Ich weiß, dass du ihn nicht leiden kannst…«

»Nicht leiden? Wenn es nach mir ginge…«

»Ich weiß, ich weiß. Lass es gut sein, bitte.«

»Schön. Du hast ja Recht. Wir brauchen die alten Geschichten nicht wieder aufzuwärmen.«

Die Minuten verstrichen. Helen war es nie unangenehm gewesen, wenn sie sich anschwiegen. Doch jetzt war das anders. Sie hatte keine Ahnung, was in Harry vorging. Sie drehte den Oberkörper hin und her, um die BH-Träger zu lockern, die ihr in die von der Sonne geröteten Schultern schnitten.

»Ich glaube, ich gehe noch ein Stück mit Jess spazieren«, sagte Harry. »Dann kann der Junge da unten seine Augen ein bisschen ausruhen.«

»Granddad. Handle dir keinen Ärger ein, bitte.«

Er richtete sich gerade auf und sah sie würdevoll an. »Ich? Du kennst mich doch, Mädchen. Mich kriegen die so schnell nicht klein.«

Er zog an Jess' Leine, lockerte die steifen Glieder und rückte sich die Jacke zurecht. Die Kappen seiner Schnürstiefel glänzten so hell, dass sie blendeten. Einen Augenblick lang sah Helen sich selbst darin, verzerrt und schwarz und auf dem Kopf stehend. Sie kannte keinen Menschen, der so viel innere Würde und Selbstbeherrschung ausstrahlte, wie ihr Großvater. Wenn er manchmal etwas sagte, was die Leute schockierte, dann nur, weil er davon überzeugt war, dass man seine Gedanken laut aussprechen sollte, und weil es ihm im Grunde egal war, was andere von ihm hielten. Sein Stolz machte auch sie stolz. Ihre Augen wurden feucht, als er sich zum Gehen wandte.

»Wir sehen uns sicher später noch«, sagte sie.

»Bestimmt.«

Nachdem Helen einen letzten Blick auf die Polizisten am Hang geworfen hatte, ging sie zum Dial Cottage zurück, um nach ihrer Großmutter zu sehen. Zu ihrer Überraschung traf sie dort ihren Vater an, der so verloren in der Diele stand, als hätte er vergessen, in welches Zimmer er gehen wollte. Er war für das Büro angezogen, dunkler Nadelstreifenanzug, weißes Hemd, Krawatte mit roten und grauen Querstreifen.

»Dad?«

»Hallo, Schatz. Ich war zufällig in der Gegend, und da dachte ich mir, ich schaue mal kurz bei Gwen und Harry vorbei, um zu sehen, wie sie die Aufregung von gestern verkraftet haben. Nach diesem Schock müssen wir uns doch um sie kümmern.«

»Das stimmt. Es war wirklich ein Schock«, sagte Gwen. Sie saß im Wohnzimmer in ihrem Sessel und beschäftigte sich mit einer Strickarbeit. Es schien eine langärmelige Jacke aus hellrosa Wolle zu werden, und Helen hatte das dumpfe Gefühl, dass sie wusste, für wen sie bestimmt war. Aber im Moment klapperte ihre Großmutter mit den Nadeln nur in der Luft herum, froh, etwas in den Händen zu halten.

»Granddad und Jess beobachten die Polizei.«

»Gut, dass er an der frischen Luft ist«, sagte Gwen. »Dann läuft er mir wenigstens nicht zwischen den Füßen herum.«

»Und was machen die Polizisten? Waren sie noch mal hier? Haben sie vielleicht gegraben?«

»Gegraben?« Helen sah ihren Vater erstaunt an. Sie fragte sich, warum er nicht ins Zimmer kam. Er hatte einen leichten Schweißfilm auf der Stirn, und sie lächelte über seine altmodische Angewohnheit, selbst bei der größten Hitze nicht ohne Jackett aus dem Haus zu gehen. »Wieso graben, Dad?«

»Ich weiß nicht. Das hört man doch immer. Dass sie den Leuten den Garten umgraben und so.«

»Und wonach würden sie suchen?«

»Keine Ahnung.«

Gwen hörte mit offenem Mund zu. »Wehe, die graben mir den Garten um. Es hat Jahre gedauert, bis er so schön war.«

»Keine Angst, Grandma. Das haben sie bestimmt nicht vor.«

»Natürlich nicht«, sagte Andrew. »Ich weiß gar nicht, wie ich darauf gekommen bin. Ich habe mich bloß gefragt, was sie da draußen machen.«

Plötzlich wurde Helen klar, dass er deshalb in der Tür stehen geblieben war, weil er von der Diele aus auf die Straße hinaussehen konnte. Offenbar wollte er nichts verpassen, sollte draußen irgendetwas passieren. Er war unruhig und nervös. Bestimmt wirkte sich Laura Vernons Tod auch auf die Firma aus.

»Sicher war Graham Vernon heute nicht im Büro, oder, Dad?«

»Nein, nein. Er hat angerufen, dass er ein paar Tage zu Hause bleibt, um sich um Charlotte zu kümmern. Und natürlich auch, um der Polizei behilflich zu sein. Wir können uns jederzeit mit ihm in Verbindung setzen, wenn wir ihn brauchen. Bis dahin soll ich den Laden für ihn schmeißen. Ich soll ihn bei seinen Terminen und Besprechungen vertreten.«

Andrew sah auf seine Uhr, er schob den weißen Ärmel zurück, sodass man die goldenen Manschettenknöpfe sehen konnte, die Helen ihm geschenkt hatte. »Ich kann nicht lange bleiben«, sagte er. »Ich habe um zwölf ein Geschäftsessen in Sheffield.«

»Ich muss auch bald los, Grandma.«

Gwen ließ das Strickzeug sinken und griff nach Helens Arm. »Ich traue mich nicht aus dem Haus, Helen. Holst du mir Brot und Tee aus dem Laden, bevor du gehst?«

»Warum hast du Angst, vor die Tür zu gehen, Grandma?«

»Warum? Kannst du dir nicht vorstellen, wie die Leute über uns reden? Sie gaffen mich schon an, wenn ich nur am Fenster stehe. Deshalb habe ich auch die Vorhänge zugezogen.«

»Kümmere dich nicht um das Gerede. Die Leute werden die Sache bald wieder vergessen haben.«

Helen war aufgefallen, dass in Moorhay mehr Betrieb herrschte als sonst. Selbst für die Hochsaison waren ungewöhnlich viele Touristen im Dorf, und die meisten von ihnen waren auch nicht wie Wanderer angezogen. Sie blieben überall stehen und glotzten in die Fenster der Cottages. Der Parkplatz des Drover war voll, und auch der Straßenrand war zugeparkt. Die Dächer der Autos flimmerten in der Hitze. Zwei Wagen standen sogar in der Haltebucht des Busses, der zweimal am Tag in Moorhay hielt. Der Fahrer dürfte ziemlich ungehalten sein.

Andrew wischte sich mit dem Taschentuch die Stirn ab; er sah schon wieder auf die Straße hinaus. »Dann bist du also von der Polizei nicht mehr belästigt worden, Gwen? Da kannst du ja von Glück sagen.«

Die alte Frau machte ein zweifelndes Gesicht, während sie ein paar Münzen aus einer alten Geldbörse klaubte. »Na, ich weiß nicht. Und eine Flasche Milch extra, Helen.«

»Dann sehe ich zu, dass ich weiterkomme, wenn ich sonst nichts für dich tun kann, Gwen. Passt auf euch auf, ihr zwei, du und Harry. Ja? Wiedersehen, Helen.«

Helen verabschiedete sich von ihrem Vater und sah zu, wie er das Haus verließ. Dabei schoss ihr die Frage durch den Kopf, wieso er ausgerechnet durch Moorhay gekommen war, wenn er eigentlich nach Sheffield wollte.

Nachdem Helen die Tür des Dial Cottage hinter sich ins Schloss gezogen hatte, blieb sie stehen. Ein Stück weiter die Straße hinauf kam gerade jemand, den sie kannte, aus einem der Häuser in der Nähe des Gemeindesaals. Ben Cooper wurde von der Beamtin begleitet, die bei Harrys Befragung dabei gewesen war. Sie hatte eine Akte in der Hand und machte ein ernstes, professionelles Gesicht.

Helen zögerte, sie anzusprechen, weil sie nicht wusste, ob Ben vor seiner Kollegin zugeben wollte, dass sie sich von früher kannten.

»Nicht zu fassen«, sagte Diane Fry gerade, »wie manche Leute in diesem Dorf mit Ihnen sprechen, Ben. Was glauben die eigentlich, wer Sie sind? Jesus Christus persönlich?«

Cooper zuckte mit den Achseln. Er dachte an seine erste Begegnung mit dem gastlichen Moorhay, als er von dem Mann, der den Friedhofsrasen mähte, misstrauisch beäugt worden war und von der Frau, die die Blumen goss, keine Antwort bekommen hatte, als niemand gewusst hatte, wer oder was er war. Er war nur ein Eindringling gewesen, der an einem heißen Tag wie ein Verrückter durch die Straßen rannte, das Benehmen seltsam, die Absichten fragwürdig. Aber das war nicht das Bild von einem Dorf, das er einer wirklich Fremden, einer Außenseiterin wie Diane Fry vermitteln wollte. Im Grunde waren Dörfer wie Moorhay anders.

»Sie kennen mich eben, einige zumindest. Oder sie haben von mir gehört. Das macht etwas aus. Manche von ihnen reden einfach nicht gern mit Fremden.«

»Aha, und wenn ich Sie nicht im Schlepptau hätte, würden die Leute vermutlich überhaupt nicht mit mir sprechen. Ich nehme an, sie würden mir nicht mal die Uhrzeit sagen.«

»Doch, ich glaube, das würden sie«, sagte Cooper. »Aber nicht unbedingt die richtige.«

»Ha, ha.«

»Das sollte ein Witz sein.«

»Hatte ich mir fast gedacht. Ich konnte die Pointe praktisch riechen. Aber was mich schafft, ist, wie die Leute den Namen Ihres Vaters aussprechen, wie eine Art Mantra. Sergeant Cooper hier, Sergeant Cooper da. Wenn Sie Jesus Christus sind, was ist dann Ihr Vater?«

»Nur ein Polizist vom alten Schlag.«

»Man könnte meinen, er gehörte zur Familie. Und die Leute sehen Sie an, als ob Sie ein verlorener Verwandter wären.«

Fry entdeckte Helen Milner zuerst. Ihre Blicke trafen sich, und Helen wandte sich ab, als hätte sie sich entschlossen, sie doch nicht anzusprechen.

»Da kommt schon wieder eine von der Sorte«, sagte Fry leise.

Da bemerkte Cooper Helen ebenfalls. Fry machte ein finsteres Gesicht, als er sie anlächelte.

»Wolltest du zu uns, Helen?«

»Nein, eigentlich nicht. Ich wollte bloß hallo sagen. Und? Wie kommt ihr voran? Habt ihr schon eine heiße Spur?«

»Wir sind bloß das Fußvolk. Die großen Bosse weihen uns erst in das Gesamtbild der Ermittlungen ein, wenn sie es für richtig halten.«

»Ach so.« Helen klang ein wenig enttäuscht.

»Es sieht allerdings fast so aus, als ob es diesmal genau andersherum läuft«, sagte Fry. »Wenn es so weitergeht, sitzen wir alle da wie eine Horde Dr. Watsons und warten darauf, dass uns der gute Ben Cooper die Lösung präsentiert.«

Helen runzelte die Stirn; der sarkastische Ton gefiel ihr nicht. »Dann halte ich euch lieber nicht länger auf. Ihr habt schließlich zu tun.«

»Nein, warte«, sagte Cooper. »Wie geht es Mr. Dickinson?«

Ben kam Helen verändert vor, seit sie ihre Bekanntschaft wieder aufgefrischt hatten, lockerer und weniger förmlich. Gestern war sie für ihn kaum mehr als eine Fremde gewesen, zu der man einen gebührenden Abstand wahrte. Aber heute wirkte er wesentlich entspannter, zugänglicher. Mit seinem zerstrubbelten Haar erinnerte er Helen stark an den Ben, den sie so gut von früher kannte. Und Gwen hatte Recht – seine Augen waren dunkelbraun. Das hatte sie fast vergessen.

»Granddad geht es gut. Er ist höchstens etwas…«

»Mitgenommen? Das ist verständlich.«

»Etwas stiller als sonst, wollte ich sagen.«

»Und deine Großmutter?«

»Es ist alles ein bisschen zu viel für sie.«

»Für sie war es sicher schlimmer als für deinen Großvater. Ja, ja, Leute in dem Alter…«

»Pass bloß auf, dass Harry das nicht hört.«

»Miss Milner, kannten Sie Laura Vernon?«, unterbrach Fry.

»Gekannt wäre wohl zu viel gesagt. Ich habe sie einmal getroffen.«

»Wann war das?«

»Vor einigen Monaten. Auf einer Party bei ihren Eltern. Ein Fest zur Sommersonnenwende. Ja, es war im Juni.«

»Was wissen Sie über Laura?«

»Nicht das Geringste. Und über ihre Eltern kann ich eigentlich auch nicht mehr sagen.«

»Trotzdem wurden Sie zu ihrer Party eingeladen. Wie kam es dazu?«

»Mein Vater arbeitet bei Graham Vernon. Ich nehme an, sie haben mich aus Höflichkeit eingeladen.«

»Natürlich. Und auf dieser Party haben Sie Laura kennen gelernt.«

»Ja.«

»Was für einen Eindruck hatten Sie von ihr?«

»Von Laura? Sie war ein ausgesprochen hübsches Mädchen. Große, dunkle Augen. Sehr erwachsen für ihr Alter.«

Fry wartete. »Und?«

»Viel mehr fällt mir nicht ein.«

»Lauras Aussehen sagt uns nicht viel über ihre Persönlichkeit, Miss Milner.«

»Wie ich schon sagte, ich kannte sie kaum.«

»Aber Sie sind doch gewiss eine gute Beobachterin. Was machen Sie beruflich?«

»Ich bin Lehrerin.«

»Natürlich. Sie sind es also gewöhnt, Kinder zu beurteilen. Wie haben Sie Laura Vernon eingeschätzt?«

Helen sah zu Boden und wich dem kalten Blick der Beamtin aus. »Ich fand sie wohl ziemlich frühreif. Ein bisschen frech, ein bisschen unverschämt. Um nicht zu sagen arrogant.«

»Arrogant?«

»Sie schien mir ein Mädchen zu sein, das so oft gehört hat, wie klug und attraktiv es ist, dass sie es am Ende selbst geglaubt hat und erwartete, von jedermann dementsprechend behandelt zu werden. Die Sorte kenne ich aus der Schule. Sie können eine ziemliche Unruhe in die Klasse bringen.«

»Danke. Sie haben uns sehr geholfen.«

Cooper hatte Helen nicht aus den Augen gelassen, während sie Frys Fragen beantwortete. Sie konnte nur hoffen, dass er nicht merkte, wie sehr sie die barsche, unfreundliche Art seiner Kollegin verunsichert hatte.

»Fertig?«, fragte er Fry.

»Von mir aus können wir.«

»Vielleicht sehe ich demnächst selbst einmal nach deinen Großeltern«, sagte er zu Helen.

»Grandma würde sich freuen«, antwortete sie. »Ich glaube, sie mag dich. Du würdest sie auf andere Gedanken bringen. Sie erinnert sich nämlich noch von früher her an dich.«

Fry wurde ungeduldig. »Wir haben noch einige Häuser auf der Liste, Ben. Wir sollten zusehen, dass wir weiterkommen.«

»Schon gut.«

»Und deine Familie, Ben?«, fragte Helen, als er sich zum Gehen wandte. »Wie steht es bei dir zu Hause?«

Aber offenbar hatte Ben Cooper die Frage nicht mehr gehört, denn er ging, ohne zu antworten, zu seinem Auto. Er blickte sich auch nicht mehr um, sondern machte nur noch eine kleine Handbewegung, ein fast entschuldigendes Winken. Nur Diane Fry, die ihm folgte, drehte sich noch einmal zu Helen um.

Julia Van Doon blickte auf die nackte Tote hinunter und beantwortete die Frage mit einem Kopfschütteln.

»Keine Vergewaltigung. Keine Abschürfungen im Genitalbereich, keine Spuren von Sperma oder sonstigen Körperflüssigkeiten. Tut mir Leid, Chief Inspector.«

»Kein Geschlechtsverkehr, ob erzwungen oder freiwillig?«, fragte Tailby. Wenn in seiner Stimme Enttäuschung mitschwang, konnte er es nicht ändern. Die Gerichtsmedizinerin war erfahren genug, um zu wissen, dass ihm solche Spuren die Arbeit erheblich erleichtert hätten.

Nachdem das Opfer entkleidet worden war, war es fotografiert worden, um äußerliche Spuren festzuhalten. Die Kleidung selbst würde später kriminaltechnisch untersucht werden. Nun bereitete sich Mrs. Van Doon auf die Durchführung der eigentlichen Autopsie vor, auf die sorgsame Untersuchung der Leiche, um auch noch die kleinsten Hinweise aufzuspüren.

Stewart Tailby hatte im Laufe der Zeit an zu vielen Leichenöffnungen teilgenommen. In den ersten zehn, zwölf Jahren endeten sie jedes Mal mit einer Blamage. Sein Magen revoltierte, wenn er die freigelegten Därme roch und das nasse Schmatzen hörte, mit dem die Organe entnommen wurden. Seine Neigung, mit kreidebleichem Gesicht aus dem Raum zu stürzen, weil er sich übergeben musste, hatte bei seiner ersten Anstellung als Kriminalbeamter für große Heiterkeit gesorgt. Obwohl auch er inzwischen gelernt hatte, seine Gefühle zu kaschieren und den Würgereiz zu unterdrücken, hatte er sich im Grunde nie damit abfinden können, dass es notwendig war, das Opfer eines Gewaltverbrechens auch noch auf solch grauenvolle Weise zu entwürdigen. Dass diese Gräuel im Namen der Gerichtsmedizin und damit im Namen der Gerechtigkeit begangen wurden, machte es auch nicht besser.

Manche Beamten ertrugen die Autopsie am besten mit schwarzem Humor. Das war nicht Tailbys Stil. Er zog sich hinter eine Fassade aus Schweigen zurück und äußerte sich nur im Notfall, allerdings höchstens in leicht abrufbarem Fachjargon und bedeutungslosen Phrasen. Er war zwar körperlich anwesend, aber seine Gefühle blieben von dem, was um ihn herum vorging, völlig abgekoppelt. Tailby wusste, dass er bei seinen Kollegen und Untergebenen als kalt und streng galt; manche hielten ihn sogar für einen aufgeblasenen Wichtigtuer. Aber das nahm er gern in Kauf, solange es ihm nur gelang, sich jene Dinge vom Leib zu halten, die ihm zu sehr zu schaffen machten.

»Das soll nicht heißen, dass das Opfer sexuell unerfahren war«, sagte Mrs. Van Doon. »Ganz im Gegenteil, ganz im Gegenteil.«

»Nein?«

»Ich würde sagen, die junge Dame war alles andere als eine Jungfrau, Chief Inspector. Fünfzehn Jahre alt? Sehr promiskuitiv, manche der jungen Leute heutzutage.«

»Man sollte meinen, in Zeiten von AIDS wären sie etwas vorsichtiger.«

»Diese hier braucht sich über das AIDS-Risiko jedenfalls keine Gedanken mehr zu machen.«

Die Gerichtsmedizinerin trug ein grünes T-Shirt und eine weite grüne Hose. Sie hatte die Schutzmaske um den Hals hängen und war einsatzbereit. Sie war noch immer attraktiv, obwohl sie die Haare im Nacken zusammengebunden hatte und ihr ungeschminktes Gesicht von den Lampen im Sektionssaal grell angestrahlt wurde. Tailby glaubte, dass es an ihrer Knochenstruktur lag – und an den nachdenklichen grauen Augen. Früher, als junger Beamter, hatte er heimlich von Juliana Van Doon geträumt. Aber mit der Zeit waren die Träume verblasst. Er hatte geheiratet, er war geschieden worden. Seine Gefühle für sie waren erloschen.

Tailby hätte den Sektionssaal am liebsten verlassen, bevor die Gerichtsmedizinerin den Körper öffnete und die Organe entnahm. Bevor sie mit der Edelstahlsäge das Brustbein durchsägte und mit der elektrischen Fräse die beschädigte Schädeldecke des Mädchens abtrennte. Es würde ohnehin nicht viel Neues dabei herauskommen, außer, dass Laura Vernon zum Zeitpunkt ihres Todes bei bester Gesundheit gewesen war.

»Der Bluterguss an ihrem Bein?«, sagte er.

»Ah. Interessant, ja. Bei einem Sexualmord nicht ganz selten. Sie fragen sich natürlich, warum es nur diesen einen Hinweis auf einen möglichen sexuellen Übergriff gibt. Wurde der Täter gestört? Ja, interessant.«

»Dann stammt der Bluterguss also nicht von einem Schlag. Wurde sie vielleicht am Bein festgehalten? Aber dann würde ich mindestens zwei getrennte Druckstellen erwarten.«

»Nein, nein, nein«, sagte Mrs. Van Doon. »Sie haben mich missverstanden. Wenn Sie genauer hinschauen, werden Sie kleine Abdrücke sehen, wo die Haut geschwollen ist. Diese Verletzungen sind nicht mit einem festen Griff zu erklären. Ich vermute, dass es sich um Bissspuren handelt, Chief Inspector.«

Tailby war plötzlich ganz Ohr. »Jemand hat sie gebissen«, sagte er. »Jemand hat ihr den Schädel zertrümmert und sie dann in den Oberschenkel gebissen.«

»Möglicherweise«, sagte die Gerichtsmedizinerin. »Interessant, oder?«

Der Beamte sah sich die Verletzung genau an. Für ihn schien es nicht mehr als eine Quetschung zu sein.

»Sind Sie sicher?«

»Nein. Ich müsste natürlich erst einen odontologischen Gutachter hinzuziehen. Ich habe mich bereits mit der Zahnklinik der Universität Sheffield in Verbindung gesetzt. Wir können Fotos und Abdrücke machen und die Umgebung des Bisses präparieren und konservieren. Den Abdruck kann man dann mit dem Zahnschema des Verdächtigen vergleichen. Den Verdächtigen müssen Sie allerdings selber beibringen.«

»Eine seltsame Stelle für einen Biss.«

»Ja. Normalerweise findet man sie eher auf den Brüsten und nicht auf dem Oberschenkel. Kürzlich habe ich in einer Fachzeitschrift einen Artikel von einem Zahnmediziner gelesen, der ein gerichtsmedizinisches Forschungsprojekt leitete. Dabei ging es ausschließlich um die Frage, durch welche Faktoren Bisse in die Brust beeinflusst werden, zum Beispiel durch Form und Größe der Brust, das Alter des Opfers oder die Schlaffheit der Brust.«

Tailby war fasziniert. »Wie um alles in der Welt hat er das denn gemacht?«

»Er hat ein künstliches Gebiss anfertigen lassen und zwanzig weibliche Versuchspersonen angeheuert – weiß Gott, wo er die gefunden hat.«

»Wahrscheinlich Studentinnen.« Tailby war beeindruckt, auch wenn es ihm widerstrebte.

»Aber ich bin mir sicher, dass bei Sittlichkeitsverbrechen auch Bisse in den Oberschenkel vorkommen. Nachdem wir keine Proben für eine DNS-Analyse haben, hätte Ihnen etwas Besseres gar nicht passieren können, Chief Inspector.«

Tailby starrte die Gerichtsmedizinerin an. »Also gut, wollen wir mal sehen. Der Täter schlägt ihr zwei-, dreimal auf den Kopf. Als sie am Boden liegt, zieht er ihr die Jeans und die Unterhose herunter und beißt sie einmal in den Oberschenkel.« Es klang nicht vollkommen überzeugend, aber er wusste, dass es noch weit bizarrere und makaberere Fälle gab, weit perversere Mörder, die ihre toten Opfer weitaus schlimmer zurichteten.

»Wollen wir ein bisschen spekulieren, Chief Inspector?«, sagte Mrs. Van Doon. »Dann hätte ich noch einen anderen möglichen Tatablauf anzubieten. Ein freiwilliger Geschlechtsakt. Der Biss in den Oberschenkel als eine Art erotisches Vorspiel.«

»Möglich. Und dann passiert etwas.«

»Vielleicht will das Mädchen nicht gebissen werden.«

»Ja, sie will nicht mehr, überlegt es sich anders. Sie streiten, er wird wütend.«

»Sexuelle Frustration. Ein starkes Motiv.«

»Das wäre vorstellbar«, sagte Tailby. »An der Art des Bisses kann man vermutlich nicht erkennen, um welche Variante es sich gehandelt hat?«

»Hm. Ein guter zahnmedizinischer Gutachter wäre vielleicht in der Lage, Bisswinkel und Bisstiefe festzustellen. Daraus könnte er eventuell auf die Kopfhaltung des Täters im Augenblick des Zubeißens schließen.«

Wieder blickte Tailby auf die nackten Glieder des fünfzehnjährigen Mädchens hinunter. Ihr Körper war erschreckend weiß, bis auf die Totenflecke, rotblau verfärbte Stellen am Unterleib und an der linken Brustseite, in die das Blut abgesunken war, als sie tot im Unterholz des Baulk gelegen hatte.

Der Biss zeichnete sich weit oben an der Innenseite ihres rechten Oberschenkels ab, wo das lebende Fleisch am weichsten und verletzlichsten gewesen war. Die Andeutung, die Juliana Van Doon über die Kopfhaltung des Täters gemacht hatte, beunruhigte Tailby mehr als alles, was er bisher gehört hatte.

Die Gerichtsmedizinerin machte sich inzwischen an einem Tisch mit glänzenden, scharfen Instrumenten zu schaffen, um endlich den nächsten Schritt, Laura Vernons Leiche zu öffnen, zu tun. Tailby und sein Team würden das Mädchen in gewisser Weise ebenfalls auseinander nehmen. Darum ging es bei der Opferforschung, um die möglichst enge Annäherung an das Opfer, die zum Täter führen konnte.

»Wenn Sie mit Ihrem Tathergang Recht haben«, sagte er, »dürfte es für uns leichter sein, Lauras Mörder zu finden. Denn dann muss sie ihn gekannt haben.«

»Höchstwahrscheinlich, Chief Inspector. Allemal besser als ein willkürlicher Angriff von einem ortsfremden Täter, nicht wahr?«

»Aus unserer Sicht unbedingt.«

»Dann hoffe ich, dass ich Ihnen helfen kann.«

In der sterilen Atmosphäre des Sektionssaals konnte Tailby die Befürchtung aussprechen, die er sonst niemandem mitteilte, nicht einmal seinen engsten Mitarbeitern. »Genau das ist immer meine größte Angst. Ermittlungen, die sich monatelang hinziehen, ein Fall, der ungelöst bleibt, weil wir noch nicht einmal einen Tatverdächtigen haben. Der Albtraum eines jeden Kriminalbeamten.«

»Sie denken dabei natürlich an einen aktuellen Fall.«

»Das Mädchen in Buxton, ja. Es gibt Ähnlichkeiten, nicht wahr? Bei den Ermittlungen der Dienststelle B hat sich nach mehr als einem Monat noch keine heiße Spur ergeben. Man vermutet, dass der Täter wahllos zugeschlagen hat. In einem solchen Fall ist es meistens nur eine Frage der Zeit, bis wir ein zweites Opfer haben.«

»Es wäre schon tragisch«, sagte Mrs. Van Doon und setzte elegant das Skalpell an, »wenn dieses arme Ding einfach nur als Opfer Nummer zwei in die Annalen eingehen würde.«

»Und noch tragischer wäre es«, sagte Tailby, »wenn wir schließlich mit einem Opfer Nummer drei dastünden.«

10

»Okay, wie sieht es aus? Irgendwas zu berichten?«

»Autos, jede Menge Autos. Fast alle Halter unbekannt. Wie in dieser Gegend nicht anders zu erwarten.«

»Touristen«, sagte DI Hitchens. »Die machen uns immer das Leben schwer.«

Sie saßen in dem kleinen Biergarten hinter dem Drover, alle Beamten an einem Tisch und unter einem Sonnenschirm, der ihren Tellern mit den Schinken- und Käsesandwiches und ihren Diät-Getränken Schatten spendete. Bis auf zwei Handwerker, die ein paar Tische entfernt Scampi mit Pommes aßen und Bier tranken, waren sie die einzigen Gäste im Garten. Alle anderen hatten sich in die kühle Gaststube zurückgezogen oder saßen vor dem Pub, wo sie die Straße im Blick hatten.

Cooper und Fry hatten sich zuerst mit den vier schwitzenden Police Constables getroffen, die das Dorf abgeklappert hatten. Trübsinnig ließen sie die Eiswürfel in ihren Gläsern klimpern, während sie die spärlichen Informationen austauschten, die sie zusammengetragen hatten. DI Hitchens, der später zu ihnen gestoßen war, hatte kühn einen Whisky bestellt und sich dreist bei ihren Sandwiches bedient. Er trat wie ein Gutsherr auf, der seinen Landarbeitern einen Besuch abstattete und sich mit gespieltem Interesse ihre Anliegen anhörte, dabei aber die ganze Zeit auf dem Sprung zu wichtigeren Angelegenheiten war. Er zog sich einen Stuhl heran und setzte sich wie selbstverständlich direkt neben Fry.

»Ich habe jede Menge Wanderer zu bieten«, sagte Ben Cooper. »Allein oder in Paaren. Zur Tatzeit war in der Gegend aber auch noch eine größere Gruppe unterwegs. Sie wurde am frühen Samstagabend auf dem Eden Valley Trail gesehen.«

»Wie sollen wir die bloß alle finden?«, stöhnte Hitchens.

»Es waren junge Leute. Vielleicht wollten sie zu der Schlafscheune in Hathersage oder zu einer Jugendherberge.«

»Okay, wir kümmern uns darum. Morgen früh rufen wir in der Presse und im Fernsehen die Bevölkerung zur Mithilfe auf. Wenn es irgendwie möglich ist, lassen wir die Wanderer in dem Aufruf gesondert erwähnen. Und den – wie heißt er noch? Eden Valley Trail?«

»Ein beliebter Wanderweg. Er verläuft direkt unterhalb der Stelle, wo Laura Vernons Leiche gefunden wurde. Vom Tatort aus kann man den Weg deutlich sehen.«

»Okay, danke, Ben. Es ist also nicht ganz ausgeschlossen, dass es den einen oder anderen Zeugen gibt. Sonst noch etwas?«

»Nur Klatsch und Tratsch«, sagte Cooper.

»Da haben Sie aber Glück gehabt«, sagte einer der uniformierten Beamten, ein aggressiv aussehender Glatzkopf, der Parkin hieß. »Mir hätten die Leute am liebsten die Tür vor der Nase zugeknallt.«

»Wundert mich gar nicht«, sagte PC Wragg. »Wahrscheinlich kannten sie deine blöden Witze.«

Wragg war der Beamte, der Cooper zum Dial Cottage begleitet hatte, nachdem Helen Milner den Fund ihres Großvaters gemeldet hatte. Heute wirkte er auch nicht fitter als am Vortag; er goss den Orangensaft in sich hinein, als müsste er einen großen Flüssigkeitsverlust ausgleichen. Zwar hatte er die Uniform, genau wie seine Kollegen, so weit wie möglich gelockert, aber an seinem Handwerkszeug, das er am Gürtel trug, hatte er noch immer schwer zu schleppen – Handfesseln, Schlagstock, Reizgas und was man sonst angeblich noch alles brauchte, um in einem friedlichen Dorf im Peak District für Ruhe und Ordnung zu sorgen.

»Kennt ihr den schon?«, fragte Parkin. »Kommt eine Nutte zum ...«

Alles stöhnte laut. Sie alle kannten Parkins grauenvolle Witze.

»Jetzt nicht, Parkin«, sagte Hitchens.

Fry blätterte in ihren Notizen. »Ich habe mit einer Frau gesprochen, Mrs. Davis, wohnhaft im Chestnut Lodge. Sie hat Laura Vernon öfter gesehen. Anscheinend reitet Mrs. Davis' Tochter im selben Stall wie Laura, und die Mädchen waren befreundet. Sie beschreibt Laura als sehr nett.«

»Und was genau soll das bedeuten? Nett?«

»So wie sie sich über andere Kinder in ihrem Bekanntenkreis geäußert hat, vermute ich, dass sie Lauras familiären Hintergrund schätzte, Sir.«

»Hm. Haben Sie sich das näher erläutern lassen?«

»So weit wie möglich. Sie sagt, Laura sei ein höfliches Mädchen mit guten Manieren gewesen. Sie habe gut mit kleineren Kindern umgehen können und ihnen beim Reiten lernen geholfen. Mrs. Davis hat erzählt, dass Laura sich einmal um einen Jungen gekümmert hat, der vom Pferd gefallen war. Er hatte sich wehgetan und wollte keinen anderen an sich heranlassen. Mrs. Davis beschreibt Lauras Mutter ebenfalls als nett.«

Jemand schnaubte verächtlich. DI Hitchens wirkte nicht sehr beeindruckt. »Das heißt nicht viel.«

»Aber alle hier scheinen die Vernons zu kennen«, sagte Fry. »Das ganze Dorf.«

»Ja, bloß allzu beliebt sind sie nicht«, sagt Wragg.

»Typisch, für diese Art von Dorf.«

»Wie meinen Sie das, Diane?«, fragte Hitchens.

»Es ist eine verschworene Gemeinschaft. Sie mögen keine Zugezogenen, die sich nicht anpassen. Ich kann mir kaum vorstellen, dass sie einen Fremden mit offenen Armen aufnehmen.«

»Der Meinung bin ich nicht«, sagte Cooper.

»Das hätte mich auch gewundert.«

»Es kommt immer darauf an, wie man auf sie zugeht. Wenn man den Kontakt zu den Leuten sucht, wird man auch akzeptiert. Aber wenn man sich absondert, wenn man den Eindruck erweckt, dass man sich für etwas Besseres hält, reagiert das Dorf natürlich ablehnend.«

»Und Sie meinen, die Vernons sind so? Dass sie sich von der Dorfgemeinschaft abkapseln?«

»Davon bin ich überzeugt, Sir.«

»Moment, was haltet ihr von einer Verschwörung gegen die Vernons? Die Saubermänner tun sich zusammen und bringen Laura Vernon um, als letzte Warnung oder so? Verschwindet aus unserem Dorf, wir wollen euch hier nicht haben.«

»Reden Sie keinen Blödsinn, Parkin.«

»Das klingt zu sehr nach Mittelalter«, sagte Fry.

»Oder nach *Akte X*«, meinte Wragg.

»Schon gut, schon gut.«

»Irgendwelche neuen Erkenntnisse über den Turnschuh?«, fragte Hitchens.

»Nichts.«

»Manche von den alten Muttchen wissen noch nicht mal, wie so ein moderner Turnschuh überhaupt aussieht.«

»Aber irgendwo muss er doch geblieben sein.«

»Sir, wenn es derselbe Täter wie der aus Buxton ist, den die Dienststelle B sucht, hat er den Schuh vielleicht als Andenken mitgenommen, so wie die Strumpfhose von dem anderen Mädchen.«

»Ja, das wäre möglich, Wragg. Aber Mr. Tailby möchte momentan noch nicht, dass wir von einer Verbindung zwischen den beiden Fällen ausgehen.«

»Aber dann müssen wir ja ganz von vorne anfangen, obwohl es womöglich derselbe Täter ist.«

»Irgendwelche Erkenntnisse über die einschlägig Vorbestraften, Sir?«, fragte Cooper.

»Noch nicht. Dazu ist es noch zu früh. DI Armstrong arbeitet daran.«

»Das ist doch die reinste Zeitverschwendung.«

»Danke, dass Sie Ihre Ansichten mit uns teilen, Parkin.«

Cooper war nicht entgangen, dass PC Parkin Diane Fry aufmerksam beobachtete. Sie brauchte bloß eine unüberlegte Bemerkung zu machen oder eine unvorsichtige Reaktion zu zeigen, schon würden die Berichte darüber im Revier die Runde machen. Für den Ruf, den man unter Kollegen genoss, konnte der erste Eindruck entscheidend sein.

Besonders schlimm war es, wenn man sich irgendeinen kindischen Spitznamen einfing, den man nie wieder loswurde, auch wenn man noch so dagegen ankämpfte.

»Zum Glück wurde die Leiche relativ schnell gefunden«, sagte Hitchens. »Damit gewinnen wir Zeit. Leider sieht es nicht immer so günstig für uns aus. Der alte Knabe mit seinem Hund hat uns einen großen Gefallen getan.«

»Hatten Sie schon einmal mit einem ähnlichen Fall zu tun, Sir?«, fragte Fry.

Hitchens erzählte ihnen von einem Fall Ende der achtziger Jahre, als ein Jugendlicher von seinen Pflegeeltern, die in Eyam wohnten, als vermisst gemeldet worden war. Die Einsatzzentrale wurde mitten im Dorf eingerichtet; sie stand in ständiger Verbindung mit dem Hauptquartier. Über Monate hinweg wurde die Suche immer weiter ausgedehnt, bis auf einen Radius von acht Kilometern. Die Bergwacht, Suchhunde, die Höhlenrettung, Peak Park Ranger, Derbyshire Countryside Ranger, Mitglieder von Wandervereinen und Dutzende anderer Freiwilliger beteiligten sich daran. Die Berge wurden mit dem Hubschrauber abgesucht. Aber der Junge wurde nie gefunden.

»Ein Mann, der mit seinem Hund spazieren ging, wäre ein Geschenk des Himmels für uns gewesen«, sagte er.

»Oder diese andere Sache damals, 1966. Erinnern Sie sich noch?«, fragte Parkin Diane Fry.

»1966 gab es mich noch gar nicht«, sagte Fry. »Herzlichen Dank.«

»Häh? Aber das ist doch erst… Wie lange ist das her?«

»Fünfunddreißig Jahre.«

»Tatsächlich. Na, jedenfalls steht es in den Geschichtsbüchern.«

»1966? Lassen Sie mich raten. Es geht um Fußball. Die Weltmeisterschaft? Das ist wahrscheinlich das einzige, worüber Sie Bescheid wissen.«

»Genau. Der Pokal wurde geklaut, wussten Sie das? Der Weltmeisterschaftspokal, der Jules-Rimet-Pokal. Vor dem Finale.«

»Hatte ihn jemand in seinem Auto liegen lassen?«

»Passen Sie auf – jetzt kommt's. Er wurde von einem Hund gefunden. Er lag unter einer Hecke, eingeschlagen in Fisch-und-Chips-Papier.«

»Der Hund?«

»Der Pokal. Er war in Fisch-und-Chips-Papier eingewickelt.«

»Pickles«, sagte Cooper.

»Nein, Fisch und Chips, das weiß ich genau.«

»Der Hund hieß Pickles. Er wurde vor dem Finale allen Spielern vorgestellt.«

»Unmöglich, dass *Sie* sich daran erinnern«, sagte Fry.

»Nein, aber wie Parkin sagte …«

»Es steht in den Geschichtsbüchern, genau. Dann muss ich wohl die falschen Geschichtsbücher gelesen haben. Davon habe ich noch nie etwas gehört. Zwischen der Ermordung von John F. Kennedy und dem Ende des Vietnamkrieges muss ich es wohl irgendwie übersehen haben.«

»Vermutlich«, sagte Parkin und sah sie spöttisch an.

Cooper stand auf. »Ich verschwinde noch mal eben, bevor wir aufbrechen.«

Es tat gut, aus der Hitze herauszukommen. Der Wirt, Kenny Lee, nickte ihm von der Theke aus zu, als er zur Toilette ging. Das plötzliche Alleinsein und der Uringeruch erinnerten ihn schmerzlich an die vergangene Nacht. Es war eine sehr lange Nacht geworden, in der sich nach und nach die gesamte Familie im Farmhaus eingefunden hatte – zuerst sein Bruder, dann seine Schwester und ihr Mann, die aus Buxton kamen, und zuletzt sein Onkel mit seinen Cousins und Cousinen. Alle hatten mit angepackt, um das Chaos zu beseitigen, Kate zu helfen und sich um Amy und Josie zu kümmern. In der Zwischenzeit war der Arzt gekommen und hatte seiner Mutter ein Beruhigungsmittel gespritzt. Nachdem sie später mit dem Krankenwagen ins Edendale General Hospital gebracht und, nicht zum ersten Mal, auf der psychiatrischen Station aufgenommen worden war, hatte die endlose Diskussion begonnen – eine Diskussion bis in die frühen Morgenstunden, bis alle erschöpft waren, ohne der Lösung des Problems auch nur einen Schritt näher gekommen zu sein.

In dem Gang vor den Toiletten gab es ein Telefon; Cooper kramte ein paar Münzen heraus, wählte und ließ sich mit der psychiatrischen Abteilung des Krankenhauses verbinden, wo man sich in berufsbedingter Zurückhaltung übte. Er erfuhr nichts Neues. Seine Mutter stehe noch immer unter Beruhigungsmitteln und dürfe keinen Besuch bekommen. Er solle es morgen noch einmal versuchen.

Vielleicht hatte dem Pub, der am Abend tagen wollte, bis dahin eine Entscheidung getroffen. Möglicherweise würde es darauf hinauslaufen, dass seine Mutter das Haus, in dem sie ihr Leben lang gewohnt hatte, für immer verlassen musste. Das wäre der demütigende Schlusspunkt ihres langen und langsamen Absinkens in die Schizophrenie.

Als er aus dem Pub in den Biergarten kam, blieb Cooper einen Augenblick im Schatten einer Mauer stehen. Er wusste selbst nicht genau, warum. Einige Schritte hinter Diane Fry stehend, konnte er etwas beobachten, was ihm auf seinem Platz auf der gegenüberliegenden Seite des Tisches sicher entgangen wäre. DI Hitchens hatte den Arm auf Frys Stuhllehne liegen, während er sich zu ihr hinüberbeugte, um ihr etwas ins Ohr zu sagen. Wie die Turteltauben, hätte seine Mutter gesagt.

Fry nickte kurz, und Hitchens nahm die Hand wieder weg. Dann erzählte Parkin noch einen schwachen Witz, über den niemand lachen konnte.

Schon wieder klingelte das Telefon. Es hatte seit zwei Tagen nicht länger als ein paar Minuten stillgestanden. Obwohl der Anrufbeantworter eingeschaltet war und man sie angewiesen hatte, sich nicht weiter darum zu kümmern, machte das dauernde Klingeln Sheila Kelk wahnsinnig.

Sheila putzte dreimal in der Woche bei den Vernons, auch

dienstags. Der Wirbel um das ermordete Mädchen hatte sie nicht abschrecken können – im Gegenteil. Mr. und Mrs. Vernon würden sie brauchen, hatte sie ihrem Mann erklärt. Und das Haus musste trotz allem geputzt werden. Vielleicht konnte sie der armen Mrs. Vernon auch sonst irgendwie beistehen oder sie trösten. Womöglich würde Mrs. Vernon ihr sogar das Herz ausschütten und haarklein erzählen, was passiert war.

Doch nun saugte sie schon zum zweiten Mal den Wohnzimmerteppich und hoffte vergeblich, dass der Staubsauger das dauernde Klingeln übertönen würde. Obwohl sie schon länger als ihre üblichen vier Stunden geblieben war, hatte noch kein Mensch ein Wort mit ihr gewechselt.

Als das Telefon eine Zeit lang schwieg, schaltete Sheila den Staubsauger aus und staubte ein Möbelstück ab, für das sie keinen Namen gewusst hätte. Für sie sah es aus wie eine Kreuzung aus einem Sideboard und einem Schreibtisch.

Während sie das Holz polierte, lauschte sie auf Geräusche von oben. In Mrs. Vernons Schlafzimmer war natürlich noch immer alles still. Aber in Lauras Zimmer polterten schwere Schritte hin und her. Mr. Vernon war noch mit den Polizisten da oben. Er war nicht trostbedürftig, im Gegenteil, er war wütend. Durchaus verständlich. Aber unhöflich zu sein und kein Wort mit ihr zu sprechen, ging eindeutig zu weit, fand Sheila.

Wieder läutete das Telefon. Viermal, bevor sich der Anrufbeantworter einschaltete. Sie konnte nicht begreifen, warum die Vernons so viele Anrufe bekamen. Bei ihr zu Hause in Wye Close klingelte das Telefon manchmal eine ganze Woche nicht, und wenn doch, war es meistens irgendeine Vertreterin, die versuchte, ihr Isolierfenster zu verkaufen.

Sheila Kelk war so sehr in die Geräusche von oben vertieft, dass sie gar nicht merkte, wie hinter ihr jemand ins Zimmer trat.

»Machen Sie Überstunden, Mrs. Kelk?«

Sie fuhr zusammen, schlug die Hand vor den Mund und drehte sich um. Aber sie hatte sich rasch wieder gefangen.

»Ach – Sie sind es.«

»Ja, ich bin es«, sagte der junge Mann. Er trug eine verdreckte Jeans, und als er zur gegenüberliegenden Tür ging, hinterließ er Spuren auf dem Teppich. Sheila hätte sich gern beschwert, wusste aber, dass das auf Daniel Vernon keinen Eindruck gemacht hätte. Er war der gleiche dunkle, korpulente Typ wie sein Vater, aber im Gegensatz zu Graham Vernon, der in der Regel höflich war und, zumindest nach außen hin, geradezu charmant sein konnte, war der Sohn mürrisch und aufbrausend. Daniel trug ein weißes T-Shirt mit dem Namen einer Rockgruppe, von der Sheila Kelk noch nie etwas gehört hatte. Unter den Achseln und am Rücken war es durchgeschwitzt. Sie vermutete, dass Daniel von Devon aus per Anhalter gefahren und dann das letzte Stück von der Hauptstraße zu Fuß heraufgekommen war.

»Wo ist meine Mutter?« fragte er.

»Sie wurde ins Bett gebracht und ist bisher nicht aufgestanden«, sagte Sheila.

»Und die Gorillas, die durch unser Haus trampeln, sind Polizisten, vermute ich?«

»Sie sehen sich Lauras Zimmer an.«

»Wozu denn das, um Himmel willen? Was suchen sie da?«

»Das verraten sie *mir* doch nicht«, sagte Sheila.

Das Telefon fing wieder an zu klingeln, Daniel ging automatisch hinüber und nahm nach dem zweiten Läuten ab.

»Nein, hier ist Daniel Vernon. Mit wem spreche ich?« Ungeduldig hörte er einen Augenblick zu. »Ihr Name sagt mir nichts, aber ich nehme an, Sie sind ein Geschäftsfreund meines Vaters, ja? Dann können Sie mich mal.«

Daniel knallte den Hörer auf die Gabel und starrte Sheila finster an.

»Das wird Ihrem Vater aber gar nicht gefallen«, sagte sie erschrocken.

Er marschierte wütend auf sie zu; sie wich vor ihm zurück und zog den Staubsauger mit sich weiter, sodass er immer zwischen ihnen blieb, wie ein Hocker im Käfig eines Löwenbändigers.

»Mein Vater«, sagte Daniel knurrend, »kann mich ebenfalls mal.«

Tailby beobachtete Graham Vernon genau. Er stellte ihm kaum Fragen, sondern verließ sich darauf, dass sein Schweigen den anderen zum Reden veranlassen würde.

»In unserer Familie stehen sich alle sehr nahe«, sagte Vernon. »Meine Frau und ich haben ein enges Verhältnis zu unseren Kindern. Sonst gehen sie ja meistens ab der Pubertät ihre eigenen Wege und nabeln sich ab.«

Tailby nickte verständnisvoll, wie ein Vater, der genau wusste, was man mit Teenagern durchmachte. Seine eigenen Kinder hatten sich allerdings nicht nur abgenabelt, sondern geradezu fluchtartig das Haus verlassen.

»Charlotte und ich, wir haben … wir hatten ein gutes Verhältnis zu Laura. Wir haben uns für ihre schulischen Aktivitäten interessiert, für ihre Freunde, ihre Musik und ihre Reiterei. Und sie hat sich dafür interessiert, was wir machten. Es gibt sicher nicht viele Familien, in denen so ein gutes Klima herrscht. Laura hat mich immer gefragt, wie es in der Firma lief. Sie hat sich nach den Leuten erkundigt, die sie kennen gelernt hat. Damit meine ich meine Geschäftsfreunde. Sie war so intelligent. Sie hat immer gleich erkannt, wer wichtig war, ohne dass ich es ihr sagen musste. Erstaunlich.«

»Sie hat Ihre Geschäftsfreunde hier kennen gelernt?«, fragte Tailby. »Bei Ihnen zu Hause?«

»O ja. Ich habe gern Gäste, und Charlotte auch. Das ist uns beiden wichtig. Man muss seine Kunden richtig zu behandeln wissen. Im Grunde geht es darum, das Angenehme mit dem Nützlichen zu verbinden. Ein schönes Haus, ein gutes Essen, eine erstklassige Flasche Wein – oder auch zwei. Dazu eine normale glückliche Familie. Glauben Sie mir, das macht Eindruck auf die Kunden. Das ist der Schlüssel zu langfristigem Erfolg.«

»Natürlich.« Tailby fragte sich, an welcher Stelle die glückliche Familie in die Aufzählung passte. Irgendwo zwischen dem Bordeaux und dem Beef Wellington?

»Und Ihr Sohn, Mr. Vernon?«

»Daniel? Was ist mit ihm?«

»Gehörte er auch... Ich meine, hat er Ihre Kunden ebenfalls kennen gelernt, wenn sie bei Ihnen zu Gast waren?«

»Den einen oder anderen.« Vernon stand auf und schenkte sich noch einen Whisky ein. Er verzichtete darauf, dem Beamten ein Glas anzubieten, da dieser das Angebot bereits einmal abgelehnt hatte.

Tailby war aufgefallen, dass Vernon sowohl im Arbeits- als auch im Wohnzimmer eine Bar hatte und im Esszimmer sicher auch. Allerdings bezeichnete er den Raum nicht als Arbeitszimmer, sondern als Büro, und genauso sah er auch aus – Computer, Laserdrucker, Faxgerät, Telefon und ein Bücherschrank, der voll war mit Präsentationsmappen in geschmackvollem Dunkelblau mit goldenen Lettern. Durch die hohen Schiebefenster hatte man einen hervorragenden Blick auf den Garten, bis hinunter zu der Nadelbaumallee und den dahinter liegenden felsigen Gipfel des Win Low.

»Er studiert, Chief Inspector. An der Universität in Exeter. Er studiert Politik. Nicht gerade mein Lieblingsfach, aber so ist es nun mal. Er ist ein kluger Junge, und er wird bestimmt seinen Weg machen.«

»Hatte er ein gutes Verhältnis zu Laura?«

»Ein sehr gutes. Sie standen einander sehr nahe.«

»Dann muss ihn Lauras Tod ja schwer getroffen haben.«

»Die Nachricht hat ihn sehr mitgenommen. Er ist fix und fertig.«

Tailby schwieg. Er fragte sich, ob man dem Sohn die Betroffenheit wohl mehr anmerken würde als dem Vater. Natürlich äußerten sich Schock und Trauer auf die unterschiedlichste Weise. Und Graham Vernon durchlebte nun bereits seit drei Tagen das Auf und Ab der Gefühle, das man bei einem Mann erwarten konnte, dessen fünfzehnjährige Tochter erst verschwunden und dann erschlagen aufgefunden worden war. Er hatte Emotionen gezeigt, keine Frage. Vor allem Wut – aber fast obsessiv in eine Richtung gezielt, auf den Jungen Lee Sherratt, der Laura angeblich nachgestellt hatte. Der intelligenten, unschuldigen, ausgesprochen attraktiven Laura. Aber wenn es in Graham Vernons Herzen echte Trauer gegeben hatte, war sie Tailby entgangen.

»Hat denn die Uni schon wieder angefangen?«, fragte er. »Sind im August nicht noch Semesterferien?«

»Natürlich.« Plötzlich schien Vernon mit seiner Geduld am Ende zu sein. »Aber bevor das Semester wieder anfängt, gibt es immer einiges zu erledigen. Ferienkurse, Repetitorien, Zimmersuche.«

Tailby nickte. »Erzählen Sie mir noch einmal von Lee Sherratt.«

»Schon wieder? Wissen Sie denn immer noch nicht genug über den Kerl? Ich glaube nicht, dass ich Ihnen jetzt noch viel weiterhelfen kann, wenn es Ihnen noch immer nicht gelungen ist, ihn zu finden.«

»Wir fahnden intensiv nach ihm, Sir. Ich bin zuversichtlich, dass wir den Jungen bald aufstöbern werden. Aber ich möchte mir gern noch etwas mehr Klarheit über sein angebliches Fehlverhalten verschaffen.«

»Sein *angebliches* Fehlverhalten?« Vernon hatte einen roten Kopf bekommen.

»In seiner Beziehung zu Laura.«

Vernon seufzte. »Er ist ein junger Mann. Zwanzig Jahre alt. Sie wissen doch selbst, wie junge Männer sind. Laura war attraktiv. *Sehr* attraktiv. Man konnte es an seinen Blicken sehen, was sie in ihm auslöste. Es wurde so schlimm, dass ich ihn entlassen musste. Wenn ich auch nur die leiseste Ahnung gehabt hätte, als ich ihn eingestellt habe ... Ich mache mir die schwersten Vorwürfe.«

»Er hat Laura also angesehen«, sagte Tailby. »Sonst noch etwas?«

»Wann immer es ging, hat er mit nacktem Oberkörper im Garten gearbeitet. Immer wenn er wusste, dass sie ihn beobachtet hat. Ich hätte es ihm verbieten sollen, aber ich wollte nicht zu viel Aufhebens darum machen.«

»Eine Beziehung würde ich das nicht gerade nennen«, sagte Tailby.

»Es war offensichtlich, dass er sich mehr versprochen hat. Ich brauche Ihnen doch nichts über junge Männer wie Lee Sherratt zu erzählen, Chief Inspector. Ich musste ihm einen Strich durch die Rechnung machen. Ich konnte nicht zulassen, dass er meine Tochter belästigt.«

»Hat sie Ihnen gesagt, dass er sie belästigt hat? Hat sie sich beschwert?«

»Das könnte man sagen, ja.«

»Hm. Aber nach Ihrer Beschreibung klingt es für mich fast so, als ob Laura sich für den jungen Mann ebenfalls interessiert hat.«

»Mein Gott, sie war erst fünfzehn. Es ist ein ... schwieriges Alter. Man ist sehr beeinflussbar, von seinen Hormonen geleitet. Das werden Sie doch sicher verstehen.«

Vernon wusste nicht recht weiter.

»Also haben Sie ihn entlassen.«

»Ja. Letzte Woche. Ich habe ihm gesagt, dass wir ihn nicht länger brauchen. Er war nicht sehr erfreut, das dürfen Sie mir glauben.«

»Regeln Sie solche Angelegenheiten lieber persönlich? Statt sie Ihrer Frau zu überlassen?«

»Worauf wollen Sie hinaus?«

»Sie sind doch den ganzen Tag geschäftlich unterwegs. Manchmal müssen Sie Überstunden machen. Sie kommen erst spät abends nach Hause. Ihre Frau hingegen scheint die meiste Zeit daheim zu sein. Sie hatte sicher auch mehr Kontakt zu dem Gärtner. Trotzdem hat nicht Ihre Frau ihn entlassen, sondern Sie.«

»Ja.«

»Ich dachte nur, wenn Sie tagsüber nicht zu Hause waren, könnte es für Sie schwierig gewesen sein, es zeitlich so einzurichten, dass Sie mit Sherratt sprechen konnten.«

»Es war mir eben besonders wichtig, Chief Inspector.«

»Außerdem habe ich den Eindruck, dass Sie nur wenig Gelegenheit hatten, den Jungen zu beobachten.«

»Ihn zu beobachten? Da komme ich nicht ganz mit.«

»Ich beziehe mich auf Ihre Ausführungen. Sie haben geschildert, dass Sherratt Ihre Tochter angestarrt und sich vor ihr produziert hat. Das deutet für mich darauf hin, dass Sie ihn – beziehungsweise ihn und Ihre Tochter – über einen längeren Zeitraum hinweg beobachtet haben müssen.«

Vernon ging mit dem Whisky in der Hand zum Fenster. Fahrig tastete er nach seinen Lippen, als ob er befürchtete, sein Mund könnte sich selbstständig machen. »Ich weiß nicht, worauf Sie hinauswollen. Das ist doch ganz natürlich. Sind Ihre Leute in Lauras Zimmer immer noch nicht fertig?«

»Sollen wir nachsehen?«, fragte Tailby.

Sheila Kelks Blick glitt an Daniels Schulter vorbei zu der Tür, die in die Diele führte. Dort stand der hoch gewachsene Polizeibeamte, höflich lächelnd und mit leicht verwunderter Miene. Wie lange er dort schon stand, hätte sie nicht sagen können.

Daniel drehte sich um und starrte ihn an. »Und wer genau sind Sie?«

»Detective Chief Inspector Tailby, Kriminalpolizei Edendale. Mr. Vernon hat unsere Anwesenheit gestattet.«

»Natürlich.«

Hinter Tailby waren Schritte in der Diele zu hören.

»Daniel?« Graham Vernon wirkte mittlerweile eher müde als gereizt, die vielfältigen Belastungen, unter denen er stand, machten sich bemerkbar. Er blickte von Tailby zu seinem Sohn. »So schnell hatten wir dich gar nicht erwartet.«

»Mr. Daniel Vernon? Ich würde mich gern möglichst bald mit Ihnen unterhalten, Sir. Wenn es Ihnen passt.«

Sheila sperrte den Mund auf, woraufhin Daniel sie so böse anfunkelte, dass sie, den Staubsauger hinter sich herschleppend, rasch in Richtung Esszimmer floh.

»Selbstverständlich, Chief Inspector.« Der junge Mann ging auf den Beamten zu; in seinem Blick lag unverhohlene Wut. »Ich kann es kaum erwarten, Ihnen ein paar Dinge über meine Eltern zu erzählen, die Sie möglicherweise noch nicht wissen.«

11

Und wohin jetzt?«, fragte Cooper.

»Was ist denn mit Ihnen los? Sind Ihnen die Käsebrote nicht bekommen?«

»Mir geht es gut. Also, wohin jetzt?«

»Thorpe Farm«, sagte Fry mit einem Blick auf die Landkarte.

»Das ist eine von den Kleinfarmen. Am Ende der Straße liegt noch eine. Bents Farm. Die dürfen wir auch nicht vergessen.«

Cooper musste warten, bis zwei Frauen an dem Toyota vorbeigeritten waren. Die Bewegungen der Pferde waren langsam und elegant, das Fell ihrer muskulösen Hinterteile glänzte. Die Reiterinnen grüßten mit einem Kopfnicken und sahen interessiert in den Wagen hinein, als ob Autofahrer in Moorhay eine Seltenheit wären. Jemand kam aus dem Drover, schob einen Keil unter die Tür und stellte vor dem Pub eine Tafel auf. Aus dem kleinen Laden mit dem Postamt schallte Gelächter.

Auf der anderen Straßenseite war ein Handwerker, der auf einer Leiter stand und Musik aus einem Transistorradio hörte, damit beschäftigt, die Wand eines Hauses neu zu verfugen. Eine ältere Frau kam aus dem Cottage und wechselte ein paar Worte mit ihm, vermutlich bot sie ihm eine Tasse Tee an. Als sie den Toyota bemerkte, sagte sie noch etwas, woraufhin sich der Handwerker neugierig umdrehte. Cooper hatte die alte Dame bereits aufgesucht. Sie schien mehr über die restlichen Dorfbewohner zu wissen, als gut für sie war, aber über Laura Vernon konnte sie nichts sagen. Gar nichts.

Cooper hatte den Eindruck, dass in Moorhay wesentlich mehr Betrieb herrschte als sonst. Es war, als ob der Mord an Laura Vernon das Dorf neu belebt und seine Bewohner angesichts der Tragödie zusammengeschweißt hatte. Vielleicht hatte er ihnen aber auch nur ein neues Gesprächsthema geliefert.

Zielstrebig lenkte er den Toyota in einen tief ausgefahrenen Feldweg, der von Bäumen überschattet war. Das Gras zwischen den beiden Fahrspuren war so hoch, dass es den Unterboden des Wagens berührte. Die Bäume waren hauptsächlich Buchen, gemischt mit ein paar riesigen Rosskastanien, die ein dichtes Laubdach bildeten. Im Herbst war der Weg wahrscheinlich eine Attraktion für die Dorfkinder, die mit Stöcken und Steinen versuchten, die Kastanien herunterzuholen.

»Und wer wohnt hier draußen?«, fragte Fry. »Wahrscheinlich Ihre alte Tante Alice, hm? Bestimmt ist es jemand, der Sie willkommen heißt, als ob Sie der verlorene Sohn persönlich wären. Irgendein Cousin zweiten Grades. Stammen Ihre Eltern eigentlich aus großen Familien? Inzucht schädigt nämlich das Gehirn.«

»Ich kenne diese Höfe nicht«, sagte Cooper.

Gleich nach der ersten Biegung konnten sie nur noch im Schneckentempo fahren, um die Stoßdämpfer zu schonen. Schon jetzt kam es ihnen so vor, als ob sie das Dorf kilometerweit hinter sich gelassen hätten. Die Bäume standen dicht wie eine Mauer und verstellten ihnen den Blick auf die Häuser. Der Wald, durch den sie fuhren, war sehr alt, und er wurde, wie Cooper erkannte, nicht so gepflegt, wie es für seine gesunde Entwicklung nötig gewesen wäre. Viele tote Äste und Zweige, die von den letzten Winterorkanen heruntergerissen worden waren, lagen noch halb vermodert unter den Buchen, die der Sturm verschont hatte. Sie waren mit Flechten und weißen Pilzen bedeckt; das Farnkraut stand brusthoch. Teile der Mauer, die den Wald vom Feldweg trennte, waren eingestürzt, und ein Drahtzaun, der die Lücken provisorisch schließen sollte, erfüllte diese Aufgabe schon längst nicht mehr. Ein prachtvoller Fasan, der am Waldrand entlang lief, blieb überrascht stehen, als er den Wagen sah, einen Fuß in der Luft, die Krallen steif und unbeweglich. Sein Gefieder schillerte so lebhaft in grünen, roten und goldenen

Farben, dass Cooper am liebsten angehalten und die Hand nach ihm ausgestreckt hätte. Doch da lief der Vogel auch schon wieder los, im Zickzackkurs zurück ins Unterholz, den Schwanz waagerecht nach hinten gestreckt.

Beim Anblick des Fasans musste Cooper plötzlich an Wilderer denken, doch als er sich zu Fry umdrehte, um ihr den Gedanken mitzuteilen, der ihm plötzlich gekommen war, sah er, dass sie den Vogel nicht einmal bemerkt hatte.

»Es gibt keinen Wegweiser«, jammerte sie und starrte finster aus dem Fenster, als ob der Automobilclub sie im Stich gelassen hätte.

»Die braucht man hier nicht«, sagte Cooper. »In Moorhay weiß bestimmt jeder, wie man die Thorpe und die Bents Farm findet.« Er beschloss, die Idee, die ihm beim Anblick des Fasans gekommen war, noch eine Weile für sich zu behalten.

Bald wichen die Bäume zurück und gaben den Blick auf einen Berghang frei. Hier wuchs fast nur noch struppiges Gras. Die Landschaft war von Mauern und Elektrozäunen durchzogen. Etwa hundert Schritt den Hang hinauf stand ein Sammelsurium von Hütten – grob zusammengezimmerte Hühnerhäuser und Schuppen, eine Reihe Schweineställe aus Leichtbausteinen. Im hintersten Winkel einer Weide rotteten zwei alte Eisenbahnwaggons vor sich hin, und eine ehemalige Nissenhütte der Armee mit einem gewölbten Wellblechdach nahm die gesamte Breite eines Feldes ein.

Ein stechender Geruch drang durch die geöffneten Wagenfenster, nach Lehm, schmutzigem Stroh und den Ausdünstungen unterschiedlichster Tiere. Außerdem musste ganz in der Nähe ein Misthaufen sein. Es wimmelte von Geflügel – auf den Feldern, auf dem Weg, auf den Dächern der Hütten. Es gab rote Hennen und gefleckte graue Hennen, verschiedene Arten von Enten und ein Dutzend weißer Gänse, die sofort auf den Wagen zugewatschelt kamen und den Eindringlingen mit lautem Geschrei drohten. Sie veranstalteten einen solchen Lärm, dass zwischen den Hütten ein paar Hunde zu bellen anfingen, und als Cooper vor einem Gatter hielt, das den Weg versperrte, meckerte in einem Schuppen eine Ziege.

Er wartete darauf, dass Fry ausstieg und das Gatter öffnete, wie es auf dem Land für einen Beifahrer üblich war. Aber das musste sie anscheinend erst noch lernen.

»Würden Sie das Gatter bitte aufmachen?«, fragte er.

»Sind die nicht gefährlich?«

»Wer, die Gänse? Sie müssen ihnen nur zeigen, dass Sie keine Angst vor ihnen haben.«

»Herzlichen Dank.«

Fry kämpfte mit dem Holztor, das mit einem Stück Schnur an den Pfosten gebunden war und auf der anderen Seite nur noch in der obersten Angel hing. Aber schließlich konnte der Wagen durchfahren.

»Sind Sie sicher, dass hier oben überhaupt jemand wohnt?«, fragte Fry. »Wo ist das Bauernhaus?«

»Diese Höfe heißen zwar Farmen, aber eigentlich sind es nur Überbleibsel aus der Zeit, als noch jeder Arbeiter ein eigenes Stück Land mit einer Kuh und einem Schwein hatte. Grundstücke, die noch nicht von den großen Farmern geschluckt oder von Immobiliengesellschaften für Neubausiedlungen aufgekauft worden sind. Irgendwo gibt es hier sicher ein Cottage. Und bei dem Radau weiß man auch bestimmt schon, dass wir da sind.«

Cooper hielt hinter der Nissenhütte an. Daneben stand eine baufällige Garage, in der ein weißer japanischer Pick-up-Truck abgestellt war. Eine von dichtem Brombeergestrüpp überwucherte Mauer verlief bis zu einer Reihe niedriger Steingebäude, die so aussahen, als wüchsen sie direkt aus dem Berg.

»Kommen Sie allein zurecht?«, fragte er. »Ich fahre inzwischen zur Bents Farm und hole Sie auf dem Rückweg wieder ab.«

»In Ordnung.«

Fry stieg aus und warf einen verzweifelten Blick auf die Gänse.

»Kümmern Sie sich nicht um die Viecher. Und denken Sie daran: Sie haben keine Angst vor ihnen«, sagte Cooper noch, dann rumpelte der Toyota davon.

Fry atmete tief durch und marschierte los, gefolgt von der gesamten Schar fauchender, schreiender Gänse, die mit ihren langen Schnäbeln nach ihren Fußknöcheln schnappten. Eine von ihnen richtete sich hoch auf und schlug wütend mit den Flügeln.

Fry konzentrierte sich auf die vor ihr liegenden Gebäude. Sie sahen heruntergekommen und reparaturbedürftig aus. Dachpfannen fehlten. Die gewölbte, halb eingesunkene Giebelwand eines Nebengebäudes hätte gut in ein Gemälde von Salvador Dalí gepasst.

Erst nach ein paar Schritten bemerkte sie, dass sie einen unebenen gepflasterten Weg unter den Füßen hatte, dessen Steinplatten von Löwenzahn und Disteln fast völlig überwuchert waren. Aus einem zerbrochenen Rohr, das aus einer Mauer ragte, rann Wasser den Weg hinunter. Die Pfützen, die sich auf der staubigen Erde gebildet hatten, waren rot, als wäre das Wasser durch rostiges Eisen gelaufen.

Fry fluchte laut, als sie über die Kante einer eingesunkenen Steinplatte stolperte. Hinter ihr marschierten die Gänse, die umso lauter und wütender schrien, je weniger sie beachtet wurden. Es war eine seltsame Prozession, die sich den Gebäuden näherte.

»Sie sind nicht gerade in geheimer Mission unterwegs, hm?«, sagte eine Stimme.

Auf der anderen Seite der Mauer, auf einer ehemaligen Koppel, die in einen großen Gemüsegarten umfunktioniert worden war, stand ein alter Mann, der sich auf eine Mistgabel stützte. Sein rotkariertes Arbeitshemd war am Hals offen, sodass seine drahtigen grauen Brusthaare hervorquollen, die Ärmel waren über die kräftigen Arme hochgekrempelt. Seine uralte Hose, die wohl irgendwann einmal braun gewesen war, hielt an der Taille kaum noch zusammen und hing ihm bedenklich tief im Schritt. Die Hosenbeine hatte er in seine schwarzen Gummistiefel gestopft. Sein Gesicht war gerötet, und auf der Kopfhaut hatte er unregelmäßige kahle Stellen, die von der Sonne rosa verbrannt waren.

An dem einen Ende der Koppel stand eine kleine Hütte mit einem einseitig abgeschrägten Dach, wie eine alte Außentoilette, daneben ein Werkzeugschuppen. Auf einem Holzstuhl vor der Tür saß ein zweiter alter Mann. Er hatte einen Spazierstock zwischen den Knien, der mit der Spitze in die Erde gerammt war. Die Manschetten hatte er über seine langen, schmalen Handgelenke hochgeschlagen. In der einen Hand hielt er ein scharfes Messer, mit dem er Kohlköpfe putzte.

»Wohnen die Herren hier?«, fragte Fry.

»Herren, hm?«, sagte der Mann mit der Mistgabel. »Bist du ein Herr, Sam?«

Der hagere Mann lachte und schwenkte das Messer, sodass es in der Sonne aufblitzte, die Klinge klebrig vom Saft der Kohlstrünke.

»Sind Sie der Besitzer, Sir?«, fragte Fry den ersten alten Mann mit erhobener Stimme, um sich bei dem Gezeter der Gänse verständlich zu machen.

»Momentchen«, sagte er. »Lassen Sie mich mal eben die Alarmanlage abschalten.«

Mit einer kräftigen Armbewegung stieß er die Mistgabel tief in die Erde und ging zur Mauer. Dann hob er zwei Klumpen Unkraut auf, an deren Wurzeln getrocknete Erde hing, und schleuderte sie laut brüllend nach den Gänsen.

Für Fry klang sein Geschrei wie ein ländlicher Dialekt, der vom Altskandinavischen der Wikinger hätte abstammen können, aber wahrscheinlich war es nur Gebrüll. Die Gänse hatten ihn auf jeden Fall verstanden; sie drehten sich um und watschelten davon, den Weg hinunter, um den nächsten Störenfried zu vertreiben. Ohne die Gänse war es ruhiger, aber noch lange nicht leise. Im Hintergrund war das Gackern und Schnattern des Geflügels, das Bellen eines Hundes und das Grunzen eines Schweins zu hören. Und ganz in der Nähe meckerte die Ziege.

»Ich heiße Wilford Cutts. Das ist mein Hof. Der da drüben sitzt, ist mein Freund Sam.«

Sam winkte noch einmal mit dem Messer und machte sich

über den nächsten Strunk her. Ein einziger Schnitt genügte, dann fiel der geputzte Kohlkopf in einen Eimer.

»Sam Beeley«, rief er.

»Sind Sie von der Polizei? Sie wollen bestimmt was über das Mädel wissen«, sagte Wilford. »Das Mount-Mädchen.«

»Laura Vernon, ja.«

»Ich habe die Kleine ein paar Mal gesehen. Wollten Sie das wissen?«

»Waren Sie Samstagabend oder Sonntagmorgen in der Nähe des Baulk?«

»Ah. Das muss Ihnen Sam erzählen, was ich am Samstag gemacht habe. Das weiß ich nicht mehr.«

»Wie bitte?«

»Ich trinke gerne mal ein Gläschen Bier. Und in meinem Alter lässt einen das Gedächtnis schon nach ein, zwei Halben im Stich. Verstehen Sie? Nein, wohl eher nicht.«

»Wohin gehen Sie, wenn Sie ein Bier trinken?«

»Wohin? Hier gibt es doch nur eine Kneipe, Mädchen. Das Drover. Und sonntags? Sonntagsmorgens bin ich immer hier. Es gibt viel zu tun. Das braucht seine Zeit.«

»Sie müssen die Tiere füttern?«

»Genau.«

»Wohnen Sie allein hier, Mr. Cutts?«

»Allein? So würde ich das nicht unbedingt nennen«, sagte er und sah zu den Gebäuden hinüber, wo, wie Fry vermutete, alle möglichen Tiere lauerten.

Plötzlich hörte sie Motorengeräusch und drehte sich um. Ein verbeulter blauer Transit quälte sich den Weg herauf. Am Gatter angekommen, stieg ein gebückter kleiner Mann aus, der eine Tweedjacke und eine Schlägermütze trug, und mühte sich mit dem schiefen Tor ab. Auch er beachtete die Gänse nicht weiter.

»Ich muss Sie kurz allein lassen«, sagte Wilford. »Ich habe einen Kunden.«

Er schlenderte los und gab dem Fahrer mit einigen Handzeichen zu verstehen, dass er hinter einem der Hühnerställe parken sollte. Die Männer nahmen ein paar Bündel Säcke aus dem Wagen und gingen in den Stall.

»Wie wär's mit einem Schwätzchen?«, sagte Sam. »Das wäre mal eine kleine Abwechslung. Der alte Wilford kann auf die Dauer ziemlich langweilig sein.«

»Kennen Sie Mr. Cutts schon lange?«, fragte Fry.

»So lange ich mich erinnern kann. Allerdings ist mein Gedächtnis auch nicht mehr, was es einmal war. Er könnte also genauso gut ein wildfremder Mensch sein.«

Sam fing an zu lachen, seine Brust hob sich gequält und sein Gebiss klackerte. Fry erschrak. Er hatte die dünne Hand gehoben, um sich die Mütze zurechtzurücken, und war mit der Messerklinge seinen Augen gefährlich nahe gekommen.

»Meine Familie ist aus Yorkshire in die Gegend gezogen, als ich noch ein kleiner Junge war«, sagte er, nachdem er aufgehört hatte zu husten. »Wir haben drüben in Eyam gewohnt. Mein Vater hat in der Bleimine gearbeitet, und ich bin dann später in seine Fußstapfen getreten, wie das damals eben so üblich war. Wilfords Vater war ein Arbeitskollege von meinem Vater. So war das damals. Jeder kannte jeden, und man blieb unter sich. Damals sind wir nicht so viel rumgekommen wie die jungen Leute heutzutage.«

Fry ließ den Blick über das Gelände wandern. Sie konnte kaum fassen, wie morsch die Gebäude waren, wie schief und wackelig die Zäune. Sie fragte sich, ob diese Art der Tierhaltung wohl hundertprozentig legal war. Sie nahm sich vor, in den Vorschriften nachzuschlagen, wenn sie wieder auf dem Revier war.

»Dann sind Sie ja wirklich schon sehr lange befreundet«, sagte sie.

»Sechzig Jahre oder auch ein bisschen mehr. Wir haben uns schon vor dem Krieg kennen gelernt.«

»Ich nehme an, Sie meinen den Zweiten Weltkrieg.«

Sam sah sie misstrauisch an, ob sie sich über ihn lustig machen wollte, aber dann schien ihm klar zu werden, dass sie erst dreißig Jahre nach Kriegsende geboren worden war.

»Aye. Stimmt schon, seitdem hat es noch ein paar andere Kriege gegeben«, sagte er gutmütig. »Wir haben zusammen gedient. Natürlich bei den Pionieren. Die waren froh, dass sie Bergleute kriegen konnten. Die haben uns mit offenen Armen empfangen. Wir haben die Invasion in der Normandie mitgemacht und sind dann bis Kriegsende in Frankreich geblieben.« Er gluckste. »Da kommen alte Erinnerungen hoch.«

»Ach, ja?«

»Französische Torten.«

»Wie bitte?«

Der alte Mann gluckste. »Daran erinnere ich mich bis heute noch am besten. Alles andere habe ich fast vergessen, die schlimmen Sachen. Aber an die Torten in Frankreich kann ich mich noch erinnern. Wir waren natürlich ein ganzes Stück von der Front entfernt. Wir haben Brücken wieder aufgebaut und so. Die französischen Städte und Dörfer waren voller Mädchen. Und die waren mächtig froh, ein paar Tommys zu sehen, das kann ich Ihnen sagen. Wir haben uns prächtig amüsiert. Harry und ich zumindest. Wilford war natürlich dagegen.«

»Harry?«

»Harry Dickinson«, sagte Sam. »Vielleicht haben Sie schon von ihm gehört. Da kommt Ihr Kollege.«

Fry drehte sich um. Der Toyota kam den Feldweg herunter und bog an der Nissenhütte ab. Cooper parkte hinter dem Transit und beugte sich aus dem Fenster.

»Weiter oben war keiner zu Hause«, sagte er.

»Sind Sie nicht Sergeant Coopers Junge?«, fragte Sam.

»Nicht zu fassen«, sagte Fry.

»Es tut mir Leid, Sir. Aber ich glaube nicht, dass ich Sie kenne.«

»Sam Beeley.«

Plötzlich war das gellende Meckern der Ziege ganz nah.

»Sie ist wieder draußen«, sagte Sam. »Ich muss es Wilford sagen.«

»Was hat sie denn?«, fragte Fry. »Ist sie krank?«

»Brünstig«, sagte Sam trocken.

»Lassen Sie sie decken?«, fragte Cooper.

»Heute Abend. Wir fahren sie hin. In der Nähe von Bamford wohnt ein Mann, der einen Bock hat.«

Hufe klapperten, und ein braunweißer Kopf mit Hörnern tauchte kurz über dem Dach der Hütte auf, bevor die Ziege flink auf die Koppel sprang und am anderen Ende im hohen Gras verschwand.

»Mist«, sagte Sam. »Jetzt frisst sie uns den ganzen Kohl weg, bevor wir ihn ernten können.«

»Soll ich Ihnen helfen, sie wieder einzufangen?«, fragte Cooper und stieg aus dem Toyota.

»Nein, nein. Die würde uns nie an sich ranlassen. Wilford fängt sie wieder ein. Zu ihm kommt sie. Sie ist noch jung und ein bisschen wild. Er nennt sie Jenny.«

»Mr. Beeley hat mir erzählt, wie Mr. Cutts und er sich kennen gelernt haben«, sagte Fry, damit ihr das Gespräch nicht ganz entglitt. »Schon ihre Väter kannten sich, sie waren Arbeitskollegen.«

»Damals gab es natürlich genug Arbeit«, sagte Sam. »Und zwar hier in der Gegend. Im Bergwerk oder im Steinbruch konnte man immer was finden. Für die jungen Leute heutzutage ist es anders, nehme ich an. Da brauchen Sie nur Ihren Kollegen hier zu fragen.«

Fry war nicht entgangen, dass Sam sie wie selbstverständlich als Fremde eingestuft hatte, die nichts über dieses Problem wissen konnte – im Gegensatz zu Ben Cooper. Seit sie in Moorhay war, ließ man sie deutlich fühlen, dass sie nicht von hier war. Es lief völlig unbewusst ab und war auch nicht böse gemeint, aber es verfehlte seine Wirkung nicht. Sie war in jedem Haus, das sie abgeklappert hatten, höflich behandelt worden, aber von der Vertrautheit, von der Herzlichkeit, die die Menschen Ben Cooper entgegenbrachten, hatte sie nichts gespürt.

»Es ist schon lange nicht mehr so, wie es früher einmal war, Mr. Beeley«, sagte Cooper.

»Da haben Sie wohl Recht, mein Junge. Da haben Sie wohl Recht. Aber wie ich schon sagte, mein Gedächtnis ist nicht mehr das Beste. Ich erinnere mich an den Krieg, aber danach kommt nicht mehr viel.«

Aus dem Stall, in dem Wilford mit seinem Besucher verschwunden war, kam ein ohrenbetäubendes Gackern und Kreischen, begleitet von lautem Flügelschlagen.

»Was geht denn da drin vor?«, fragte Fry.

»Der Mann mit dem Lieferwagen kauft ein paar von Wilfords Vögeln«, sagte Sam, als ob das jeder hätte merken müssen. »Wilford hat sie heute extra im Stall gelassen, die jungen Hühner. Aber sie sind ein bisschen zu munter. Es ist besser, wenn man sie am Abend transportiert – dann machen sie nicht so viel Ärger.«

»Das hört sich ja grauenhaft an.«

»Tüchtige Legehennen«, sagte Sam.

»Mr. Beeley, kannten Sie Laura Vernon?«

»Ich kenne die Familie. Zugezogene, nicht wahr? Das halbe Dorf scheint heutzutage aus Zugezogenen zu bestehen. Sie sind erst ein, zwei Jahre hier, in der Villa. Einmal waren die Eltern abends im Pub, als sie noch ganz neu im Dorf waren. Die haben vielleicht ein Gesicht gemacht. Das hätten sie wohl selbst nicht gedacht, dass sie sich mal unter das einfache Volk mischen würden. Aber einfach schnurstracks wieder rausgehen konnten sie auch nicht, also haben sie einen Gin und Tonic geschlürft, wie ein paar südenglische Stadtdeppen.«

»So weit ich weiß, sind sie aus Nottingham.«

»Aye.«

Sam scharrte mit den Füßen in der trockenen Erde. Dann sah es plötzlich so aus, als hätte er einen Krampf. Ein Fuß zuckte unkontrolliert zur Seite und stieß klappernd gegen eine Emailleschüssel, halb voll mit Wasser, das vermutlich für die Gänse bestimmt war.

»Mr. Beeley, diese Frage müssen wir jedem stellen. Ist Ihnen vielleicht zur Tatzeit in der Gegend des Baulk etwas aufgefallen?«, fragte Fry.

»Ach so, Sie wollen wissen, ob ich ein Alibi habe, hm?«

»Nein, danach hatte ich Sie nicht gefragt, Sir.«

Sam gluckste. »Es ist bloß, dass ich auf meine alten Tage nicht mehr viel hinter den Mädels herlaufe. Es sind die Beine. Ich habe sie mir mal gebrochen, in der Mine. Sie sind zwar geheilt, aber nie wieder richtig in Ordnung gekommen. Und je älter ich werde, desto mehr machen sie mir zu schaffen.«

»Waren Sie Samstagabend in der Gegend?«, fragte Fry. »Oder Sonntagmorgen?«

»Was höre ich denn da für einen Akzent heraus?«, fragte Sam, der den Kopf auf die Seite gelegt hatte und sich mit dem Messer am Ohr kratzte. »Stammen Sie womöglich aus Wales?«

»Ich komme aus dem Black Country.«

»Woher?«

»Birmingham«, raunzte Fry.

»Ach. Da bin ich noch nie gewesen. Will ich auch gar nicht hin.«

»Samstagabend, Mr. Beeley.«

»Samstagabend? Also, ich werde wohl bis gegen elf im Drover gewesen sein, zusammen mit Wilford. Es war ziemlich viel los an dem Abend. Das ist im Sommer immer so, wegen der Touristen. Übernachtungsgäste. Es waren auch viele Autos da.« Er schüttelte traurig den Kopf. »Ich wohne nicht weit vom Pub. Viel weiter kann ich auch gar nicht mehr gehen. Und samstags trinken wir gern ein paar Bierchen. Wir müssen ja nicht fahren.«

»Es waren also Touristen im Pub. Leute, die nicht ins Dorf gehörten.«

»Gerammelt voll von Fremden, der Laden«, sagte Sam.

Wilford und der Lieferwagenbesitzer kamen aus dem Hühnerstall, mehrere volle Säcke hinter sich herziehend. Aus der Tür quoll eine Wolke dunkler Federn, die an ihren Schultern und in ihrem Haar hängen blieben. Aus den Säcken drang das gleichmäßige Klagen der gefangenen Vögel und ein gelegentliches Rascheln der Federn. Die beiden Männer waren verschwitzt und zerzaust, sie atmeten schwer. Wilford, der einen hochroten Kopf hatte, lachte ein paar Mal japsend. Der kleine Mann aus dem Lieferwagen hatte einen wilden, leicht verstörten Blick.

»Sonntagmorgen«, sagte Sam. »Tja, heutzutage stehe ich nicht mehr so früh auf. Aber so gegen halb zehn war ich angezogen, und dann hat mich mein Sohn abgeholt. Davey heißt er. Er und seine Frau laden mich sonntags immer zu sich nach Edendale ein, zum Mittagessen.«

»Sind Sie oft hier oben, um Mr. Cutts zu helfen?«, fragte Cooper.

»Eigentlich bin ich ja zu nicht mehr viel nütze. Aber irgendwie muss ich schließlich die Zeit totschlagen.«

»Hat er noch andere Helfer?«

»Ein, zwei junge Burschen, denen er ein paar Pfund zahlt, damit sie die schwere Arbeit machen. Und Harry kommt natürlich auch und packt mit an.«

»Harry Dickinson?«

»Ja, genau. *Sie* werden ihn sicher kennen«, sagte er, an Cooper gewandt.

Die Säcke landeten mit einem dumpfen Poltern in dem Transit, der Fahrer stieg ein und fuhr langsam den Weg zurück. Es hatte nicht den Anschein, als hätte bei der Transaktion Geld den Besitzer gewechselt.

»Kannst du mal kommen, Sam?«, rief Wilford. »Ein Huhn hat es böse erwischt. Ich glaube, es hat sich am Draht die Beine gebrochen.«

»Die Ziege ist wieder draußen, Wilford.«

»Die kann warten.«

Sam hinkte zum Hühnerstall hinüber. Wilford warf ihm ein Huhn zu, das er kopfüber an den Beinen gehalten hatte. Fry, die noch nie ein Huhn aus der Nähe gesehen hatte, war überrascht über den schmalen roten Fleischlappen, der aus seinem Schnabel hing wie eine Schlangenzunge. Der Vogel hatte sich eingekotet, die weichen Federn um seinen After waren gelb verfärbt. Fry schluckte und schwor sich, nie wieder ein Ei zu essen.

»Sam hat ein Händchen für so was«, sagte Wilford munter. »Dabei sieht er gar nicht so aus, als ob er sehr viel Kraft in den Handgelenken hätte, was? Es kommt eben auf die Technik an.«

»Es ist bloß Übung und ein bisschen Begabung«, sagte Sam und packte das Huhn fester. Er klemmte es unter seinen Arm, faltete ihm die Flügel zusammen und presste es an sich. Dann schloss er die Finger seiner rechten Hand um den mageren Hals des Vogels und drückte ihm den Daumen fest in die Kehle. Plötzlich machte er eine drehende, reißende Bewegung. Es knackte leise, und der Blick des Huhns brach. Es schlug noch ein paar Mal verzweifelt mit den Flügeln, im Todeskampf fast stärker als Sam Beeley, ein Gestöber aus Schwungfedern entlud sich auf dessen Hose und Stiefel. Der Vogel strampelte, hob den Schwanz und setzte noch einen letzten gelben Strahl ab. Dann wurden seine Krallen schlaff, sie hingen nach unten und zeigten mit trauriger Endgültigkeit auf die Erde.

»Sie haben es getötet«, sagte Fry erstaunt.

Die beiden alten Männer lachten, und sie war verblüfft, dass auch Cooper schmunzelte.

»Man nennt das ›ihnen den Gnadentod geben‹«, sagte Sam. »Wenn man es richtig macht – und schnell –, spüren sie gar nichts.«

»Das ist widerlich«, sagte Fry. »Das ist ekelhaft.«

»Schade.« Sam hielt ihr den leblosen Vogel hin. »Dann werden Sie es wohl nicht mitnehmen wollen, um es sich heute Abend zu braten.«

Fry wich zurück, als dem Huhn ein dünner Faden Speichel aus dem Schnabel lief und in den Staub tropfte. Die schuppigen Beine in Sams knochigen Fingern sahen kalt und reptilienartig aus.

»Nein?«

»Macht nichts. Dann nehme ich es für Connie mit«, sagte Wilford.

Cooper und Fry stiegen wieder in den Wagen. Fry kurbelte ihr Fenster hoch, damit der muffige Geruch trockenen Hühnerkots, der aus der Stalltür kam, nicht in den Wagen gelangen konnte.

Die beiden alten Männer sahen ihnen zu, wie sie wendeten, und Sam winkte ihnen fröhlich nach.

Als sie das Ende des Feldweges erreichten, kam ihnen ein weiterer Lieferwagen entgegen.

12

Und nun die gute Nachricht«, sagte DCI Tailby.

Im Einsatzraum hoben sich müde die Köpfe. Für die meisten Beamten ging die Tagesschicht zu Ende, und sie genossen die ersten ruhigen Minuten nach der Hektik des ersten Ermittlungstages. Für die anderen begann mit der abendlichen Besprechung, bei der sie auf den neuesten Stand gebracht wurden, die Nachtschicht.

Ben Cooper und Diane Fry saßen nebeneinander, trotz aller Differenzen entschlossen, das Band nicht zu zerreißen, das zwischen ihnen entstanden war, seit man sie als Team zusammengespannt hatte. Fry machte noch immer einen hellwachen Eindruck, den Blick fest auf Tailby geheftet, das Notizbuch offen auf dem Schoß. Cooper wirkte müde, benommen und fast ein wenig überfordert. Er spürte, wie die Spannung in ihm wuchs, je weiter sich der Tag dem Ende zuneigte. Er konnte sich nicht dagegen wehren, dass seine Gedanken abschweiften und sich mit seiner Mutter beschäftigten – drängende Ängste vor der näheren Zukunft, gemischt mit schmerzhaft klaren Erinnerungen daran, wie sie vor ihrer Krankheit gewesen war, in der nicht allzu fernen Vergangenheit. Heute Abend würde es ihm schwer fallen, sich von der Arbeit auf das Privatleben umzustellen. Hieß es nicht, dass die Freizeit ein Ausgleich für den Beruf sein sollte und umgekehrt?

Tailby hatte kaum das Wort ergriffen, da glitt Frys Stift auch schon eilig über das Papier. Cooper stellte zu seiner Überraschung fest, dass ihr Blatt zur Hälfte mit Spinnen bedeckt war, schwarze, haarige Körper mit langen Beinen, die Umrisse vom Kugelschreiber tief ins Papier gedrückt.

»Denken Sie daran, sämtliche Berichte zu lesen«, sagte Tailby. »Aber ich möchte Ihnen die wichtigsten Punkte schon einmal vorab zusammenfassen. Am späten Nachmittag hat sich ein Zeuge gemeldet, ein gewisser Gary Edwards. Mr. Edwards ist ein Vogelkundler. Samstagabend war er auf der Raven's Side, nördlich des Tales bei Moorhay. Er wollte den Schwarzrückigen Fliegenschnäpper beobachten, eine seltene Vogelart, die in der Gegend nistet. Mr. Edwards war wegen des Fliegenschnäppers extra aus Leicester angereist, weil er ihm noch auf seiner Liste einheimischer Vogelarten fehlte. Wie ich mir habe sagen lassen, ist die Beschäftigung mit Vögeln ein sehr beliebtes Hobby.«

Einige Beamten grinsten, aber Cooper wusste, dass Tailby nicht scherzte. Er machte fast nie Witze. Der DCI ließ den Blick über den Rand seiner Lesebrille hinweg einmal kurz durch den Raum schweifen, dann konzentrierte er sich wieder auf das Protokoll, das vor ihm lag.

»Mr. Edwards fand, dass der Eichen- und Birkenwald in der Nähe des Baches für seine Zwecke besonders viel versprechend aussah. Zwischendurch hat er ein Zwergfalkenpaar beobachtet, das unter ihm in der Felswand nistete. Irgendwann wurde er auf einen Vogel aufmerksam, der auf den Wald zuflog, möglicherweise einer der besagten Schwarzrückigen Fliegenschnäpper. Er verfolgte ihn mit dem Feldstecher.«

Die Akte, die Cooper in der Hand hatte, enthielt ein Kurzprotokoll der Befragungen von Graham und Charlotte Vernon und Molly Sherratt sowie die Aussage des Vogelkundlers. Einige Details waren als neue Erkenntnisse gekennzeichnet worden, denen am nächsten Tag nachgegangen werden musste. Außerdem waren die vergeblichen Anstrengungen des Teams um DI Hitchens bei der Fahndung nach Lee Sherratt protokolliert. Der Ton der Zusammenfassung ließ bei Cooper keinen Zweifel daran aufkommen, dass Sherratt als Hauptverdächtiger galt. Wenn man Sherratt erst gefunden hatte, würde die Gerichtsmedizin die Beweise für seine Schuld schon beibringen. Alles andere war nur Show.

»An dieser Stelle möchte ich festhalten«, sagte Tailby, »dass Mr. Edwards mit einem Fernglas von Zeiss ausgerüstet war, mit zehnfacher Vergrößerung und einem Linsendurchmesser von 45 Millimetern. Ein leistungsstarkes Gerät. Er sagt aus, er habe das Fernglas auf den Wald gerichtet, in dem der Vogel verschwunden war, und abgewartet, ob er ihn noch einmal zu Gesicht bekommen würde. Später habe sich dort tatsächlich etwas bewegt. Aber es sei nicht der Vogel gewesen.«

Tailby legte eine Kunstpause ein.

»Mr. Edwards führt aus, im Unterholz habe sich etwas Schwarzes bewegt, das er mit dem Fernglas verfolgt habe, doch es sei kein Vogel, sondern der Kopf eines Hundes gewesen. Da diese leistungsstarken Ferngläser nur ein begrenztes Blickfeld haben, nahm er es herunter und konnte mit dem bloßen Auge einen Mann mit einem Hund erkennen. Aus Mr. Edwards' Aussage schließen wir, dass dies in der Nähe des Fundortes der Leiche gewesen sein muss. Die Zeit: etwa 19:15 Uhr.«

Im Raum wurde aufgeregt getuschelt. Ein Zeuge, der zur richtigen Zeit am Fundort der Leiche war, der das Gelände gut einsehen konnte, der mit einem leistungsstarken Fernglas ausgerüstet war. Was wollte man mehr? Ob der Vogelfreund sonst noch etwas gesehen hatte?

Fry hatte eifrig mitgeschrieben. Sie hatte die Seite mit den Spinnen und auch schon die nächste umgeblättert. Nun saß sie kerzengerade auf ihrem Stuhl, konzentriert und gespannt. Cooper sah ihr an, dass sie nur auf eine Gelegenheit lauerte, eine Frage vorzubringen und sich in den Vordergrund zu drängen.

»Leider«, fuhr Tailby fort, »verlor Mr. Edwards dann jegliches Interesse an dem Waldgebiet. Er kam zu dem Schluss, dass die Vogelpopulation die Anwesenheit von Menschen und Hunden als Störung empfinden würde. Dies gilt vor allem für den Schwarzrückigen Fliegenschnäpper, der offenbar besonders scheu ist. Er widmete sich also wieder den Zwergfalken. Mr. Edwards blieb noch bis etwa 21.30 Uhr auf der Raven's Side, doch es fiel ihm nichts weiter auf, was für uns von Interesse wäre.«

Fry meldete sich. »Über zwei Stunden, Sir? Was hat er denn die ganze Zeit gemacht?«

»Ja. DC Fry, richtig? Das hat man ihn ebenfalls gefragt, Fry. Er sagt aus, er habe auf die Dämmerung gewartet, um junge Eulen bei der Jagd zu beobachten.«

»Hat der Typ nichts Besseres zu tun?«, rief jemand von hinten.

»Ich muss wohl nicht darauf hinweisen, dass sich dieser Zeuge als ausgesprochen wertvoll erweisen könnte«, sagte Tailby, ohne auf den Einwurf einzugehen.

Ben Cooper hob die Hand. »Der Mann mit dem Hund, Sir. Dürfen wir annehmen, dass es sich dabei um Harry Dickinson gehandelt hat? Laut seiner Aussage geht er regelmäßig in der Gegend mit dem Hund spazieren.«

»Leider konnte uns Mr. Edwards keine Beschreibung geben. Er war zu weit entfernt und hat sich den Mann nicht mit dem Fernglas angesehen.«

Enttäuschtes Gemurmel machte sich breit.

»Interessiert sich mehr für Schwarzrückige Fliegenschnäpper als für Menschen«, sagte dieselbe Stimme wie vorher.

»Wir werden Mr. Dickinson auf jeden Fall noch einmal befragen«, sagte Tailby. »Bei seiner ersten Vernehmung wurde er nicht nach Samstagabend gefragt. Vielleicht war er zu der Zeit tatsächlich auf dem Baulk und hat etwas gesehen, was uns weiterhelfen könnte. Mr. Dickinson genießt für den Vormittag Priorität.«

»Wäre das nicht ein ziemlicher Zufall, Sir?«

»Inwiefern, Cooper?«

»Ich meine, wenn Dickinson zur Tatzeit am Tatort gewesen wäre und möglicherweise Laura Vernons Mörder gesehen hätte. Schon ist er zwei Tage später wieder zur Stelle und findet den Turnschuh, der uns zu ihrer Leiche führt. Darauf würde es doch wohl hinauslaufen. Ein bisschen zu viel des Zufalls.«

»Was wäre Ihre Interpretation, Cooper?«

»Ich finde, wir sollten Harry Dickinson ein bisschen härter rannehmen.«

Tailby runzelte die Stirn. »Im Augenblick betrachten wir ihn nicht als Verdächtigen, sondern als potenziell nützlichen Zeugen.«

»Aber wenn…«

»Also«, sagte Tailby und wandte sich ab. »Wir müssen unser Augenmerk auf die Familie richten. Wir dürfen die Möglichkeit eines Familienstreits nicht außer Acht lassen. Die Eltern stehen unter Verdacht.« Tailby wartete, ob ihn jemand fragen würde, warum. Niemand meldete sich. Er erklärte es trotzdem. »Bei den meisten Morden ist der Täter im engsten Familienkreis zu finden. Das sagt uns die Statistik.«

Die Beamten hörten aufmerksam zu.

»Aus diesem Grund werden wir uns die Vernons genauer ansehen. Vor allem die Beziehung zwischen Laura und ihrem Vater. Ich habe selbst mit Graham Vernon gesprochen, und ich muss Ihnen sagen, ich habe kein besonders gutes Gefühl.«

»Haben wir nicht einen Fernsehaufruf mit ihm geplant, Sir?«

»Ja, mit beiden Elternteilen. Er soll morgen gesendet werden. Während ihres Auftritts werden wir sie natürlich genau im Auge behalten.«

Fry nickte gelassen, als wäre es völlig normal, den Eltern die Ermordung der eigenen Tochter zuzutrauen. Cooper fragte sich, ob es mit den Fällen zu tun hatte, die sie früher bearbeitet hatte, oder ob sie mit ihrer eigenen Familie schlechte Erfahrungen gemacht hatte. Eine deprimierende Vorstellung. Er selbst hatte eine überaus glückliche Kindheit gehabt, und er fand, dass die Zerstörung einer Familie das Schlimmste war, was einem Menschen passieren konnte.

»Und dann wäre da noch der Bruder«, sagte Tailby. »Daniel Vernon. Neunzehn Jahre alt, Student an der Exeter University. Angeblich war er in Exeter, als Laura verschwand, und ist erst jetzt wieder in Moorhay eingetroffen. Aber unsere Nachforschungen haben ergeben, dass das Semester erst in zwei Wochen anfängt. Es stellt sich also die Frage, was hat er getrieben? Ich möchte, dass er genau überprüft wird – wann ist er abgereist, wann ist er wieder zurückgekommen? Nach meinem ersten Eindruck heute

Nachmittag würde ich sagen, dass er ein sehr zorniger junger Mann ist. Andererseits brauche ich wohl nicht zu betonen, dass wir die Familie des Opfers mit Samthandschuhen anfassen müssen. Ich möchte nicht, dass es Beschwerden über herzlose oder unsensible Beamte gibt.«

Der DCI hielt inne, um seine letzte Bemerkung wirken zu lassen, dann drehte er sich um und deutete auf die Vergrößerung einer imposanten Luftaufnahme von Moorhay, die aus dem Hubschrauber aufgenommen worden war und auf der man Laura Vernons mutmaßlich letzten Weg mit Hilfe einer darüber geblendeten Projektion verfolgen konnte.

»Darüber hinaus beabsichtige ich, den Garten der Vernons gründlich durchkämmen zu lassen«, sagte er. »Es besteht immerhin die Möglichkeit, dass Laura dort kurz vor ihrem Tod noch jemanden getroffen hat. Denken Sie daran, dass sie am frühen Abend zusammen mit einem jungen Mann gesehen wurde. Wir brauchen Beweise, um die Identität dieses Mannes feststellen zu können. Leider ist der Garten sehr groß.«

Die Aufnahme zeigte ausgedehnte Rasenflächen und Blumenbeete, zwei Treibhäuser und ein kleines Gartenhaus. Hinter der Villa, wo ein Gartentor auf den Fußweg zum Berg führte, gab es viele versteckte Ecken und Winkel.

Das helle Buschland, neben dem Laura zuletzt gesehen wurde, war zwischen der hinteren Gartenmauer und dem dunklen Wald gut zu erkennen. Über dem Ginster lagen die langen Schatten einer Reihe von Koniferen wie die Gitterstäbe eines Käfigs.

»Wir überprüfen auch Lauras sonstige Kontakte. Das Team um DI Hitchens leuchtet allmählich ihren Hintergrund aus. Laut Aussagen ihrer Klassenkameraden hatte sie mindestens einen festen Freund. Die Eltern bestreiten das, aber wir wissen schließlich alle, wie Eltern sind. Sie sind immer die letzten, die etwas erfahren. Der Junge heißt Simeon. Mit einem e. Den Nachnamen haben wir noch nicht ermittelt. Allerdings geht er nicht auf dieselbe Schule, die Laura besucht hat. DS Morgan ist trotzdem zuversichtlich, dass er ihn aufstöbern wird, nicht wahr, Luke?«

»Auf jeden Fall.«

»Wie Sie wissen, arbeitet DI Armstrong an der Liste der einschlägig Vorbestraften und an möglichen Verbindungen zum Mordfall Susan Edson in der Dienststelle B. Oberflächlich betrachtet, gibt es einige Gemeinsamkeiten. So zum Beispiel Alter und Geschlecht der Opfer. Aber beachten Sie bitte auch, dass in beiden Fällen ein Kleidungsstück fehlt – bei Laura Vernon ein Turnschuh, bei Susan Edson eine Strumpfhose. Mit großer Wahrscheinlichkeit befinden sich diese Gegenstände momentan im Besitz des Täters beziehungsweise der Täter. Bitte behalten Sie diese Tatsache im Auge. Aber wir sind bei unseren Ermittlungen nach allen Seiten hin offen. In diesem Stadium gehen wir noch nicht von einer eindeutigen Verbindung aus. Ich muss allerdings gestehen, dass mich diese Möglichkeit doch ein wenig beunruhigt.«

Zustimmendes Gemurmel machte sich breit. In Ben Cooper rief das Geräusch ein unbestimmtes Gefühl der Beklommenheit wach, überlagert von den anderen dumpfen, nagenden Ängsten, die ihn quälten und an die er kaum zu denken wagte, die jeden Augenblick hervorbrechen konnten, um ihm den festen Boden unter den Füßen wegzuziehen.

»Außerdem wurde die Tatwaffe bis jetzt noch nicht gefunden«, fuhr Tailby fort. »Die Art der Verletzungen deutet auf einen harten, stumpfen Gegenstand hin. Die Spurensicherung ist noch am Tatort und setzt die Suche fort. Geben wir also die Hoffnung nicht auf. An dem Turnschuh wurden Fingerabdrücke von zwei verschiedenen Personen festgestellt. Leider stammen sie lediglich vom Opfer selbst und von Mr. Dickinson, dem zu Vergleichszwecken Abdrücke abgenommen wurden. Eine viel versprechende Spur haben wir allerdings noch. Damit meine ich die mutmaßlichen Bissspuren am Oberschenkel des Opfers. Zurzeit warten wir auf das Gutachten eines odontologischen Sachverständigen. Wenn es uns gelingt, einen Abdruck zu bekommen, können wir ihn später mit dem Gebiss des möglichen Täters vergleichen.«

Die Beamten tuschelten miteinander. Es wurde gerätselt, was wohl ein odontologischer Sachverständiger war.

»Fürs Erste aber konzentrieren sich unsere Bemühungen weiterhin auf Lee Sherratt«, sagte der DCI. »Leider haben wir einen Aufenthaltsort bisher nicht feststellen können. Seine Mutter behauptet, nicht zu wissen, wo er ist. Angeblich hat sie ihn seit Sonntagnachmittag nicht mehr gesehen. Er ist, um es mit ihren Worten zu sagen, ›ein kleiner Rumtreiber‹, was auch immer wir uns darunter vorzustellen haben. Wir sind sehr daran interessiert, Lee Sherratt im Zusammenhang mit der Ermordung Laura Vernons zu vernehmen. Alle Beamten bekommen ein Fahndungsfoto ausgehändigt. Halten Sie die Augen offen.«

Ben Cooper riss sich zusammen. Seine Gedanken waren schon wieder abgeschweift. Es war fast, als wären die abschließenden Worte des DCI direkt an ihn gerichtet gewesen. Ja, er musste die Augen offen halten. Wenn er nicht aufpasste, würde er noch von seinen Ängsten verschlungen werden.

Charlotte Vernon lag im Wohnzimmer auf der Couch, lediglich in einen schwarzen Satinmorgenrock gehüllt. Aber ihr Haar war frisch gewaschen und gebürstet, sie hatte sich geschminkt und die Zehennägel lackiert. Obwohl Graham sich normalerweise an dem Anblick seiner leicht bekleideten Frau erfreut hätte, ärgerte es ihn heute, dass sie sich nicht die Mühe gemacht hatte, sich richtig anzuziehen. Irgendwie schien ihm ihre Nachlässigkeit symbolisch zu sein, ein Sinnbild für den schleichenden Zerfall der Familie.

»Das kann er nicht machen«, sagte Graham. »Das dürfen wir nicht zulassen.«

»Und wie willst du ihn daran hindern?«, fragte Charlotte. »Er hört doch schon seit Jahren nicht mehr auf dich.«

»Ich dachte … Könntest du nicht mal mit ihm reden, Charlie?«

»Es wäre möglich, dass er auf mich hört«, gab sie zu.

»Na also. Nimm ihn dir vor, bevor er aus dem Haus geht.«

»Ich habe nicht gesagt, dass ich mit ihm rede.«

»Und warum nicht, zum Donnerwetter?«

Charlotte überlegte und griff nach dem Glas, das in diesen Tagen nie weit entfernt zu stehen schien.

»Vielleicht hilft es ihm, sich alles von der Seele zu reden.«

»Ihm hilft es vielleicht, aber mir bestimmt nicht!«

»Dir oder der Firma?«

»Für die Firma wäre es natürlich auch nicht gut. Ich kann mir keinen Skandal leisten. Das wäre verheerend für meinen guten Ruf. Das weißt du doch, Charlie.«

»Und was ist mit mir?«

»Wie bitte?«

»Würde es mir gut tun? Das ist die Frage, die ich mir stelle. Würdest du dich verändern, Graham? Würde sich unser Verhältnis ändern, wenn alles ans Tageslicht kommt? Das frage ich mich.«

»Charlie – möchtest du, dass sich etwas verändert?«

»Ich weiß nicht.«

»Herrgott noch mal, *was* willst du eigentlich? Ich habe bei dir schließlich auch immer ein Auge zugedrückt.«

»Ein Auge zugedrückt? So nennst du das?«

»Habe ich dir etwa nicht immer alles durchgehen lassen?«

»Doch, das stimmt schon. Und du dachtest, ich wollte es so? Wirklich?«

Graham seufzte gereizt. »Ich werde dich nie verstehen.«

Seit Charlotte nicht mehr unter Beruhigungsmitteln stand, sah man sie fast nur noch mit einer Zigarette oder einem Glas Bacardi in der Hand. Im ganzen Haus standen überquellende Aschenbecher herum, die nur dreimal in der Woche geleert wurden, wenn Sheila Kelk putzen kam. Graham hoffte, das Daniel Mrs. Kelk nicht vertrieben hatte. Aber sie war wohl auch viel zu neugierig, um nicht wiederzukommen.

Er musterte seine Frau, und ihm fiel auf, wie dunkel ihre Haarwurzeln nachwuchsen. Sie sah müde aus, obwohl sie in den letzten Tagen so viel geschlafen hatte. Sie blickte ihn an, und in ihrem

Blick lagen Feindseligkeit und offener Hass. Der Tod ihrer Tochter hatte einen Keil zwischen sie getrieben.

»War jemand hier, während ich außer Gefecht gesetzt war?«, fragte sie.

»Wie meinst du das?«

»War jemand im Haus?«

»Die Polizei. Wusstest du, dass sie den Garten durchsuchen wollen? Beziehungsweise durchkämmen, wie sie das nennen. Weiß Gott, was sie sich davon versprechen.«

»Außer der Polizei. Außer Daniel. War sonst noch jemand hier, den ich nicht gesehen habe?«

»Mrs. Kelk natürlich.«

»Frances Wingate?«

»Nein.«

»Edward Randle auch nicht?«

»Nein. Ich habe ihnen gesagt, dass sie nicht kommen sollen. Allen unseren Bekannten. Das wolltest du doch so. Ich habe ihnen gesagt, dir wäre nicht nach Besuch zu Mute.«

»Dann war Frances also nicht hier.«

»Das sagte ich doch.«

»Und auch sonst niemand.«

»Nein.«

Charlotte zündete sich eine Zigarette an, sog mit gespitzten Lippen daran und kniff die Augen zu.

»Ich weiß nicht, warum ich dir jemals vertraut habe«, sagte sie.

»Müssen wir uns jetzt gegenseitig zerfleischen, Charlie?«

»Während ich im Bett lag«, sagte sie, »habe ich nachgedacht. Man ist nicht völlig bewusstlos unter dem Einfluss von Beruhigungsmitteln. Der Verstand funktioniert noch. Und wenn man nicht abgelenkt wird, werden die Dinge sogar klarer. Alle Erinnerungen sind wieder hoch gekommen. Die ganzen Erinnerungen an Laura.«

Sie ging zur Vitrine und tastete nach dem leeren Bilderrahmen, der zwischen den anderen Fotos stand.

»Wann bekommen wir ihr Foto zurück?«

»Ich werde mich erkundigen«, sagte Graham.

»Ich muss alles von ihr zurückbekommen, was ich nur kriegen kann.«

»Ich verstehe.«

Charlotte drehte sich zu ihm um, Tränen in den Augen, den Mund vor Wut verzerrt.

»Ich gebe dir die Schuld, Graham. Begreifst du das? Wenn ich daran denke… an alles. Ich habe meine Tochter verloren, und jetzt nehmen sie mir auch noch meine Erinnerungen an sie. Wie konntest du das zulassen?«

Graham wollte ihr den Arm um die Schultern legen, gerührt von ihren Tränen, doch sie stieß ihn weg.

»Fass mich nicht an. Wie kannst du nur in einem solchen Augenblick an so was denken? Du bist ein Tier.«

»Daran habe ich gar nicht gedacht, Charlie. Wirklich nicht.«

»Laura hat mir alles erzählt«, sagte sie verzweifelt. »Sie hatte keine Geheimnisse vor mir.«

Das Telefon klingelte. Graham wollte hingehen, überlegte es sich aber anders. Der Anrufbeantworter schaltete sich ein. Sicher war es nur ein besorgter Kunde. Wann war wieder mit Graham zu rechnen? Wann würde er ihnen wieder voll und ganz zur Verfügung stehen? Er hatte Verständnis dafür. Ihre Geschäfte mussten schließlich weitergehen. Graham hatte mit dem Gedanken gespielt, die Firmenleitung an Andrew Milner abzugeben und ihm die gesamte Verantwortung zu übertragen. Aber diese Anwandlung war so schnell vergangen, wie sie gekommen war. Sicher würde er die Zügel bald wieder selbst in die Hand nehmen können. Es konnte nicht mehr allzu lange dauern, bis die Polizei den Fall aufgeklärt hatte und einen Tatverdächtigen präsentieren konnte. Solange er nur Daniel davon abbringen konnte, Unheil anzurichten.

»Wir müssen zusammenhalten, Charlie. Sprichst du mit Daniel?«

Sie hob den Kopf und trocknete sich die Augen. Noch waren die schweren Schritte ihres Sohnes nicht auf der Treppe zu hören. Noch war es Zeit, ihn abzufangen. Sie antwortete mit einer Gegenfrage.

»Da ist doch nichts, was ich nicht weiß, Graham?«

»Was meinst du damit?«

»Über Laura. Ich muss genau wissen, was passiert ist und warum. Du verschweigst mir doch nichts?«

Graham erkannte, wie viel von seiner Antwort abhing. Sollte er seiner Frau die Wahrheit sagen, oder wollte sie belogen werden? Er dachte an die Informationen, die Tailby und sein Team inzwischen zusammentrugen – Einzelheiten, die Charlottes Illusionen über ihre Tochter zerstören würden. Die Richtung der Fragen, die Tailby ihm über Lee Sherratt und sogar Daniel gestellt hatte, ließ keinen Zweifel daran. Und wem würde Charlotte die Schuld dafür geben? Sie hatte gesagt, dass sie ihm nicht mehr vertraute. Davon, was sie von ihm hielt, konnte der Erhalt oder Zerfall der Familie abhängen. Die Wahrheit oder eine Lüge? Eine wichtige Entscheidung, und ein Zögern konnte fatale Folgen haben.

»Die Polizei hat mir nichts gesagt«, antwortete er.

Charlotte strich sich die Haare nach hinten und drückte in einem vollen Aschenbecher ihre Zigarette aus.

»Dann rede ich jetzt mal mit Danny, ja?«

»Du bist ein Schatz«, sagte Graham.

Cooper tippte Fry auf die Schulter, als sich die Besprechung auflöste. »Haben Sie es eilig, nach Hause zu kommen?«

»Hm … nein.«

»Hätten Sie vielleicht Lust auf eine Partie Squash? Mir würde ein Spiel gut tun, um auf andere Gedanken zu kommen, und Sie haben doch gesagt, dass Sie Sport treiben.«

Fry überlegte kurz. Ben Cooper war nicht gerade ihr Traumpartner, weder beim Squash noch sonst. Andererseits wäre ein Spielchen immer noch um Welten besser, als den ganzen Abend allein mit ihren Gedanken vor dem Fernseher zu sitzen. Außerdem war sie überzeugt, dass sie ihn schlagen konnte. Damit war die Sache entschieden.

»Können wir denn so kurzfristig einen Court kriegen?«, fragte sie.

»Ich schon«, sagte Cooper grinsend. »Ein Anruf genügt. An einem Dienstagabend kriegen wir im Rugby-Club immer einen Platz, kein Problem.«

»In Ordnung. Aber ich muss erst noch zu Hause vorbei, meinen Schläger und die Klamotten holen.«

»Ich habe meine Sachen im Auto. Ich fahre hinter Ihnen her, und dann nehme ich Sie mit, okay?«

»Ja, gern. Danke.«

»Aber es ist schon ein komisches Gefühl, mitten in einer Mordermittlung einfach nach Hause zu gehen. Kein Geld für Überstunden. Ist denn das zu fassen?«

»Die denken, der Fall ist gelöst, wenn sie erst Lee Sherratt in Gewahrsam haben.«

»Das glaube ich auch. Sie verlassen sich völlig auf die Gerichtsmedizin und die kriminaltechnischen Untersuchungen. Das scheint heutzutage der Heilige Gral zu sein.«

»Laborergebnisse lügen nicht, Ben. Nur Menschen.«

»Und es ist zu teuer, eine derart personalintensive Operation tage- und wochenlang weiterzutreiben. Ich weiß, das habe ich schon oft genug gehört.«

»Es stimmt ja auch. Wir können uns nicht von der realen Welt abkapseln.«

»Was mich stört, ist, dass Lee Sherratt einzig und allein durch die Aussage des Vaters belastet wird. Das kann doch nicht genügen.«

»Tailby genügt es, solange ihm die Laborergebnisse Recht geben.«

Cooper schüttelte den Kopf. »Ich habe ein ungutes Gefühl dabei.«

»Schon wieder? *Gefühle?*«

»Okay, ich habe verstanden.«

»Es ist keine Frage von Gefühlen.«

»Früher«, sagte Cooper, »war es keine Frage des Geldes.«

189

»Das klingt mir ganz so, als ob das Ihr berühmter Vater gesagt haben könnte.« Cooper wurde rot, und sie wusste, dass sie ins Schwarze getroffen hatte. »Sergeant Cooper, dein Freund und Helfer, hm? Warum erklären Sie ihm nicht mal, dass wir nicht mehr in den Fünfzigerjahren leben? Die Zeit ist nicht stehen geblieben. Wenn er sich in seiner Uniform heutzutage in bestimmten Ecken des Landes zeigen würde, hätte man ihn schon totgetrampelt, bevor er auch nur guten Abend sagen könnte.«

Cooper erstarrte, das Blut schoss ihm ins Gesicht. Er musste ein-, zweimal tief durchatmen, bis er sich wieder in der Gewalt hatte. Seine Hände zitterten, als er die Papiere, die er in der Hand hielt, in einen Aktenordner schob.

»Wir sehen uns dann auf dem Parkplatz«, sagte er mit belegter Stimme.

Als er davonging, tat es Fry auch schon Leid, dass sie zugesagt hatte, mit ihm Squash zu spielen. Es war ein plötzliches Gefühl der Kameradschaft gewesen, ein Impuls, dem man im Polizeidienst nur allzu leicht nachgab. Man war eine verschworene Gemeinschaft – wir gegen die anderen. Aber dann zuckte sie mit den Schultern. Es war ja schließlich nur für einen Abend. Es würde ihr nicht schwer fallen, Ben Cooper auf Abstand zu halten.

»Alles in Ordnung, Diane?«, fragte DI Hitchens. Er stand dicht neben ihr. Sie hatte ihn von hinten nicht kommen hören.

»Alles bestens.«

»Und was machen Sie, wenn Sie Feierabend haben?«

»Ich spiele Squash mit Ben Cooper. Ausgerechnet.«

»Wirklich? Na dann, viel Glück.«

»Und ich werde ihn fertig machen.«

»Ach ja? Dann sind Sie auch noch ein Squash-As?«

»Eigentlich nicht, nur Durchschnitt. Aber ich bin topfit, und er soll auf dem Court um Gnade winseln. Der gute Ben kommt mir wie ein Softie vor.«

»Ben? Das würde ich nicht sagen. Er ist noch ein Polizist vom alten Schlag. Nach außen hin gutmütig, aber darunter ein ganz harter Knochen. Genau wie sein Vater.«

»Dann sind Sie also auch ein Fan von Sergeant Cooper, Sir?«

»Das sind wir auf diesem Revier alle. Wie könnte es auch anders sein?«

»Und was genau hat er Tolles geleistet, um sich diese Verehrung zu verdienen?«

»Wenn Sie etwas über Sergeant Joe Cooper wissen wollen«, sagte Hitchens, »schlage ich vor, dass Sie für ein paar Minuten runter in die Eingangshalle gehen. Seine Gedenkplakette hängt neben der Anmeldung an der Wand. Es ist jetzt ungefähr zwei Jahre her, dass er getötet wurde.«

13

Cooper schnitt eine Grimasse und konzentrierte sich. Er starrte kurz auf den Ball, holte dann weit aus und schlug mit solcher Wucht auf, dass der Ball wie eine Rakete von der Vorderwand zurückprallte und in einer der hinteren Ecken landete. Fry hatte sich kaum bewegt.

»Dreizehn – drei.«

Sie wechselten die Seiten. Cooper wich Frys Blick aus. Er war völlig in das Spiel vertieft, wie von der ersten Sekunde an, und ließ sich durch nichts in seiner Konzentration stören. Fry hatte das Gefühl, sie hätte ebenso gut ein Roboter sein können, der nur aufgestellt worden war, damit er einen Gegner hatte. Als sie die Plätze tauschten, roch sie den Schweiß, der ihm am Körper klebte.

»Sie haben einen sagenhaften Aufschlag.«

Cooper nickte kurz und drehte sich mit der linken Körperhälfte zur Vorderwand. Er wartete ein paar Sekunden, bis Fry richtig stand, dann schlug er mit einem Knurren erneut so hart auf, dass der Ball wie eine Kanonenkugel auf das Gesicht seiner Gegnerin zugeschossen kam, die ihm instinktiv lieber ausweichen wäre, als zu versuchen, ihn zurückzuschlagen. Coopers Service retournieren zu wollen, war ohnehin ein nutzloses Unterfangen.

»Vierzehn – drei. Spielball.«

Fry hatte es längst aufgegeben, während des Spiels Konversation zu machen. Sie bekam auf ihre Bemerkungen keine Antwort, sondern jedes Mal nur einen weiteren unerreichbaren Aufschlag um die Ohren. Wenn sie tatsächlich einmal zurückschlagen konnte, war es zu einem ermüdenden Ballwechsel gekommen, bei dem sie im Zickzack über den Court hechelte, während Ben Cooper das T, die Platzmitte, unter Kontrolle behielt. Immer und immer wieder schmetterte er den Ball gegen die Vorderwand, manchmal knapp über das Playboard, manchmal im hohen Bogen über ihren Schläger hinweg. Ihre Arme und Beine waren vor Anstrengung krebsrot geworden, und obwohl sie ein Stirnband trug, lief ihr der Schweiß in Strömen über das Gesicht und sog sich in ihren Sport-BH.

Beim nächsten Aufschlag gelang es ihr, den Schläger unter den Ball zu bekommen und ihn mit einem Heber in die nächste Ecke zu befördern. Cooper sprintete über den Court, erreichte den Ball mühelos und schlug den Return auf die gegenüberliegende Seite. Fry musste sich strecken, um ihn zu erreichen, geduckt schlug sie den Ball scharf an der Längsseite entlang wieder zurück. Froh über den Treffer wirbelte sie so schnell herum, dass sie fast das Gleichgewicht verloren hätte, um möglichst als Erste wieder auf das T zu kommen. Dabei prallte sie mit Cooper zusammen, der hinter dem Ball herlief. Ihre Schläger klapperten, und ihre erhitzten Körper berührten sich für einen Augenblick, bis es ihnen gelang, sich wieder hochzurappeln. Fry atmete schwer und rieb sich das Knie, mit dem sie gegen Coopers gestoßen war. Er fühlte sich hart wie Stein an. Ihre Muskeln schmerzten

»Behinderung«, sagte er.

Sie nickte. »Okay. Spiel für Sie.«

»Und Match. Es sei denn, Sie möchten über fünf Gewinnsätze gehen.«

»O nein. Ich glaube, ich gebe lieber auf.«

»Wie Sie meinen.«

Cooper sammelte den Ball ein. Zum ersten Mal spielte ein leises Lächeln um seine Lippen.

»Dann habe ich also gewonnen. Danke für das Spiel.«

»Ich würde ja sagen, dass es mir ein Vergnügen war, Ben, aber Sie spielen wie eine Maschine.«

»Da es von Ihnen kommt, nehme ich das als Kompliment.«

»Ich bin fix und fertig.«

Cooper zuckte mit den Achseln. »Sie haben sich nicht geschont.«

Normalerweise hätte Fry auf seinen leicht gönnerhaften Ton ganz anders reagiert. Aber im Moment war sie versöhnlich gestimmt. Sie klemmte sich den Schläger unter den Arm und streckte ihm die Hand hin.

»Na dann, herzlichen Glückwunsch.«

Cooper sah sie erstaunt an, aber er schlug automatisch ein. Seine Hand war genauso heiß wie ihre eigene, und ihr Schweiß vermischte sich in ihren Handtellern. Fry hielt seine Hand fest, als er sie zurückziehen wollte.

»Ben – ich möchte mich entschuldigen«, sagte sie.

»Wofür? Dass Sie so schlecht gespielt haben?«

»Für meine Bemerkungen über Ihren Vater vorhin. Ich hatte ja keine Ahnung.«

»Das war mir klar«, sagte er. Seine Unterarmmuskeln verhärteten sich. Die Andeutung eines Lächelns war wieder verschwunden, und sein Gesicht war starr, emotionslos. Der Schweiß rann ihm durch die hellen Augenbrauen hinunter. Als er ihn sich aus den Augen blinzelte, brach der Blickkontakt ab. Fry ließ seine Hand los.

»DI Hitchens hat es mir heute Abend erzählt. Er hat mich zu der Gedenktafel geschickt. Ihr Vater wurde bei der Festnahme eines Straßenräubers getötet, nicht wahr? Er war ein Held.«

Cooper drehte und wendete den Squashball in der Hand, bis er den farbigen Punkt gefunden hatte. Dann drückte er zu, gegen den Widerstand der darin angestauten warmen Luft.

»Es war nicht der Straßenräuber, der ihn getötet hat. Es war eine Clique von Jugendlichen, die vor einem Pub herumlungerten. Sie haben sich eingemischt und versucht, den Kerl zu befreien. Sie haben meinen Vater getötet. Es waren zu viele. Sie haben ihn zu Boden gerissen und totgetrampelt.«

»Und was ist mit ihnen passiert?«

»Nicht viel«, sagte er. Er holte ein Taschentuch heraus und

wischte sich Augen und Stirn ab. »Natürlich wurden sie ausfindig gemacht, keine Frage. In Edendale gab es einen Aufschrei der Empörung. Aber sie waren zu siebt oder zu acht, und jeder hat vor Gericht etwas anderes ausgesagt. Und die Verteidiger haben wie üblich nach jedem Schlupfloch gesucht. Es konnte nie zweifelsfrei festgestellt werden, welcher von ihnen meinem Vater gegen den Kopf getreten hatte. Am besten erinnere ich mich noch an eine Diskussion über die Blutspritzer auf ihren Springerstiefeln. Sie behaupteten, sie hätten nur deshalb Spritzer abbekommen, weil sie so nah dabei standen.« Er hielt inne, der Blick abwesend, zornig, voll schmerzlicher Erinnerungen. »Drei von ihnen wurden wegen Totschlags zu zwei Jahren verurteilt, die anderen kamen mit einer Bewährungsstrafe davon. Es waren nämlich Ersttäter. Natürlich waren sie auch alle betrunken. Aber vor Gericht gilt so was ja als mildernder Umstand. Als Entschuldigung.«

»Das wusste ich wirklich nicht, Ben.«

»Meinen Sie, sonst hätte ich Sie zum Squash mitgenommen? So verzweifelt habe ich nun auch wieder keine Gesellschaft nötig.« Er trocknete sich mit dem Taschentuch den Nacken ab. »Wahrscheinlich war es sowieso keine besonders gute Idee, bei diesem Wetter zu spielen.«

»Warum haben Sie mir das mit Ihrem Vater nicht gesagt?«

Cooper sah auf seine Füße.

»Wenn Sie es wirklich wissen wollen, ich kann es einfach nicht mehr hören. Seit zwei Jahren wird es mir nun schon unter die Nase gerieben. Jedes Mal, wenn ich auf die Wache komme, muss ich an dieser verdammten Gedenktafel vorbei. Wissen Sie, dass sie zur Erinnerung im Clappergate eine Bank mit einer Messingplakette aufgestellt haben? Damit es die Bevölkerung von Edendale auch nie vergisst. Mittlerweile versuche ich sogar schon, diesen Teil vom Clappergate zu meiden. Ich mache einen Umweg, damit ich die Bank nicht sehen muss. Und dann die ganzen Leute, die sich an ihn erinnern. Tausende von ihnen. Selbst wer vor seinem Tod noch nie etwas von ihm gehört hatte, wusste plötzlich alles über ihn, nachdem die Zeitungen mit der Geschichte durch waren.«

»Wie in Moorhay.«

»Ja. Wie in Moorhay. ›Das ist Sergeant Coopers Junge.‹ ›Sind Sie nicht Sergeant Coopers Sohn?‹ Es gibt mir jedes Mal einen Stich. Als ob sie mit einem Messer in einer alten Wunde stochern, damit sie bloß nicht verheilt. Der Tod meines Vaters hat mein Leben zerstört. Und die Leute werden es mich nie vergessen lassen. Manchmal denke ich, wenn noch ein einziger Mensch ›Sergeant Coopers Junge‹ zu mir sagt, platzt mir der Kragen. Irgendwann kriege ich einen Koller.«

Er ballte die Faust um den Squashball, ließ ihn auf dem Boden auftippen und schlug ihn fast lässig mit dem Schläger gegen die Wand, sodass er im hohen Bogen zurückgesegelt kam und wieder in seiner Hand landete.

»Waren Sie damals schon in der Dienststelle E?«

»Ich war schon bei der Kripo. Als es passiert ist, hatte ich gerade einen Einbrecher verhaftet, einen typischen Edendaler Kleinganoven. Ich hörte den Funkspruch, während ich mit ihm im Auto saß. Den Augenblick werde ich wohl nie vergessen.«

»Und das hat Sie nicht vom Polizeidienst abgebracht?«

Er machte ein überraschtes Gesicht. »Natürlich nicht. Im Gegenteil. Es hat mich eher noch bestärkt.«

»Bestärkt? Dann wollen Sie Karriere machen?«

»Ja. Bei uns wird auch bald die Stelle eines Sergeants frei«, sagte er. »Eigentlich müsste ich die Beförderung kriegen.«

»Na dann, viel Glück«, sagte Fry. »Sie haben sicher gute Chancen.«

»Ach, ich weiß nicht«, sagte er zweifelnd. »Früher dachte ich das auch, aber jetzt …«

»Natürlich haben Sie Chancen.« Sie starrte ihn zornig an. Es ärgerte sie, dass er plötzlich die Schultern hängen ließ. Über seinen Vater hatte er noch mit Wut und Leidenschaft geredet, doch jetzt, nur Sekunden später, kam er ihr wie ein Verlierer vor.

»Meinen Sie?«

»Man scheint sehr viel von Ihnen zu halten. Bei der Polizei kennt Sie jeder. Und in der Bevölkerung natürlich auch.«

»Ach ja, die Bevölkerung«, sagte er abschätzig.

»Wenn *die* bestimmen dürfte, wären Sie schon Bürgermeister.«

»Wirklich? Na, wir wissen ja alle, wie viel Verlass auf *die* ist.«

Aber Fry hatte ihre Entschuldigung hinter sich gebracht, und allmählich ging ihr sein Trübsinn auf die Nerven. Er ließ den Ball noch einmal aufticken und schlug einen langsamen Lob, der wieder zurückkam.

»Ich stelle es mir richtig schön vor, so viele Freunde zu haben«, sagte sie. »Und dazu noch eine Familie, auf die man zählen kann.«

Er nahm die Augen vom Ball, verwirrt über ihren veränderten Tonfall.

»Sie werden wahrscheinlich nie von hier fortziehen, nicht wahr, Ben? Sie werden heiraten, eine alte Schulfreundin vielleicht, sie werden sich hier niederlassen, ein Häuschen kaufen, Kinder haben, sich einen Hund zulegen, wie es sich gehört.«

»Schon möglich«, sagte er. »Klingt gut.«

»Ich kann mir nichts Schlimmeres vorstellen«, sagte sie und schmetterte den Ball in die Deckenbeleuchtung.

Charlotte Vernon hatte Daniel in Lauras Zimmer gefunden. Auf der Kommode lag ein Stapel Briefe, sorgsam mit einer rosafarbenen Schleife verschnürt. Charlotte hatte die Briefe schon früher gesehen, sie aber nicht angerührt. Noch konnte sie nichts anfassen, was Laura gehört hatte. Es war, als würde sie damit endgültig anerkennen, dass sie für immer fort war.

»Ich hatte ihr geschrieben, dass ich letztes Wochenende kommen wollte«, sagte Daniel. »Sie wollte mit mir reden.«

»Worüber?«

»Ich weiß nicht. Es klang ernst. Ich habe ihr versprochen, über das Wochenende nach Hause zu kommen. Aber ich habe es nicht gemacht. Ich bin nicht gekommen.«

»Du hast ihr viel öfter geschrieben als uns, Danny.«

»Euch? Ihr hattet doch immer genug mit euren eigenen Angelegenheiten zu tun. Aber Laura brauchte den Kontakt zur Außenwelt. Sie hat sich hier wie eine Gefangene gefühlt.«

»Unsinn.«

»Tatsächlich?«

Daniel drehte einen Brief um und ließ den Blick über seine eigene Handschrift gleiten. Seine Mutter ging zum Fenster, nestelte an der Gardine herum und sah hinunter in den Garten. Sie kniff die Augen zusammen, geblendet von der Sonne, die vom Gartenhaus reflektiert wurde. Dann stellte sie einen Porzellanteddy, den die Polizei von der Fensterbank genommen hatte, wieder auf seinen Platz zurück. Es war ein Royal Crown Derby Briefbeschwerer mit einem kunstvollen Imari-Design, den Graham seiner Tochter von einer Geschäftsreise mitgebracht hatte. Charlotte wandte sich wieder ihrem Sohn zu und sah ihn an, doch er war so in die Briefe versunken, dass sie schließlich ungeduldig wurde.

»Wonach genau suchst du, Danny? Nach Beweisen für deine eigene Schuld?«

Daniel wurde rot. »Bei euch brauche ich jedenfalls nicht lange zu suchen. Bei dir und Dad. Ihr habt ja nie ein Geheimnis daraus gemacht.«

»Rede nicht so.«

Charlotte war enttäuscht gewesen, dass ihr Sohn es nicht für nötig befunden hatte, zwischen seiner Urlaubsreise mit Freunden nach Cornwall und der verfrühten Rückkehr an die Universität nach Hause zu kommen, und sei es auch nur für ein, zwei Tage. Sie wusste nicht, aus welchem Grund er weggeblieben war. Sie rümpfte die Nase über Daniels verdreckte Jeans, die zerschrammten Schuhe und seinen starken Körpergeruch. Er sah müde aus, tiefe Furchen und Bartstoppeln in seinem runden Gesicht. Er erinnerte sie stark an seinen Vater, wie er vor neunzehn Jahren gewesen war, bevor ihm der Erfolg und das Geld einen Anstrich von Kultiviertheit verliehen hatten. Auch Graham war ein Mensch gewesen, der seine Leidenschaften schwer unter Kontrolle halten konnte.

»Da fehlt einer«, sagte Daniel plötzlich.

»Wie bitte?«

»Ein Brief. Ich habe ihn Laura letzten Monat aus Newquay geschickt. Aber er ist nicht da, da ist eine Lücke. Wo ist er? Sie hat die Briefe immer alle zusammen aufbewahrt.«

»Die Polizei hat sie sich angesehen«, sagte Charlotte unsicher. »Möglich, dass die Beamten ihn mitgenommen haben.«

»Wozu das denn?«

»Das weiß ich nicht. Es kommt wohl darauf an, was darin steht.«

»Dürfen die das?«

»Ich nehme an, dein Vater hat es ihnen erlaubt. Frag ihn. Ich weiß nicht, wonach sie gesucht haben.«

Daniel legte die Briefe aus der Hand. Er band sie wieder mit der Schleife zusammen, sorgfältig und ordentlich, obwohl seine Hände zitterten.

»Das ist doch verdammt klar, wonach sie gesucht haben.«

Als er zur Tür gehen wollte, hielt Charlotte ihn am Arm fest. Er hatte sich nicht gewaschen, vielleicht schon seit Tagen nicht mehr. Sein Nacken war schmutzig, und der Halsausschnitt seines T-Shirts hatte einen schwarzen Rand. Am liebsten hätte sie ihn ins Badezimmer gezogen und ihn aufgefordert, die dreckigen Sachen auszuziehen, damit sie sie waschen konnte. Noch vor ein, zwei Jahren hätte sie so mit ihm sprechen können.

Aber Charlotte wusste, dass ihr Sohn ihrer Kontrolle längst entglitten war. Sie hatte keine Ahnung, was er in Exeter trieb. Er erzählte ihr nichts mehr über sein Studium, seine Freunde oder seine Unterkunft. Den zornigen, vorwurfsvollen jungen Mann, in den er sich verwandelt hatte, konnte sie nicht mehr verstehen.

»Danny«, sagte sie. »Du darfst uns nicht verurteilen. Es hat keinen Sinn, alte Streitereien wieder aufzurühren, die nichts mit dieser Sache zu tun haben. Lass die Polizei herausfinden, was mit Laura passiert ist. Wir selbst müssen irgendwie versuchen, ohne sie zusammen weiterzuleben.« Er machte ein mürrisches, abweisendes Gesicht. Er spannte die Muskeln an, um sich von ihr freizumachen, um die letzte Verbindung, die noch zwischen ihnen bestand, abzuschütteln. »Dein Vater…«

Das hätte sie besser nicht gesagt. Daniel stieß ihre Hand weg. »Wieso sollte ich euch nicht verurteilen? Du und mein Vater, ihr seid doch verantwortlich für das, was mit Laura geschehen ist. Für das, was aus ihr geworden ist.«

Er blieb in der Tür stehen. Das Gesicht vor Wut und Verachtung verzerrt, blickte er noch einmal zu Charlotte zurück. »Und du, Mum, hast noch nicht einmal gesehen, was aus ihr geworden war.«

Die drei alten Männer saßen zusammengezwängt auf der Sitzbank von Wilfords Pick-up-Truck. Sie hatten die Hauptverkehrsstraßen gemieden, auf denen die Touristen unterwegs waren, und fuhren stattdessen über die kurvenreiche Straße von Eyam Moor in das Hope Valley hinunter. Aber wenn sie die A625 erreichten, würde ihnen der abendliche Berufsverkehr aus Castleton entgegenkommen.

Sie hockten zwischen Futtersäcken und herumliegendem Werkzeug. Der Boden des Führerhauses war mit zerknittertem Zeitungspapier bedeckt, einem alten Knochen, einem Plastikeimer und einem kleinen Sack mit einem toten Kaninchen. Sam, der zwischen den beiden anderen saß, bewegte die knochigen Knie, um unter dem Armaturenbrett Platz für seinen Spazierstock zu finden, und zuckte bei jeder Unebenheit der Straße zusammen. Wilford saß am Steuer, die Mütze tief in die Stirn gezogen, damit ihm die Haare durch den Fahrtwind nicht ins Gesicht geweht wurden. Er riss das Steuer hin und her und bremste den Wagen vor jeder Kurve scharf ab. Harry, der auf der Beifahrerseite saß, sah aus, als ob er in einer Limousine chauffiert wurde. Er hatte die Hände entspannt im Schoß liegen und drehte langsam den Kopf hin und her, um in Ruhe die vorbeiziehende Landschaft zu betrachten.

Auf der Ladefläche des Trucks stand die braunweiße Ziege auf einem Lager aus Jutesäcken. Sie war mit einer kurzen Kette an der Rückseite der Fahrerkabine festgebunden, sodass sie die Seitenwände nicht erreichen konnte. Ab und zu drehte sie den Kopf und meckerte einen verdutzten Radfahrer an.

Hinter einem schweren Lastwagen vom Steinbruch, der sich durch die Serpentinen quälte, kamen sie mit dem Pick-up nur langsam voran. Ringsum lagen die vertrauten Kämme und Felsvorsprünge der Berge, und immer wieder boten sich unerwartete Ausblicke auf eine Landschaft, die die uralte Geschichte der Bleiförderung hätte erzählen können. Auf einem Feld zeugten überwucherte Senken und Erhebungen vom Verlauf einer erschöpften Ader. Hier und da stand eine verlassene Schachtanlage, von einer Mauer umgeben, um Unfälle zu verhindern. Vor vielen Jahren hatte es einen berühmten Mordfall gegeben, bei dem zwei Leichen aus einem der Schächte gezogen worden waren.

»Wissenschaftliche Tests hin oder her«, sagte Harry. »Die Bullen müssen immer rumlaufen und Fragen stellen.«

»Ist doch klar«, sagte Wilford.

»Aber es ist wie in dem Lied«, sagte Sam.

»Was für ein Lied?«

Sam begann leise zu singen. Seine Stimme war so brüchig und schief, dass die Melodie nur mit Müh und Not zu erkennen war. Es war ein Lied, das sie alle kannten, »Ol' Man River« aus dem Musical *Showboat*. Bald fielen auch Harry und Wilford ein, unharmonisch und immer wieder von Gelächter unterbrochen.

»*Don't say nothing*«, wiederholte Sam noch einmal, als sie fertig waren.

Kurz vor Bamford hielt Wilford vor einem heruntergekommenen Bauernhof an und hupte. Zwei Schäferhundmischlinge kamen, so weit es ihre Kette erlaubte, aus ihrem Zwinger gelaufen, und bellten und knurrten die Räder des Wagens an. Ein etwa vierzigjähriger Mann mit wirrem Haar und buschigem Vollbart kam aus dem Haus und schlenderte gemächlich auf sie zu.

Wilford begrüßte ihn als »Scrubby«.

»Na, bringst du die junge Zicke?«, fragte der.

Die Ziege auf der Ladefläche brüllte. Sie veranstaltete einen solchen Lärm, dass sogar die Hunde aufhörten zu bellen.

»Aye, und da meldet sie sich auch schon«, antwortete Wilford.

»Die hat uns die ganze Zeit den Weg erklärt«, sagte Harry. »Schlimmer, als wenn man seine Alte im Auto hat.«

»Ihr habt doch hoffentlich keine Hunde dabei?«, fragte Scrubby. »Meine zwei würden sonst nämlich Zustände kriegen.«

»Haben wir zu Hause gelassen«, sagte Wilford.

Die drei alten Männer kletterten vorsichtig aus dem Wagen. Ihre Glieder knackten, als sie die Beine ausstreckten. Harry legte Sam den Arm um den Körper und half ihm vom Trittbrett herunter, bis er sich auf seinen Stock stützen konnte.

»Du liebes bisschen, was ist das denn?«, fragte Sam, als ihm ein derber Moschusgeruch in die Nase stieg. »Das riecht ja wie verbrannte Kotze.«

»Ach, das ist der Bock«, sagte Scrubby. »Der ist dieses Jahr ein bisschen früh dran. Bestimmt kann das junge Ding ihn schon riechen.«

Von der Ladefläche kam ein klatschendes Geräusch. Die Ziege schlug mit ihrem Schwanz einen schnellen Rhythmus an die Blechwände. Sie riss an ihrem Halfter, bis ihr das Halsband in die Kehle schnitt. Als sie Wilford sah, brüllte sie wieder.

»Decken Sie sie jetzt? Können wir zuschauen?«, fragte Sam.

»Natürlich. Es kostet nicht mal Eintritt.«

Die Ziege zerrte sie zu einem niedrigen Steinschuppen, nicht viel größer als ein Schweinestall, zu dem ein kleiner Hof gehörte. Aus diesem Gebäude schien der Gestank zu kommen. Die drei alten Männer bückten sich und sahen durch eine kleine Öffnung in den düsteren Schuppen. Sie konnten etwas Haariges erkennen, das unruhig hin und her lief, mit den Hufen am Tor kratzte und den Kopf an den Wänden rieb.

»Du großer Gott«, sagte Sam. »Der hat Eier, die sind so groß wie deine größten Rüben, Wilford.«

Die Ziege machte ein Gesicht, als ob sie es sich plötzlich

anders überlegt hätte und am liebsten wieder nach Hause wollte.

»Komm schon, Jenny«, sagte Wilford sanft.

Mit vereinten Kräften zogen sie die Ziege in den Hof, dann entriegelte Scrubby die Tür. Sie atmeten tief aus, als der Bock herauskam, dampfend und schnaubend. Er war doppelt so groß wie die junge Ziege, mit einer breiten Brust und dichtem, verfilztem Fell. Er hatte dicke, gedrehte Hörner, die sich wie knorrige Baumwurzeln nach hinten bogen, und auf seinem spärlich behaarten Rückgrat kam stellenweise die graue, schuppige Haut zum Vorschein, zäh und runzelig wie die eines Elefanten. Die beiden Ziegen begannen einander zu umkreisen und aufgeregt zu beschnuppern. Als der Bock den verheißungsvollen Duft der Ziege einsog, bleckte er die Zähne, ein groteskes, lüsternes Grinsen.

Mit einem neugierigen Blick wandte Scrubby sich Harry zu, kratzte seinen Bart und rupfte an einem alten Stück Schnur, das um das Hoftor gewickelt war.

»Wie man hört, haben Sie das Mädchen gefunden, das bei euch in der Gegend ermordet wurde.«

»Aye, so was spricht sich schnell herum.«

»Komische Sache, was?«

»Zum Totlachen«, sagte Harry.

»Ich habe in der Zeitung ein Foto von der Kleinen gesehen. Bei der wäre den meisten jungen Kerlen bestimmt was Besseres eingefallen, als ihr den Schädel einzuschlagen.«

»Ach ja?«

»Meinen Sie nicht?«

»Sie war erst fünfzehn«, sagte Wilford, ohne sich umzudrehen. Scrubby reagierte auf den Ton der Antwort.

»Na ja, stimmt schon.«

Hinter dem Zaun versuchte der Bock ein ums andere Mal, sich so hinter der Ziege zu postieren, dass er sie bespringen konnte, aber Jenny wurde unruhig. Sie war leichtfüßiger als der Bock, und jedes Mal, wenn er sich ihr näherte, sprang sie davon, blickte sich nach ihm um und trottete weiter, aufreizend mit dem Schwanz schlagend. Der Bock stieß ein kehliges Knurren aus, mit offenem Maul, ein tiefes Stöhnen wie von einem verwundeten Wild. Er schlug mit den Vorderläufen nach Jenny und hinterließ schmutzige Hufabdrücke auf ihren Flanken. Je frustrierter er wurde, desto aufgeregter begann er zu schmatzen. Die Zunge hing ihm aus dem Maul, der Speichel spritzte durch die Gegend. Die beiden Ziegen wühlten die Erde auf, bis der Staub die weißen Haare an ihren Beinen dunkel färbte. Einmal stolperte die Ziege, als sie dem Bock ausweichen wollte, und ging in die Knie, aber sie kam wieder hoch und sprang erneut davon.

»Sieht nicht so aus, als ob sie will«, sagte Scrubby.

Sam nickte. »Sie ziert sich.«

»Sie ist noch jung«, sagte Wilford. »Sie weiß nicht, was los ist.«

»Aber sie muss trotzdem stehen bleiben.«

Widerwillig kletterte Scrubby über den Zaun in den Hof. Der Bock knurrte ihn an, dann konzentrierte er sich wieder auf die Ziege.

Als Jenny in Reichweite kam, packte Scrubby sie beim Hals und zog sie zu sich. Er verdrehte ihr Halsband, bis er sie im Würgegriff hatte, das Gesicht ihm zugewandt, die Augen angstvoll verdreht. Sie keuchte, die Nüstern gebläht und rosa, die Flanken wogend.

»Manchmal bleibt einem bei den jungen Zicken nichts anderes übrig«, sagte Scrubby. »Nach dem ersten Mal haben sie den Trick raus. Aber der alte Bock hier weiß genau, wie es geht.«

Der Bock warf ihm einen bösen Blick zu, trippelte ein paar Mal und stürzte sich auf die junge Ziege. Er grub ihr die Hufe tief in die Flanken und warf sich mit seinem haarigen Körper auf sie. Scrubby packte das Halsband fester, sodass Jenny nicht entkommen konnte. Sie stöhnte und wimmerte, ihr Atem ging in kurzen Stößen. Sobald sich der Bock auf ihrem knochigen Becken im Gleichgewicht hatte, drang er in sie ein. Die Beine der jungen Ziege knickten ein, und sie sank unter seinem Gewicht zusammen. Scrubby riss sie mit Gewalt hoch. Der Bock stieß noch dreimal schnell hintereinander zu, dann warf er den Kopf nach hinten und rutschte herunter. Es war vorbei.

Scrubby lockerte den Griff um das Halsband, und Jenny begann krampfhaft zu husten. Ihre Beine zitterten, und ein dünner Faden weißer Samenflüssigkeit lief über die nackte Haut unter ihrem Schwanz.

Einen Augenblick lang herrschte Stille, unterbrochen nur von dem gequälten Husten der Ziege.

»Das hat ihr nicht viel Spaß gemacht«, sagte Wilford mit einer fremden Stimme.

»Sie ist nur zu jung, das ist alles.«

»War es das?«

Jenny ging in die Hocke, und ein Strom gelben Urins floss auf die Erde. Der Bock kam näher, um an der Pfütze zu schnüffeln, dann leckte er die Flüssigkeit gierig auf. Die alten Männer verzogen das Gesicht und traten verlegen von einem Bein auf das andere.

»Ich halte sie noch ein bisschen fest, bis er wieder zu Atem gekommen ist«, sagte Scrubby. »Dann kann er noch mal ran.«

Auf der Rückfahrt nach Moorhay waren die drei Männer nicht sehr gesprächig. Der Abstecher nach Bamford schien ihnen aufs Gemüt geschlagen zu haben.

»Meint ihr, es geht ihr gut?«, fragte Wilford, als sie aus dem Hope Valley herauskamen und wieder bergauf fuhren.

»Er sah so aus, als ob er was von Tieren versteht«, sagte Sam.

»Anscheinend ist es ziemlich schwer für sie, wenn sie noch so jung sind. Sie war einfach unerfahren.«

»Unerfahren?«, sagte Harry. »Die wollte es doch nicht anders. Warum hat sie sich sonst auf der Fahrt so angestellt?«

Die anderen nickten zögernd, und Sam hustete gequält. Er machte einen mitgenommenen Eindruck und hatte keine Lust mehr, Witze zu reißen. Wilford starrte grimmig nach vorn auf die Straße, bis Harry auf der Anhöhe, hinter der es in ihr Heimattal hinunterging, erneut das Wort ergriff.

»Wisst ihr was?«, sagte Harry. »Vielleicht gebe ich den Bullen doch einen Tipp.«

Sam und Wilford nickten. Niemand sagte mehr ein Wort, bis sie zu Hause waren. Und niemand sang.

14

Nachdem Ben Cooper und Diane Fry aus der Dusche gekommen waren, noch klamm und mit kribbelnden Muskeln, gingen sie in die Bar des Rugby-Clubs, um noch einen Saft zu trinken, bevor sie nach Edendale zurückfuhren. Cooper, der einen kurzen Blick auf Frys Wohnung erhascht hatte, glaubte, sich vorstellen zu können, warum sie es nicht eilig hatte, nach Hause zu kommen. Was für Gründe er selbst hatte, konnte sie nicht wissen, und bislang hatte sie auch keinerlei Interesse daran bekundet. Sie wollte über die Arbeit sprechen, die Ergebnisse des Tages noch einmal durchgehen.

»Mann, dieses Moorhay«, sagte sie. »Sind die Leute hier alle so ruppig und schwierig? Dieser Dickinson war der Schlimmste. Alles andere als eine große Hilfe.«

»Er ist ein alter Mann«, sagte Cooper. »Ein alter Mann, der unter Schock stand. Was hatten Sie denn von ihm erwartet? Die meisten Leute sind freundlich und hilfsbereit.«

»Das glaube ich, wenn ich es sehe.«

Cooper fand ihre Einstellung Harry Dickinson gegenüber oberflächlich. Sein Eindruck war ein völlig anderer gewesen. Er dachte daran, wie er Laura Vernons Leiche gefunden hatte, als Harry sich wie ein schwarzes Zeichen von der sonnenüberfluteten Berglandschaft abgehoben hatte. Ruppig und schwierig? Vielleicht. Aber mit Sicherheit auch verstört.

»Augenblick mal«, sagte Fry. »Das hörte sich aber heute Nachmittag bei der Besprechung noch ganz anders an. Sie waren es doch, der wollte, dass Dickinson härter angepackt wird.«

»Das ist etwas anderes.«

»Ach ja? Ein alter Mann, der unter Schock steht. Und den wollen Sie härter anpacken? Das hört sich für mich doch sehr nach unnötiger Schikane an, Kollege. Was ist denn plötzlich aus Ben Cooper, dem Freund und Helfer, geworden? Geben Sie es zu, Sie fanden ihn auch nicht gerade hilfsbereit.«

»Ich glaube, dass er etwas weiß, was er nicht sagt«, gab Cooper zu.

»Und das ist nicht das Gleiche?«

»Vielleicht haben Mr. Tailby und Mr. Hitchens nicht die richtigen Fragen gestellt«, sagte er nachdenklich. »Vielleicht hat es gar nichts mit Laura Vernon zu tun. Ich weiß es nicht.«

»Warum fragen Sie nicht einfach Ihre Freundin?«

»Wen?«

»Na, Sie wissen schon – die Enkelin, Helen Milner. Die hat doch sowieso ein Auge auf Sie geworfen. Sie ist Ihnen in Moorhay ja wie ein herrenloses Hündchen nachgelaufen.«

»Quatsch.«

Fry zuckte mit den Schultern. »Die Beweislage ist eindeutig, Euer Ehren.«

Cooper ließ sich nicht aus der Reserve locken.

»Und wie fanden Sie die beiden anderen – Harry Dickinsons Freunde?«, fragte er.

»Mein Gott, erinnern Sie mich bloß nicht. Auf der Farm kam man sich ja vor wie ins Mittelalter versetzt. Als ich aus den West Midlands weggezogen bin, haben mich alle gewarnt, wie primitiv es auf dem Land wäre. Jetzt weiß ich, dass es stimmt. Dieses tote Huhn. Wie Wilford Cutts' Frau es mit so einem Mann aushält, kann ich mir nicht vorstellen. Bestimmt musste sie ihm heute Abend eine Hühnersuppe kochen.«

»Und dem Huhn vorher den Kopf abhacken, es rupfen und ausnehmen«, sagte Cooper. »Das ist Frauenarbeit. So sagt man zumindest hier.«

»Das wird ja immer schöner. Ich würde ihn zwingen, sich sein totes Huhn dahin zu schieben, wo es am meisten wehtut.«

Cooper schnupperte an seinem Orangensaft, der verdächtig metallisch schmeckte.

»Wissen Sie was?«, sagte er. »Ich glaube, wir kommen mit den Ermittlungen kein Stück weiter, bis wir Lee Sherratt gefunden haben.«

»Er ist ein aussichtsreicher Kandidat.«

Cooper schüttelte den Kopf. »Da bin ich mir nicht so sicher. Wir verlassen uns allein auf Graham Vernons Aussage und hoffen, dass sich die Beweise irgendwie von selber finden. So etwas nenne ich denkfaul.«

»Okay, Sherlock. Sie wissen anscheinend mehr als Mr. Hitchens und Mr. Tailby zusammen. Was haben Sie für eine Theorie?«

»Was ich für ein Gefühl bei der Sache habe, wollen Sie vermutlich nicht wissen, hm?«

»Richtig vermutet. Ich will eine Theorie. Etwas, das auf Tatsachen beruht.«

»Geht es bei Ihnen eigentlich immer streng nach Vorschrift? Handeln Sie nie aus dem Bauch heraus, folgen Sie nie Ihren Instinkten?«

»Alles streng nach Vorschrift«, sagte Fry.

»Nehmen wir mal an, Sie sitzen plötzlich in der Klemme. Rufen Sie dann nur über Funk Hilfe und drehen Däumchen, bis die Verstärkung kommt?«

»Normalerweise schon«, sagte Fry. »Das wäre wohl das Gescheiteste.«

»Auf jeden Fall wäre es für Sie das Sicherste. Würden Sie nie gegen die Vorschriften verstoßen?«

Sie überlegte. »Okay, es könnte vorkommen, dass man selbst die Initiative ergreifen muss.«

»Heureka!«

»Ich lasse es Sie wissen, wenn es mal so weit ist. In Ordnung?«

»In Ordnung. Schicken Sie mir ein Fax.«

Ein paar Rugbyspieler, die stark nach Bier rochen, kamen an ihrem Tisch vorbei. Sie schlugen Ben Cooper auf die Schulter, fuhren ihm mit der Hand durch die Haare und rissen Witze darüber, ob er sich auch schön warmgespielt habe. Sie warfen Fry über den Tisch hinweg anzügliche Blicke zu, sprachen sie aber nicht an.

Fry verlor allmählich das Interesse an Ben Cooper. Privat stand sie kaum auf Polizisten. Es kam nur selten vor, dass sie das Gefühl hatte, mehr über einen Kollegen wissen zu wollen. Ben Cooper fiel mit Sicherheit nicht in diese Kategorie.

»Was wissen Sie über DI Armstrong?«, fragte sie ihn, als die Rugbyspieler gegangen waren.

»Nicht viel. Ich habe mal kurz mit ihr zusammengearbeitet, als sie noch Detective Sergeant war, aber dann hat die Dienststelle B sie uns weggeschnappt. Sie ist ziemlich schnell befördert worden. Aber ich kann nicht behaupten, dass sie überwältigende Ergebnisse vorzuweisen hat, seit sie Detective Inspector ist.«

»Wahrscheinlich behaupten Sie gleich, dass sie den Job nur bekommen hat, weil sie eine Frau ist.«

»Nein, aber…«

»Vielleicht stimmt es sogar. Na und? Ist doch endlich mal was Neues.«

»Für mich nicht.«

Fry trank aus und knallte das Glas auf den Tisch. »Gehen wir? Hier ist es einfach zu öde.«

Als sie die Bar verließen, war es dunkel geworden. Cooper drückte auf den automatischen Türöffner an seinem Schlüsselbund, und der Toyota blinkte ihm vom Parkplatz zu. Die skelettartigen Stangen der weißen Rugbytore standen wie Wächter am Rand der schwarzen, verlassenen Spielfelder.

»Spielen Sie auch Rugby?«, fragte Fry, als sie einstiegen.

»Nein. Dafür habe ich mich noch nie interessiert«, sagte er.

»Nicht? Ich dachte, alle Jungs stehen auf Mannschaftssport.«

»Würde ich nicht sagen.«

»Vor allem bei der Polizei. Weil es gut für den Teamgeist ist.«

Cooper zuckte mit den Schultern. »Ich bin bis jetzt darum herumgekommen. Mir sind Einzelsportarten lieber. Aber dafür bin ich im Polizeichor.«

»Ist das ein Witz?«

»Nein, und es macht wirklich Spaß. Wir geben sogar Konzerte, meistens für Senioren und so, vor allem im Advent. Die alten Herrschaften sind ganz verrückt nach uns. Und für die Polizei ist es eine gute Werbung.«

»Singen Sie Sopran?«

»Tenor.«

Nachdem sie ein paar Kilometer in Richtung Edendale gefahren waren, bog Cooper mit dem Toyota in eine Nebenstraße ein, die wieder aus dem Tal hinausführte.

»Wo wollen Sie denn hin?«, fragte Fry.

»Ich hatte eine Idee«, sagte er. »Mir ist etwas eingefallen, als wir über DI Armstrong geredet haben.«

»Worauf wollen Sie hinaus?«, sagte Fry mit einem warnenden Unterton in der Stimme.

»Ich habe Ihnen doch erzählt, dass die Dienststelle B sie uns weggeschnappt hat.«

»Wollen Sie schon wieder darauf herumreiten?«

»Nein, nein, Sie verstehen mich falsch. Ich dachte dabei an Wilderei.«

»Wie bitte?«

»Die Dienststelle B hat gewissermaßen in unserem Revier gewildert, deshalb musste ich daran denken. Es gibt hier oben einen großen Landsitz, das Colishaw Estate.«

»Ja, und?«

»Auf dem Colishaw Estate werden Jagden veranstaltet. Das heißt, dort werden Fasane gezüchtet. Außerdem gibt es Wild. Von Kaninchen, Hasen und Rebhühnern ganz zu schweigen.«

»Soll das eine Naturkundestunde werden? Wenn ja, können wir sie dann vielleicht auf morgen verschieben?«

»Deshalb ist das Landgut natürlich bei Wilderern sehr beliebt«, fuhr Cooper geduldig fort.

»Natürlich.«

»Früher hatten wir große Probleme mit professionell operierenden Banden, aber die spielen heutzutage kaum noch eine

Rolle. Mit der Wilderei ist nicht mehr viel Geld zu machen. Aber die Einheimischen gehen immer noch in den Wald.«

»Um Fasane und Kaninchen zu fangen?«

»Um sie zu jagen.«

Cooper hielt an, neben einem Schild »Privatbesitz – Betreten verboten«. Auf der Straße herrschte kaum Verkehr, und bis auf die Sterne am klaren Himmel war es eine pechschwarze Nacht. Das Licht der Scheinwerfer fiel auf eine Mauer und einen Stacheldrahtzaun.

»Da unten steht eine alte Hütte«, sagte er und zeigte in den Wald. »Bei Wilderern schon immer ein beliebter Unterschlupf. Da kommen die Wildhüter auf ihren Streifengängen nicht so oft vorbei. Jackie Sherratt war ein stadtbekannter Wilderer. Er hat sich immer in der Hütte verkrochen. Sicher hat er seinen Sohn Lee manchmal mitgenommen. Als Teil seiner Ausbildung.«

»Sherratt? Augenblick mal. Sie glauben …«

»Es wäre möglich. Lee könnte die Hütte als Versteck benutzen. Da hat bestimmt noch keiner nach ihm gesucht. Es ist zu weit von Moorhay entfernt. Aber bestimmt nicht zu weit für einen Typen wie Lee.«

»Sagen Sie nicht, Sie wollen mal nachsehen.«

»Ja.«

»Jetzt?«

»Warum nicht?«

»Sind Sie verrückt? Mitten in der Nacht?«

»Ich sehe mir die Hütte auf jeden Fall an«, sagte Cooper. »Sie können ja hier warten, wenn Sie wollen.«

Er stieg aus und nahm eine stabile Taschenlampe aus dem Handschuhfach.

»Das können wir doch nicht machen.«

»Ich schon«, sagte Cooper. »Aber Sie müssen sich natürlich an die Vorschriften halten.«

Er kletterte über die Mauer. Wo der Wald begann, stieß er auf den Anfang eines schmalen Weges, der von der Straße aus nicht zu sehen gewesen war.

»Warten Sie, verdammt noch mal«, sagte Fry und knallte die Tür zu.

Er grinste und betätigte die elektronische Türverriegelung.

»Man kann nie vorsichtig genug sein.«

Sie hielten sich dicht beieinander und teilten sich das Licht der Taschenlampe. Cooper hatte sich immer als Teil der Welt gefühlt, in der er arbeitete, vor allem, wenn er unter freiem Himmel war. Aber Diane Fry, so dachte er, würde in dieser Welt wohl immer eine Fremde bleiben. Während er auf jedes Geräusch aus dem Wald achtete, schien sie nur mit sich selbst beschäftigt zu sein, als könnte sie im Dunkeln nicht nur nichts sehen, sondern ihre Umgebung auch weder hören noch riechen und nicht einmal die Beschaffenheit des Bodens unter ihren Füßen spüren. Cooper lauschte angestrengt. Auf dem Land wusste jeder, dass einem die Geräusche der Tiere verrieten, ob Menschen in der Nähe waren.

Er hörte das Echo eines leisen Schreis, das tief aus dem Wald kam, ein flüchtiger Laut, als ob ein Nagel über Glas oder ein Stück Kreide über eine Tafel kratzte, aber in einem klagend abfallenden Ton endend.

»Junge Eule.«

»Bitte?«, sagte Fry.

»Junge Eule.«

»Was reden Sie denn da? Spielen wir Cowboys und Indianer? Sie großer Häuptling Junge Eule, ich Squaw?«

»Ich meine den Vogel. Hören Sie ihn nicht?«

»Nein.«

Sie spitzten die Ohren.

»Jetzt ist er weg«, sagte Cooper.

Fry schien es wirklich nicht leicht zu fallen, bei Nacht in den Wald zu gehen. Cooper war überrascht. Ob sie sich im Dunkeln fürchtete? Aber doch nicht Diane Fry, nicht die Macho-Frau.

»Sind Sie nervös?«, fragte er.

»Natürlich nicht.«

»Wenn es Ihnen lieber wäre, können wir auch bis morgen warten. Ich könnte es bei der Frühbesprechung erwähnen und abwarten, ob jemand etwas unternimmt. Schließlich kriegen wir noch nicht mal die Überstunden bezahlt. Vom Finanziellen her lohnt es sich also schon mal nicht – wenn man es so sehen will.«

»Da wir nun schon einmal hier sind, bringen wir es hinter uns. Dann können wir nach Hause.«

»Wenn er sich aber *tatsächlich* da unten verkriecht, ist er bis morgen vielleicht schon längst über alle Berge.«

»Würden Sie jetzt endlich die Klappe halten, damit wir die Sache hinter uns bringen können?«

Diane Fry empfand die Dunkelheit als bedrückend. Wenn sie doch bloß eine eigene Taschenlampe gehabt hätte. Wenn sie sich nur nicht auf Coopers verrückte Idee eingelassen hätte und im Auto sitzen geblieben wäre. Wenn sie sich doch nie von einem Spinner wie Ben Cooper zu einer Partie Squash hätte einladen lassen. Sie hatte von Anfang an gewusst, dass es ein Fehler war. Sie hätte sich nicht mit ihm abgeben dürfen, nicht einmal für einen Abend. Und nun kam so etwas dabei heraus. Ein dummes Abenteuer, aus dem es für sie kein Zurück mehr gab.

Vor ihr bewegte sich Cooper mit übertriebener Vorsicht durch das Gelände. Langsam setzte er einen Fuß vor den anderen. Die Taschenlampe hielt er nach unten gerichtet und schirmte sie mit der Hand ab, damit ihr Lichtstrahl nicht schon von weitem zu sehen war. Einmal blieb er stehen und lehnte sich an einen Baum, um auszuruhen. Als er sich wieder aufrichtete, taumelte er wie ein Betrunkener. Als Fry nach seinem Arm griff, um ihn zu stützen, fand ihre Hand keinen Gegendruck. Seine Muskeln waren schlaff. In dem schwachen Licht konnte sie sein hohlwangiges Gesicht erkennen, die schweren Augenlider.

»Sie sind ja völlig erledigt«, sagte sie. »Sie schaffen das nicht. Wir müssen umkehren.«

»Noch nicht«, sagte Cooper. »Es geht schon wieder.«

Er schüttelte sich ein paar Mal, und sie gingen weiter. Bald zeichnete sich vor ihnen im Dunkeln eine tiefschwarze Stelle ab.

Cooper knipste die Taschenlampe aus und winkte Fry zu sich. Er wollte ihr etwas ins Ohr flüstern. Sie spürte seinen warmen Atem auf der nachtkühlen Haut.

»Da ist die Hütte. Sie bleiben hier, während ich durch das Fenster sehe. Machen Sie ja kein Geräusch.«

Fry wollte widersprechen, aber er brachte sie zum Schweigen. Dann schlich er auf die Hütte zu. Kurz darauf war seine Gestalt zwischen den dunklen Bäumen verschwunden, und sie war allein. Sofort trat ihr kalter Schweiß auf die Stirn. Sie fluchte im Stillen, denn sie wusste genau, was nun kommen würde.

Sobald Diane allein war, rückte die Dunkelheit von allen Seiten näher. Wie eine schwere Decke senkte sie sich auf sie herab, presste sich gegen ihren Körper und erstickte sie mit ihrer warmen, klebrigen Umarmung. Die Dunkelheit war so schwer, dass sie ihr den Atem aus der Lunge presste, ihre Glieder lähmte und ihr jegliche Kraft aus den Muskeln zu saugen schien. Sie riss die Augen weit auf und lauschte angestrengt auf jedes kleine Geräusch aus dem Wald. Ihr Herz flatterte und raste, von der altbekannten Angst ergriffen.

Rings um sie murmelte und tuschelte es in der Nacht, es trippelte und huschte, hunderte leiser Bewegungen, die immer näher heranzukriechen schienen, deutlich wahrzunehmen, aber nicht zu benennen. Ihre Haut kribbelte. Es war, als stünde sie in einem wimmelnden Ameisenhaufen und winzige Insekten krabbelten zu tausenden über ihren Körper, bis in die intimsten Körperöffnungen. Sie bekam eine Gänsehaut, und eine eisige Kälte drang ihr in die Knochen.

Sie hatte immer gewusst, dass die Erinnerungen nicht verschwunden waren, dass sie jederzeit aus dem Dunkel hervorbrechen konnten, um nach ihren Händen und nach ihrem Gesicht zu greifen, um ihre Gedanken in Aufruhr zu versetzen und ihren Körper erstarren zu lassen. Verzweifelt versuchte sie, die dunklen Schemen zu zählen, die sie umlauerten, die verschwommenen Silhouetten zu erkennen, die immer näher rückten, die sich schon anschickten, ihr die Zähne in den Hals zu schlagen und ihr die Luft abzudrücken.

Und dann war es ihr, als hörte sie im Dunkeln eine Stimme. Eine Stimme, die sie kannte, ein derber, nuschelnder Birminghamer Akzent. »Sie ist ein Bulle«, sagte die Stimme. Höhnisches Gelächter, das sich von einem Schatten auf den anderen übertrug. Wie eine Wand ragte die Bedrohung um sie auf, und wohin sie sich auch drehte und wendete, es gab keinen Ausweg. »Ein Bulle. Die Alte ist eine Bullensau.«

Das Licht fiel in ihr Gesicht und blendete sie. Sie wusste, dass hinter dem Licht ein Mensch war, aber sie konnte seine Augen nicht erkennen. Automatisch spannte sie alle Muskeln an, die Hände ballten sich zu Fäusten, die Fingerknöchel stachen hervor, die Daumen pressten sich über die Finger, die Beine stemmten sich fest auf den Boden. Konzentration. Adrenalin in die Muskeln. Zum Angriff bereit.

»Alles in Ordnung?«

Eine besorgte Stimme, ein nördlicher Dialekt. Flüsternd. Ungefährlich. Fry entspannte die Muskeln. Allmählich kam sie wieder zu sich, und dann wusste sie auch wieder, wo sie war, in einem Wald in Derbyshire, viele Kilometer von Birmingham entfernt. Das Grauen lag schon Monate hinter ihr, nur die seelischen Wunden lagen noch offen und taten jedes Mal weh, wenn der kalte Wind der Erinnerung darüber streifte. Sie atmete tief ein, mit schmerzender Lunge.

Cooper beugte sich vor, sodass ihre Gesichter nur eine Handbreit voneinander entfernt waren. »Alles in Ordnung, Diane?«

Instinktiv streckte sie die Hand nach ihm aus, wie ein Kind, das sich in eine liebevolle, schützende Umarmung flüchten wollte. Als sie seine Kraft und seine tröstliche Wärme spürte, schloss sie die Augen und kostete das flüchtige Gefühl von Zärtlichkeit und Zuneigung aus. Sie konnte sich kaum noch daran erinnern, wie es war, einem anderen Menschen so nahe zu sein. Sie hatte sich schon lange nicht mehr gewünscht, in den Arm genommen und getröstet zu werden. Seit einer Ewigkeit hatte es niemanden mehr gegeben, der ihr die Tränen abwischte.

»Was fehlt Ihnen?«

Fry zog die Hand zurück, blinzelte die Tränen weg und richtete sich auf. Kontrolle und Konzentration, das war es, was sie brauchte. Sie atmete ein paar Mal tief durch, bis ihr Herz wieder normal schlug. Kontrolle und Konzentration.

»Nichts, Ben. Haben Sie etwas gesehen?«

»Er ist tatsächlich in der Hütte. Er hat eine Kerze an, und ich konnte sein Gesicht im Halbprofil erkennen.«

»Sind Sie sicher?«

»Er ist es, hundertprozentig.«

»Was machen wir jetzt?«

»Soll das ein Witz sein? Wir nehmen ihn fest.«

Fry seufzte. »Okay. Dann nehmen wir ihn eben fest.«

Cooper drückte freundschaftlich ihren Arm. Sie biss sich auf die Lippe und schüttelte seine Hand energisch ab.

»Es gibt nur eine Tür, und die hat kein Schloss«, sagte er. »Wir stürmen rein, einer links, einer rechts, und überrumpeln ihn. Das Reden übernehme ich, okay?«

»Mir soll es recht sein.«

Sie schlichen zur Hütte, blieben stehen und sahen sich an. Dann nickte Cooper, hob den Riegel an und trat die Tür auf. Schon war er drinnen. Er huschte nach rechts und überließ Fry die linke Seite.

An der Rückwand der Hütte stand ein junger Mann über einen Tisch gebeugt. Eine Kerze warf ein zuckendes Licht auf sein Gesicht und malte seinen Schatten an die gegenüberliegende Wand. In dem Raum standen ein alter Stuhl und ein kleiner Schrank, auf dem Boden lag ein abgetretener Teppich. Es roch nach Erde und verschimmeltem Brot.

Cooper steckte die Hand in die Jacke, um seinen Ausweis herauszuholen.

»Lee Sherratt? Polizei.«

Sherratt drehte sich um, langsam und bedächtig. Da erst sah

Cooper die Waffe. Der junge Mann hielt sie in der Hand, als er die Hände vom Tisch nahm, sie kam hoch, der Lauf schwang auf Cooper zu. Sherratt umklammerte den Schaft mit solcher Kraft, dass seine Finger weiß wurden. Ein Zeigefinger glitt auf den Abzug zu, schloss sich um den Stahl und krümmte sich.

Cooper blieb wie angewurzelt stehen, die rechte Hand noch in der Innentasche. Er konnte sich nicht bewegen, er konnte nicht denken. Seine Instinkte versagten. Das Letzte, was er erwartet hatte, war, in einer Wildererhütte zu sterben, auf einem fadenscheinigen Teppich, verdreckt mit Erde und alten Essensresten.

Plötzlich tauchte Diane Fry auf. Sie war doppelt so schnell wie Sherratt. Sie holte mit dem gestreckten rechten Bein aus, traf Sherratt am Handgelenk und trat ihm die Flinte aus der Hand, sodass sie gegen die Hüttenwand flog. Noch bevor die Waffe auf dem Boden gelandet war, hatte sie den Fuß wieder gesenkt, sie verlagerte das Gewicht und schlug ihm mit der geschlossenen Faust von unten nach oben in den Solar plexus. Sherratt kippte rückwärts gegen den Tisch, sackte zu Boden und erbrach sich auf den Teppich. Fry sprang zurück, um keinen Fleck abzubekommen.

»Sie sind nicht verpflichtet, eine Aussage zu machen, aber alles, was Sie sagen, kann vor Gericht gegen Sie verwendet werden«, sagte sie.

»Scheiße«, stöhnte Cooper.

Fry kramte Plastikhandfesseln und Handy aus ihrer Jackentasche.

»Natürlich hätte ich auch zuerst Verstärkung anfordern können«, sagte sie. »Aber wie ich schon sagte. Man muss auch mal eine Ausnahme machen können.«

15

Und wo sind sie, Sir?«

»Genau wissen wir es nicht. Vermutlich irgendwo auf dem Pennine Way.«

»Aber der ist fast 400 Kilometer lang.«

»Es soll sich um insgesamt 22 Personen handeln«, sagte DCI Tailby. »Und die müssen alle befragt werden, Paul?«

DI Hitchens saß neben Tailby am Kopfende des Besprechungsraums. Offenbar rückte er im Fall Vernon allmählich wieder etwas mehr in den Vordergrund.

»Die Wanderer, die auf dem Eden Trail gesichtet wurden, sind Studenten aus Newcastle, die einen einwöchigen Wanderurlaub machen. Unseren Erkenntnissen zufolge haben sie am Samstag in der Camping-Scheune in Hathersage übernachtet und wollten am Sonntag weiter, über Barber Booth zum Pennine Way. Aber das war vor fast vier Tagen; sie könnten inzwischen bis nach West- oder Nord-Yorkshire gekommen sein. Die örtlichen Polizeidienststellen fahnden nach ihnen.«

Tailby nickte. »Diese Spur wird von DI Hitchens verfolgt. Sobald die Studenten gefunden sind, fährt er nach Yorkshire, um sie zu befragen. DC Fry wird ihn dabei begleiten.«

Die Beamten tuschelten, dann wurde es wieder still im Raum. Ben Cooper bemerkte, dass sich der DI suchend nach Diane Fry umsah und sie angrinste.

»Außerdem wird heute der Hilfsaufruf von Mr. und Mrs. Vernon aufgezeichnet, der dann später gesendet wird«, fuhr Tailby fort. »Natürlich versprechen wir uns dadurch nützliche Hinweise aus der Bevölkerung.« Er lächelte ironisch, als er an die Flut von

Anrufen dachte, die über sie hereinbrechen würde, Anrufe, von Spinnern und Exzentrikern, Übereifrigen und Neurotikern, von Menschen, die helfen wollten, aber nicht helfen konnten, und von armen Seelen, die sich nur nach ein bisschen Aufmerksamkeit sehnten. Trotzdem konnten immer ein, zwei entscheidende Hinweise darunter sein.

Der DCI sah auf seine Checkliste. »Sind wir mit Daniel Vernon schon weitergekommen? Wer arbeitet noch daran?«

Ein stämmiger DC, der an der Wand lehnte, hob die Hand.

»Ja, Weenink?«

»Ich habe mich an der Uni Exeter an seinem Fachbereich umgehört. Vernon beginnt in diesem Herbst mit dem zweiten Jahr seines Politikwissenschaftsstudiums. Auf dem Lehrplan steht soziale Dialektik. Ich dachte immer, das wäre eine Geschlechtskrankheit.« Weenink wartete das unvermeidliche Gelächter ab, steckte grinsend die Hände in die Taschen und lümmelte sich noch lässiger an die Wand. »Die Vorlesungen fangen zwar erst in zwei Wochen an, aber die Erstsemester kommen schon früher, um sich einzuschreiben, die Uni ein bisschen kennen zu lernen und sich eine Unterkunft zu suchen.«

»Aber Daniel Vernon ist doch gar kein Erstsemester mehr«, sagte Tailby ungeduldig.

»Er ist ein Buddy.«

»Ein was?«

»Einige der älteren Studenten kommen schon vor Semesterbeginn zurück an die Uni, um die Erstsemester zu beraten. Viele von den Anfängern waren nämlich vorher noch nie allein von zu Hause weg. Die Älteren nehmen sie unter ihre Fittiche. Man nennt sie Buddys.«

»Und das haben Sie am Fachbereich erfahren?«

»Beim Studentenwerk. Vernon hat sich dort Samstagmorgen gemeldet und das ganze Wochenende mit Erstsemestlern verbracht. Der Vorsitzende vom Studentenwerk erinnert sich daran, dass Vernon irgendwann am Montagabend einen Anruf bekam und weg musste.«

»Und er kam am Dienstag zu Hause an. Wie? Hat er ein Auto? Ist er mit dem Zug gefahren?«

Weenink zuckte mit den Schultern. »Keine Ahnung, Sir.«

»Bitte konzentrieren Sie Ihre Anstrengungen darauf, jeden seiner Schritte nachzuvollziehen«, sagte Tailby. »Ich muss wissen, ob wir Daniel Vernon als Tatverdächtigen ausschließen können. Laura Vernon wurde am Samstagabend kurz vor ihrem Verschwinden im Garten der Villa zusammen mit einem jungen Mann gesehen. Dabei könnte es sich genauso gut um Daniel wie um einen Freund gehandelt haben, es sei denn, der Bruder hätte für die fragliche Zeit ein hieb- und stichfestes Alibi.« Er wartete ab, bis Weenink genickt hatte. »Ansonsten haben wir, wie Sie inzwischen alle wissen dürften, seit gestern Abend Lee Sherratt in Gewahrsam, dank der Eigeninitiative von DC Cooper und DC Fry.«

So wie der DCI das Wort »Eigeninitiative« aussprach, hörte man ihm seine Skepsis an, ob er die Aktion gutheißen konnte. Schließlich widersprach sie allen Regeln der modernen Polizeiphilosophie. Polizeiarbeit war Teamwork. Polizeiarbeit war Ermittlungsroutine und funktionierende Kommunikation, Sammeln und Abgleichen von Erkenntnissen, Eingabe riesiger Datenmengen in den Computer und Warten auf die Ergebnisse der kriminaltechnischen Untersuchungen. Ungeplante nächtliche Festnahmen im Wald durch Beamte, die eigentlich schon Feierabend hatten, passten nicht in dieses Bild.

Von der Standpauke, die Cooper sich am frühen Morgen von Hitchens hatte anhören müssen, klingelten ihm immer noch die Ohren. Es sei ungeheuerlich, dass er die übliche Vorgehensweise missachtet und niemanden über sein Vorhaben informiert habe, ganz zu schweigen von dem bodenlosen Leichtsinn, sich selbst und seine Kollegin in Gefahr gebracht zu haben. »Unüberlegtes Handeln«, »Verantwortungslosigkeit« und »Tollkühnheit« zählten noch zu den harmloseren Vorwürfen. Insgeheim konnte Ben Cooper nicht einmal bestreiten, dass sie gerechtfertigt waren. Aber Tatsache war auch, dass Lee Sherratt jetzt in Haft saß.

Der DCI sprach weiter. »Gestern Abend fand bereits eine erste Vernehmung statt. Die Bänder werden gerade abgetippt. Heute Vormittag werde ich mir Lee Sherratt noch einmal persönlich vornehmen.«

Cooper hob die Hand. Tailbys Blick wanderte zu ihm.

»Lassen Sie mich raten, Cooper. Sie wollen sich bestimmt nach Harry Dickinson erkundigen.«

»Ja, Sir.«

Tailby ordnete seine Unterlagen.

»Er wird heute Vormittag noch einmal im Zusammenhang mit den Beobachtungen des Vogelfreundes befragt.«

»Wir sollten ihm stärker auf den Zahn fühlen«, sagte Cooper. »Bis jetzt war er nicht sehr kooperativ.«

»Wir dürfen nicht zu viel Zeit mit ihm vergeuden«, widersprach Hitchens. »Er ist bloß ein alter Griesgram.«

»Entschuldigen Sie, Sir, aber ich glaube, es steckt mehr dahinter. Ihm liegt irgendetwas auf der Seele.«

»Ach, glauben Sie? Ich glaube, er ist schlicht und einfach ein ungehobelter Klotz.«

»Nein, das ist nicht alles.« Cooper schüttelte den Kopf.

Tailby runzelte die Stirn. »Können Sie das begründen, mein Junge? Wo sind Ihre Beweise?«

»Ich kann es nicht richtig erklären, Sir, aber ich habe ihm etwas angemerkt. Es ist eher ein … Gefühl.«

»Aha. Ich dachte schon fast, Sie wollten sagen, es sei weibliche Intuition.«

Mehrere Beamte begannen zu kichern, und Cooper wurde rot.

»Trotzdem sollten wir Mr. Dickinsons Aktivitäten am Samstagabend überprüfen. Nur, um auf Nummer sicher zu gehen.«

Tailby nickte. »In Ordnung, das kann nicht schaden. Möchten Sie das selbst übernehmen, Cooper?«

»Gern.«

Nachdem Tailby die Besprechung beendet hatte, stand Hitchens auf und kam zu Fry herüber.

»Dann also ab ins sonnige Yorkshire, Diane. Fahren Sie nach

Hause und packen Sie ein paar Sachen ein. Diese wandernden Studenten sind schwer zu finden. Möglich, dass wir erst gegen Abend aufbrechen können.«

Cooper wartete, bis Hitchens weitergegangen war.

»Sie sollten eigentlich bei Sherratts Vernehmungen dabei sein«, sagte er. »Schließlich haben Sie ihn auch festgenommen.«

»Das macht nichts«, antwortete Fry. Aber Cooper sah ihr an, dass sie log. Er fand es ebenfalls nicht gut, dass sie mit DI Hitchens nach Yorkshire fahren sollte. Doch das war natürlich ihre eigene Angelegenheit. Es ging ihn nichts an. Wenn sie die Gelegenheit nutzen wollte, sich nach oben zu schlafen, konnte er sie nicht daran hindern.

»Die Sache in der Hütte mit Lee Sherratt gestern Abend …«, sagte er.

»Ja, Ben?« Sie wandte sich ihm zu, bereit, seinen Dank über sich ergehen zu lassen.

»Der Tritt war reine Glückssache. Er ist Ihnen direkt reingelaufen. Ein Handkantenschlag wäre besser gewesen.«

»Ach ja? Das wissen Sie?«

»Ich habe den braunen Gürtel im Shotokan«, sagte er.

Fry lächelte frostig. »Das ist ja toll. Ich wollte mir hier in der Gegend sowieso einen Dojo suchen. Ich bin schon mit dem Training im Rückstand. Können Sie mir einen empfehlen?«

»Begleiten Sie mich einfach. Ich kann Sie in meinem Club unterbringen. Vielleicht können wir mal einen Freundschaftskampf austragen. Das wäre eine gute Übung für Sie.«

»Für den Fall, dass ich Sie wieder raushauen muss, meinen Sie?«

Cooper grinste. »Es lohnt sich immer, etwas dazuzulernen und seine Technik zu verfeinern. Soll ich Sie nicht wirklich einfach mal mitnehmen? Wenn Sie aus Yorkshire wieder zurück sind?«

Sie musterte ihn, als ob sie einen Gegner auf seine Fähigkeiten hin prüfte und abschätzen wollte, ob er ihr gefährlich werden konnte.

»Wissen Sie was? Ich würde sehr gern mitkommen, Ben. Und Ihren Freundschaftskampf sollen Sie auch haben.«

Lee Sherratt saß im Vernehmungsraum und starrte düster auf die beiden Kassettenrekorder und Videokameras. Er hatte einen dunklen Teint, als wäre er länger in der Sonne gewesen oder hätte sich eine ganze Zeit lang nicht mehr gewaschen. Er hatte schwarze Haare, und seine Bartstoppeln ließen sein Gesicht noch dunkler erscheinen. Sein Blick wanderte durch den Raum, um den Beamten auszuweichen, die ihm gegenüber saßen. Er war ein kräftig gebauter junger Mann, der seine Anspannung nur durch die hochgezogenen Schultern verriet.

Tailby wusste, dass es nicht Sherratts erste polizeiliche Vernehmung war. Er hatte einige Jugendstrafen auf seinem Konto – allesamt kleinere Delikte wie Autodiebstahl, aber keinerlei Gewalttaten. Trotzdem hatte Graham Vernon ihn als gewalttätig beschrieben. Und natürlich war er in der Hütte bewaffnet gewesen.

DI Hitchens schaltete die Kassettenrekorder an und überprüfte die Kameras. »Die Vernehmung wird am Mittwoch, dem fünfundzwanzigsten August um 9:15 Uhr fortgesetzt. Anwesend sind Detective Inspector Hitchens...«

»Detective Chief Inspector Tailby...«

Hitchens nickte den beiden Männern auf der anderen Seite des Tisches zu.

»Lee Sherratt.«

»Und John Nunn.«

Der Pflichtanwalt schien sich unbehaglicher zu fühlen als sein Mandant. Vermutlich hatte er noch nicht allzu viele Mordverdächtige vertreten müssen. Aber Lee Sherratt, der keinen eigenen Anwalt hatte, wusste genau, wie wichtig es in seiner Situation war, einen Rechtsbeistand zu haben.

Wie mit Tailby abgesprochen, leitete Hitchens die Vernehmung. Vor ihm lag eine Abschrift der Aussagen vom vergangenen Abend, die Sherratt noch ohne Anwalt gemacht hatte.

»Lee, vor einigen Stunden haben Sie uns erzählt, dass Sie mit Laura Vernon kein intimes Verhältnis hatten.«

Sherratt nickte und starrte auf den Tisch.

»Laut, bitte. Für das Band.«

»Das stimmt.«

»Wenn Ihr Verhältnis zu Laura also nicht intim war, wie würden Sie es *dann* beschreiben?«

Sherratt sah unsicher von seinem Anwalt zu Hitchens. »Wir hatten überhaupt kein Verhältnis. Jedenfalls nicht so, wie Sie das meinen.«

»Aber Sie kannten sie, Lee?«

»Na klar. Sie hat ja da gewohnt, in der Villa.«

»Also müssen Sie doch auch eine Beziehung zu ihr gehabt haben.«

»Eigentlich nicht.«

Hitchens seufzte. »Würden Sie sagen, dass zwischen Ihnen und Laura Vernon ein freundschaftliches Verhältnis bestand?«

»Nein, sie war überhaupt nicht freundlich.«

»Aber Sie waren einander auch nicht völlig fremd. Sie haben sich öfter gesehen. Sie kannten ihren Namen, und Laura kannte Ihren Namen. Sie haben miteinander gesprochen.«

»Natürlich habe ich sie ein paar Mal gesehen.«

»Wie würden Sie das Verhältnis also beschreiben, wenn es nicht freundschaftlich war?«

Der Jugendliche suchte angestrengt nach den richtigen Worten. Er sah seinen Anwalt an, doch Mr. Nunn konnte ihm auch nicht weiterhelfen. Sherratt rieb sich mit der Hand über die Bartstoppeln.

»Sie war eine eingebildete Ziege«, sagte er schließlich. Mr. Nunn zuckte zusammen, als ob ihn jemand mit einem Fußtritt geweckt hätte, und warf einen Blick auf den Kassettenrekorder.

»Vielleicht möchte mein Mandant diese Bemerkung noch einmal überdenken«, sagte er.

»Bitte sehr«, sagte Hitchens großmütig. Es war ohnehin keine Antwort auf seine Frage gewesen. »Versuchen wir es mit einer anderen Frage. Warum haben Sie sie gehasst, Lee?«

Mr. Nunn schüttelte den Kopf. »Kein Kommentar«, sagte Sherratt stolz. Er war erleichtert, dass er endlich ein klares Signal bekommen hatte.

»*Mochten* Sie sie?«

»Detective Inspector, diese Fragen…«

»Ich versuche lediglich herauszufinden, wie das Verhältnis zwischen Mr. Sherratt und dem Opfer war«, sagte Hitchens freundlich. »Können wir uns vielleicht darauf verständigen, Lee, dass Sie Laura nicht sehr mochten, wenn Sie sie für eine eingebildete Ziege hielten?«

»Stimmt, ich mochte sie nicht«, antwortete Sherratt und senkte wieder den Blick. Er verlagerte sein Gewicht, und der Stuhl ächzte.

»Gut. Aber Sie waren scharf auf Sie?«

»Kein Kommentar.«

»Kommen Sie, Lee. Sie war ein attraktives Mädchen. Reif für ihr Alter, wie man hört. Sogar sexy. Das wird Ihnen doch nicht entgangen sein. Haben Sie sich nicht für sie interessiert? Andere Jungen wären sicher scharf auf sie gewesen.«

»Sie war nicht mein Typ«, sagte Sherratt grinsend.

»Aha. Verstehe.«

Hitchens blätterte in einem Vernehmungsprotokoll. Er las einige Absätze, während die Bänder leise weitersurrten.

»Laut Mr. Graham Vernon«, fuhr er schließlich fort. »Das ist Lauras Vater, Lee, Ihr ehemaliger Arbeitgeber. Laut Mr. Vernon haben Sie seine Tochter belästigt. Sie haben ihr nachgestellt. Sie haben Sie beobachtet. Sie haben ihr im Haus nachspioniert. Sie sind ihr gefolgt. Er sagt, Sie hätten bei jeder Gelegenheit versucht, sie anzufassen. Und er sagt, dass Laura Ihre Annäherungsversuche zurückgewiesen hat.«

»Das stimmt nicht«, sagte Sherratt, bevor Mr. Nunn sich entscheiden konnte, ob er den Kopf schütteln sollte oder nicht.

»Warum sollte Mr. Vernon so etwas sagen, wenn es nicht stimmt?«, fragte Hitchens.

»Weil er seltsam ist«, antwortete Sherratt verächtlich, als ob damit alles gesagt wäre. Wieder ließ er den Blick durch den Raum schweifen. Er betrachtete die Uhr an der Wand, als fragte er sich, wie lange die Vernehmung wohl noch dauern würde.

»Seltsam? Inwiefern?«

»Na, seltsam eben.«

»Weil er nicht wollte, dass Sie Laura belästigen?«

»Kein Kommentar.«

»Haben Sie sich darüber geärgert, dass er dachte, Sie seien nicht gut genug für seine Tochter?«

»Kein Kommentar.«

»Sie waren schließlich nur der Gärtner. Ein kleiner Angestellter. Und noch nicht einmal ein besonders guter Gärtner, nach allem, was man so hört.«

Sherratt funkelte Hitchens böse an. »Ich habe schwer geschuftet«, sagte er mürrisch. »Ich bin genauso viel wert wie die Vernons. Warum auch nicht?«

»Hat Laura auch auf Sie herabgesehen?«

»Was?«

»Hat sie Sie wie einen Dienstboten behandelt, Lee?«

»Sie war eine eingebildete Ziege.« Sherratt warf seinem Anwalt einen trotzigen Blick zu. Er wurde von Minute zu Minute selbstsicherer. Tailby, der diese Veränderung beobachtet hatte, tippte Hitchens aufs Bein. Es wurde Zeit einzugreifen und die Taktik zu ändern.

»Manche dieser eingebildeten Ziegen haben es gern, wenn man sie ein bisschen härter rannimmt, nicht wahr, Lee? Sie stehen darauf, es mal von einem richtigen Mann besorgt zu bekommen, stimmt's?«, fragte Tailby.

Bevor Sherratt sich beherrschen konnte, huschte ein wissendes Grinsen über sein Gesicht. Nunn hüstelte und schüttelte mehrere Male den Kopf.

»Ich möchte wetten, Sie sind der Mann, der es ihnen anständig besorgen kann, nicht wahr, Lee?«

»Chief Inspector, ich glaube nicht, dass dies eine relevante Frage ist.«

»Haben Sie mit Laura Vernon geschlafen?«

»Nein«, antwortete Sherratt.

»Kam es zu Zärtlichkeiten?«

»Nein.«

»Wie würden Sie also Ihr Verhältnis beschreiben?«

Sherratt beugte sich über den Tisch und schob das Kinn vor. Die Adern an seinem Hals traten hervor. »Das habe ich Ihrem Kollegen doch schon gesagt. Wir hatten kein Verhältnis.«

»Aber Sie haben sich mit Laura getroffen, ohne dass ihre Eltern davon wussten, nicht wahr?«

»Nein.«

»Dann wussten ihre Eltern also davon?«

»Was? Nein, ich habe mich nie mit ihr getroffen.«

»Aber Sie haben doch bereits zugegeben, Lee, dass Sie sie während der Arbeit getroffen haben.«

»Na gut… Ja.«

Inzwischen schien selbst der Anwalt verwirrt zu sein. Tailby beugte sich vor.

»Dieser Punkt wäre also geklärt. Möchten Sie mit Blick darauf vielleicht Ihre andere Äußerung näher erläutern?«

»Welche denn?«

»Sie haben uns gesagt, dass Sie nicht mit Laura Vernon geschlafen haben. Möchten Sie diese Aussage ändern?«

»Nein. Ich hatte nichts mit ihr. Wie oft soll ich das denn noch sagen?«

»Lee, als Sie gestern Abend festgenommen wurden, haben Sie eingewilligt, sich einer kriminaltechnischen Untersuchung zu unterziehen und Proben für eine DNS-Analyse abzugeben.«

Sherratts Blick flackerte. »Ja.«

»Wissen Sie, was eine DNS-Analyse ist? Wissen Sie, dass wir Ihre Proben mit Spuren vom Tatort vergleichen können?«

»Ich war an keinem Tatort.«

»Mit Spuren meine ich zum Beispiel auch das gebrauchte Kondom, das im Gartenhaus der Villa gefunden wurde«, sagte Tailby.

Sherratt blinzelte, sein Gesicht wurde erkennbar blasser. Sein Anwalt schüttelte den Kopf.

Tailby lächelte, der Blick kälter denn je. »Ein gebrauchtes Kondom enthält Sperma. Ideal für eine DNS-Analyse. Werden die Untersuchungen ergeben, dass es von Ihnen stammt, Lee?«

Cooper fuhr zuerst zum Dial Cottage. Bevor er anklopfen konnte, ging die Tür auf und Helen Milner stand vor ihm. Sie blickte zurück ins Haus und verabschiedete sich von ihrer Großmutter.

»Also, ich gehe dann!«

Sie war überrascht, als sie ihn auf der Türschwelle sah. Sie trug wieder Shorts und ein ärmelloses Baumwolltop, und in dem hellen Sonnenlicht schien ihre Haut zu leuchten.

»Oh, hallo, Ben.«

»Wie geht es dir?«

»Gut. Wolltest du zu mir?«

»Zu deinen Großeltern, um ehrlich zu sein.«

Cooper glaubte, so etwas wie Enttäuschung über ihr Gesicht huschen zu sehen. Fasziniert betrachtete er sie genauer, doch es war nur noch ein freundliches Lächeln zu sehen.

»Großmutter ist zu Hause. Sie freut sich bestimmt, dich zu sehen.«

»Warte mal. Musst du schon weg?«

»Ich habe etwas zu erledigen. Aber ganz so eilig ist es auch wieder nicht.«

Wie häufiger, wenn Cooper Helen gegenüberstand, suchte er nach den richtigen Worten.

»Es tut mir Leid, dass wir uns unter solchen Umständen wieder sehen müssen.«

»Das bringt dein Beruf wohl so mit sich«, sagte sie.

Der Briefträger fuhr von Haus zu Haus und hielt alle paar Meter an, um die Post einzuwerfen. Er hatte das Autoradio an, und jedes Mal, wenn er die Fahrertür öffnete, dröhnte gnadenlos muntere Pop-Musik durch das Dorf. Dabei waren die Briefe, die er verteilte, sicher nicht halb so fröhlich wie die Musik.

Helen hatte die Tür ihres roten Fiesta aufgeschlossen, den sie vor dem Cottage am Bordstein geparkt hatte. Als Cooper sich auf das Autodach stützte, wäre er fast zurückgezuckt, so heiß war das Blech.

»Ich mag meinen Beruf. Aber manchmal kann er auch lästig sein.«

»Wie meinst du das, Ben?«

»Er verstellt einem den Zugang zu anderen Menschen.«

Helen nickte. »Wahrscheinlich sehen die meisten Leute erst einmal nur den Polizisten in dir.«

»Das kommt ständig vor. Nur bei dir nicht.«

»Wie bitte?«

»Am Montag. Als ich ins Dial Cottage gekommen bin. Du hast erst Ben Cooper in mir gesehen.«

Helen lachte. »Nein, ich habe in dir den Teenager gesehen, den ich an der Edendale High School kannte. Ich hätte dich kaum wieder erkannt, wenn ich nicht vor ein paar Wochen dein Bild in der Zeitung gesehen hätte.«

»Aber du hast gesagt, ich hätte mich nicht sehr verändert«, widersprach er.

»Das sagt man halt so dahin.« Helen betrachtete ihn. »Ich glaube, du hast Recht. Zuerst bin ich wohl wirklich nicht auf den Gedanken gekommen, dass du von der Polizei bist. Ich habe dich einfach von früher wieder erkannt.«

Cooper lächelte. »Ich musste auch an die alten Zeiten denken.«

Das Postauto rollte an ihnen vorbei und hielt vor dem Fiesta. Begleitet von einem Abba-Song stieg der Briefträger aus und starrte sie im Vorbeigehen neugierig an. Aber er hatte keine Post für das Dial Cottage.

Helen kurbelte die Fenster des Wagens herunter, um die stickig-heiße Luft herauszulassen. Cooper richtete sich auf, weil er merkte, dass er sie nicht mehr viel länger würde zurückhalten können.

»Dann bist du also nicht immer Polizist?«, fragte sie. »Und was bist du für ein Mensch, wenn du einfach nur Ben Cooper bist?«

»Hättest du nicht Lust, das herauszufinden?«

»Vielleicht.«

Helen drehte sich um und ging zurück zum Cottage. Cooper gefiel es, wie ihr das rote Haar locker um die nackten Schultern fiel, wie sie sich bewegte. Als sie die Tür aufdrückte und sich noch einmal zu ihm umwandte, fing sie seinen bewundernden Blick auf.

»Grandma! Besuch für dich«, rief sie.

Gwen kam in die Diele. Sobald sie Cooper neben Helen stehen sah, hellte sich ihre Miene auf. Sie trug eine Schürze und wischte sich die mehligen Hände an einem Handtuch ab, während sie zur Tür kam. Sie tätschelte Coopers Arm.

»Immer herein in die gute Stube. Dann setze ich schnell den Kocher wieder auf. Willst du nicht doch noch ein bisschen bleiben, Helen?«

»Tut mir Leid, ich muss los.«

Gwen stand winkend auf der Treppe und lächelte ihrer Enkelin verschwörerisch zu, als diese zu ihrem Auto ging. Cooper wartete noch, während Helen den Motor anließ und sich anschnallte. Für seine Geduld wurde er mit einem schnellen Blick und einem leisen Lächeln belohnt. Dass ihm warm wurde, lag nicht nur an der Sonne und den heißen Pflastersteinen.

Erst als ihn Gwen Dickinson am Arm zog, kam er wieder zu sich. »Was ist nun? Kommen Sie mit rein, oder wollen Sie den ganzen Tag da stehen und Maulaffen feilhalten?«

Cooper, den ihr wissendes Blinzeln verlegen machte, versuchte wieder, in seine Polizistenrolle hineinzufinden. »Ist Ihr Mann nicht zu Hause, Mrs. Dickinson?«

»Nein, ist er nicht«, antwortete sie. »Der ist bestimmt bei Wilford Cutts, wenn Sie ihn suchen. Da ist er immer, wenn er nicht im Pub ist.«

»Dann könnte ich vielleicht kurz mit Ihnen sprechen, wo ich nun schon einmal da bin.«

»Wenn Sie sich zu mir setzen und ein Tässchen Tee mit mir trinken.«

Cooper folgte ihr in die Küche. Es war wieder kühl im Cottage, die dicken Mauern hielten die Hitze ab. Am Montag hatte er sich die Kälte mit den Umständen erklärt und mit seinem Gefühl, dem Tod ganz nahe gewesen zu sein. Doch auch heute war es so kalt, dass ihn fröstelte, als er aus der Sonne hereintrat.

Gwen Dickinson schaltete den Wasserkocher an und wärmte die Teekanne vor. Sie nahm ein Päckchen Kekse aus dem Schrank und schüttete die Hälfte auf einen Teller.

»Es tut mir Leid, dass ich keine Schokoladenplätzchen habe«, sagte sie. »Ich weiß doch, dass junge Männer Schokoladenplätzchen am liebsten mögen.«

»Das macht nichts.«

»Hat Harry Ärger?« Sie drehte sich um und sah Cooper direkt an.

Cooper schüttelte den Kopf. »Er ist ein wichtiger Zeuge«, antwortete er.

»Weil er den Schuh gefunden hat.«

»Den Turnschuh, ja. Außerdem haben wir Grund zu der Annahme, dass er sich zur Tatzeit auf dem Baulk aufgehalten haben könnte.«

Gwen umklammerte den Teller mit den Keksen und starrte ihn an. Hinter ihr kochte der Wasserkocher unbeachtet vor sich hin, hüllte ihren Kopf in Dampf und schaltete sich schließlich automatisch ab.

»Was bedeutet das?«

»Dass er etwas gesehen haben könnte«, erklärte Ben Cooper. »Etwas oder jemanden.«

»Ach so.«

Abwesend blickte sie vom Wasserkocher zum Teller. Sie stellte die Kekse ab, ließ das Wasser noch einmal aufkochen, goss den Tee auf und nahm den Teller wieder in die Hand.

»Möchten Sie sich nicht setzen?«, fragte sie. »Nehmen Sie sich einen Sessel.«

»Lassen Sie mich das Tablett tragen«, sagte Cooper, der sah, wie ihre Hände zitterten.

»Hat ihn jemand gesehen?«, fragte Gwen, als sie einander an

dem kleinen Couchtisch mit der Glasplatte gegenübersaßen.

»Hat man Harry gesehen?«

»Ja. Zumindest glauben wir, dass es Harry gewesen sein könnte. Auf dem Baulk.«

»Aber er geht da jeden Tag spazieren«, sagte sie. Sie schien sich ein wenig gefangen zu haben. »Mit Jess. Jeden Tag.«

»Geht er immer zur gleichen Zeit? Ist das nicht so üblich, wenn man einen Hund besitzt? Dass man feste Zeiten hat?«

»Ja, immer um die gleiche Zeit. Morgens um neun, nach dem Frühstück, und dann noch einmal abends um sechs.«

»Davon weicht er nie ab?«

»Nie.«

»Und am Samstagabend?«

»Auch. Sechs Uhr. Wenn er zurückkommt, gibt es Essen. Er sagt, von der frischen Luft kriegt er Appetit.«

Cooper nickte und sah zu, wie Gwen ihm eine Tasse Tee einschenkte. Ihre Beine waren dick geschwollen. In die Ärmel ihrer blauen Strickjacke hatte sie Papiertaschentücher gestopft, um gleich eines parat zu haben, falls sie wieder weinen musste.

»Hat Ihr Mann erzählt, ob er an dem Abend jemand gesehen hat?«

»Sie meinen das Mount-Mädchen?«

»Nicht unbedingt. Irgendjemanden.«

»Nein«, antwortete Gwen. »Davon hat er nichts gesagt.« Sie hielt kurz inne und bot Cooper ein Plätzchen an. »Sie kennen Harry nicht sehr gut, oder?«

»Nein. Nur flüchtig.«

»Er hätte nämlich sowieso nichts erzählt, auch wenn er jemanden gesehen hätte. So ist er nun mal.«

»Er hätte Ihnen nichts davon gesagt, wenn er bei seiner Runde mit dem Hund jemanden getroffen hätte?«

»Nein, er würde keinen Grund dafür sehen.«

»Aber seitdem? Seit er weiß, dass Laura Vernon auf dem Baulk getötet wurde? Meinen Sie nicht, er hätte es Ihnen erzählt, wenn ihm jemand aufgefallen wäre?«

»Mir nicht«, sagte Gwen einfach.

»Ich verstehe. Ist Ihr Mann später noch einmal weggegangen, Mrs. Dickinson? Nach dem Essen?«

»Normalerweise geht er in den Drover«, sagte sie.

»An dem Abend auch?«

»Ja, ich erinnere mich genau.«

»Um welche Uhrzeit wäre das ungefähr gewesen?«

»Das weiß ich nicht mehr.«

»Nach sieben?«

»Ja, bestimmt. Vorher wäre er noch gar nicht mit dem Essen fertig gewesen.«

»Also nach acht?«

»Ich kann es wirklich nicht sagen. Möglich ist es.«

Cooper merkte, wie aggressiv seine Fragen klangen. Gwen hatte angefangen zu zittern. Er zögerte. Sie tat ihm Leid, und er wollte sie nicht noch mehr verstören. Sie war ein unschuldiger Mensch, der in eine Sache hineingeraten war, die ihn überforderte. Er dachte an seine Mutter, die mit dem Leben nicht mehr fertig wurde. Er wollte keinesfalls dazu beitragen, einen anderen Menschen aus dem seelischen Gleichgewicht zu bringen.

»Nur noch ein paar Fragen, Mrs. Dickinson, dann lasse ich Sie wieder in Ruhe. Ich kann mir vorstellen, dass es für Sie nicht einfach ist.«

»Es geht schon«, sagte sie. »Bei den anderen Männern hatte ich Angst, aber bei Ihnen macht es mir nichts aus.«

Er lächelte, gerührt über das Vertrauen der alten Frau, auch wenn er nicht wusste, ob er es verdient hatte.

»Hat Mr. Dickinson den Hund später auch mitgenommen? Als er in den Pub ging?«

»Jess? Aber natürlich, Jess ist immer dabei.« Gwen holte tief Luft. »Soll er das Mount-Mädchen auf dem Baulk getroffen haben?«

Cooper war überrascht. Er fragte sich, wie Gwen Dickinson auf diese Frage gekommen war. Er ging nicht darauf ein.

»Sie nennen sie immer das Mount-Mädchen, Mrs. Dickinson. Sie heißt Laura Vernon.«

»Ja, ich weiß. Aber sie wohnt doch im Mount, nicht wahr?«

Sie deutete mit dem Kopf zum Fenster. Doch es war nur der Garten zu sehen, der Saum des Waldes und dahinter die sonnigen Hügel.

»Dann kennen Sie Mr. und Mrs. Vernon?«

»Sie sind Zugezogene.«

»Heißt das ja oder nein?«

Gwen breitete die Hände aus. Cooper kannte die Geste. Sie bedeutete, dass man Zugezogene nie richtig kannte, jedenfalls nicht so, wie es sich gehörte. Man grüßte sie vielleicht auf der Straße und im Geschäft, ließ sich von ihnen im Wirtshaus ein Glas Bier spendieren oder teilte sogar die Kirchenbank in St. Edwin mit ihnen, aber man würde mit ihnen nie so vertraut werden wie mit den Menschen, die schon immer im Dorf gelebt hatten, deren Eltern, Großeltern und Urgroßeltern man kannte und deren Großeltern wiederum die *eigenen* Urgroßeltern gekannt hatten. Man war weitläufig verwandt und verschwägert. Man kannte sich.

»Ich bin ihnen nie vorgestellt worden«, sagte Gwen. »Hier bei uns kannte sie keiner. Jedenfalls nicht richtig.« Sie sah ihn bang an, um sich zu vergewissern, dass er sie auch verstanden hatte.

»Natürlich.«

Ja, man kannte einen anderen Menschen nur dann richtig, wenn man alles über ihn wusste, angefangen beim Augenblick seiner Zeugung im hohen Gras hinter dem Gemeindesaal über sein erstes Wort bis hin zu seinen Zeugnisnoten im fünften Schuljahr. Man musste wissen, welche Schuhgröße er hatte, wie viel er dem Kreditkartenunternehmen schuldete, wann er zuletzt Windpocken gehabt hatte und an welchem Zeh ihm ein Nagel eingewachsen war. Man musste wissen, mit wem er seine ersten sexuellen Erfahrungen gemacht, welches Kondom er dabei benutzt hatte und ob es ein befriedigendes Erlebnis gewesen war. Nur wen man so kannte, *kannte* man richtig.

»Aber ich kannte sie vom Sehen«, gab Gwen zu. »Die Mount-Familie.«

»Und Laura? Können Sie etwas über sie sagen?«

»Sie ist nie in die Dorfschule gegangen – als sie hergezogen sind, war sie schon zu alt dafür. Sie war auch nicht auf der großen Schule in Edendale. Es musste diese Privatschule sein. Drüben in Wardworth. Wie heißt sie noch gleich?«

»High Carrs.«

»Richtig. Sie haben sie morgens mit dem Auto hingefahren und nachmittags wieder abgeholt. Am Wochenende waren sie immer unterwegs, zum Einkaufen in Sheffield und so. Die Kleine hatte Reitstunden und ich weiß nicht was. Mit den anderen Mädchen aus dem Dorf hat sie sich nie abgegeben und mit den Jungen auch nicht, obwohl die bestimmt nichts dagegen gehabt hätten. Ihre Eltern haben sie da oben in der Villa eingesperrt oder sie auf jeden Fall nicht ins Dorf gelassen. Deshalb hat sie auch nie richtig dazugehört. Genauso wenig wie ihr Bruder. Das wäre gar nicht möglich gewesen.«

»Und wie gut hat Ihr Mann Laura gekannt?«

Gwen fuhr zornig hoch. Sie sah fast grimmig aus. Cooper biss so hastig in sein Plätzchen, dass er sich beinahe verschluckt hätte.

»Hören Sie mir überhaupt zu?«

»Aber sicher.«

»Habe ich Ihnen nicht gesagt, dass er mir nichts erzählt? Woher soll ich dann wissen, ob er sie gekannt hat? Sie ist nie hier bei uns im Cottage gewesen. Woher sollte ich es also wissen?«

»Es tut mir Leid.« Er meinte es ernst. »Das muss ich ihn natürlich selbst fragen.«

»Glauben Sie etwa, er erzählt Ihnen was?«

»Es ist in seinem eigenen Interesse. Es nützt ihm gar nichts, wenn er auf stur schaltet.«

»Dann versuchen Sie mal, ihm das begreiflich zu machen. Ich kann Ihnen nur viel Glück dabei wünschen.«

Genauso schnell wie Gwen aufgebraust war, hatte sie sich auch wieder beruhigt. Sie lehnte sich in ihrem Sessel zurück und sah Cooper verschämt an, als ob ihr der Wutausbruch peinlich wäre.

»Er soll eine kleine Meinungsverschiedenheit mit meinen Vorgesetzten gehabt haben«, sagte Cooper fragend. Seit er von dem Vorfall erfahren hatte, ließ er ihn nicht mehr los.

»Und er kam sich noch mächtig klug dabei vor«, sagte Gwen. Sie seufzte und stellte ihre halb leere Tasse ab. »Er war schon immer ein Querkopf. Widerborstig, seit ich ihn kenne. Als junges Mädchen hat mir das besonders gut an ihm gefallen. Ich dachte, es wäre männlicher Stolz. Aber heute … Na, wie schon gesagt, er ist ein Querkopf. Ein richtiger Dickschädel ist Harry Dickinson. Das wissen alle.«

Cooper hatte den Eindruck, dass die alte Frau für Harrys Sturheit noch immer eine besondere Schwäche hatte. Nachdem die körperliche Anziehung geschwunden war und sich romantische Verliebtheit in Vertrautheit verwandelt hatte, ließ der Gedanke an diese Eigenart ihres Mannes noch immer ihren Ton sanfter werden und zauberte einen versonnenen Ausdruck in ihre hellen Augen, als ob sie durch die Wände hindurch in die Schatten einer glücklicheren Vergangenheit blickte. Vielleicht war ihre Ehe nicht glücklich, aber dafür besaßen sie statt Glück etwas anderes, nämlich Stabilität und Ausgeglichenheit. Die alten Eheleute waren wie zwei uralte Steine, die auf der Raven's Side aneinander lehnten – schartig und verwittert, sich aneinander reibend, aber im Laufe der Zeit auch immer perfekter aneinander angepasst. Wenn einer dieser Felsen zerfiel, gab es für den anderen keinen Halt mehr.

»Heutzutage hält er mehr von seinen Freunden als von mir«, sagte Gwen. »Sam Beeley und Wilford Cutts.«

»Das kann ich mir nicht vorstellen«, sagte Cooper.

»Das meint Helen auch. Aber ich weiß nicht. Ich weiß es einfach nicht.«

»Er kennt die beiden schon lange, nicht wahr?«

»Schon immer. Seit er ein junger Bursche war. Bevor er mich getroffen hat. Wenn man heiratet, denkt man, dass man für den anderen das Wichtigste ist, was es im Leben gibt. Aber für Harry kamen immer seine Freunde an erster Stelle.«

Gwens Ton wurde wieder schärfer, und sie richtete den Blick

auf Cooper, als ob er sie plötzlich wieder an die Gegenwart erinnert hätte. »Sie haben zusammen gearbeitet, im Bergwerk«, sagte sie. »Und sie sind zusammen zur Armee gegangen. Damals waren sie noch junge Männer. Sie haben im selben Regiment gedient, und als sie aus dem Krieg zurückgekommen sind, waren sie noch unzertrennlicher als vorher. Dann haben sie wieder in der Grube gearbeitet. Aber der Bleibergbau war auch ein Opfer des Krieges, genau wie die vielen Männer. Es wurden zwar hinterher noch andere Sachen abgebaut, aber kein Blei mehr.«

»Flussspat und Kalkstein.«

Schon seit der Römerzeit wurde im Peak District Blei gefördert. In den letzten verbliebenen Bergwerken wurde es immer noch gewonnen, aber nur als Nebenprodukt, das beim Abbau der anderen Mineralien anfiel, die von der modernen Industrie benötigt wurden. Der Kalk aus den Gruben und Steinbrüchen der Gegend fand sich in den unterschiedlichsten Produkten wieder, angefangen beim Aspirin über Fliesenkleber und Waschpulver bis hin zu Beton. Hinzu kamen Mineralien wie Schwerspat, Zinkblende, Kalzit und der berühmte Blue John Stone, ein Ornamentflussspat, dessen Vorkommen unerschöpflich zu sein schienen. Aber Blei war nicht mehr gefragt.

»Sie sind jetzt sicher schon seit einigen Jahren in Rente.«

»O ja. Aber deshalb stecken sie immer noch dauernd zusammen. Sam Beeleys Frau ist erst vor ein paar Jahren gestorben, aber Wilford Cutts' Doris ist schon lange nicht mehr unter uns.«

»Mrs. Cutts ist tot?«

»Lungenentzündung, die arme Seele. Seit dem Tod von Mrs. Beeley ist es mit den dreien schlimmer als je zuvor. Den ganzen Tag auf dem Bauernhof, den ganzen Abend im Drover. Ich zähle anscheinend überhaupt nicht mehr.«

»Männer sind nun einmal gern mit anderen Männern zusammen. Dann können sie sich über Sachen unterhalten, die Frauen nicht so sehr interessieren.«

Gwen musterte ihn scharf. Er hatte das Gefühl, als sähe sie direkt durch ihn hindurch.

»Ach ja? Gilt das denn dann auch für Sie, mein Junge?«

»Äh…«

Sie winkte ab. »Ist schon gut. Ich sehe schon, dass Sie nicht zu der Sorte gehören.«

»Mrs. Dickinson, ich glaube, Ihr Mann verschweigt uns etwas.«

Gwen musste lachen. Ihre Hände tanzten über ihre Strickjacke, und ihre blauen Augen zuckten, als hätte sie sich schon lange nicht mehr so amüsiert.

»Wenn nicht, wäre es das erste Mal in seinem Leben!«, sagte sie. »Ich habe es Ihnen ja gesagt. Er ist der verschlossenste Mensch, den es gibt. Und das weiß niemand besser als ich.«

»Hat er sich Ihnen nie anvertraut, Mrs. Dickinson?«

»Ach du meine Güte. Darauf will ich doch die ganze Zeit hinaus. Wenn Sie wissen wollen, wem er etwas anvertraut, probieren Sie es bei seinen Freunden. Die drei sind unzertrennlich. Es hat keinen Zweck, mich zu fragen, was er weiß. Ich wäre die Letzte, der er es verraten würde.«

Cooper leerte seine Tasse und wischte sich die Krümel von den Fingern.

»Danke für den Tee, Mrs. Dickinson.«

»Hören Sie nicht auf mich. Ich bin eine alte Frau, die manchmal dummes Zeug redet.«

»Sie haben mir sehr geholfen.«

»Sie sind ein netter Junge. Besuchen Sie mich morgen wieder? Kommen Sie ein bisschen früher, wenn Helen da ist. Sie redet viel von Ihnen.«

Cooper zögerte. Die Einladung klang verlockend. Endlich einmal eine Chance, das Leben etwas lebenswerter zu gestalten. Und wenn man eine solche Gelegenheit verpasste, kam sie so leicht nicht wieder. Doch dann dachte er an die Pflichten, die auf ihm lasteten. Er steckte schließlich mitten in einem Mordfall. Von der Krise zu Hause ganz zu schweigen. Seine Mutter brauchte alle Hilfe und Unterstützung, die er ihr nur geben konnte.

»Es tut mir Leid, ich kann nichts versprechen. Wir haben im Moment sehr viel zu tun.«

»Das glaube ich. Aber Helen wird enttäuscht sein.«

»Glauben Sie, dass ich Ihren Mann auf der Thorpe Farm finde?«

»Bestimmt. Er ist schon seit Stunden mit Jess unterwegs.«

»Dann schaue ich da mal kurz vorbei. Machen Sie sich keine Sorgen. Alles nur Routine.«

Gwen brachte ihn zur Tür. Dort legte sie ihm die Hand auf den Arm.

»Man kann mich nicht zwingen, gegen ihn auszusagen, nicht wahr?«, fragte sie.

»Warum sollten wir Sie dazu zwingen wollen, Mrs. Dickinson?«

Sie schüttelte müde den Kopf. »Schon gut, ich weiß. Alles nur Routine. Ich weiß.«

Und Ben Cooper kannte die Antwort auf seine Frage ebenfalls nicht.

16

Der Geruch des Rauches war beißend streng, wie verbrannter Gummi, aber längst nicht so stark wie der andere Geruch, der wie ein giftiger Nebel über den morschen Gebäuden und den überwucherten Koppeln hing. Es war der süßliche, klebrige Gestank von organischer Materie, die in Zersetzung übergegangen war und faulige Gase ausdünstete.

Um die drei alten Männer zu finden, brauchte Cooper nur seiner Nase zu folgen. An einer Stelle, die vom Feldweg aus nicht zu sehen war, schichteten sie einen riesigen Komposthaufen auf. Sam Beeley saß auf einem Strohballen und überwachte die Arbeit, während Harry Dickinson und Wilford Cutts, die ihre Jacken ausgezogen und die Hemdsärmel hochgekrempelt hatten, ihre Mistgabeln schwangen. In der Nähe waren zwei junge Burschen damit beschäftigt, einen Stall auszumisten, Ladung um Ladung dunkler, nasser, strohiger Dung. Dampfend und schwarz lag er in den Schubkarren. Ein paar Meter weiter blakte ein Haufen Streu vor sich hin, von dem dichter, grauer Rauch aufstieg, der sich am Berg im Farnkraut verteilte. Doch über allem lag der unerträgliche Gestank des frischen Mists, der sich auf der Erde zu Bergen türmte.

Als Wilford Cooper kommen sah, zeigte er mit der Gabel auf ihn und stach Löcher in die Luft.

»Seht mal, wer da kommt! Jetzt gibt's Ärger, Jungs.«

»Ach was, der Mann ist doch ein Held«, sagte Sam. »Er hat gerade den Mordverdächtigen verhaftet. Er hat den Fall gelöst, unser Held.«

»Ganz allein?«

»Ich würde sagen, ganz alleine und mit links.«

»Vielleicht will er uns seine Hilfe anbieten«, sagte Harry, der sich auf die Mistgabel stützte. Sein Hemdkragen stand offen, und die Grenzlinie zwischen dem braun gebrannten Hals und der weißen Kehle und Brust, an die seit Jahren kein Sonnenstrahl mehr gekommen war, war deutlich zu sehen. Er sah aus, als bestünde er aus zwei vollkommen unterschiedlichen Männern. Cooper musste absurderweise an Frankensteins Monster denken, dessen Kopf mit groben Stichen an den Körper eines anderen Mannes genäht worden war.

»Na, dann schnappen Sie sich mal eine Schubkarre«, sagte Sam. »Es sei denn, Sie kennen sich mit Komposthaufen aus.«

»Wieso? Man braucht ihn doch bloß aufzuschichten und zu warten, bis alles verrottet ist«, sagte Cooper, der entschlossen war, sich nicht reizen zu lassen. »Richtig?«

»Falsch.«

»Falsch«, echote Wilford. »Kompostieren ist eine Kunst. Man muss den Kompost hegen und pflegen wie ein Kind.«

Einer der jungen Männer karrte die nächste Ladung Mist heran. Cooper wich zurück, als die stinkende Masse von der Schubkarre rutschte, matschiges, verdrecktes Stroh und halb verrotteter Tierdung. Sobald der Mist auf der Erde lag, tauchten, wie aus dem Nichts, kleine braune Fliegen auf, die sich darauf niederließen und den Rüssel hineinbohrten.

»Prächtiges Zeug«, sagte Wilfried. »Riechen Sie mal.«

»Ist das für den Gemüsegarten?«

»Gemüse braucht einen ganz speziellen Kompost.«

»Blut und Knochen. Das braucht man für Gemüse«, sagte Harry.

Sam kicherte. »Blut und Knochen. Blut und Knochen«, sagte er. »Aye.«

Aus einem Schuppen kam Hundegebell, Hühner gackerten. Aber insgesamt war es auf der Farm stiller, als Cooper es von seinem Besuch mit Diane Fry in Erinnerung hatte. Über der Szene vor ihm lag eine seltsame Ruhe, als ob die alten Männer vor einem bizarren Kunstwerk posierten, das sie für die Nationalgalerie geschaffen hatten.

»Im Blut ist reichlich Stickstoff«, sagte Wilford. »Und in den Knochen ist Phosphor. Für den Kohl gibt es nichts Besseres.«

Wieder landete eine Ladung Mist auf dem Haufen. Nachdem Wilford und Harry ihn mit der Gabel verteilt hatten, stieg Harry hinauf und trampelte mit seinen schwarzen Gummistiefeln darauf herum.

»Bitte, Mr. Dickinson. Ich würde gern mit Ihnen sprechen«, sagte Cooper.

Der Komposthaufen war inzwischen über einen Meter hoch. Harry, der wie eine seltsame Vogelscheuche vor Cooper aufragte, marschierte wie ein Wachtposten auf dem Kompost hin und her. Cooper musste die Augen mit der Hand vor der Sonne schützen, wenn er zu dem alten Mann hinaufsehen wollte.

»Gleich«, sagte Harry.

Wilford reichte ihm zwei dicke lange Holzstangen hinauf. Harry suchte sich eine Stelle aus und rammte die erste Stange tief in den Kompost. Sie sank mit einem Schmatzen hinein und setzte eine faulig stinkende Wolke frei. Harry lehnte sich mit seinem ganzen Gewicht darauf, bis nur noch das obere Drittel der Stange heraussah.

»So ein Komposthaufen braucht Luft«, erklärte Wilford, während Harry den zweiten Stecken hineinrammte.

Der Jugendliche mit der Schubkarre kam wieder vorbei und sah Cooper mit einem verschwörerischen Grinsen von der Seite an. Er hatte kurz geschorene blonde Haare und einen Ring im rechten Ohrläppchen. Er war etwa genauso groß wie Cooper und hatte muskulöse Arme und Schultern. Sein Oberkörper glänzte schweißnass von der Anstrengung und der schwülen Wärme im Stall. Wenige Schritte entfernt warf der andere junge Mann Äste und Stroh auf das Feuer, um es nicht ausgehen zu lassen. Das Stroh fing an zu knistern, Flammen schlugen hoch.

Daneben waberte und dampfte der riesige Komposthaufen vor sich hin, umsummt von Fliegenschwärmen, die sich die leckersten, stinkendsten Stellen aussuchten. Cooper hielt sich Mund und Nase zu, ihm war übel. Er war Landluft gewöhnt, aber dieses Aroma war ganz besonders penetrant.

»Mr. Dickinson, ich muss wirklich mit Ihnen reden.«

»Wenn der Kompost fertig ist, riecht er nicht mehr«, sagte Sam.

»Jetzt gleich bitte«, raunzte Cooper, der allmählich die Geduld verlor.

Die drei alten Männer taten so, als seien sie von seinem Befehlston beeindruckt. Harry nahm in seinen Gummistiefeln Haltung an und salutierte feierlich. Wilford schwang sich die Mistgabel wie ein Gewehr über die Schulter. Sam stand von seinem Strohballen auf und grinste Cooper über den Komposthaufen hinweg verschmitzt an.

»Sie werden Ihren Weg schon machen, mein Junge«, sagte er. »Vielleicht bringen Sie es eines Tages sogar bis zum Chief Constable. Vorher müssen Sie bloß alle anderen aus dem Weg räumen, die noch vor Ihnen sind.«

Die alten Männer lachten, Cooper machte ein grimmiges Gesicht. Die Hitze setzte ihm immer stärker zu. Er fühlte sich kraftlos und gereizt. Er war erleichtert, als Harry vorsichtig vom Komposthaufen herunterstieg und zu ihm kam.

»Ich bin sowieso fast fertig«, sagte Harry. »Wenn Sie einen Augenblick warten, bis ich Jess geholt habe, können Sie mich nach Hause fahren. Dann rede ich auch mit Ihnen, so viel Sie wollen.«

»Gut«, sagte Cooper, der froh war, der Farm den Rücken kehren zu können.

»Blut und Knochen«, rief Sam ihm nach, als er über das Feld zum Wagen zurückging. Wilford stapfte hinter ihm her und holte ihn am Tor ein.

»Wollen Sie Harry wieder verhören?«, fragte er. »So nennt man das doch, oder? Verhören?«

Der Kompostgeruch hing in Wilfords Kleidern, an seiner Haut und in seinem Haar, und bei jeder Bewegung bröselten kleine Klumpen von seinen Stiefeln. Sein Atem ging ein wenig zu schnell, und sein Gesicht war angespannt.

»Wie Sie wissen, ermittle ich im Mordfall Laura Vernon.«

»Ja, ja, die Vernons. Die sind lange nicht so großartig, wie sie tun.«

»Wie meinen Sie das, Sir?«

»Die schwimmen im Geld und meinen, sie wären was Besseres. Aber das sind sie nicht. Sie waren schlecht für unser Dorf.«

»Menschen wie sie stoßen immer auf Ablehnung.«

»Aye, schon, aber jeder weiß doch ...«

»Was weiß jeder?«

Wilford zuckte die Achseln, nahm seine Mütze ab und fuhr sich mit der Hand durch das Haar. Der weiße Fleck auf seiner Kopfhaut, der die Sonne nicht annahm, leuchtete hell zwischen den Sommersprossen.

»Spielt keine Rolle, schätze ich. Sie wollen sicher noch mehr Fragen über das Mädchen stellen.«

»Sicher. Das ist genau das, was wir schon die ganze Woche tun. Wenn Sie irgendetwas wissen ...«

»Nein, nein. Aber es stimmt, nicht wahr?« Er sah Cooper fragend an. »Jede Sünde wird irgendwann bestraft. Oder wie wir im Bergwerk immer gesagt haben: Früher oder später tritt jede Sünde zu Tage.«

Cooper wusste nicht, was er darauf sagen sollte. Aber Wilford erwartete ohnehin keine Antwort. Sie kamen an den baufälligen Hütten und dem gemauerten Schuppen vorbei, aus dem am Dienstag die Ziege weggelaufen war.

»Die Ziege ist heute aber leise«, sagte Cooper.

»Aye. Kann man wohl sagen.«

Cooper warf einen Blick in den Stall, doch er war leer. Auf der Koppel war die Ziege auch nicht zu sehen. Harry, der hinter einem Zaun verschwunden war, kam mit seinem schwarzen Labrador an der ledernen Leine und einer Plastiktüte in der Hand hinter einem anderen Schuppen hervor.

Am Toyota angekommen, hockte Harry sich auf eine Mauer, zog die verdreckten Gummistiefel und seine dicken Socken aus und saubere Schuhe und Socken aus der Tüte an.

»Kompostieren ist nicht gerade meine Lieblingsarbeit«, sagte er. »Na ja, alles nur Natur. Aber meine Frau wird ganz schön meckern, wenn ich nach Hause komme.«

Nachdem Harry Dickinson auf dem Beifahrersitz des aufgeheizten Wagens Platz genommen hatte, verstand Cooper, warum Gwen Dickinson schimpfen würde.

Andrew Milner fuhr die geschotterte Auffahrt zur Villa hinauf und parkte vor den Deko-Säulen, gleich neben Graham Vernons Jaguar. Er warf einen neidischen Blick auf den schnittigen blauen Wagen, ein Symbol für den Unterschied zwischen ihm und seinem Arbeitgeber. Andrew besaß nur einen drei Jahre alten Ford Mondeo, wie ein gewöhnlicher Vertreter.

Er nahm seinen Aktenkoffer vom Beifahrersitz, atmete tief durch und ging auf die Haustür zu. Hoch oben an der Wand war eine Videokamera montiert, die auf ihn gerichtet war. Andrew wandte das Gesicht ab. Die weißen Wände der Villa warfen die Sonne zurück, sodass Andrew den Eindruck hatte, er müsse erst eine Barriere aus Hitze und Helligkeit überwinden, um zur Treppe zu gelangen.

»Entschuldigen Sie, Mr. Milner?«

Andrew blickte sich überrascht um. Er sah hinter dem Jaguar einen ernsten jungen Mann, der ihn anstarrte. Er wirkte so schmutzig und ungepflegt, dass Andrew im ersten Moment dachte, er wollte Graham Vernons Auto stehlen. Doch dann erkannte er ihn.

»Ach, hallo. Sie sind Daniel, nicht wahr?«

»Sind wir uns nicht schon einmal begegnet?«

»Doch. Hören Sie, es tut mir Leid, was …«

»Es ist ja nicht Ihre Schuld. Sie arbeiten zwar für meinen Vater, aber deshalb sind Sie noch lange nicht so wie er.« Daniel kam um den Jaguar herum. Er hatte einen Schlüsselbund mit der Fernbedienung für die Türverriegelung und die Alarmanlage in der Hand. »Ich wollte mir Dads Wagen ausleihen, aber ich habe es mir anders überlegt. Ich glaube, ich gehe lieber zu Fuß.«

Zu Andrews Erstaunen warf Daniel die Schlüssel lässig in einen Blumentopf, der neben der Treppe stand. Sie verschwanden zwischen den Wurzeln eines kleinen Strauchs.

»Ich fand, einer von uns sollte Ihnen sagen, wie Leid es uns für Sie tut«, sagte Daniel.

»Für mich?«

Der junge Mann kam näher. »Ja, weil Sie in die Sache mit hineingezogen worden sind. Sie und Ihre Familie. So etwas halten meine Eltern vermutlich nicht für erwähnenswert. Es kümmert sie nicht. Sie interessieren sich nur für sich selbst.«

Andrew wusste nicht, was er sagen sollte. Er presste seinen Dokumentenkoffer an sich und suchte verzweifelt nach irgendeiner unverfänglichen Small-Talk-Floskel. »Sie studieren noch?«

Daniel lachte und wandte den Blick ab, als hätte er plötzlich jegliches Interesse an seinem Gegenüber verloren. »An der Universität Exeter. Ich studiere Politikwissenschaft. Eine andere Welt.«

»Was für eine furchtbare Geschichte«, sagte Andrew hilflos.

Der junge Mann schien dem blauen Jaguar zu antworten und Andrew Milner völlig vergessen zu haben.

»Nachdem Laura verschwunden war, haben sie mich sofort in Exeter angerufen. Aber ich dachte, sie wäre mit diesem Typen abgehauen, mit ihrem Freund, Simeon Holmes. Damit hatte ich früher oder später sowieso gerechnet. Ich wollte ja nach Hause kommen. Aber Mum und Dad sollen sich erst von dem Schock erholen, dass ihre Tochter eine heimliche Nymphomanin war.«

»Ich verstehe.«

»Ich hätte sofort heimkommen müssen. Finden Sie nicht auch?«

»Darüber kann ich mir kein Urteil erlauben. Wirklich nicht.«

»Nein, das ist wohl ganz allein meine Sache«, sagte Daniel bitter. »Entschuldigen Sie, dass ich Sie damit belästigt habe.«

Er drehte sich um und ging die Auffahrt hinunter, die Hände in den Taschen seiner Jeans vergraben, die Schultern ärgerlich hochgezogen. Andrew sah ihm nach, bis der junge Mann noch einmal stehen blieb, sich umdrehte und ihm höhnisch zurief:

»Worauf warten Sie noch? Gehen Sie rein. Meine Mutter wird Sie bestimmt mit offenen Armen empfangen!«

Andrew schüttelte verwundert den Kopf. Dann ging er die Treppe hinauf und klingelte. Charlotte Vernon öffnete ihm, eine elegante Erscheinung in Kaschmirpullover und cremefarbener Hose. Sie starrte Andrew an, dann brach sie in erstauntes Gelächter aus, in dem eine Spur Hysterie mitschwang.

»Du! Was um alles in der Welt willst du denn hier?«

Andrew wurde rot und nestelte nervös an seiner Krawatte. Er hatte tiefe Sorgenfalten auf der Stirn. »Es tut mir Leid, Charlotte. Ich habe ein paar Unterlagen vorbeigebracht, die Graham unterschreiben muss.«

»Sag bloß? *Wichtige* Unterlagen?«

Er machte eine hilflose Handbewegung und wagte es kaum, sie anzusehen. Der Schweiß lief ihm in den Kragen. Plötzlich fielen ihm die Autoschlüssel in dem Pflanztrog ein, und er fragte sich, ob er sie erwähnen sollte.

»Hat es dir die Sprache verschlagen?«, fragte Charlotte. »Also gut, komm rein. Aber es muss schnell gehen.«

»Entschuldigung. Wolltet ihr weg?«

»Graham und ich haben heute unseren großen Auftritt.«

»Wie bitte?«

Sie stellte sich dicht vor ihn und berührte seinen Arm. Ihre Augen weiteten sich, während sie sich an seiner Verlegenheit weidete.

»Heute wird unser Fernsehaufruf an die Bevölkerung aufgezeichnet. Die Polizei scheint zu denken, dass es etwas nützen wird.«

»Ach so.«

Andrew hielt den Aktenkoffer vor seinen Unterleib wie einen schützenden Talisman. Hilfe suchend blickte er sich in der Eingangshalle um und versuchte, sich seitlich an Charlotte vorbeizudrücken, um zu Grahams Büro zu gelangen.

»Graham macht sich bestimmt gut im Fernsehen, meinst du nicht auch?«

»Doch, sicher. Er ist sehr wortgewandt.«

»Wortgewandt. Das gefällt mir. Ja, gut reden kann er. Er ist sehr überzeugend. Und was denkst *du*, Andrew?«

Er stand inzwischen fast mit dem Rücken zur Wand, neben einer antiken Truhe mit Einlegearbeiten, die ihm immer gefallen hatte. Als er sich daran festhalten wollte, hinterließ er einen verschwitzten Handabdruck auf der polierten Oberfläche.

»Über die Sache mit Laura?«

»Ja, Andrew.«

»Hat die Polizei denn nicht Lee Sherratt verhaftet?«

Charlotte lachte, ein tiefes, kehliges Lachen, rau vom Zigarettenrauch, von Hysterie untermalt. Plötzlich hörte sie wieder auf zu lachen und packte seinen Ärmel fester.

»Etwas Besseres fällt dir nicht ein? Darauf baust du? Glaub mir, das reicht nicht.«

Ihr Blick glitt an ihm vorbei. Andrew Milner drehte den Kopf und sah Graham Vernon, der in der Tür seines Büros stand und die Szene mit einem sardonischen Lächeln betrachtete. Es war Andrew unsagbar peinlich, wie Charlotte sich an ihn presste, die Brust an seinem Arm, das Becken an seiner Hüfte.

»Wolltest du zu mir, Andrew?«, fragte Graham. »Oder kümmert sich Charlotte schon um dich?«

In seinen eigenen vier Wänden, frisch gewaschen und mit seiner Pfeife im Sessel sitzend, wirkte Harry Dickinson wesentlich zugänglicher als unter seinen Freunden. Neben ihm auf dem Tisch lag die neueste Ausgabe des *Buxton Advertiser*. Auf der Titelseite war der mit Blumen geschmückte Brunnen in Great Hucklow abgebildet. In diesem Jahr hatten die Dorfbewohner für das Brunnenfest das Millenniumsthema aufgegriffen – zweitausend Jahre seit Christi Geburt. In dem Artikel stand, dass die Gruppe die ganze Nacht durchgearbeitet hatte, um mit der Dekoration rechtzeitig zur Eröffnungsfeier fertig zu werden.

»Hier steht, dass die Polizei noch die Ergebnisse der gerichtsmedizinischen Untersuchungen auswertet«, sagte Harry und tippte auf einen Artikel weiter unten auf der Seite. »Und dass es möglicherweise bald zu einer Festnahme kommen wird. Ist das wahr?«

»Wenn es da steht.«

»Detective Chief Inspector Stewart Tailby, der die Ermittlungen leitete, sagte: ›Ich bin sehr zuversichtlich.‹ Was für ein Blödsinn.«

»Ich hätte ein paar Fragen über Samstagabend«, sagte Cooper.

»Aye? Irgendein bestimmter Samstag?«

»Letzten Samstag. Der Abend, an dem Laura Vernon vermutlich getötet wurde.«

»Ach, der Samstag. Mal sehen. Also, es war warm.«

Cooper, der das Protokoll von Harry Dickinsons erster Vernehmung gelesen hatte, war entschlossen, sich nicht ablenken zu lassen.

»Schildern Sie mir, was Sie an jenem Abend gemacht haben, Mr. Dickinson.«

»Von wann an?«

»Sagen wir von sechs Uhr an.«

»Ich bin mit dem Hund spazieren gegangen«, sagte Harry prompt. »Punkt sechs, wie immer. Jess ist ein Gewohnheitstier. Wir gehen den Pfad hinunter, bis auf den Baulk. Unter den Felsen auf der Raven's Side ist ihre Lieblingsstelle.«

»Gehen Sie immer denselben Weg?«

Harry paffte an seiner Pfeife. »Manchmal nehme ich auch einen anderen. Wenn mir ein bisschen rebellisch zu Mute ist.«

»Aber an jenem Abend sind Sie in Richtung Raven's Side gegangen?«

»Stimmt.«

»Weiter, bitte. Was haben Sie gemacht, während Sie unterwegs waren?«

»Gemacht? Nicht viel. Das Übliche. Eine Pfeife geraucht. Jess von der Leine gelassen, damit sie Auslauf hatte und ihr Geschäft machen konnte. Ein paar Minuten hingesetzt. Wieder zurückgegangen.«

»Wen haben Sie gesehen, während Sie mit dem Hund spazieren waren?«

»Bloß die üblichen Meuchelmörder«, sagte Harry.

Neben dem Sessel des alten Mannes stand ein poliertes altes Mahagonischränkchen. Oben hatte es ein Fach mit einem Pfeifenständer, einem ledernen Tabaksbeutel und anderen Raucherutensilien, unten hatte es eine kleine Tür, vor der eine Dose schwarze Schuhcreme, ein Tuch und eine Schuhbürste lagen. Cooper warf einen kurzen Blick auf Harrys blank gewienerte Schuhe, dann sah er ihm wieder in die Augen.

»Das war eine ernste Frage, Mr. Dickinson.«

»Ja, aber es war auch eine Unterstellung. Sie haben mir unterstellt, dass ich jemanden gesehen habe. Wollen Sie mich vielleicht aufs Kreuz legen? Das schaffen Sie sowieso nicht.«

»Ich will Sie nicht aufs Kreuz legen, Mr. Dickinson.«

Cooper verlegte sich aufs Schweigen. Schweigen war ein wirksames Mittel. Es setzte den Befragten unter Druck, bis er früher oder später etwas sagte. Also fasste Cooper sich in Geduld. Er erwartete, dass Harry sagen würde, er hätte niemanden gesehen. Aber Harry paffte an seiner Pfeife, blickte in die Ferne und setzte sich in seinem Sessel bequemer hin. Das Ticken der Kaminuhr war das einzige Geräusch im Raum. Draußen fuhr ein Lieferwagen vorbei. Aus dem Nebenzimmer, wo Gwen sich ein Quiz ansah, kam das Geplärre des Fernsehers. Cooper wurde unruhig. Harry sah so ruhig und zufrieden aus, als ob er draußen auf dem Baulk säße, den Hund zu seinen Füßen, die Silhouette der Witches im Blick, beschäftigt mit seinen eigenen Gedanken.

»Haben Sie jemanden gesehen?«, fragte Cooper schließlich.

»Ein paar Wanderer«, sagte Harry. »Wenn Sie es unbedingt wissen wollen.«

»Haben die Wanderer Sie ebenfalls gesehen?«

»Glaube ich kaum. Sie waren unten am Bach. Junges Volk, das genug mit sich selbst zu tun hatte. Diese jungen Leute kriegen ziemlich wenig mit.«

»Wie lange waren Sie unterwegs?«

»Ungefähr eine halbe Stunde, dann war ich wieder zu Hause. Gwen hatte das Essen fertig, und ich habe Jess gefüttert.«

»Und später am Abend?«

»Bin ich noch mal weggegangen, in den Drover. Ungefähr um halb acht. Ich habe Sam und Wilford getroffen, und wir haben uns ein paar Bierchen genehmigt. In der Kneipe kennt mich fast jeder. Fragen Sie Kenny Lee. So was nennt man ein Alibi, nicht wahr?«

»Sind Sie geradewegs dort hingegangen?«

»Wieso nicht?«

»Sie haben keinen Umweg gemacht, über den Baulk zum Beispiel?«

»Wozu denn das? Da war ich doch schon.«

»Haben Sie den Hund mitgenommen?«

»Natürlich hatte ich Jess dabei. Aber Kenny will nicht, dass man Hunde mit ins Wirtshaus bringt, man muss sie hinter dem Haus anbinden. Er sagt, sie erschrecken die Touristen.«

Cooper war gespannt, ob Harry ihn fragen würde, worauf er mit seinen Fragen hinauswollte. Aber er glaubte es nicht.

»Wir haben einen Zeugen, der um 19:15 Uhr in der Nähe des Fundortes der Leiche jemanden gesehen hat, auf den Ihre Beschreibung passt.« So vage, wie die Beschreibung gewesen war, konnte man diese Behauptung nicht einmal als Täuschung bezeichnen.

»Ist ja ein Ding«, sagte Harry. »Das ist ja praktisch für Sie. Das wird Ihnen sicher weiterhelfen.«

»Aber Sie haben mir gerade erzählt, dass Sie um halb sieben wieder zu Hause waren, Mr. Dickinson. Ist das korrekt?«

»Aye, das ist korrekt. Das Essen stand schon auf dem Tisch.«

»Und Sie haben gesagt, dass Sie erst um halb acht wieder weggegangen sind, Mr. Dickinson. Laut Ihrer Aussage waren Sie also um 19:15 Uhr zu Hause. Ist das *korrekt?*«

»Ja.«

»Sie können nicht an zwei Orten zugleich gewesen sein.«

Harry zuckte die Achseln. »Ich würde sagen, das ist Ihr Problem.«

»Und am Sonntag?«, fragte Cooper, um dem Gespräch eine andere Wendung zu geben.

»Wieso Sonntag?«

»Sind Sie an dem Tag auch mit Ihrem Hund auf den Baulk gegangen?«

»Neun Uhr morgens und sechs Uhr abends. Wie immer.«

»Derselbe Weg? Richtung Raven's Side?«

»Ja.«

»Und am Montagmorgen auch?«

»Neun Uhr.«

»Finden Sie es dann nicht auch ein bisschen seltsam, dass Sie den Turnschuh erst am Montagabend gefunden haben? Nachdem Sie bereits viermal in derselben Gegend gewesen waren? Einmal ungefähr zur Tatzeit und dreimal danach. Ohne irgendetwas zu bemerken?«

Harry klopfte seine Pfeife im Kamin aus, starrte auf den leeren Rost und sah Cooper an. Er blinzelte und biss die Zähne zusammen. Cooper fürchtete schon das nächste unbehagliche Schweigen.

»Ich wollte mit Vernon reden«, sagte Harry unvermittelt.

»Wie bitte?« Cooper war überrascht, sowohl über die Information an sich als auch über die Tatsache, dass Harry sie ihm freiwillig gegeben hatte, ohne dass er sie ihm mit glühenden Zangen entrissen hätte.

»Am Samstagabend. Ich dachte, ich hätte Graham Vernon gesehen, als ich mit Jess unterwegs war. Ich wollte mit ihm reden.«

»Warum das, Sir?«

»Ich hatte etwas mit ihm zu besprechen. Etwas Persönliches.«

»Was genau?«

»Etwas Persönliches.«

»Wie gut kennen Sie Mr. Vernon?«

»Überhaupt nicht. Ich habe ihn nie kennen gelernt.«

»Warum wollten Sie dann mit ihm sprechen?«

»Das habe ich Ihnen jetzt schon zweimal gesagt. Ich habe nicht vor, es noch mal zu wiederholen.«

»Ich könnte darauf bestehen, Mr. Dickinson. Wenn Sie keine Aussage machen wollen, könnte ich Sie auch ganz offiziell aufs Revier bestellen.«

»Ich mache doch eine Aussage«, sagte Harry. »Es ging um etwas Persönliches. Ist das etwa keine Aussage?«

»Aber wenn es dabei um Mr. Vernons Tochter ging…«

»So viel kann ich Ihnen sagen. Darum ging es nicht.«

»Hatte es vielleicht mit Ihrer eigenen Familie zu tun?«

Harry lächelte nachsichtig, als ob er einen schlauen Schüler vor sich hätte. »Durchaus möglich, mein Junge.«

»Wo haben Sie Mr. Vernon getroffen?«

»Schon wieder eine Unterstellung.«

»Wie bitte?«

»Ich habe gesagt, ich *wollte* mit ihm sprechen. Aber ich habe ihn aus den Augen verloren. Plötzlich war er verschwunden.«

Coopers Gedanken gingen in eine ganz andere Richtung. Er sah Harry Dickinson auf dem Baulk, ungefähr zur gleichen Zeit wie Laura Vernon und ihr Vater, ganz zu schweigen von Lauras Mörder. Und er stellte sich den Vogelbeobachter vor, Gary Edwards, der von seinem günstigen Aussichtspunkt aus nur einen von ihnen gesehen hatte. Falls Harry auf seinem Spaziergang Graham Vernon *tatsächlich* getroffen und mit ihm gesprochen hatte, wäre er später als üblich nach Hause zurückgekommen. Aber erst um 19:15 Uhr? Dann müsste Gwen ebenfalls lügen. Doch wenn es darum ging, Harry zu schützen, war es ihr durchaus zuzutrauen.

»Die nächste Frage«, sagte Harry.

Cooper wusste nicht recht weiter. »Fürs erste habe ich keine Fragen mehr, Mr. Dickinson.«

»Nein?« Harry machte ein enttäuschtes Gesicht. Er schürzte die Lippen und legte den Kopf auf die Seite. »Das ist aber eine armselige Schau. Ich hatte mich schon so auf ein anständiges Verhör gefreut. Mit allen Schikanen. Wie bei *Fitz*.«

»Wie bitte?«

»Der Dicke aus dem Fernsehen.«

»Ach so, Sie meinen Robbie Coltrane. Er spielte einen Kriminalpsychologen.«

»Aye. Der hat die Verdächtigen immer richtig durch die Mangel gedreht. Rumgebrüllt hat er und geflucht, dass es eine Art war. Er hat ihnen Prügel angedroht, wenn sie nicht die Wahrheit sagen.« Harry musterte Cooper kritisch. »Aber Sie sind nun mal nicht Fitz, mein Junge.«

»Nein, Mr. Dickinson. Ich bin kein Fitz. Und ich bin auch kein Inspector Morse.«

Cooper stand auf und steckte sein Notizbuch ein. »Man wird sicher noch einmal mit Ihnen sprechen wollen, Mr. Dickinson.«

»Soll mir recht sein. Sie wissen ja, wo Sie mich finden.«

»Dann erst einmal vielen Dank, dass Sie sich so viel Zeit für mich genommen haben.«

Cooper blieb einen Augenblick in der Haustür stehen, um den Kontrast zwischen der sonnendurchfluteten Dorfstraße vor und dem schattig kühlen, mit Möbeln voll gestopften Zimmer hinter sich zu verarbeiten. Es war, als träfe man aus einer tiefen dunklen Höhle ins Freie. Vor Urzeiten waren Höhlen ein Symbol für Sicherheit gewesen. Aber sie bedeuteten auch Gefahr. Es bestand immer die Möglichkeit, dass ein wildes Tier darin lauerte. Als Cooper sich zum Abschied umdrehte, waren die scharfen blauen Augen des alten Mannes spöttisch auf ihn gerichtet.

»Nein. Und Sie sind noch nicht mal Miss Marple«, sagte Harry.

17

DCI Tailby besaß eines der wenigen klimatisierten Büros im Hauptquartier der Edendale Division. In den vergangenen Wochen waren viele Ausreden erfunden worden, warum eine Besprechung unbedingt in seinem Zimmer stattfinden musste. Ben Cooper flüchtete allerdings nicht vor den unerträglichen Temperaturen, als er den DCI am Nachmittag aufsuchte.

»Sehr interessant«, sagte Tailby, nachdem er ihm eine Zusammenfassung seiner Befragungen im Dial Cottage vorgetragen hatte. »Aber meinen Sie wirklich, Sie haben ihm fest genug auf den Zahn gefühlt, Cooper?«

Cooper dachte an seine Bemerkung während der Frühbesprechung und fragte sich, ob der DCI sich über ihn lustig machen wollte. Er war froh, dass er ihm nicht erzählt hatte, was sich auf der Thorpe Farm abgespielt hatte, bevor er Harry überreden konnte, in sein Auto zu steigen.

»Er ist ein etwas schwieriger Mensch, Sir.«

»Ich weiß. Vielleicht müssen wir ihn aufs Revier vorladen und ihn noch einmal vernehmen, unter Verlesung seiner Rechte. Dann käme er schnell von seinem hohen Ross herunter, meinen Sie nicht?«

»Gut möglich.«

»Also, was denken Sie, Cooper? Glauben Sie ihm?«

»Doch, Sir. Komischerweise ja.«

»Hm?«

»Ich glaube ihm, was er gesagt hat, und zwar gerade deshalb, weil er so viel nicht gesagt hat, wenn Sie verstehen, was ich meine.«

»Ich fürchte nein, Cooper.«

»Ich habe den Eindruck, dass er sich geschickt um eine Lüge herumgemogelt hat. Wenn es um Dinge ging, die er nicht sagen wollte, ist er mir ausgewichen. Und deshalb glaube ich, dass alles, was er gesagt hat, der Wahrheit entspricht. Ich könnte mir vorstellen, dass lügen gegen seine Prinzipien verstößt.«

»Gibt es solche Leute tatsächlich noch? Ich mag ja ein zynischer alter Detective Chief Inspector sein, aber ich dachte, diese Einstellung wäre mit George Washington ausgestorben.«

»Gewiss, es ist altmodisch, aber es gibt in dieser Gegend heute noch Leute, die so erzogen wurden. Mein Gefühl sagt mir, dass Harry Dickinson dazu gehört. Deshalb sagt er nicht mehr als unbedingt nötig. Je weniger man von sich gibt, desto geringer ist die Versuchung zu lügen.«

»Die Wahrheit sagen oder schweigen.«

»Ganz genau, Sir.«

»Das hat mir mein alter Sergeant vor vielen Jahren auch immer gesagt, als ich noch neu bei der Truppe war«, sagte Tailby. »Aber das ist schon eine Ewigkeit her. Die Dinge ändern sich, Cooper.«

»Aber manches bleibt auch gleich, Sir.«

Tailby rubbelte mit der Hand über seinen Kopf, als ob er die grauen Haare vorne mit den dunkleren hinten vermischen wollte, damit er nicht länger wie das Opfer eines verunglückten Haartönungsexperiments aussah. Sein Gesicht war noch schmaler als sonst, und er sah müde aus.

»Gut, gut. Hat sich also der Vogelfreund in der Zeit geirrt? Hat er Dickinson und seinen Hund früher gesehen, als er dachte?«

»Möglich wäre es. In den Bergen verliert man schnell das Zeitgefühl. Man kann sich leicht täuschen.«

»Dann müssen wir bei ihm noch einmal nachhaken.« Tailby blätterte in einer Akte. »Verdammt, hier fehlt die Information, ob er eine Uhr trug und wenn ja, ob sie normalerweise genau geht. Überhaupt eine ziemlich lückenhafte Befragung. Wer hat sie durchgeführt?« Er verzog das Gesicht. »Ach ja, DS Rennie.«

Unbewusst imitierte Cooper die Geste des DCI und strich sich eine Haarlocke aus der Stirn. Einige Strähnen klebten an seiner schweißnassen Haut.

»Es will mir nicht in den Kopf, dass alle Leute, für die wir uns interessieren, zur selben Zeit auf dem Baulk waren«, sagte er. »Laura, Harry Dickinson, Graham Vernon. Und eine vierte Person – der Täter? Ein bisschen zu viel des Zufalls.«

»Wir müssen aus Dickinson herausbekommen, worüber er mit Graham Vernon sprechen wollte«, sagte Tailby.

»Können wir beweisen, dass seine Gründe für unsere Ermittlungen relevant sind?«

Tailby überlegte. »Dass Dickinson und Vernon zur selben Zeit auf dem Baulk waren, ist äußerst relevant.«

»Wichtiger noch erscheint mir die Frage, was Vernon dort gemacht hat«, sagte Cooper.

»Das ist nicht die einzige Frage, auf die uns die Eltern noch eine Antwort schuldig sind. Ihre Aussage über das, was unmittelbar vor Lauras Verschwinden passiert ist, scheint nicht ganz zu stimmen. Aber bei der Aufzeichnung des Fernsehaufrufs heute Morgen waren sie sehr glaubwürdig, vor allem Graham Vernon.«

Ben Cooper ließ sich durch Vernons überzeugenden Fernsehauftritt nicht beeindrucken. Seiner Erfahrung nach war alles, was vor einer Fernsehkamera gesagt wurde, noch weiter von der Wahrheit entfernt als die üblichen Erfindungen und Ausflüchte, mit denen er sich bei seiner Arbeit tagtäglich herumschlagen musste. Eine Lüge bleibt eine Lüge, auch im Scheinwerferlicht und vor laufender Kamera.

Tailby nestelte am Knoten seiner Krawatte, wie ein Mann, der auf sein äußeres Erscheinungsbild bedacht war. Cooper sah dem DCI an, dass er seine Zweifel teilte.

»Und was ist mit Daniel Vernon?«, fragte er.

»Wir haben mehrere zuverlässige Zeugen, die ihn zu den fraglichen Zeiten in Exeter gesehen haben. Anscheinend gehört er einer linken Gruppierung an, die von ihrem sozialen Gewissen umgetrieben wird. Wo er das wohl her hat? Wirklich schade – Daniel kam mir als Tatverdächtiger sehr viel versprechend vor. Ich hatte noch DC Weenink in die Villa geschickt, um herauszufinden, wie er die Transportfrage gelöst hat. Sein Vater hatte ihm angeboten, ihm die Zugfahrkarte zu kaufen oder ihn aus Devon abzuholen, nachdem Laura am Montag tot aufgefunden worden war. Aber Daniel wollte lieber trampen, und deshalb hat er für die Strecke die ganze Nacht und den halben Vormittag gebraucht. Wir haben den Fahrer eines Viehtransporters ausfindig gemacht, der ihn in den frühen Morgenstunden an der Ausfahrt 28 auf der M1 abgesetzt hat.«

»Interessant.«

»Heutzutage ist es eher selten, dass jemand einen abgerissenen Jugendlichen am Straßenrand aufgabelt. Zu meiner Zeit kam so etwas öfter vor.«

»Nein, ich meine …«

»Ich weiß, Cooper. Und ich bin ganz Ihrer Meinung. Aber das kann erst einmal warten.«

Cooper wusste nicht recht, ob der DCI damit andeuten wollte, dass er gehen sollte. Aber da Tailby heute recht zugänglich zu sein schien, blieb er am Ball.

»Und wie macht sich Lee Sherratt, Sir?«

»Er streitet alles ab. Angeblich hatte er keinerlei Beziehung zu Laura; er behauptet sogar, er hätte sie kaum gekannt. Aber das gebrauchte Kondom hat ihn trotzdem geschockt. Damit können wir ihn festnageln. Wir brauchen bloß die Ergebnisse der DNS-Analyse abzuwarten.«

»Aber dann wissen wir auch nur, dass er Sex im Garten hatte. Es beweist noch lange nicht, dass er ihn mit Laura Vernon hatte.«

»Wenigstens können wir ihn dann etwas unter Druck setzen. Aber wir haben sowieso noch eine andere Alternative. DS Morgan hat Lauras Freund gefunden.«

»Ach.«

»Es ist ein gewisser Simeon Holmes. Siebzehn Jahre alt. Er wohnt im Devonshire Estate in Edendale. Kennen Sie die Siedlung?«

Cooper kannte sie nur allzu gut. Er war dort als junger Bobby

Streife gefahren, immer auf der Suche nach Jugendlichen, die in gestohlenen Autos Rennen veranstalteten, oder nach Informationen über Drogenhändler, die in der trostlosen Betonwüste aus den Sechzigerjahren ihr Unwesen trieben.

Das Devonshire Estate war unten im Tal auf einem morastigen Gelände hochgezogen worden, das man für das Neubauvorhaben in aller Eile trocken gelegt hatte. Seit fünfunddreißig Jahren kroch nun die Feuchtigkeit wieder in die Fundamente der Häuser, ließ die Wände verschimmeln und Türen und Fenster vermodern. Inzwischen waren viele der Häuser praktisch unbewohnbar; aus den Bodendielen sprossen Pilze, und durch die Dächer strömte das Wasser herein. Aber die Sozialschwachen von Edendale hatten kaum eine andere Wahl, als dort zu wohnen. Für das idyllische Tal war die Siedlung ein Slum.

»Wie kommt es, dass er Laura Vernons Freund war? Es klingt eher so, als ob er überhaupt nicht zu ihr gepasst hätte.«

»Ihren Eltern hätte er bestimmt nicht gefallen«, sagte Tailby. »Unter anderem fährt er nämlich Motorrad. Er sagt, er hätte Laura eines Mittags in der Stadt kennen gelernt, als sie eigentlich beide in der Schule hätten sein sollen. Er behauptet sogar, die Initiative sei von ihr ausgegangen, und sie hätte seitdem immer wieder blau gemacht, um sich an den verschiedensten Orten mit ihm zu treffen.«

»Nichts als bummeln im Kopf.«

»So nennen die das heutzutage? Ich dachte, das heißt fummeln, nicht bummeln.«

»Ich meine das Schuleschwänzen, Sir, nicht das andere.«

»Das andere ist anscheinend auch nicht zu kurz gekommen. Holmes sagt, sie hätte ihm weisgemacht, sie wäre schon sechzehn.«

»Die alte Leier.«

»Aber es ist wirklich nicht ganz einfach. Ich könnte Ihnen auch nicht sagen, ob irgendein Mädchen auf der Straße fünfzehn oder sechzehn ist. Manchmal sehen sie wie achtzehn aus und sind erst zwölf. Die Staatsanwaltschaft würde ihn sowieso nicht wegen Verführung einer Minderjährigen verfolgen. Nicht, wenn er selbst erst siebzehn ist.«

»Dann haben wir also Spuren genug, Sir.«

Tailby seufzte. »Mehr als genug. Wir haben definitiv ein Überangebot an Tatverdächtigen. Mir wäre es lieber, wenn wir uns bei den Ermittlungen frühzeitig auf einen einzigen möglichen Täter konzentrieren könnten. Aber immerhin hält sich deshalb das Gerede über eine Verbindung mit dem Fall Edson in Grenzen.«

»Wurde in Moorhay zur Tatzeit ein Motorrad gesehen?«, fragte Cooper.

»Mehrere. Sie werden gerade am Computer herausgefiltert. Holmes kommt später aufs Revier, zur Vernehmung. Vielleicht sollten wir ihn uns selbst ansehen, Sie und ich. Mit Harry Dickinson und den Vernons können wir uns später noch befassen. Dieser Bursche scheint ausgesprochen redselig zu sein. Was meinen Sie, Cooper?«

»Ich wäre gern dabei, Sir. Danke.«

Das Telefon klingelte, und Tailby nahm den durchgestellten Anruf entgegen. Er nickte. Die Andeutung eines Lächelns spielte um seine Lippen.

»Neuer Plan«, sagte er. »DI Hitchens soll Holmes übernehmen. Unten wartet Mr. Daniel Vernon. Offenbar hat er uns einiges zu erzählen.«

Einer der beiden Kassettenrekorder quietschte leise vor sich hin. Das Geräusch war derartig irritierend, dass Diane Fry fast den Eindruck hatte, das Gerät wäre absichtlich so eingestellt worden, um den Zeugen nervös zu machen. Aber heute sah es eher so aus, als ob es zuerst die Beamten aus der Ruhe bringen würde. Sie zwang sich, das Quietschen zu ignorieren.

»In der Mittagspause gehen wir immer in die Spielhalle. Manchmal hängen wir den ganzen Nachmittag da rum. Da stört uns niemand.«

Simeon Holmes hatte die schwarze Lederjacke seiner Motorradkombination ausgezogen, weil es im Vernehmungszimmer so stickig war. Er trug ein schwarzes Manic Street Preachers T-Shirt, in dem seine kräftigen Arme und Schultern gut zur Geltung kamen; rechts und links am Halsansatz hatte er eine kleine blaue Tätowierung. Seine Haare waren oben kurz geschnitten, hinten lang. Er trug einen goldenen Ohrring und hatte neben der einen Augenbraue ein kleines Muttermal. Diane Fry musste daran denken, dass DS Morgan ihn als muskulösen Burschen beschrieben hatte, einen Typen, auf den manche Mädchen flogen. Außerdem besaß er ein schweres Motorrad.

»Aber Sie sind doch Schüler an der Edendale Community School«, sagte Hitchens mit kaum verhohlenem Erstaunen.

»Na und?«

»Wie können Sie sich dann den ganzen Nachmittag frei nehmen?«

»Weil wir Freistunden haben, darum. Da können wir machen, was wir wollen.«

»Was Sie wollen? Das soll wohl heißen, dass Sie die Zeit nicht gerade zum Lernen nutzen.«

Holmes zuckte mit den Schultern. »Das machen alle so.«

»Ich verstehe.«

Hitchens warf Fry einen Blick zu. Sie zog nur die Augenbrauen hoch. Für sie war es nicht überraschend, womit sich Jugendliche wie Simeon Holmes die Zeit vertrieben.

»Sie haben Detective Sergeant Morgan erzählt, dass Sie Laura Vernon in einer Spielhalle in der Dale Street kennen gelernt haben.«

»Bei Tommy's, genau. Ich habe am Computer gespielt. Bei Tommy's gibt es nämlich die schärfsten Spiele, und ich war gerade dabei, einen neuen Rekord aufzustellen. Es waren mehrere von uns da, sechs oder sieben vielleicht.«

»Klassenkameraden?«

»Auch.«

»Und?«

»Einer von meinen Kumpels, der am Fenster stand, sagte mir, dass sich eine Tussi an meiner Maschine zu schaffen macht. Also bin ich rausgegangen, und da saß sie im Sattel und drehte an den Handgriffen rum. Ganz schön frech, wenn Sie mich fragen. Wenn sie ein Kerl gewesen wäre, hätte ich ihr eine verpasst. Ich habe es nicht gerne, wenn sich einer an meinem Bock vergreift. Aber es war kein Kerl, sondern diese Tussi, Laura.«

Fry kräuselte die Nase. Im Vernehmungszimmer hing ein merkwürdiger Geruch, der in den letzten Minuten immer stärker geworden war. Natürlich war es warm und stickig in dem kleinen Raum, aber allein mit dem säuerlichen Geruch von Männerschweiß ließ sich der Mief nicht erklären.

»Vorher kannten Sie Laura nicht?«, fragte sie.

»Ich hatte sie noch nie gesehen.«

»Sind Sie sicher?«

»Das hätte ich mir gemerkt, Schätzchen. So eine Sahnetorte vergisst man nicht so schnell.«

Holmes grinste Diane Fry an. Sie verzog keine Miene, auch wenn sie ihm am liebsten »eine verpasst« hätte. Sie konnte es nicht ausstehen, von einem Schnösel wie Simeon Holmes als Schätzchen tituliert zu werden.

»Sie war ein attraktives Mädchen, nicht wahr?«, sagte Hitchens.

»Und ob. Sie war ein scharfes Gerät.«

War das eben ein kleines Stocken gewesen? Fry hatte es schon öfter erlebt, dass Zeugen vom Tod eines Bekannten scheinbar unberührt blieben, bis man in der Vergangenheitsform von ihm redete, als ob der Tod mit einem einzigen kleinen Wort plötzlich Realität wurde.

»Und warum saß sie auf Ihrem Motorrad?«, fragte Hitchens.

»Sie wollte es sich bloß ansehen, hat sie gesagt. Viele Mädels stehen auf Motorräder. Die fahren tierisch darauf ab. Sie sind total heiß darauf, sich eine Maschine zwischen die Beine zu klemmen.«

»Fahren Sie deshalb Motorrad?«

Holmes grinste wieder. »Eigentlich nicht. Aber es hilft.«

»Dann hat sie sich also für das Motorrad interessiert und nicht für Sie?«, fragte Fry.

Holmes ließ sich von ihrer ernsten Miene nicht aus der Ruhe bringen. »Machen Sie Witze? Okay, anfangs hätte ich es selber fast geglaubt, so cool, wie sie getan hat. Aber im Grunde brauchte ich sie bloß anzuquatschen, und schon lief alles wie am Schnürchen. Sie ist mit in die Spielhalle gekommen und hat mir beim Spielen zugesehen. Ja, und später hat mir einer von den Typen bei Tommy's erzählt, dass sie sich ein paar Tage vorher nach mir erkundigt hatte. Sie wollte wissen, wer ich bin, wie ich heiße. Also war sie offensichtlich scharf auf mich. Die Sache mit der Maschine war bloß ein Trick.« Er wandte sich wieder Hitchens zu. »Die Weiber können ganz schön raffiniert sein.«

»Wem sagen Sie das?«, meinte Hitchens. Fry befürchtete schon, der DI würde Holmes im nächsten Augenblick kumpelhaft zuzwinkern. Dann hätte sie auf der Stelle den Raum verlassen.

»Vor allem solche Weiber wie Laura«, sagte Holmes.

»Wie meinen Sie das?«

»Sie ging doch auf diese noble Schule, High Carrs. Da dürfen während der Unterrichtszeit noch nicht mal die Abiturienten das Schulgelände verlassen. Aber Laura hat sich irgendwie rausgeschlichen. So war sie. Im Grunde war ihr die Schule egal.«

»Nach allem, was wir gehört haben, soll sie ein intelligentes Mädchen gewesen sein.«

»War sie auch. Echt clever. Sie hätte die Mittlere Reife mit links geschafft, aber sie war zu faul zum Lernen. Sie stand mehr auf Musik. Ich schätze, ihre Eltern haben ihr die Schule gründlich vermiest. So was kommt vor. Manche Eltern treiben ihre Kinder so sehr an, dass sie das genaue Gegenteil damit erreichen. Eigentlich schade.«

»Eine kleine Rebellin, hm?«

»Ja, genau. Sagen Sie bloß, Sie waren früher auch so? Aber wer weiß? Vielleicht hätte Laura ja zum Schluss doch noch die Kurve gekriegt.«

»Möglich, Simeon. Nur haben Sie sie auch nicht gerade vom Schuleschwänzen abgehalten, oder?«

»Nein. Wir haben uns tierisch gut verstanden, gleich von Anfang an. Von da an ist sie regelmäßig in die Spielhalle gekommen. Ehrlich gesagt hat mich das ein bisschen gewundert – schließlich war sie eine ziemliche Nobeltussi. Normalerweise komme ich an solche Weiber nicht so leicht ran. Aber sie war scharf auf mich. Ja, echt scharf. Da sagt man natürlich nicht nein. Was denken Sie denn?«

Der seltsame Gestank ging eindeutig von Holmes aus. Fry schloss den Geruch von Alkohol und kaltem Tabakrauch aus. Sie kannte auch kein Betäubungsmittel, das so roch. Möglicherweise hatte es mit der Motorradkluft zu tun. Vielleicht ein Öl, um das Leder weicher zu machen, das nun in dem schwül warmen Raum langsam verdunstete. Aber um einen solchen Gestank zu verbreiten, hätte es schon ranziges Schweinefett sein müssen.

»Hat Laura in der Schule keinen Ärger bekommen, weil sie gegen die Vorschriften verstoßen hat?«, fragte sie.

»Keine Ahnung. Auf jeden Fall hat sie nie etwas davon gesagt. Außerdem wäre es ihr sowieso egal gewesen.«

»Aber ihren Eltern vielleicht nicht.«

Holmes zuckte mit den Schultern. »Über die hat sie nicht viel geredet.«

»Sie wollen also sagen, dass die Initiative zu Ihrer Beziehung von Laura ausging?«, fragte Hitchens.

»Was? Aber sicher, sag' ich doch. Sie hat sich an mich rangemacht. Sie war total heiß auf mich.«

»Hatte sie noch andere Freunde?«

»Klar. Sie war keine Unschuld vom Lande. Das glauben Sie mal bloß nicht.«

Fry beugte sich vor, um die nächste Frage zu stellen.

»Wann haben Sie das erste Mal mit ihr geschlafen, Simeon?«

Holmes sah von Hitchens zu Fry. Die Beunruhigung, die er hinter seinem Dauergrinsen verborgen hatte, stand ihm nun deutlich ins Gesicht geschrieben.

»Ich dachte, Sie wollen rauskriegen, wer sie umgebracht hat. Das ist doch die Sache, um die es hier geht. Machen Sie mir jetzt bloß keinen Aufstand wegen ihrem Alter.«

»Was meinen Sie damit, Simeon?«

»Sie hat mir gesagt, dass sie sechzehn ist, aber…«

»Aber Sie wussten, dass sie jünger war?«

Holmes warf Hitchens einen Hilfe suchenden Blick zu. »Aber das interessiert Sie doch überhaupt nicht, oder? Das spielt doch jetzt keine Rolle mehr. Jetzt, wo sie tot ist.«

»Das sehe ich auch so«, sagte Hitchens.

»Okay. Sie sollen bloß nicht denken, dass ich mich rausreden will. Aber ehrlich gesagt, war sie total verrückt nach mir. Sie konnte mir gar nicht schnell genug an die Wäsche gehen. Um es mal knallhart zu sagen.«

»Tatsächlich?«

»Tatsächlich. Sie konnte den Hals nicht voll kriegen. Manchmal sind wir in den Park gegangen oder mit meiner Maschine aufs Land gefahren. Rauf in die Berge. Darauf stand sie besonders.«

»Haben Sie oft mit ihr geschlafen?«

»Andauernd – jedes Mal, wenn die Zeit reichte. Und manchmal auch, wenn die Zeit eigentlich nicht reichte. Ja.«

Fry konnte sich kaum noch beherrschen. Wenn Holmes sie noch ein einziges Mal angrinste, würde sie ihm die Handschellen anlegen und ihm seine Rechte verlesen müssen.

»War Laura noch Jungfrau, als Sie sie kennen gelernt haben?«, fragte sie.

»Im Leben nicht.«

»Sind Sie sicher?«

»Also, erstens merkt man es ihnen an, wenn sie es zum ersten Mal machen. An ihren Reaktionen und so.« Er zögerte und sah Fry von der Seite an. »Und Laura wusste auf jeden Fall Bescheid, was Sache war. Außerdem hatte es der Typ, bei dem sie sich nach mir erkundigt hat, auch schon mit ihr getrieben. Er hat mir von ihr erzählt. Er glaubte auch nicht, dass er der Erste war.«

»Dann hatte sie also viele Freunde.«

»Ja. Sie stand auf Kerle.«

»Hatte Sie noch andere Freunde, während sie mit Ihnen zusammen war?«

»Weiß ich echt nicht. Könnte schon sein. Gesagt hat sie jedenfalls nichts davon.«

»Für die Art von Mädchen, als das Sie Laura hinstellen, wäre das nicht ungewöhnlich. Vielleicht war es sogar Absicht, um Sie eifersüchtig zu machen.«

»Ich bin keiner von der eifersüchtigen Sorte«, sagte Holmes. Doch dann verschwand sein Lächeln. »Ach so. Ich verstehe, worauf Sie hinauswollen. Sie denken, ich wäre auf irgendeinen anderen Kerl eifersüchtig gewesen und hätte ihr deshalb den Schädel eingeschlagen, stimmt's? Also, das können Sie mal ganz schnell wieder vergessen. Laura war in Ordnung, für jeden Scheiß zu haben. Aber solche Geschichten sind schließlich nicht für die Ewigkeit. Man entwickelt sich weiter. Früher oder später hätte sie oder ich etwas anderes angefangen, und damit wäre die Sache erledigt gewesen. Ein paar tolle Wochen zusammen, mehr nicht. Kein Problem. In den Ferien habe ich sowieso nicht viel von ihr gesehen – sie konnte nicht von ihren Eltern weg.«

»Wir haben einen Zeugen, der aussagt, dass Laura kurz vor ihrer Ermordung am Samstagabend auf dem Weg hinter der Villa mit einem jungen Mann gesprochen hat«, sagte Hitchens.

»Das war ich nicht. Ich habe dem anderen Polizisten schon gesagt, wo ich war. In Matlock Bath, mit ungefähr 50 anderen Bikern.«

»Ja, das haben Sie gesagt.« Es waren bereits Beamte unterwegs, um die Namen und Orte, die Holmes DS Morgan genannt hatte, zu überprüfen. Je nachdem, was bei diesen Ermittlungen herauskam, würden sie den jungen Mann womöglich fürs Erste nach Hause schicken müssen.

Fry wäre zu gern an die frische Luft gegangen. Der Gestank in dem kleinen Vernehmungszimmer war fast nicht mehr auszuhalten. Hitchens hatte ein Taschentuch herausgezogen, um sich die Nase zu putzen, aber er brauchte auffällig lange dafür.

»Außerdem«, sagte Holmes, »war ich noch nie bei ihr zu Hause. Hat jemand behauptet, dass er mich gesehen hat?«

»Nicht direkt«, sagte Hitchens.

»Na also.«

Holmes hatte sich wieder gefangen. Fry ärgerte sich, dass es ihm wieder besser ging. Womöglich fing er wieder an zu grinsen. »Wenn Sie Sex mit Laura hatten«, sagte sie, »haben Sie sie dann auch gebissen?«

Er starrte sie angewidert an. »Hauen Sie mir mit so was ab«, sagte er.

»Sie verweigern die Antwort?«

»Das geht Sie überhaupt nichts an.«

»Wären Sie bereit, sich einen Gebissabdruck abnehmen zu lassen?«, fragte Hitchens.

»Wozu denn das?«

»Damit wir Sie als Verdächtigen ausschließen können, Simeon. Wenn Sie Laura Vernon nichts getan haben, haben Sie auch nichts zu befürchten.«

Simeon Holmes war nicht so dumm, wie er tat. Fry sah ihm an, dass er sich seinen Teil zusammenreimte. Eine Frage nach seinen sexuellen Praktiken gefolgt von der Bitte um einen Gebissabdruck. Ihre Fragen waren nicht gerade subtil gewesen. Wegen seiner lässigen Art konnte man Holmes leicht unterschätzen. Aber jetzt hatte er eine Wahl. Wenn er schuldig war, würde ihn der Abdruck überführen. War er aber unschuldig, wäre er durch den Abdruck entlastet und hätte die Polizei vom Hals. Fry und Hitchens warteten geduldig auf seine Entscheidung.

»Okay«, sagte er. »Kein Problem.«

Hitchens machte ein enttäuschtes Gesicht. Doch bevor er etwas sagen konnte, klopfte es und DS Rennie streckte den Kopf zur Tür herein. Angeekelt schnitt er eine Grimasse, als ihm der üble Geruch entgegenschlug. Hitchens verkündete eine Vernehmungspause, schaltete die Kassettenrekorder aus und ging in den Korridor, um mit Rennie zu sprechen.

Als sie allein waren, konnte Fry den jungen Mann noch einmal in aller Ruhe betrachten. Obwohl Simeon Holmes ihrem Blick nicht auswich, war ihm seine zur Schau getragene Selbstsicherheit in den letzten Minuten ein wenig abhanden gekommen. Seit

DI Hitchens den Raum verlassen hatte, schien er sich in seiner einstudierten Rolle nicht mehr wohl zu fühlen. Fry begriff nicht ganz, was in ihm vorging. Sie hatte nicht den Eindruck, dass er während der Vernehmung gelogen hatte. Aber trotzdem... Wie alt war Holmes? Siebzehn?

»Sind Sie in der Oberstufe der Community School, Simeon?«, fragte sie.

Holmes zog schweigend die Augenbrauen hoch und warf einen viel sagenden Blick auf die ausgeschalteten Aufnahmegeräte.

»Nur eine Frage«, sagte sie.

Er grinste träge, aufreizend und selbstgefällig. Aber er machte den Mund noch immer nicht auf.

»Nur so ein Gedanke«, sagte Fry. »Ich wette, Sie haben mehr im Kopf als die meisten Ihrer Kumpel.«

»Worauf Sie sich verlassen können.«

»Ich wette, Sie sind ziemlich gut in der Schule, wenn Sie sich Mühe geben. Was sind Ihre besten Fächer? Lassen Sie mich raten. Maschinenbau? KFZ-Mechanik?«

Holmes lachte höhnisch. »Chemie und Biologie, wenn Sie es genau wissen möchten. Ich mache nächstes Jahr Abitur.«

Fry sah sich mit einem Mal einem völlig neuen Simeon Holmes gegenüber, der sogar anders sprach als vorher.

»Das nützt Ihnen aber nicht viel, wenn Sie an Ihrer Maschine herumbasteln wollen, oder?«, sagte sie.

Der junge Mann schnaubte verächtlich und schaltete auf stur. Fry konnte ihm fast ansehen, wie er wieder in seine alte Rolle schlüpfte.

»Aber vielleicht wollen Sie ja auch studieren«, sagte sie. Zu ihrer großen Befriedigung konnte sie beobachten, wie Simeon rot wurde. Sie hatte ein Thema berührt, das ihm peinlich war. Etwas, worüber er mit seinen Motorradkumpeln nicht reden konnte.

»Mit guten Noten in Chemie und Biologie könnten Sie... was studieren? Medizin vielleicht?«

Er bewegte lautlos die Lippen. Sein Blick flackerte gequält, als ob Fry ihm einen Tiefschlag versetzt hätte. Sie beeilte sich, diesen Vorteil auszunutzen.

»Habe ich Recht? Möchten Sie Arzt werden, Simeon?«

Doch der Bann war gebrochen, als DI Hitchens die Tür öffnete, gerade noch rechtzeitig, um die beiden letzten Fragen mitzuhören. Er verzog das Gesicht bei dem Gedanken, dass er womöglich eines Tages in die Praxis seines Hausarztes kommen würde, um von diesem Schnösel behandelt zu werden. Mit einem Kopfnicken bedeutete er Diane Fry, ihn nach draußen zu begleiten. Simeon Holmes blieb allein zurück, grinsend und von seinem unangenehmen Geruch umgeben.

»Wir können ihn wieder Morgan überlassen«, sagte Hitchens. »Man hat die Wanderer gefunden. Wir fahren nach West Yorkshire, Diane.«

Ben Cooper hatte Daniel Vernon noch nie zuvor gesehen. Der erste Eindruck war nicht gerade überwältigend, aber er hatte gelernt, sich über Menschen, die jünger waren als er selbst, keine vorschnelle Meinung zu bilden. Es war ein Fehler, jemanden zu verurteilen, nur weil er sich anders kleidete und anders benahm. Daniel Vernon war Student. Möglich, dass er nächtelang in der Disco herumhing, Hasch rauchte und Ecstasy einwarf. Möglich, dass er jede Nacht eine andere Frau mit nach Hause nahm und den ganzen Tag im Bett blieb. Möglich auch, dass er sich nichts dabei dachte, Verkehrsschilder zu klauen und im Pub Biergläser und Aschenbecher mitgehen zu lassen. Aber in einigen Jahren, wenn er ein angesehenes, wohlhabendes Mitglied der Gesellschaft war, würde er von der Polizei besseren Schutz verlangen.

Daniel sah so aus, als ob er zu viel billiges Bier trank. Er trug ein schmuddeliges weißes T-Shirt, auf dessen Brust der Name einer amerikanischen Universität prangte. Das Hemd roch nach Schweiß.

Cooper brachte Daniel nach oben in ein Vernehmungszimmer, wo sie bereits von Tailby erwartet wurden. Es bedurfte nur weniger Fragen, um Daniel zum Reden zu bringen. Schon bald wurde klar, was ihm auf der Seele lag.

»Ich finde es erstaunlich«, sagte Tailby einige Minuten später, »wie versessen Sie darauf sind, mir solche Dinge über Ihre Eltern zu erzählen.«

»Es ist die Wahrheit«, sagte Daniel. »Was sie treiben, wenn sie allein oder mit ihren widerlichen Freunden zusammen sind, ist mir scheißegal. Aber sie wollten einfach nicht sehen, was sie Laura damit angetan haben. Für Laura war ihr Benehmen vollkommen normal. Sie wollte auch Sachen ausprobieren. Sie kam auf den Geschmack am Sex, als sie ungefähr dreizehn war. Sie hat mir alles erzählt, auch wenn sie nie auf meinen Rat gehört hat. Mum hatte keine Ahnung, bis heute nicht. Und Dad...?« Er zuckte mit den Achseln. »Wer weiß?«

»Sie haben versucht, ihr ins Gewissen zu reden, Daniel?«

»Ja. Aber die Mühe hätte ich mir sparen können.«

»Wir haben Ihre Briefe gefunden.«

»Ich weiß. Sie haben den Brief mitgenommen, den ich ihr geschrieben habe, nachdem sie mir von Simeon Holmes erzählt hatte.«

»Ja, Holmes«, sagte Tailby. »Kennen Sie ihn?«

»Nein. Aber so, wie Laura von ihm geschwärmt hat, musste ich ihr einfach schreiben. Diesmal klang die Sache ernster. Es war nicht mehr nur ein Spiel für sie. Meine große Sorge war, dass sie sich von so einem Typen schwängern lässt. Ich wollte wenigstens dafür sorgen, dass sie regelmäßig die Pille nimmt. Sie hat es mir versprochen.«

Daniel sah Tailby fragend an.

»Sie war nicht schwanger«, sagte der DCI, ohne ins Detail zu gehen. Es gab auch so etwas wie ein Zuviel an Informationen. »Aber was hat Sie jetzt dazu bewogen, uns das alles zu erzählen, Daniel?«

»Ich bin mir sicher, dass mein Vater Ihnen alle möglichen Geschichten über Lee Sherratt und Laura aufgetischt hat. Sie dürfen ihm nicht glauben. Laura hat sich nicht für Sherratt interessiert und er sich auch nicht für sie.«

»Aber Ihre Mutter ...«

»Meine Mutter war selbst scharf auf ihn. Sie steht auf junge Kerle. Und er war sehr willig. Mein Vater wusste natürlich davon. Er wusste, was abging. Er weiß immer Bescheid.«

»Soll das heißen, Ihre Mutter hatte eine Affäre mit dem Gärtner?«

»So ausgedrückt klingt es doch sehr nach einem Roman von D. H. Lawrence.«

»Finden Sie?«

»Aber Lee Sherratt ist bloß ein Jugendlicher aus dem Dorf, der eine Chance sah, bei einer älteren Frau auf seine Kosten zu kommen. Nicht gerade der Wildhüter Mellors.«

Tailby konnte ihm nicht recht folgen. »Ihr Vater glaubt, dass Sherratt Ihre Schwester getötet haben könnte.«

»Wenn das stimmt«, sagte Daniel, »wenn er sie tatsächlich getötet hat, dann war es die Schuld meines Vaters.«

»Ach. Wie kommen Sie darauf?«

»Er hat es geduldet«, antwortete er. »Bis es viel zu weit gegangen war. Und er hatte seinen Spaß daran.«

»Wie bitte?«

»Glauben Sie mir.«

Daniel zog an seinem verschwitzten T-Shirt, das ihm am Körper klebte. Er rutschte auf seinem Stuhl herum, sodass die Jeans über das Leder schabte. Sein Blick huschte unstet von Tailby zu Cooper. Als er weitersprach, hatte sich seine Stimme verändert. Sie war ruhiger geworden, weniger aggressiv. Es lag ein fast jungenhafter Unterton darin, der eine innere Qual zum Ausdruck brachte, die sich nicht länger verbergen ließ.

»Eines Tages«, sagte er, »habe ich meinen Vater in seinem Büro erwischt. Das war kurz bevor ich mit dem Studium anfing. Ich wollte mit ihm über etwas sprechen, was ich für die Uni brauchte. Ich habe angeklopft, aber er hat mich offenbar nicht gehört. Er war nämlich anderweitig beschäftigt.«

Daniel lächelte zynisch. Tailby reagierte nicht. Seine Miene blieb ausdruckslos, nur eine Augenbraue ging leicht in die Höhe.

Sein ostentatives Desinteresse spornte Daniel mehr an als jede bohrende Frage.

»Er stand am Fenster. Er benutzte ein Fernglas und sah hinunter in den Garten. Zuerst dachte ich, dass er Vögel beobachtete. Ich war überrascht, weil ich gar nicht wusste, dass er sich ein Hobby zugelegt hatte. Außer Golf hat er noch nie ein Hobby gehabt, und selbst das betreibt er nur aus geschäftlichen Gründen.«

»Weiter.«

»Ich wollte ihn gerade fragen, was für einen Vogel er entdeckt hatte. Manchmal gibt es bei uns nämlich Spechte im Garten. Doch er hatte mich hereinkommen hören und drehte sich um, und da sah ich... Da sah ich sein Gesicht. Er war erschrocken und wütend, weil ich ihn gestört hatte. Aber vor allem sah er schuldbewusst aus. Er fragte mich, was ich wollte. Ich wollte wissen, was er im Garten beobachtet hatte, aber er sagte es mir nicht. Er faselte irgendetwas daher, dass er das Fernglas ausprobieren wollte, um es einem Freund zu leihen. Aber als ich vor ihm stand, sah ich aus dem Fenster und sah meine Mutter.«

Der junge Mann schwieg so lange, dass Tailby schon dachte, er hätte nichts mehr zu sagen. Der DCI runzelte die Stirn, frustriert über die scheinbare Sinnlosigkeit der Geschichte. Aber Daniel war noch nicht fertig.

»Sie war mit Lee Sherratt zusammen. Unten im Gartenhaus. Er hatte einen nackten Oberkörper und er grinste. Meine Mutter zog sich gerade ihre rote Seidenbluse wieder an und band die Enden vorne lose zusammen. Es war das erste Mal, dass ich die Brüste meiner Mutter sah.«

Im Vernehmungszimmer nahm das Schweigen zu. Irgendwo im Gebäude fing jemand an zu pfeifen. Ein Telefon klingelte ein halbes Dutzend Mal, bis der Hörer abgenommen wurde. Tailby wagte es nicht, sich zu bewegen, um den Bann nicht zu brechen.

»Aber das war nicht das Schlimmste«, sagte Daniel. »Das Widerwärtigste an der ganzen Sache war mein Vater. Als ich in sein Zimmer kam und er sich vom Fenster wegdrehte, fielen mir sofort zwei Dinge an ihm auf. Das erste war das Fernglas, das er um den Hals trug, und das zweite war seine Erektion.«

Der junge Mann starrte auf den Schreibtisch, als ob ihn die Kugelschreiber und verstreuten Büroklammern faszinierten. Tailby erinnerte sich an Graham Vernons Schreibtisch. An einer Tischlampe hatte eine gerahmte Aufnahme gelehnt, ein Hochzeitsfoto aus den Siebzigerjahren, wie man aus der Frisur des Bräutigams und seinen breiten Revers schließen konnte. Graham Vernon war an seinem Vertreterlächeln und dem offenen Blick in die Kamera leicht zu erkennen. Aber wenn man die Veränderungen in der Mode außer Acht ließ, hatte Graham Vernon seinem Sohn, der jetzt vor ihnen saß, in seiner Jugend sehr ähnlich gesehen.

»Er hatte eine riesige Beule in der Hose«, sagte Daniel. »Es war unfassbar. Zuerst konnte ich mir noch nicht einmal erklären, was es war. Ich dachte, er hätte etwas in der Hosentasche. Aber mein Vater hat nie etwas in der Hosentasche, weil das den Sitz der Hose verdirbt. Und dann begriff ich. Tatsache ist, er hat sich daran aufgegeilt, dabei zuzusehen, wie meine Mutter Sex mit dem Gärtner hatte. So ist mein Vater, Chief Inspector.« Seine Stimme wurde brüchig. »So ist der Scheißkerl, den ich meinen Vater nenne.«

Tailby nickte bedächtig. Er war schon viel zu lange bei der Polizei, um von den sexuellen Praktiken anderer Menschen schockiert zu sein. Für ihn waren sie nichts weiter als Fakten, die man sich notierte, Erkenntnisse, die ein mögliches Tatmotiv liefern konnten, wenn sie mit den zahllosen anderen Informationen abgeglichen worden waren, die in die Einsatzzentrale strömten. Nach und nach fügte sich so ein Bild vom Leben Laura Vernons zusammen, Teilchen für Teilchen, wie bei einem riesengroßen Puzzle. Alles, was ein Licht auf ihre Lebensumstände werfen konnte, war von Bedeutung. Aber inwieweit konnte man der Aussage eines zornigen, verbitterten jungen Mannes Glauben schenken, der seinen Vater hasste und dessen Schwester ermordet worden war?

18

Das blaue Absperrband der Polizei hing flatternd an den Bäumen, und auf dem Fußweg stand noch ein Police Constable Posten. Aber das Tatortteam und die Spurensicherung waren fort, an andere Einsatzorte abberufen – ein möglicher Brandanschlag in Matlock, ein tätlicher Angriff in Glossop, eine Einbruchsserie in Edendale.

»Es ist einfach zu heiß. Das schlägt mir aufs Gehirn. Ich kann nicht geradeaus denken.«

Zusammen mit DCI Tailby stand Ben Cooper wieder am Tatort. Auf dem Berg herrschte eine Gluthitze.

»Was wurde denn nun als Tatwaffe benutzt?«, fragte Tailby. »Ein Ast, ein Stück Holz? Aber in den Kopfwunden wurden keine Anhaftungen von Rinde gefunden, und Mrs. Van Doon sagt, es hätte welche geben müssen. Außerdem wurden die Verletzungen von einem harten, glatten Gegenstand verursacht, nicht von einem rauen. Also ein Stein? Möglich. Nur ist er nirgends aufzufinden. So etwas würde doch kein Mensch mitnehmen, nicht wahr, Cooper?«

Cooper war nicht überrascht, dass ihn der DCI nach seiner Meinung fragte. Er hatte schon früher unter ihm gearbeitet und kannte den Kontrast zwischen der Lockerheit, die Tailby im Umgang mit einzelnen Beamten an den Tag legte, sogar mit einem kleinen Detective Constable, und der furchtbaren Gestelztheit, die ihn immer dann zu überkommen schien, wenn er es mit der Öffentlichkeit zu tun hatte. Er verfiel automatisch in den üblichen Polizeijargon, wenn er mit jemandem sprechen musste, der weder ein Verdächtiger noch ein Kollege war. Ihm fehlten die

Worte für ein normales Gespräch mit ganz gewöhnlichen Bürgern, die sich nichts hatten zu Schulden kommen lassen. Es war, als ob er sie mit nichts sagenden, amtlichen Floskeln auf Abstand halten wollte.

Bei aller Erfahrung in der kriminalpolizeilichen Ermittlungsarbeit war Tailbys mangelndes PR-Talent ein ernstes Karrierehindernis. Mit der Zeit würde man ihn vermutlich auf einen Verwaltungsposten wegloben, auf dem er so viele gestelzte Berichte und Memoranden verfassen konnte, wie er nur wollte. Cooper würde seinen Weggang bedauern. Aber jeder Mensch hatte eine verhängnisvolle Schwäche. Bei manchen war sie nur weniger deutlich zu erkennen.

»Wenn der Täter seine fünf Sinne beisammen hatte, hätte er den Stein bloß in den Bach werfen müssen, Sir.«

Sie gingen ein paar Schritte und sahen hinunter in die Schlucht, durch die der Eden Valley Wanderweg verlief. Das seichte Bachbett war mit handlichen Steinen übersät. Es waren hunderte, tausende, unablässig umspült vom kühlen, rauschenden Wasser.

»Sehen wir mal nach, ob die Vernons zu Hause sind«, sagte Tailby müde.

Graham Vernons Gesicht war schon gerötet und verquollen, bevor er sich richtig in Rage redete. Vermutlich suchte er in der gegenwärtigen Situation zu oft Trost im Alkohol, dachte sich Cooper mit einem Blick auf die Bar.

»Ich begreife nicht, warum Sie auch nur ein Wort von diesen Behauptungen über meine Tochter glauben, Chief Inspector. Es ist doch keinen Pfifferling wert, was dieser Lee Sherratt über sie verbreitet.«

Wie nicht anders zu erwarten, reagierte Tailby distanziert auf Vernons Empörung. Sie waren wie zwei wohlerzogene Katzen, von denen allmählich die Tünche der Zivilisation abfiel, während sie sich voller Imponiergehabe mit gesträubtem Fell umkreisten.

»Wir beziehen uns nicht nur auf die Aussage von Mr. Sherratt, sondern auch auf die von Mr. Holmes. Natürlich müssen wir diese Aussagen bei unseren Ermittlungen berücksichtigen.«

»Wer zum Teufel ist Mr. Holmes?«

»Simeon Holmes war Lauras Freund.«

Vernon schnappte nach Luft. »Ihr was?«

»Überrascht es Sie, dass Laura einen Freund hatte?«

»Ob es mich überrascht? Das ist doch blanker Unsinn, was Sie da erzählen. Laura hatte keine Zeit für einen Freund. Während der Woche hat sie für die Schule gelernt. Sie war ein fleißiges Mädchen. Und am Wochenende hatte sie Musikunterricht. Sie hat stundenlang Klavier geübt. Sonntags ist sie reiten gegangen – ihr Pferd steht in einem Stall in der Buxton Road. Entweder ist sie ausgeritten, oder wir sind mit ihr zu einem Reitturnier gefahren. Ansonsten war sie im Stall. Sie war wie die meisten fünfzehnjährigen Mädchen, Chief Inspector. Sie hat sich mehr für Pferde als für Jungen interessiert. Und dafür danke ich Gott. Mit fünfzehn ist man zu jung für einen Freund.«

»Trotzdem ...«

»Wer ist dieser Holmes überhaupt? Wahrscheinlich ein Schulkamerad. Ich hätte sie lieber auf eine reine Mädchenschule geschickt, aber dann hätten wir sie ins Internat geben müssen. Meine Frau wollte, dass Laura zu Hause wohnt. Ein Fehler, wie es nun scheint.«

Tailby ignorierte Vernons heruntergezogene Mundwinkel und hakte nach. Er durfte ihm keine Gelegenheit geben, in Trauer oder Selbstmitleid zu verfallen.

»Laut Mr. Holmes hat Laura die Schule gehasst. Sie hat den Unterricht geschwänzt, um sich mit ihm in Edendale zu treffen. Und nicht nur mit ihm, sondern auch mit anderen jungen Männern. Wussten Sie davon, Sir?«

»Nein, das ist mir neu.«

»Vielleicht weiß Ihre Frau mehr über diesen Aspekt im Leben Ihrer Tochter, Sir.«

»Es wäre mir wirklich lieber, wenn Sie meine Frau mit solchen Fragen verschonen könnten«, sagte Vernon. »Sie hat sich gerade erst wieder ein wenig gefangen, Chief Inspector. Machen Sie es bitte nicht wieder schlimmer.«

»Mrs. Vernon schien sich heute Morgen vor den Fernsehkameras sehr gut zu halten. Es lief wirklich ausgezeichnet, Sir.«

»Man greift nach jedem Strohhalm.«

Ben Cooper, der sich im Hintergrund hielt, beobachtete Vernon genau. Der Mann hatte einen kantigen Kiefer und das Gesicht eines unfitten Boxers. Das passte zu seinem aggressiven Auftreten, aber nicht zu der Atmosphäre des Büros. Es war ein großer, hoher Raum mit schweren Möbeln und einem riesigen Eichenschreibtisch. Auf dem hellbraunen Berberteppich vor dem halbrunden Kamin, auf dessen Rost ein gusseiserner Holzkorb stand, lag eine Brücke.

»Ich weiß nichts von irgendwelchen Freunden. Wo wohnt dieser Holmes? Ist er ein Freund von Lee Sherratt? Haben Sie daran vielleicht schon einmal gedacht?«

»Das dürfte nicht sehr wahrscheinlich sein, Mr Vernon.«

»Meinen Sie nicht, Sie sollten es wenigstens nachprüfen, Chief Inspector?«

»Lee Sherratts Aussage ist der von Mr. Holmes sehr ähnlich«, sagte Tailby ruhig. »Bis auf die Tatsache, dass er darauf beharrt, keine Beziehung mit Laura gehabt zu haben.«

»Alles Lügen, nichts als Lügen. Kümmern Sie sich darum. Beweisen Sie lieber, welcher von den beiden Kerlen Laura getötet hat, statt mich mit solchen lachhaften Fragen zu belästigen. Ich habe Ihnen gesagt, was für ein Mädchen Laura war. Sie war meine Tochter. Ich muss es schließlich wissen.«

»Durchaus möglich, dass Sie es wissen«, sagte Tailby, wie zu sich selbst. »Aber ich frage mich, ob Sie es mir auch sagen würden.«

»Was soll das heißen?«

»Dass ich angesichts dessen, was wir von Ihrem Sohn erfahren haben, an Ihrer Aussage zweifeln muss. Er hat uns Dinge erzählt, die darauf hindeuten, dass Sie uns belogen haben, Mr. Vernon.«

Alles schwieg. Irgendwo im Haus brummte ein Staubsauger.

Ein Telefon klingelte dreimal und verstummte. Tailby wartete ab. Graham Vernon machte ein gequältes Gesicht, als ob sich plötzlich ein Magengeschwür bemerkbar gemacht hätte.

»Daniel. Was hat er Ihnen gesagt?«

Tailby lächelte grimmig und bat Ben Cooper, seine Aufzeichnungen über das Gespräch mit Daniel vorzulesen. Cooper las mit möglichst gleichmäßiger Stimme und bemühte sich, keine besondere Betonung auf die Stelle zu legen, wo der junge Mann wütend oder empört gewesen war. Vernon hörte schweigend bis zum Ende zu. Er senkte den Kopf und konnte den Beamten nicht in die Augen sehen. Als Tailby erneut das Wort ergriff, tat ihm der Mann fast Leid.

»Also dann, Mr. Vernon. Wollen wir noch einmal ganz von vorn anfangen? Was haben Sie mir über Lee Sherratt zu sagen?«

Die Stimmung im Einsatzraum war gedrückt. Obwohl man allen verfügbaren Spuren nachgegangen war, hatten viele Beamte das Gefühl, auf der Stelle zu treten, das erste Anzeichen dafür, dass die Ermittlung an Fahrt verlor. Cooper kannte die Symptome, und Tailby waren sie sicher auch nicht verborgen geblieben. Als leitender Ermittler hatte der DCI die Aufgabe, die Moral der Truppe zu stärken.

»Okay«, sagte Tailby. »Wir haben sowohl Lee Sherratt als auch Lauras Freund, Simeon Holmes, ausfindig gemacht und vernommen. Aber um sie endgültig als Tatverdächtige ausschließen zu können, brauchen wir Beweise, und genau daran hapert es noch immer. Die kriminaltechnischen Untersuchungen haben bis jetzt nur sehr wenig gebracht. Was die Biss-Spuren angeht, bin ich nach wie vor zuversichtlich, aber zurzeit hängt alles an dem Odontologen aus Sheffield. Angeblich können wir morgen mit einem vorläufigen Bericht rechnen. Der Vergleich mit den Abdrücken, die wir Sherratt und Holmes abgenommen haben, wird allerdings länger dauern.«

Ben Cooper ließ den Blick durch den Einsatzraum schweifen. Keine Spur von Diane Fry oder DI Hitchens. Dann hatte man die Wandergruppe also vermutlich gefunden, und die Kollegen waren bereits nach Norden gefahren, um die Spur weiterzuverfolgen, auf die er selbst in Moorhay gestoßen war.

»Holmes' Aussage, dass Laura Vernon sexuell nicht unerfahren war, wird durch die Ergebnisse der Autopsie gestützt«, sagte Tailby. »Und darüber hinaus auch durch die Aussage ihres Bruders. Wenn es aber stimmt, was Holmes über die sexuellen Vorlieben des Opfers aussagt, kann man dann Lee Sherratt glauben, dass er nichts mit ihr hatte? Wie Holmes es bei seiner Vernehmung so schön ausgedrückt hat: ›Da sagt man natürlich nicht nein.‹«

Tailby ordnete seine Unterlagen. Heute Abend war der Einsatzraum relativ schwach besetzt. Es hatte den Anschein, als ob die Ermittlungen bereits nachließen. Die meisten Routineaufgaben waren erledigt. Viele der nur am Rande beteiligten Personen hatten entlastet werden können.

Inzwischen konnten sie sich auf die konkreten Spuren konzentrieren und zum Beispiel gezielt gegen ausgewählte Einzelpersonen ermitteln. Mr. Tailby hatte seine Prioritäten gesetzt und die Ermittlungsstrategie festgelegt. Alles in allem sah es recht viel versprechend aus. Unterschwellig ließ er sich auch vom Vertrauen in die Kriminaltechnik leiten, die schon die nötigen Beweise bringen würde, um den Fall abschließen zu können.

»Dann wäre da noch der Rest von Daniel Vernons Aussage«, sagte Tailby, »der sich als vollkommen irrelevant herausstellen könnte. Aber wenn er die Wahrheit sagt, deutet einiges darauf hin, dass Sherratt lügt. Die Frage ist doch, wenn Sherratt eine Affäre mit der Mutter hatte, warum dann nicht auch mit der Tochter? Er muss uns erst einmal vom Gegenteil überzeugen. Bis wir Holmes' Alibi überprüft haben, könnte jeder von beiden der junge Mann gewesen sein, der an dem fraglichen Abend mit Laura gesehen wurde. Natürlich könnte es auch jemand anderer gewesen sein. Ohne greifbare Beweise tappen wir im Dunkeln. Irgendwo da draußen ist die Tatwaffe, aber irgendwo ist auch Laura Vernons zweiter Turnschuh. Beide sind von größter Wichtigkeit, aber der Turnschuh dürfte leichter zu identifizieren sein.«

Der DCI hielt inne und sah von einem Beamten zum anderen. Manche hielten seinem Blick stand, andere lasen in ihren Notizen oder starrten auf die Fotos und Landkarten an der Wand.

»Wir gehen folgendermaßen vor«, sagte er. »Wir befragen noch einmal die Leute in Moorhay. Bei der Publicity und dem ganzen Wirbel im Dorf hat sicher niemand Lust, solche Beweismittel zurückzuhalten – und ich rechne damit, dass die Sachen in Tatortnähe weggeworfen wurden. Wir werden Bäche, Teiche und Gräben nach ihnen absuchen. Außerdem interessieren wir uns dafür, ob in jüngster Zeit irgendwo etwas vergraben oder verbrannt wurde. Das wäre die einfachste Methode, sich eines Turnschuhs zu entledigen. Vergraben oder verbrennen. Und zwar in den letzten paar Tagen.«

Tailby heftete ein weiteres vergrößertes Foto hinter sich an die Wand. »Das ist Holmes. Unsere Nachforschungen beziehen sich von nun an auch auf ihn, nicht nur auf Sherratt. Aber vernachlässigen Sie dabei auch andere Alternativen nicht.«

Beim Anblick des Fotos von Simeon Holmes setzte sich Ben Cooper kerzengerade hin. Er hatte ihn schon einmal gesehen, und zwar in Moorhay. Und nicht nur das, der Junge hatte etwas vergraben. Und sein Freund hatte etwas verbrannt. Cooper zögerte kurz. Es erschien ihm zu weit hergeholt – aber wenn er seine Beobachtung melden wollte, dann war jetzt der richtige Augenblick dafür.

»Ich habe ihn gesehen«, sagte er. »Heute Morgen. Er muss direkt von der Farm zur Vernehmung gekommen sein.«

Alle Augen richteten sich auf Cooper. Zögernd berichtete er von dem riesigen Komposthaufen, der am Vormittag auf der Thorpe Farm aufgeschichtet worden war. Er erzählte, dass er gesehen hatte, wie Simeon Holmes eine Schubkarrenladung frischen Dung nach der anderen auf den Haufen gekippt und wie die alten Männer den Mist sorgfältig verteilt und festgetreten hatten. Er erzählte von dem anderen Jugendlichen mit dem kleinen Feuerchen und von dem Gespräch, in das ihn die alten Männer verwickelt hatten, möglicherweise um ihn abzulenken.

Während er redete, verzogen seine Kollegen das Gesicht und rückten immer weiter von ihm ab, als ob der Mistgestank noch an ihm haftete.

Als er mit seinem Bericht fertig war, wartete er auf eine Reaktion. Er dachte an die Worte, die Sam Beeley und Wilford Cutts ein paar Mal wiederholt hatten. »Blut und Knochen«, hatten sie gesagt. Und noch einmal: »Blut und Knochen.«

Tailby starrte ihn an und stöhnte.

»Oh Gott«, sagte er. »Wir müssen den Haufen umgraben.«

Etwa eine Stunde später traf ein eilig zusammengetrommeltes Team in den unterschiedlichsten Fahrzeugen auf der Thorpe Farm ein. Sie parkten auf dem Weg zwischen den Nebengebäuden. Ein Sergeant von der Sondereinheit, der einen Overall und Gummistiefel trug, ging zum Haus, wo er bereits von Wilford Cutts und Sam Beeley erwartet wurde, die vor der Tür standen und sich über den unangekündigten Besuch wunderten. Der Sergeant präsentierte Wilford einen Durchsuchungsbefehl.

»Sie wollen mein Haus durchsuchen?«, sagte Wilford. »Wozu denn das?«

»Nicht das Haus«, sagte der Sergeant. »Das Grundstück.«

»Das Grundstück?«

»Wir fangen mit dem Feld dort drüben an.«

Die Beamten sammelten sich auf dem Feldweg, zogen die Reißverschlüsse ihrer Overalls zu und Gummistiefel und Handschuhe an, während von einem Lieferwagen aus Spaten und Mistgabeln verteilt wurden.

»Sie wollen mir doch wohl nicht mein Feld umgraben?«, sagte Wilford.

Sam schwenkte seinen Spazierstock und fing an zu lachen, als er sah, wohin die Polizisten gingen.

»Schau dir ihre Gesichter an«, sagte er. »Die wollen nicht dein Feld, die wollen den Misthaufen umgraben.«

Die Miene des Sergeants verriet ihm, dass er richtig geraten hatte.

»Was glauben Sie denn, was Sie da finden?«, rief Wilford, doch der Sergeant ließ ihn wortlos stehen.

Als Tailby und Cooper das Auto verließen und auf das Feld kamen, harkte ein Beamter von der Spurensicherung in den Überresten des Feuers herum und tütete die Asche ein. Die beiden alten Männer standen am Tor und beobachteten die Operation, und Cooper konnte spüren, wie sie ihn ansahen.

»Dieser Komposthaufen ist ein Kunstwerk«, sagte Wilford vorwurfsvoll. »Macht ihn mir bloß nicht kaputt, ihr verdammten Bullen.«

»Ein paar von den Burschen sehen aus, als ob sie noch nie im Leben eine Mistgabel in der Hand gehabt hätten«, sagte Sam, der den Männern in den Overalls staunend zusah.

»Mr. Cutts, so viel ich weiß, hat heute Morgen ein Jugendlicher namens Simeon Holmes hier gearbeitet«, sagte Tailby.

»Aye«, sagte Wilford. »Der junge Simeon und sein Kumpel. Gute Jungen, alle beide. Fleißige Arbeiter. Sie haben uns den Schweinestall ausgemistet.«

»Und Ihnen geholfen, den Komposthaufen da drüben aufzuschichten.«

»Ja, sie haben uns die schwere Arbeit abgenommen. Sie haben die Schubkarren geschoben und so.«

»Was befindet sich in diesem Komposthaufen, Mr. Cutts?«

»Also wirklich«, sagte Sam. »Das haben wir Ihrem jungen Kollegen doch erklärt. Nicht wahr, Wilford?«

»Doch, wir haben ihm ganz genau erklärt, was da reingehört.«

Sams Blick wanderte wieder zum Feld hinüber. Er konnte nicht glauben, was er sah. »Die einen schichten den Mist um, und die anderen stehen bloß daneben und staunen ihn an. Was erwarten die denn? Dass der Mist ihnen gleich den Ententanz vorführt?«

»Und es wurde auch etwas verbrannt? Was genau haben Sie verbrannt, Mr. Cutts?«

»Altes Stroh. Abgestorbene Äste. Müll.«

»Haben Sie Simeon Holmes gestattet, Dinge aus seinem eigenen Besitz ins Feuer oder auf den Komposthaufen zu werfen?«

»Was bitte?«

»Um das Feuer hat sich der andere Junge gekümmert, wenn er nicht gerade mit der Schubkarre zu tun hatte«, sagte Sam.

»Und wer war dieser Junge?«

»Er heißt Doc, mehr weiß ich nicht. Ein Freund von Simeon.«

»Ein Spitzname?«

»Klingt so. Ich hatte ihn vorher noch nie gesehen.«

»Wie kam es dazu, dass die beiden für Sie gearbeitet haben, Mr. Cutts?«

»Harry hat sie mir geschickt. Ich brauchte Hilfe, und er hat gesagt, sein Großneffe könnte tüchtig zupacken.«

»Schon wieder Harry Dickinson. Sein Großneffe!«

»Das sind anständige Jungs, alle beide. Lassen Sie sie in Frieden.«

»Ich glaube, Ihre Männer zählen tatsächlich die Kötel«, sagte Sam, der immer noch fasziniert die Aktivitäten rings um den Komposthaufen beobachtete.

Cooper stapfte hinter dem DCI her, der verärgert zum unteren Ende des Feldes marschierte. Der Mist hatte bereits zu gären begonnen, und an mehreren Stellen stieg Dampf auf. Auf der Oberfläche des Haufens wimmelte es von rötlich-braunen Kotfliegen, die in schillernden Wolken hochstiegen, wenn sie gestört wurden, um sich gleich darauf an einer anderen Stelle wieder niederzulassen. Inzwischen hatten die Männer damit begonnen, den gesamten Misthaufen umzusetzen.

Das Graben war eine heiße, schweißtreibende Angelegenheit, und die Polizisten spürten, wie sich der alles durchdringende Gestank durch ihre Overalls hindurch auf ihren verschwitzten Körpern festsetzte. Für die Männer, die oben auf dem Misthaufen arbeiteten, war es am schlimmsten. Durch die aufsteigende Hitze kamen sie sich vor wie in einem Hochofen oder im Kesselraum einer riesigen Dampfmaschine. Sie brauchtes oft eine Pause und ließen sich von den Beamten ablösen, die den Mist zur Seite geschaufelt, umgewendet und gelockert hatten, um auch ja kein Beweisstück zu übersehen.

Je länger die Aktion dauerte, desto bestialischer wurde der Gestank. Cooper wurde immer unbeliebter. Die Kollegen sahen ihn schief von der Seite an, während sie den Komposthaufen immer weiter abtrugen und nichts Belastenderes zu Tage förderten als ein Knäuel blauen Zwirn oder das verfaulte Kerngehäuse eines Apfels.

Doch dann stieß ein Beamter mit der Mistgabel auf Widerstand. Er kniete sich hin und grub mit der behandschuhten Hand weiter. Eine Plastikplane wurde auf dem Boden ausgebreitet und die nächste Schicht Mist sorgfältig darauf deponiert, für den Fall, dass das Material eingetütet und ins Labor geschickt werden musste. Der Mann von der Spurensicherung, der die Untersuchung der Feuerstelle inzwischen beendet hatte, kauerte sich neben den Beamten auf dem Misthaufen. Keiner der beiden Männer bemerkte etwas vom Dreck, in dem sie knieten, oder von den Fliegenschwärmen, die ihnen um die schweißnasse Stirn brummten.

Unter einer letzten Lage Dung wurden sie schließlich fündig. Inmitten der dunklen Masse schimmerte es weiß. Das Objekt war von der Zinke einer Mistgabel durchbohrt worden, zerstörte Muskeln und Sehnen, wie ein Einschussloch in dem nackten, weißen Fleisch, kamen zum Vorschein.

19

Fry schaltete so lange mit der Fernbedienung von einem Kanal zum anderen, bis sie eine Nachrichtensendung fand. Sie sah einen Beitrag über einen Sexskandal, in den ein Minister verwickelt war, hörte vom Abbruch der Gespräche in Nordirland und verfolgte die Berichterstattung über einen nicht enden wollenden Krieg in einem afrikanischen Land, einen unbegreiflichen Stammeskonflikt, der bereits Tausende von Menschenleben gefordert hatte. Alles wie gehabt.

Sie lag ausgestreckt auf dem Bett und knabberte einen der Kekse, die sie, in Zellophan verpackt und mit den besten Empfehlungen des Hotels versehen, auf dem Nachttisch in ihrem Zimmer gefunden hatte. Sie war aus den Schuhen geschlüpft, hatte ihre verschwitzten Sachen ausgezogen und sich den schwarzen Kimono übergeworfen. Leider hatte sie nicht genug Zeit gehabt, sich in einem Laden in Skipton noch mit Pralinen einzudecken.

Plötzlich flimmerten die Wälder um Moorhay über den Bildschirm. Offenbar befand sich die Kamera auf der Raven's Side, wo der Vogelbeobachter Gary Edwards gestanden hatte. Sie war auf die Stelle gerichtet, wo Laura Vernon aufgefunden worden war, doch außer der Polizeiabsperrung war nichts zu sehen. Nachdem ein Reporter mit einem Mikrofon den Stand der Ermittlungen in wenigen Sätzen zusammengefasst hatte, wurde zum Revier in Edendale überblendet, gefolgt von einer Einstellung, die einen überfüllten Raum mit Scheinwerfern und Mikrofonen zeigte. An einem Tisch saßen DCI Tailby, der Pressesprecher der Polizei und Graham und Charlotte Vernon. In einer Ecke des Bildschirms wurde das Foto von Laura eingeblendet, das Fry inzwischen so gut kannte. Gleich würde der Aufruf der Eltern gesendet werden, der am Morgen aufgezeichnet worden war.

Der Bericht über den Fall Vernon dauerte mehrere Minuten. Um bei den Medien auf echtes Interesse zu stoßen, musste ein Mord heutzutage schon ein Kind oder einen Teenager betreffen, das war Fry klar. Ansonsten höchstens noch eine junge Mutter. Aber es kam offenbar auch darauf an, in welchem Landesteil das Verbrechen geschehen war. Es schien die englische Mittelschicht ganz besonders zu erschüttern, wenn ein Mord gewissermaßen im eigenen Vorgarten geschah, in der ländlichen Idylle des Peak District. Wenn Laura Vernon in London oder Birmingham auf einem Abbruchgrundstück im Slum gestorben wäre, hätten sich die Medien nicht so auf den Fall gestürzt. Aber über den Mord im reizvollen, verschlafenen Moorhay berichtete die Boulevardpresse nun schon seit einer ganze Woche in großer Aufmachung. Wo Diane Fry herkam, hätten die Zeitungen jeden Tag mit einer Mordmeldung aufwarten können. Manche Fälle erregten allerdings so gut wie gar kein Aufsehen, nicht einmal im näheren Umkreis. Ganz zu schweigen von anderen Verbrechen, über die es sich offenbar kaum zu schreiben lohnte. Vergewaltigung zum Beispiel.

Nach einigen einleitenden Worten von Tailby redete nur noch Graham Vernon. Fry wusste, dass die Kollegen in Edendale den Aufruf immer wieder abspielen würden, um die Vernons genau zu beobachten und nach Widersprüchen zwischen ihren Äußerungen vor laufender Kamera und ihren Einlassungen bei der Polizei zu suchen.

Es war in solchen Fällen durchaus üblich, die Angehörigen zu ermutigen, sich mit einem Hilfeaufruf an die Öffentlichkeit zu wenden. Angesichts der Tatsache, dass ihnen Millionen von Menschen am Bildschirm zuhörten, standen sie enorm unter Druck, mehr als in jedem Vernehmungszimmer.

Aber Vernon wirkte sehr souverän. Mit ruhiger Stimme bat er darum, dass sich jeder, der Laura am Tatabend gesehen hatte oder irgendwelche Informationen über ihren Tod geben konnte, bei der Polizei melden und eine Aussage machen sollte. Er rief die Zuschauer auf, sich zu überlegen, ob ihnen am Verhalten ihrer Ehemänner, Söhne oder Freunde etwas Ungewöhnliches aufgefallen war. Jede Information, ganz gleich wie unbedeutend sie auch erscheinen mochte, konnte der Polizei unter Umständen weiterhelfen. Er klang so, als ob Tailby den Text persönlich mit ihm einstudiert hätte.

Als Vernon zuletzt von Laura sprach, schlug er einen sanfteren, persönlicheren Ton an. Er nannte sie »unser kleines Mädchen« und beschrieb sie als aufgeweckten, intelligenten Teenager, der noch sein ganzes Leben vor sich hatte und brutal aus ihrer Mitte gerissen worden war. Er erzählte, wie gut sie in der Schule gewesen war und schilderte ihre Liebe zur Musik und ihre Leidenschaft für Pferde. Er erzählte den Millionen Fernsehzuschauern, dass Laura an diesem Tag an einem Reitturnier hätte teilnehmen sollen. Doch nun wartete ihr Pferd Paddy vergeblich auf sie. Als Schauspieler war er nur zweitklassig. Aber vielleicht konnte er mit der Tragödie nicht anders umgehen.

Schließlich wurde das Mikrofon an Charlotte Vernon weitergegeben. Sie hatte weit aufgerissene, trockene Augen, und Fry fragte sich, ob sie wohl noch immer unter Medikamenteneinfluss stand. Sie machte nicht viele Worte, aber wenigstens klang sie aufrichtig.

»Wir bitten Sie alle: Helfen Sie der Polizei, den Schuldigen zu finden.« Sie starrte direkt in die Kamera, schmal und von Trauer gezeichnet, während ihr Mann ihr tröstend den Arm um die Schultern legte. Das war das Bild, das die Zeitungen morgen bringen würden.

Auf die Nachrichtensendung folgte der Wetterbericht – noch mehr Sonne, keine Wolken bis zum Abend. Fry dachte an die letzten Stunden, an die frustrierende, zeitaufwändige Befragung der Wandergruppe. Sie hatten einen Studenten nach dem anderen aus dem Zelt geholt und in dem kleinen Büro des Campingplatzes bei Malham vernommen. Keiner von ihnen hatte irgendetwas gesehen, was sich in Frys Augen auch sehr leicht durch zwei Kollegen aus Nord-Yorkshire hätte abklären lassen.

Sie hätte zu gern gewusst, wer auf die glorreiche Idee gekommen war, sie und Hitchens hier herauf in die Pampa zu schicken, wobei es sich nicht vermeiden ließ, dass sie in diesem Hotel in Skipton übernachteten. Irgendjemand war überzeugt gewesen, dass die Wanderer etwas Wichtiges gesehen hatten – oder zumindest hatte dieser Jemand das behauptet. Und warum musste es unbedingt ein Detective Inspector sein, der eigentlich eines der Ermittlungsteams hätte leiten sollen? Ein Sergeant oder zwei Detective Constables hätten völlig ausgereicht.

Aber natürlich, die Idee musste von Paul Hitchens stammen. Sie hatte ihn in der Bar gelassen, wo er mit Bier und Whisky den Kurzurlaub vom Büro feierte. Er hatte ein saures Gesicht gemacht, als sie sich nach nur einem Glas Weißwein verabschiedet hatte, weil sie angeblich müde war. Ein nächtliches Saufgelage in einem Pub in Yorkshire war einfach nicht ihr Stil.

Inzwischen gingen die Ermittlungen in Edendale wahrscheinlich ohne sie in die entscheidende Phase. Sie fragte sich, was Ben Cooper wohl gerade machte. Sicher schäumte er von genialen Ideen und grandiosen Eingebungen nur so über. Genau wie gestern Abend. Es gab bestimmt nichts Dümmeres, als im Dunkeln durch den Wald zu stapfen, um einen Verdächtigen aus seinem Versteck zu holen, ohne Verstärkung anzufordern oder zumindest die Zentrale wissen zu lassen, wo man war. Wenn das alles war, was einem Instinkt und Intuition einbrachten, dann konnte sie getrost darauf verzichten. Sie konnte den Augenblick nicht vergessen, als sie gesehen hatte, dass Lee Sherratt ein Gewehr in der Hand hielt. Da hatte *ihr* Instinkt die Regie übernommen. Aber es war eine andere Art von Instinkt gewesen, eine körperliche Reaktion, ein notwendiger Verteidigungsmechanismus, den sie über Monate hinweg perfektioniert hatte.

Doch in diesem Moment geschah es nicht zur Selbstverteidigung, sondern aus panischer Angst um Ben Cooper. Es war die pure Angst gewesen, die sie zu dem zweiten, unnötigen Schlag veranlasst hatte. Nachdem sie Sherratt entwaffnet hatte, hätte sie ihn mühelos festnehmen können. Aber sie hatte noch einmal zugeschlagen, aus Angst und aus Wut. Ihr alter Lehrer wäre entsetzt gewesen. So etwas war ein Zeichen von Disziplinlosigkeit.

Fry überlegte, ob sie sich bei Cooper wohl ausreichend für ihre Bemerkungen über seinen Vater entschuldigt hatte. Hinterher war er ihr reserviert und verstimmt vorgekommen. Womöglich war das Abenteuer im Wald seine Art gewesen, ihr etwas zu beweisen. War sie dann nicht zum Teil mitverantwortlich dafür? Sie seufzte und dachte nicht länger darüber nach. Die Menschen waren zu kompliziert, wenn sie sich von Gefühlen leiten ließen. Warum konnten nicht einfach alle nur ihre Arbeit machen?

Ein alter Film fing an. Eine romantische Komödie aus den Fünfzigerjahren mit James Stewart. Sie schaltete den Fernseher aus und legte sich zurück aufs Bett. Eine Zeit lang lauschte sie den Schritten und den anderen leisen Geräuschen im Hotelkorridor. Sie fragte sich, ob Paul Hitchens in ihr Zimmer kommen würde.

»Sie schlafen. Tief und fest.«

Ben Cooper hatte gerade seinen Nichten gute Nacht gesagt. Matt und Kate sahen fern, auf dem Sofa aneinander geschmiegt, ein Bild häuslicher Zufriedenheit. Das Leben musste schließlich weitergehen.

Trotzdem war der Anblick für Cooper kein Trost, im Gegenteil. Seit Montag brachte er es kaum noch über sich, die Treppe des Farmhauses zu benutzen, weil er immer daran denken musste, was er dort gesehen hatte.

Sein Bruder Matt und er waren eine Stunde im Krankenhaus gewesen, obwohl ihre Mutter noch schlief. Man hatte sie vorgewarnt, dass sie mindestens zwei Tage lang unter starken Beruhigungsmitteln stehen würde. Sie würde frühestens morgen wach und ansprechbar sein. Trotzdem wollten die beiden Brüder an ihrem Bett sitzen, in ihr Gesicht sehen und sich mit leiser Stimme über ihre Hoffnungen und Ängste für die Zukunft unterhalten.

Matt erzählte, im Haus hätte das Telefon zwei Tage lang ununterbrochen geklingelt, weil ständig irgendwelche Verwandten anriefen, um zu fragen, wie es Isabel ging, und um ihre Hilfe anzubieten. Die Coopers waren eine große, eng miteinander verbundene Familie, die sich besonders in Krisenzeiten bewährte. So war es auch vor zwei Jahren gewesen, als sie die Brüder und ihre Schwester Claire nach dem gewaltsamen Tod des Vaters nicht allein gelassen hatte.

Der Tod des Vaters war ein plötzlicher schwerer Schlag gewesen. Die Krankheit der Mutter war eine langsame, quälende Tortur. Coopers Gedanken schweiften ab. Er versuchte sich an die Zeit zu erinnern, als sie noch alle zusammen gewesen waren. Es war erst zwei Jahre her, aber es kam ihm wie eine Ewigkeit vor. So etwas nannte man veränderte Umstände.

Er verstand nicht, warum ihn die Gegenwart seiner Familie diesmal nicht tröstete. Das starke Zusammengehörigkeitsgefühl erzeugte einen Erwartungsdruck, dem er sich nicht länger gewachsen fühlte. Sie alle hielten ihn für einen klugen, beliebten Polizisten und zweifelten keinen Augenblick daran, dass er Karriere machen würde. Es war eine Bürde, die er nicht mehr tragen konnte.

Plötzlich kam es ihm so vor, als ob alles in seinem Leben schief ging, eine Sache nach der anderen. Es war, als ob er den Boden unter den Füßen verlor, als ob alle seine Hoffnungen nach und nach niedergetrampelt wurden. Warum musste die Krise seiner Mutter mit dem Dienstantritt von Diane Fry zusammenfallen?

Er wurde den Gedanken nicht los, dass die beiden Ereignisse etwas miteinander zu tun hatten. Sie waren ein Gemeinschaftsangriff auf sein privates und berufliches Leben, und er wusste nicht, wie er die Wirkung, die sie auf seine Gefühle, Stimmungen und sein Urteilsvermögen hatten, verkraften sollte.

Er musste zugeben, dass es ein Fehler gewesen war, bei der Festnahme von Lee Sherratt die Vorschriften zu umgehen. Fast wäre es zu einer Katastrophe gekommen – obwohl er sich einredete, dass er die Sache anders angepackt hätte, wenn Fry nicht dabei gewesen wäre. Und dann musste er plötzlich an Helen Milner denken; seit er sie am Montag nach so vielen Jahren bei seinem ersten Besuch im Dial Cottage wieder gesehen hatte, ging sie ihm nicht mehr aus dem Sinn.

Seitdem hatte er in ruhigeren Momenten darüber spekuliert, ob er in ihr nicht vielleicht den Menschen finden könnte, mit dem ihn so viel verband, dass sich ein gemeinsames Leben darauf aufbauen ließ, jemand, der nicht zur Familie gehörte. Im Geiste hatte er sie seiner Mutter vorgestellt und gewusst, dass sie seine Wahl gutheißen würde. Es war eines der beiden Dinge, die sie sich am sehnlichsten wünschte – dass Ben die richtige Frau kennen lernen und heiraten würde und dass er zum Sergeant befördert wurde, genau wie sein Vater. Erst an diesem Morgen hatte er die Gelegenheit gehabt, ihre alte Freundschaft wieder aufleben zu lassen. Aber er hatte sie ungenutzt verstreichen lassen, und warum? Wegen seiner Arbeit.

Und als ob das noch nicht genug wäre, hatte der Tag auch noch mit dem Komposthaufen-Fiasko auf der Thorpe Farm geendet. Er konnte sich lebhaft vorstellen, wie auf der Dienststelle über ihn geredet wurde. In wenigen Stunden würde sich jeder Polizist in der Dienststelle E und womöglich in ganz Derbyshire das Maul über ihn zerreißen. Der Berg, den er erklimmen musste, um sich des Andenkens seines Vaters würdig zu erweisen, wurde höher und höher. In diesem Augenblick sah er für ihn wie der Mount Everest aus.

»Du hast gerade den Aufruf der Vernons verpasst«, sagte Matt.

»Ja? Und wie war es?«

»Unecht«, sagte Kate.

Cooper nickte. Er ließ sich in einen Sessel sinken und starrte den Fernseher an, ohne ihn zu sehen. Er hatte den Kopf voller Sorgen und Ängste. Wie sollte er sich überwinden, morgen wieder zur Arbeit zu gehen? Wie sollte er am Nachmittag den Besuch im Krankenhaus bewältigen, für den er sich frei genommen hatte, den Besuch, bei dem seine Mutter nicht mehr unter Beruhigungsmitteln stehen würde? Es dauerte einige Sekunden, bis er merkte, dass Kate mit ihm redete.

»Entschuldige, was hast du gesagt?«

»Alles in Ordnung, Ben?«

»Ja, alles bestens.«

»Ich wollte fragen, ob du heute Abend hier bleibst. Dann mache ich dir später noch etwas zu essen.«

Er konnte nicht zugeben, dass er es im Farmhaus einfach nicht aushielt. Ständig wurde er von dem Zwang getrieben, nach oben zu gehen und die Tür zum Zimmer seiner Mutter aufzumachen, obwohl er wusste, dass sie nicht da war. Es war wie ein Drang, die schlimmsten Augenblicke noch einmal zu durchleben, als ob er Buße tun müsste.

»Äh, nein. Ich wollte vielleicht noch ein Bier trinken gehen. Hast du Lust mitzukommen, Matt?«

Ihm entging nicht, dass Kate rasch den Arm seines Bruders drückte, wodurch sie deutlich zum Ausdruck brachte, was sie von seinem Vorschlag hielt.

»Nein, danke, Ben. Heute nicht. Ich muss morgen früh raus, weil ich auf der Südweide Kaninchen schießen will. Vielleicht morgen Abend, hm?«

»Gut.«

Cooper stieg in seinen Wagen und fuhr automatisch in Richtung Edendale, wo es eine Hand voll Pubs gab, in denen er hin und wieder verkehrte. Aber als er den Stadtrand erreichte und die vertrauten Umrisse der steinernen Giebel und der Schieferdächer im Dämmerlicht vor sich sah, überlegte er es sich anders. Er bog in eine Seitenstraße ab und fuhr über den Hügel nach Moorhay.

Das Dorf sah friedlich aus. Es waren keine Touristen und keine Polizisten zu sehen, nur die grünen Mülltonnen standen in einer Reihe am Straßenrand. Die Bewohner hatten die Türen hinter sich zugezogen, mancher von ihnen sicher mit einem eigenen Geheimnis, das er hütete.

Einige Schritte vor dem Dial Cottage hielt Cooper an. Er blieb eine Weile im Auto sitzen und beobachtete die Tür. Vielleicht täuschten ihn die Abenddämmerung, der Stress des vergangenen Tages oder seine heimlichen Hoffnungen. Aber er bildete sich ein, Helen Milner aus dem Cottage kommen zu sehen, genau wie am Morgen – ein warmes, lebendiges Leuchten vor dem dunklen Eingang. Er erinnerte sich an die Enttäuschung, die über ihr Gesicht gehuscht war, als sie begriff, dass er nicht zu ihr wollte. Er erinnerte sich an Gwen Dickinsons Worte: »Sie redet viel von Ihnen.« Konnte das wahr sein? Hatte Helen an ihn gedacht, so wie er an sie?

Cooper wiederholte die letzten Sätze, die zwischen ihnen gefallen waren: »Dann bist du also nicht immer Polizist?«, hatte sie gefragt. »Und was bist du für ein Mensch, wenn du einfach nur Ben Cooper bist?« – »Hättest du nicht Lust, das herauszufinden?« Und schließlich hatte sie gesagt: »Vielleicht.«

Er wendete ihre Worte hin und her, prüfte ihre Stimme auf verborgene Untertöne und versuchte, sich ganz genau an ihren Gesichtsausdruck und ihre Kopfhaltung zu erinnern, als sie sich schließlich von ihm abgewandt hatte. Der Tag *würde* kommen, versprach er sich. Der Tag würde mit Sicherheit kommen, an dem er kein Polizist war. Aber jetzt war es noch nicht so weit.

Er ließ den Toyota an und fuhr die letzten hundert Meter über das Kopfsteinpflaster bis vor den Drover. Für einen Mittwochabend herrschte in dem Wirtshaus viel Betrieb. Doch in ihrer angestammten Ecke saßen die drei alten Männer – Harry Dickinson, Wilford Cutts und Sam Beeley. Sie reckten die Köpfe nach ihm, als er hereinkam, und folgten ihm mit den Blicken bis zur Theke. Während er bestellte, machte einer von ihnen eine Bemerkung, die bei den anderen keckerndes Gelächter hervorrief. Er biss die Zähne zusammen, das Blut schoss ihm in die Wangen, aber er beherrschte sich. Er würde sich nicht von ihnen provozieren lassen.

Der Wirt, Kenny Lee, versuchte Konversation zu machen, aber als Cooper nicht darauf einging, wandte er sich gekränkt ab. Nachdem Cooper sein Bier bezahlt hatte, ging er zu dem Tisch in der Ecke hinüber. Die drei alten Männer sahen ihm entgegen, der Blick erwartungsvoll, aber den Mund fest zusammengepresst. Harry stand auf.

»Suchen Sie mich?«

»Eigentlich nicht. Ich wollte nur ein Bier trinken.«

Harry machte ein enttäuschtes Gesicht und nahm wieder Platz. Während Cooper sich einen abgewetzten Hocker an den Tisch zog, sich darauf niederließ und einen kräftigen Schluck Bier trank, ließen ihn die Männer nicht aus den Augen.

»Ein gutes Bier«, sagte er. »Das dachte ich mir schon. Aber als ich im Dienst war, konnte ich es nicht probieren.«

Die alten Männer nickten bedächtig. Hustend bot Sam ihm eine Zigarette an, die Cooper höflich ablehnte.

»Nicht viele Touristen hier, heute Abend, was?«

»Es ist Mittwoch«, sagte Sam.

Er spürte die unausgesprochenen Botschaften, die zwischen den drei Männern hin und her gingen. Dazu genügte ihnen ein kurzer Blick, ein knochiges Fingerklopfen auf dem Tisch. Sie waren wie eine eingespielte Gruppe Pokerspieler, die sich daran machten, einen Fremden bis auf das Hemd auszunehmen. Aber Cooper interessierte sich nicht dafür, was sie ihm nicht sagen wollten. Heute Abend nicht.

Er hüllte sich in Schweigen und baute darauf, dass die alten Männer früher oder später etwas sagen würden. Normalerweise saßen sie vermutlich stundenlang zusammen, ohne ein unnötiges Wort zu verlieren. Aber er war Gast an ihrem Tisch, und sie waren die Gastgeber. Er verließ sich auf ihre Höflichkeit.

»Na, wie kommen Sie voran?«, fragte Wilford schließlich.

»Womit?«

»Das wissen Sie doch, mein Junge. Mit dem Mord.«

»Überhaupt nicht«, sagte Cooper und hob sein Glas.

»Bitte?«

»Aber Sie haben doch Verdächtige«, sagte Sam. »Die können Sie verhören. Grelles Scheinwerferlicht, die Nummer mit dem netten Bullen und dem bösen Bullen. Bis sie klein beigeben.«

Cooper schüttelte den Kopf. »Das können wir uns heutzutage nicht mehr erlauben. Es liegt an den neuen Vorschriften. Verdächtige haben auch Rechte.«

»Rechte?«

»Wenn wir nicht genügend Beweise haben, um Anklage zu erheben, müssen wir sie laufen lassen.«

»Und? Haben Sie keine Beweise?«, fragte Wilford.

»Nicht genug. Längst nicht genug.«

»Das ist schade.«

»Das ist sehr entmutigend. Manchmal würde man am liebsten die Brocken hinschmeißen.«

Harry hatte bis jetzt noch gar nichts gesagt. Er beobachtete Cooper genau, seine Lippen, sein Gesicht, als ob er hinter seine Worte blicken wollte.

»Das war nicht unsere Schuld, die Sache mit den Schweinen.«

»Nein. Ich weiß.«

»Haben Sie Ärger gekriegt?«, fragte Wilford.

Cooper zuckte mit den Schultern. »In der nächsten Zeit werde ich unter den Kollegen wohl nicht sehr beliebt sein.«

»Das war nicht unsere Schuld«, echote Sam.

»Wir hatten es Ihnen ja gesagt. Blut und Knochen.«

»Das verrottet auch auf dem Misthaufen, so lange es nicht zu groß ist. Sonst muss man den Abdecker dafür bezahlen, dass er das Zeug mitnimmt.«

»Und wozu soll man dem Abdecker Geld in den Rachen schmeißen, wenn man es auch auf natürliche Weise beseitigen kann?«, sagte Sam.

»Wahrscheinlich waren sie auch noch nicht schlachtreif«, sagte Cooper.

»Nein, nein. Längst nicht schlachtreif. Die hätte man nicht verkaufen können.«

»Aber es ist schon eine komische Sache mit den Schweinen«, sagte Wilford. »Ihre Haut ähnelt unserer sehr.«

»Ihre Kollegen haben sich auf jeden Fall mächtig gegruselt«, sagte Sam lächelnd.

»Sie dachten ja auch zuerst, sie hätten ein paar Leichen gefunden«, sagte Cooper.

»Meine Herren, war die Ärztin sauer.«

»Die Pathologin. Es war falsch, sie zu holen.«

»Solche Ausdrücke habe ich im Leben noch nicht gehört«, sagte Wilford.

»Jedenfalls nicht von einem Arzt.«

»Und schon gar nicht von einer Ärztin.«

»Wussten Sie eigentlich, dass sie auch Sonnenbrand kriegen können?«, fragte Wilford. »Die Schweine, meine ich. Man darf sie nicht in der sengenden Sonne lassen. Die beiden waren im Stall gewesen, im Schatten. Darum war ihre Haut so sauber.«

»Und so weiß.«

»Aye. Es waren ja auch Middle Whites. Manche Leute schwören auf die alten Rassen, aber die Whites wachsen besser.«

Cooper schloss die Augen. Er spürte, dass ihm das Gespräch entglitt. Absurderweise musste er daran denken, wie er als Junge versucht hatte, in den Bächen um Edendale Fische zu fangen. Er wusste, wo sie waren, in welchen dunklen Ecken sie sich verbargen, und er konnte sie im Wasser fast mit den Händen greifen, aber dann brauchten sie bloß ein paar Mal zu zappeln, und schon waren sie ihm wieder entschlüpft, jedes Mal. Plötzlich überkam ihn eine tiefe Niedergeschlagenheit, und er fragte sich, was er sich von diesem Besuch heute Abend überhaupt versprochen hatte. Er war hier völlig fehl am Platze. Nur wusste er im Moment leider auch nicht, wo er besser hingepasst hätte.

Er leerte sein Glas und stand auf.

»Wollen Sie schon gehen?«, fragte Sam. »Haben Sie etwas gegen unsere Gesellschaft?«

»Ich vergeude nur meine Zeit«, sagte Cooper und ging zur Tür.

Der Himmel war noch hell, und es war ein warmer Abend. Cooper blieb einen Augenblick stehen, atmete die abgestandene Luft ein und sah zur Silhouette der Raven's Side hinauf, die das Dorf überragte. Dabei erinnerte er sich, dass es doch einen Ort gab, wo er hingehörte, wo er schon immer hingehört hatte.

Die Tür des Wirtshauses stand offen, um die Hitze hinauszulassen, und er hörte niemanden kommen. Doch dann drang eine Stimme an sein Ohr, die er wieder erkannte.

»Wenn Sie die richtigen Fragen stellen, bekommen Sie auch die richtigen Antworten.«

»Ach ja? Da bin ich mir nicht so sicher, Mr. Dickinson. Im Moment kommt mir alles ziemlich sinnlos vor.«

Harry sah ihn verständnisvoll an. »Haben Sie die Nase voll?«

»Das können Sie laut sagen.«

»Sie haben sicher den schwarzen Hund, mein Junge.«

»Was?«

»Das haben wir früher immer zu den jungen Leuten gesagt, wenn sie geschmollt haben oder jähzornig wurden. ›Du hast den schwarzen Hund im Nacken‹, hieß es dann. Und ich glaube, das gilt auch für Sie.«

Schmollte er? Das hatte schon lange niemand mehr zu ihm gesagt. Er war schließlich kein launischer Jugendlicher mehr.

»Ja, den Spruch kenne ich. Danke.«

»Keine Ursache, mein Junge.«

Seit ihm der alte Mann den Ausdruck erklärt hatte, erinnerte sich Cooper *tatsächlich* daran. Wie aus weiter Ferne hörte er, wie seine Mutter ihm wieder einmal vorwarf, er hätte den schwarzen Hund. Es war eine dieser rätselhaften Formulierungen, die man als Kind nur halb begriff. Der schwarze Hund. Wörter mit einem unheimlichen Klang, die seine Phantasie anregten. Er hatte das Gefühl, dass sich der junge Ben Cooper dabei eine riesige, Angst einflößende Bestie vorgestellt hatte, die mit blutunterlaufenen Augen und triefenden Lefzen aus dem Moor auftauchte. In diese Erinnerung mischten sich auch die Geschichten, die ihm seine Großmutter Cooper vom legendären Black Shuck und dem Barguest erzählt hatte, Riesenhunden mit glühenden Augen, die unglückseligen Reisenden nachts auf der Straße auflauerten und sie geradewegs in die Hölle verschleppten.

»Du hast den schwarzen Hund im Nacken«, so hatte es immer geheißen. Kein sehr schönes Bild. Nachdem es sich erst einmal in seinem Kopf festgesetzt hatte, wurde er es nicht mehr los. Es tauchte in seinen Albträumen auf und riss ihn mit schnappenden Kiefern und wilden Augen aus dem Schlaf. Als Kind hätte er alles getan, um sich von dem schwarzen Hund zu befreien. Normalerweise half ihm seine Mutter dabei. Sie konnte ihn immer aufheitern und seine Trübsinnigkeit vertreiben.

Heute allerdings, wo sich ihre Rollen vertauscht hatten, war er nicht im Stande, seiner Mutter zu helfen, sich von dem riesigen schwarzen Hund zu befreien, der sie quälte.

Harry musterte ihn scharf, das lange Schweigen kam ihm verdächtig vor. Cooper schüttelte sich und starrte seinerseits den alten Mann an.

»Ich muss los, Mr. Dickinson. Vielleicht sieht man sich.«

»Ganz bestimmt, mein Junge.«

Wenige Minuten später saß Cooper auf der Raven's Side und sah über das im Dämmerlicht liegende Tal nach Win Low hinüber.

Er mochte die Namen der Berge in diesem Teil des Peak District, in denen noch ein Anklang an die Zeit der dänischen Eroberer mitschwang, die Derbyshire mehrere Jahrzehnte lang besetzt gehalten hatten. In der Schule hatte er gelernt, dass der Rabe – Raven – das Symbol Odins war, des höchsten Wikingergottes. Und die Dänen waren nicht die Einzigen gewesen, die den Bergen übernatürliche Kräfte zuschrieben.

Auf der gegenüberliegenden Talseite fielen die letzten Strahlen der untergehenden Sonne auf die Witches und malten blutrote Streifen auf ihre westlichen Hänge, sodass die Spitzen fast melodramatisch wie in einem Relief hervorgehoben wurden. Sie sahen wirklich beinahe wie Hexen aus, die sich jeden Augenblick auf ihren Besenstielen in die Luft schwingen konnten. Kein Wunder, dass die Bewohner des Tals sie in früherer Zeit gefürchtet hatten. Die Felsen strahlten etwas Düsteres, Böses aus und wirkten noch an den sonnigsten Tagen schwarz und bedrohlich. Es war verständlich, dass abergläubische Dorfbewohner sie für alles erdenkliche Missgeschick und Unheil verantwortlich machten.

Cooper saß unweit der Stelle, wo Gary Edwards am Abend des Mordes an Laura Vernon gestanden haben musste. Der Blick reichte zu den Gärten der Cottages in Moorhay in der einen Richtung bis zum Dach der Alten Mühle in Quith Holes in der anderen, über die ausgedehnten Wälder bis hinunter zu der kurvenreichen Straße im Tal. Der Bach war von hier aus nicht zu sehen, und am Fundort der Leiche standen die Bäume dicht an dicht.

Das letzte Abendlicht auf den dunkleren Teilen des Waldes verzerrte die Schatten und löschte die Farben aus, bis alles Grün und Braun zu einem dunklen, stellenweise violett getupften Gewirr verschmolzen war. Das Licht fiel fast senkrecht vom Berg hinunter, flachte die Perspektive ab und reduzierte die Wälder auf eine zweidimensionale Landschaft, in der Farbe keine Bedeutung mehr hatte.

Cooper sah noch einmal zum Gipfel von Win Low und den Witches hinüber. Es gab dort drüben einen alten Saumpfad, unterhalb des Schattens, den die zerklüfteten Felsen warfen. Doch nur ein mutiger Reisender hätte es gewagt, diesen Weg in der Nacht zu beschreiten. Nur allzu leicht konnte man der Einbildung erliegen, dass auf dem dunklen Grat die schwarzen Hunde aus der Legende auf der Lauer lagen, zum Sprung bereit.

Und wenn man die schwarzen Höllenhunde erst im Nacken hatte, wurde man sie nie wieder los.

20

Mein Gott«, sagte Superintendent Jepson. »Das wird man uns ewig unter die Nase reiben. Diese Geschichte macht die Dienststelle zur Lachnummer der Nation. Es wird in allen Zeitungen stehen, ob in den Lokalblättern oder in der überregionalen Boulevardpresse, und in den Fernsehnachrichten bringt man unsere Blamage als lustige Meldung des Tages. Und für den *Police Review* ist es erst recht ein gefundenes Fressen. Wir haben uns zum Gespött sämtlicher Polizeibehörden des Landes gemacht. Ich kann die Witze jetzt schon hören. Die werden uns noch Jahre begleiten. Jahre!«

Der Superintendent hatte DCI Tailby und DI Hitchens vor der Morgenbesprechung in sein Büro bestellt, wo sie mit der schwierigen Aufgabe konfrontiert waren, dem Leiter der Dienststelle zu erklären, warum zwei Dutzend Polizeibeamte einen riesigen Misthaufen umgraben und wieso die Gerichtsmedizinerin zwei tote Schweine hatte untersuchen müssen.

»Es ließe sich bestimmt ein Grund finden, Cutts wegen irgendetwas zu belangen«, sagte Hitchens. »Um die Aktion gewissermaßen im Nachhinein zu rechtfertigen.«

»Nein, nein, nein. Das würde alles nur noch schlimmer machen. Am besten spielen wir das Ganze herunter und hoffen, dass in ein, zwei Tagen Gras über die Sache gewachsen ist. Ist die Pressestelle im Bilde?«

»Das habe ich gestern Abend noch erledigt«, sagte Tailby. »Sie sind über die nackten Fakten informiert, sollen aber alle konkreten Fragen direkt an mich weiterleiten. Ich werde sie dann schon abblocken.«

»Gut, Stewart. Ich kann trotzdem nicht begreifen, wie so etwas passieren konnte.«

»Ben Cooper hatte mal wieder eine seiner Eingebungen«, sagte Hitchens.

»Ach, der junge Cooper. Ihm haben wir doch auch die Sache mit Sherratts Festnahme zu verdanken.«

»Ohne DC Fry hätte es ein Unglück geben können.«

»Wenn Cooper angeschossen worden wäre…« Jepson schüttelte sich. »Das wäre die totale PR-Katastrophe gewesen. Jeder weiß doch schließlich noch, was mit seinem Vater passiert ist.«

»Wir können uns solche Zwischenfälle nicht leisten, ganz egal, wie man es auch dreht und wendet«, pflichtete Tailby ihm bei.

Jepson wandte sich Hitchens zu. »Sie halten sich doch über Ihre Mitarbeiter auf dem Laufenden, Paul?«

»Ich versuche es, Sir.«

»Sie wissen, dass bald die Entscheidung über DS Osbornes Nachfolge ansteht. Anfang nächsten Monats hört er definitiv auf. Hatten wir nicht DC Cooper für die Stelle vorgesehen?«

»Er war in der engeren Wahl«, sagte Hitchens.

»Wie stehen Sie heute dazu?«

»Offen gesagt, kommt er mir in letzter Zeit etwas labil vor. Gestern war er sehr bedrückt. Und alles wegen nichts und wieder nichts, wenn ich es richtig sehe.«

»Und wie ist Ihre Neue? DC Fry?«

»Sie hat bessere Qualifikationen als Cooper. Und sie macht einen ausgesprochen belastbaren Eindruck, trotz ihrer Vorgeschichte.«

Jepson nickte ernst. »Ach ja, die Sache in den West Midlands. Natürlich.«

»Eine wirklich üble Sache«, sagte Tailby. »Aber sie ist darüber hinweg. Meinen Sie nicht auch, Paul?«

»Für meinen Geschmack ein bisschen zu unterkühlt, aber ansonsten sehr stabil, Sir. Sie hat alles im Griff. Ein echter Profi. Keine Spätfolgen, wie sie sagt.«

»Dann haben Sie mit ihr darüber gesprochen?«, fragte Jepson.

»Ja, Sir.«

»Gut gemacht. Ausgezeichnet.«

»Laut ihrer Personalakte hat sie die übliche Therapie bekommen. Allerdings geht aus einer Notiz hervor, dass sie die Behandlung abgebrochen hat, nachdem sie sich von ihrem Freund getrennt hatte. Im Gegensatz zu ihr wurde er mit der Sache offenbar nicht fertig.«

»Ich könnte mir vorstellen, dass man aus einer solchen Erfahrung gestärkt hervorgeht«, sagte Tailby.

»Ja, gut möglich. So etwas ist eine echte Bewährungsprobe. Setzen Sie Diane Frys Namen auch auf die Kandidatenliste. Wir wollen mal abwarten, wie sie sich bei den Auswahlgesprächen schlägt.«

»Aber Ben Cooper... Seine Beförderung würde großen Anklang finden.«

»Mm. Er ist labil, sagt Paul. Das gefällt mir gar nicht. Ich denke, Cooper ist noch ein wenig unreif für den Posten. Aber es ist ein Jammer. Ein Einheimischer mit erstklassigen Ortskenntnissen. Pflichtbewusst, fleißig, intelligent.«

»Aber das reicht nicht«, sagte Hitchens.

Jepson seufzte. »Vermutlich haben Sie Recht. Dann sind wir uns also einig, dass DC Cooper als Nachfolger von DS Osborne nicht in Frage kommt?« Tailby und Hitchens nickten. »In dem Fall müssen wir es schnell hinter uns bringen. Ich werde ihm die schlechte Nachricht bei der Frühbesprechung möglichst schonend beibringen, damit er es nicht zu schwer nimmt. Er soll eben noch ein bisschen seinen Horizont erweitern.«

Die drei Männer genossen das Gefühl, eine schwierige Aufgabe erfolgreich bewältigt zu haben. Nach einer Weile drückte Jepson den Rücken durch und deutete damit an, dass das Thema Cooper fürs Erste erledigt war.

»Wie ist der Ermittlungsstand in Sachen Laura Vernon, Stewart?«

»Augenblicklich benötigen wir keine zusätzlichen Kräfte, Sir. Heute müsste das zahnmedizinische Gutachten vorliegen. Das dürfte uns einer Lösung des Falles näher bringen.«

»Sie haben zwei Tatverdächtige?«

»Ich gehe davon aus, dass wir mit Hilfe des Gutachtens entweder Lee Sherratt oder Lauras Freund Simeon Holmes überführen können«, sagte Tailby. »Das wäre endlich der Durchbruch, den wir so bitter nötig haben. Möglicherweise stehen wir kurz vor einer Festnahme.«

»Das klingt nach einer guten Pressemitteilung«, sagte Jepson hoffnungsvoll. »Wenn wir die Medien heute noch damit füttern könnten, vergessen sie vielleicht das Fiasko mit den Schweinen.«

»Ich bin durchaus zuversichtlich, Sir«, sagte Tailby.

Harry Dickinson trug eine schwarze Brille, hinter deren Bifokalgläsern seine Augen vergrößert und verschwommen aussahen, wie glatte Steine im tiefen Wasser.

»Weißt du was, Kind? Wenn du den jungen Polizisten das nächste Mal siehst, kannst du ihm sagen, dass seine Kollegen und er auf dem Holzweg sind, wenn sie Lee Sherratt den Mord anhängen wollen.«

Helen hatte am Abend zuvor im Supermarkt in Edendale für ihre Großmutter eingekauft. Dort war alles sehr viel billiger als in dem kleinen Dorfladen. Normalerweise wäre Gwen selbst mit dem Bus in die Stadt gefahren, um Geld zu sparen, aber in dieser Woche hatte sie sich geweigert, weil sie Angst vor den Bemerkungen ihrer Mitfahrerinnen hatte und glaubte, die Verkäuferinnen würden hinter ihrem Rücken über sie tuscheln und sie nicht bedienen. Es war Helen nicht gelungen, sie zu überzeugen, dass alles nur Einbildung war. Manchmal konnte Gwen genauso stur sein wie Harry.

»Er hat oben in der Villa als Gärtner gearbeitet, aber Graham Vernon hat ihn entlassen«, sagte Helen.

»Lee Sherratt? Der und Gärtner? Dass ich nicht lache. Der kann vielleicht eine Schubkarre durch die Gegend schieben, aber von der Gärtnerei hat er nicht die leiseste Ahnung.«

»Es heißt, er hätte ein Auge auf Laura geworfen.«

»Kann sein, kann aber auch nicht sein. Es hat nichts zu bedeuten.«

Während Helen Konservendosen mit Erbsen und neue Kartoffeln in den Küchenschränken verstaute, warf sie einen Blick durch das Fenster in den Garten. Gwen knipste mit der Schere vorsichtig die verblühten Rosen ab. Sie sah zart und zerbrechlich aus, und im Morgenlicht, das über den Win Low kam, wirkte ihre Haut wie durchscheinend.

»Hast du schon mit Grandma geredet?«

Harry war in seine Morgenzeitung vertieft. Anders als die meisten Männer in seinem Alter, die wegen der Sportberichte und der Sensationsmeldungen am liebsten Boulevardzeitungen lasen, hatte Harry den seriösen *Guardian* abonniert, weil er, wie er sagte, wissen wollte, was wirklich in der Welt vorging: »Dieser ganze Klatsch über irgendwelche Prominente und das Königshaus. So was interessiert mich nicht.«

»Worüber denn?«

»Sie ist deprimiert.«

»Wann ist sie das nicht? Die Frau wird auf ihre alten Tage noch wunderlich.«

»Granddad, sie macht sich Sorgen. Sie denkt, du hast Schwierigkeiten mit der Polizei. Du musst sie beruhigen. Auf jemand anderen hört sie nicht.«

»Aha, dann reden wohl alle über mich, hm?«, sagte Harry.

»Natürlich wird viel geredet. Aber niemand glaubt, dass du etwas damit zu tun hast.«

»Und warum nicht?«, fragte er kampflustig.

Auf die Schnelle fiel Helen auch keine Erklärung ein. »Na ja …« Sie winkte ab.

»Aye, ich weiß schon. Weil ich alt bin. Du bist genau wie die Bullen. Weißt du, dass sie mich überhaupt nicht richtig verhört haben? Jedenfalls nicht so, wie es sich gehört hätte. Schließlich habe ich doch die Leiche gefunden. Sie denken, dass ich es nicht gewesen sein kann. Weil ich alt bin. Aber da irren sie sich, und du irrst dich auch.«

»Sei nicht albern, Granddad. Wir wissen, dass du es nicht gewesen bist. Das ist doch offensichtlich.«

»Aha, offensichtlich.«

»Grandma weiß es. Mum, Dad und ich wissen es auch, dass du nichts getan hast. Wir würden es merken – wir sind doch deine Familie.«

»Und das war's? Nur ihr paar Figuren?«

Sein Ton war so abwehrend, dass es Helen fröstelte. »Deine Familie hat dir immer viel bedeutet. Das kannst du nicht abstreiten.«

Harry seufzte und faltete die Zeitung zusammen.

»Ja oder nein?«

»Natürlich, mein Kind. Doch die Familie ist nicht alles. Frauen können das nicht verstehen, weil sie anders gestrickt sind – ihnen geht die Familie über alles. Aber manche Dinge sind noch stärker. Freundschaft zum Beispiel. Es ist etwas anderes, wenn man einem Mann blind vertrauen kann. Das ist ein Band, das man nicht zerreißen kann, für niemanden. Irgendwann kommt der Tag, an dem man alles tun würde, um dieses Vertrauen nicht zu enttäuschen, Kind. Alles.«

Harry sah Helen Hilfe suchend, fast flehend an. Sie hätte ihm gern geholfen, aber sie wusste nicht, wie. Sie hoffte, dass er ihr erklären würde, was er meinte.

Aber er starrte auf die Titelseite der Zeitung, von der ihm ein zentralafrikanischer Flüchtling verzweifelt entgegenblickte.

»Um einem solchen Freund zu helfen, würde man auch einen Mord begehen«, sagte er.

Ben Cooper visierte am Doppellauf entlang. Er packte den hölzernen Schaft fester, atmete den Geruch des Waffenöls ein und tastete nach dem Abzug. Die Schrotflinte ruhte an seiner Schulter, und er spürte das leichte Gewicht der beiden Läufe, als er sich bewegte, um ihre Balance zu testen. Dabei überkam ihn der Wunsch, das Ziel ins Visier zu nehmen und abzudrücken. Er war bereit.

»Pull!«

Die Wurfmaschine klappte, und eine Tontaube kam in sein Gesichtsfeld geschossen. Wie von selbst schwangen die Läufe nach oben, um ihr zu folgen. Cooper drückte ab. Der Ton zersplitterte, die Scherben fielen zu Boden.

»Pull!«

Die zweite Tontaube sauste über ihn hinweg. Cooper verstärkte langsam den Druck auf den Abzug, bis sich die Flugbahn des Ziels stabilisiert hatte. Wieder rieselten die Tonsplitter herab.

»Na, was meinst du, Ben?«

»Schön«, sagte er, nahm das Schrotgewehr herunter und öffnete es. Er legte es auf die Motorhaube des Landrover, während sein Bruder von der Wurfmaschine herüberkam, die sie zum Üben benutzten. Matt war sechs Jahre älter als Ben. Mit seinem breiten Brustkorb und den muskulösen Armen und Schultern sah man ihm an, dass er Bauer war. Er hatte das gleiche feine, hellbraune Haar wie sein Bruder und verbarg seine Geheimratsecken unter einer grünen Kappe, die wie eine Baseballmütze aussah und den Schriftzug des Landmaschinenherstellers John Deer trug.

»Das waren zwei gute Schüsse, Ben. Wen hattest du vor Augen, als du abgedrückt hast?«

»Wie bitte?«

»Nach deinem Gesichtsausdruck zu urteilen hattest du jemanden im Visier, den du auf den Tod nicht ausstehen kannst. Hat es dir gut getan, dich abzureagieren?«

»Doch, ein bisschen.«

Matt betrachtete seinen jüngeren Bruder. »Du siehst wirklich mitgenommen aus. So kennt man dich sonst gar nicht. Keine Bange, uns fällt schon eine Lösung für Mum ein. Warte erst einmal ab, bis du sie heute Nachmittag gesehen hast. Es geht ihr bestimmt schon wieder viel besser, du wirst sehen.«

»Schon möglich, Matt. Aber das ist noch lange nicht alles.«

»Aha. Ärger mit den Frauen vielleicht? Es geht nicht zufälligerweise um Helen Milner, oder?«

Cooper sah seinen Bruder verdutzt an. »Wie kommst du denn darauf?«

»Du bist ihr doch garantiert bei den Ermittlungen im Mordfall Vernon über den Weg gelaufen. Nach allem, was darüber in der Zeitung stand, brauchte ich bloß zwei und zwei zusammenzuzählen. Ihr Vater arbeitet für Graham Vernon, nicht wahr? Und der alte Mann, Harry Dickinson, müsste ihr Großvater sein. Ist doch ganz klar, dass ihr eure alte Bekanntschaft wieder aufgefrischt habt, wenn du öfter oben in Moorhay zu tun hast.«

Matt grinste, als sein Bruder ihn sprachlos anstarrte. »Na, was sagst du nun? Würde ich einen guten Detektiv abgeben oder nicht?«

»Ich weiß nicht, wie du dir das alles zusammengereimt hast.«

»So, so. Helen Milner. Ich hatte schon früher das Gefühl, dass sie eine Schwäche für dich hat, Bruderherz.«

»Das war einmal. Sie hat sich verändert. Du solltest sie mal sehen.«

»Aber ich habe sie ja gesehen. Sie unterrichtet an Amys und Josies Schule. Wir haben erst kürzlich auf dem Elternsprechtag mit ihr gesprochen. Daher weiß ich das ja auch über ihren Vater – so ungern ich mir sonst auch in die Karten gucken lasse. Wir haben uns ziemlich lange unterhalten. Über die alten Zeiten und auch über die Vernons.«

»Na also. Dann weißt du ja, wie sie aussieht. Wahrscheinlich hat sie einen Kerl an jedem Finger. Wozu sollte sie sich da mit mir abgeben?«

»Höre ich da eine gewisse Verbitterung heraus? Meinst du, die Färse kann sich unter den Bullen nicht entscheiden?«

»Menschen sind nicht wie Vieh, Matt.«

»Manchmal wäre es besser für sie. Schade, dass man sie nicht mit Rötel markieren kann, wie die Schafböcke. Dann wüsste man gleich, wer mit wem rammelt.«

Matt sah seinen Bruder gespannt an, aber er hatte ihm noch nicht einmal ein Lächeln entlocken können.

»Aber das ist immer noch nicht alles, stimmt's? Berufliche Probleme?«

»Allerdings. In den letzten Tagen habe ich ein paar kapitale Böcke geschossen.«

»Sicher hat man Verständnis dafür, dass du zurzeit stark unter Stress stehst.«

Cooper fischte die Schlüssel des Toyota aus seiner Tasche und sah auf seine Uhr. Normalerweise war er um diese Zeit schon längst unterwegs nach Edendale, um pünktlich zum Dienst zu erscheinen. Aber er hatte der Chance nicht widerstehen können, Matts neue Schrotflinte auszuprobieren.

»Sag bloß, du hast deinen Vorgesetzten nichts von der Sache mit Mum erzählt?«

»Nein. Ich fand, das bräuchten sie nicht zu wissen.«

»Aber du hast doch frei bekommen, damit du ins Krankenhaus gehen kannst.«

»Ich habe gesagt, ich hätte einen Arzttermin.«

»Scheiße. So wie du dich in den letzten Tagen aufgeführt hast, denken sie bestimmt, du hast einen Termin beim Psychiater.«

»Ich finde nur, Mums Leben geht die Polizei nichts an.«

»Verstehe. Bei dir geht ja zurzeit wirklich einiges schief.«

Cooper seufzte. »Sagen wir mal so. Ich würde heute viel lieber mit dir Kaninchen schießen, als ins Büro zu gehen.«

Matt ging mit Ben zu dessen Wagen, der im Viehhof parkte. »Dann habt ihr den Fall Vernon also noch nicht gelöst?«

»Ich glaube, wir haben uns festgefahren, Matt. Anfangs ist bei uns natürlich immer die Hölle los. Wir sammeln bergeweise Informationen, befragen Dutzende von Zeugen, machen Haus-zu-Haus-Befragungen und tragen Hintergrundmaterial zusammen. Du kannst dir gar nicht vorstellen, was für Datenmengen wir nach den ersten Tagen im Computer haben. Normalerweise ergeben sich dadurch eindeutige Spuren, die man weiterverfolgen kann. Aber manchmal erweisen sich alle Spuren als Sackgassen, und man kommt kein Stück weiter. Wenn die Ermittlungen erst mal ins Stocken geraten sind, kann es Monate dauern, bis man ein Ergebnis hat. Wenn überhaupt.«

»Und bei diesem Fall ist es so, Ben?«

Cooper hielt inne, die Hand auf der Autotür. »Ich weiß es nicht, Matt. Aber hast du nicht auch manchmal das Gefühl, dass du mit dem Kopf gegen die Wand gerannt bist, ohne es zu merken?«

»Das mit dem Mädchen ist eine Tragödie. Irgendwo läuft ein Kerl frei herum, der hinter Gittern sitzen müsste.«

»Und genau deshalb dürfen wir nicht lockerlassen.«

Er stieg ein und kurbelte die Seitenfenster herunter. Obwohl es noch früh am Morgen war, hatte sich der Wagen bereits aufgeheizt.

Matt legte einen Arm auf die Tür. »Die Vernons sind auch nicht gerade ein Muster an Sitte und Anstand.«

»Man kann sich bestimmt bessere Gesellschaft vorstellen.«

»Das ist noch untertrieben«, sagte Matt. »Mit dem, was sie da oben in ihrer Villa treiben, machen sie sich auf jeden Fall keine Freunde. Mit diesen ganzen Orgien und so. Ich bin wahrhaftig kein Kind von Traurigkeit, aber so etwas ist einfach widerwärtig.«

Cooper sah seinen Bruder verständnislos an.

»Schon gut. Na, wenn du mir nicht glaubst«, sagte Matt, »brauchst du bloß Helen Milner zu fragen.«

Als Cooper den Stadtrand von Edendale erreichte, war ihm klar, dass er in dieser Woche schon zum zweiten Mal zu spät kommen würde. Noch ein Minuspunkt auf seinem Konto. Aber im Grunde war es ihm gleichgültig. Er hatte Kopfschmerzen, ein dumpfes Pochen hinter den Augen, wie die Vorboten eines aufziehenden Gewitters.

Es war acht Uhr morgens, und Cooper hatte den Eindruck, dass am Straßenrand alle paar Meter jemand stand, der einen Hund an der Leine hielt. Die Tiere stöberten in jedem Grasbüschel und beschnupperten Laternenmasten und Bäume. Nur ein leichtsinniger Mörder würde versuchen, in dieser Gegend eine Leiche zu verstecken. Die inoffiziellen Suchmannschaften waren ständig im Einsatz.

Der erste Mensch, der ihm im zweiten Stock der Dienststelle über den Weg lief, war Diane Fry. Sie war mit drei anderen DCs auf dem Weg zum Besprechungszimmer. Sie lachten, und Cooper wurde rot. Er war überzeugt, dass sie über ihn lachten. Aber als Fry ihn bemerkte, blieb sie stehen, damit er sie einholen konnte.

»Sie kommen schon wieder zu spät, Ben. Wenn Sie nicht aufpassen, handeln Sie sich noch eine Abmahnung ein.«

»Spielt keine Rolle«, sagte er. »Wie war der Abstecher nach Yorkshire?«

»Nicht besonders. Ich wäre lieber hier gewesen.«

»Reine Zeitverschwendung, hm?«

»Das kann man wohl sagen. Wir hätten wirklich nicht extra rauffahren müssen, und schon gar nicht zu zweit.«

Ohne es zu wollen, machte Cooper ein spöttisches Gesicht. »Na, wer hätte das gedacht? Aber Sie hatten sicher trotzdem viel Spaß zusammen.«

Fry schnaubte. »Ich weiß nicht, worauf Sie hinauswollen, aber ich will es Ihnen ausnahmsweise noch einmal durchgehen lassen.«

Er ließ die Schultern hängen. »Entschuldigung, Diane. Das hätte ich nicht sagen sollen.«

»Alles in Ordnung mit Ihnen? Sie haben vielleicht die eine oder andere komische Idee, aber mit gehässigen Bemerkungen haben Sie mich bisher verschont.«

»Ja, es geht mir gut. Ich kann einfach die dauernde Hitze nicht mehr ertragen.«

»Ich frage nur, weil ich etwas über irgendwelche Schweine habe munkeln hören …«

»Erinnern Sie mich bloß nicht daran.«

Fry musterte ihn. Ihr Blick wanderte von seinen glanzlosen Augen über das hastig gekämmte Haar und das schlecht rasierte Gesicht hinunter zu seinem zerknitterten Hemd. Plötzlich realisierte er, dass er nach Schweiß roch. Seine Hand zitterte, als er sich die schmerzenden Schläfen rieb.

»Ben, noch einmal wegen meiner Bemerkung über Ihren Vater. Ich habe mich dafür entschuldigt. Wenn ich sonst noch etwas tun kann …«

»Ich habe es Ihnen schon einmal gesagt... Wenn noch einmal jemand Sergeant Coopers Junge zu mir sagt, dann... Lassen Sie mich einfach damit in Frieden.«

Fry prallte zurück, geschockt von dem Hass in seiner Stimme. »Schon gut. Übrigens, ich soll Ihnen etwas ausrichten. Der Superintendent möchte Sie sehen und zwar unverzüglich.«

»Aber die Einsatzbesprechung?«

»Unverzüglich. So lautet der Befehl. Haben Sie Ärger?«

»Wahrscheinlich.«

»Und noch etwas, Sie haben doch unsere Verabredung heute Abend nicht vegessen?«

»Welche Verabredung?«

»Sie nehmen mich mit in Ihren Dojo. Ich freue mich schon auf unseren Übungskampf. Sie wollten mir doch ein paar Tricks beibringen.«

Die Wände im Büro des Superintendenten waren mit Fotos bedeckt, manche davon schon viele Jahre alt. Die steifen, aufrechten Männer mit den hohen Kragen und den großen Schnurrbärten schienen Ben Cooper anzustarren und über ihn zu urteilen, ihm zu sagen, dass er ihren Anforderungen nicht genügte. Genau das war auch die Mitteilung, die Superintendent Jepson ihm zu machen hatte.

»Im Grunde läuft es also darauf hinaus, dass Sie diesmal noch nicht zum Zuge kommen, Cooper. Haben Sie etwas Geduld, dann ist es bald soweit, bestimmt. Mit der Zeit stellen sich die Dinge in einem neuen Licht dar. Es ist noch nicht aller Tage Abend. Und es könnte Ihnen auch nicht schaden, wenn Sie noch ein bisschen Ihren Horizont erweitern.«

Jepson studierte Coopers Reaktion. Hitchens hatte Recht – Cooper sah ein wenig gestresst und nervös aus. Mit den dunklen Ringen unter den Augen wirkte er älter als achtundzwanzig, und er schien sich heute morgen nicht richtig rasiert zu haben. Seine Hände zitterten leicht, und nicht erst, seit er erfahren hatte, dass er für die Beförderung zum Sergeant nicht in Frage kam. Jepson fragte sich, ob Ben Cooper vielleicht ein Alkoholproblem hatte. Er würde DI Hitchens fragen müssen.

»Ist die Entscheidung ein Schock für Sie, Cooper?«

»Ich hatte mir schon so meine Gedanken gemacht, Sir. Ich hatte nämlich letztens meine psychologische Beurteilung.«

»Und was stand in dem Bericht, Cooper?«

»Dass ich nicht selbstbewusst bin, Sir. Dass ich zu sehr dazu neige, Probleme zu internalisieren und bei unpassenden Gelegenheiten Empathie zu entwickeln.«

»Mmm. Und wissen Sie auch, was das bedeutet?«

»Keine Ahnung, Sir.«

»Es bedeutet, dass Sie viel zu nett sind, Cooper.«

»Aha.«

»Und nette Polizisten können wir nicht gebrauchen. Nicht mehr. Natürlich gibt es heutzutage jede Art von Polizisten, Cooper. Sie alle haben ihren Platz in einer modernen Polizeitruppe. Schwarze Polizisten, weibliche Polizisten, schwule Polizisten und sogar Polizisten, die hellsehen können.«

Cooper erriet, dass Jepson mit seiner letzten Bemerkung auf einen Artikel in der Lokalzeitung anspielte, in dem es um einen Kollegen ging, der ein prominentes Mitglied der Spiritistischen Kirche war und sich vor kurzem zu seinen hellseherischen Fähigkeiten bekannt hatte.

»Mich kann nichts mehr überraschen«, sagte Jepson. »Sie werden sehen, früher oder später haben wir auch noch Transvestiten bei der Truppe. Wenn demnächst der erste Kollege von der Sitte im Rock zum Dienst erscheint, gibt es kein Halten mehr. Dann kriegen wir Zwerge, Zombies und blauhäutige Polizisten vom Planeten Zog. Wer weiß? Vielleicht haben wir eines Tages genetisch veränderte Polizisten mit Muskeln wie King Kong und dem Gehirn einer Rübe. Nein, streichen Sie das. Die Sorte haben wir heute schon. Aber Gott bewahre, dass wir einen von ihnen diskriminieren, Cooper. Das einzige, was nicht geduldet werden kann, ist ein Polizist mit Vorurteilen.«

»Ja, Sir«, sagte Cooper und rang sich ein Lächeln ab.

Der Superintendent musterte ihn misstrauisch. Es gefiel ihm, wenn seine Untergebenen über seine Witze lachten, aber nur, wenn er tatsächlich einen Witz gemacht hatte. »Sie fragen sich jetzt vermutlich, aus welchem Grund es dann nicht auch nette Polizisten geben darf. Es gibt keinen Grund.«

»Nein, Sir. Nur vielleicht nicht gerade als Sergeant?«

»Wer will schon Sergeant sein? Das ist ein Scheißjob, glauben Sie mir.«

Die Unaufrichtigkeit dieser Feststellung hing schwer im Raum. Jepson klopfte verlegen mit den Händen auf den Schreibtisch und starrte Cooper so lange an, bis dieser nicht mehr anders konnte, als etwas darauf zu sagen.

»Es macht mir wirklich nicht so viel aus, Sir. Nicht, dass Sie denken, ich wäre jetzt sauer.«

»Quatsch. Ich an Ihrer Stelle wäre fuchsteufelswild. Sie versuchen nur, nett zu sein. Und genau da liegt Ihr Problem, sehen Sie?«, sagte er triumphierend.

»Das werde ich mir wohl nie abgewöhnen, Sir.«

»Ich rate Ihnen, gehen Sie und schießen Sie ein paar Tauben, oder was Sie sonst in Ihrer Freizeit machen. Reagieren Sie sich ab. Gehen Sie einen trinken. Dann haben Sie es bald vergessen.«

Cooper senkte den Kopf, während Jepson mit ernster Miene seine Schlussbemerkung anbrachte. »Aber keine Gefühlsausbrüche, hm?«

Er sah am Kopf des Superintendenten vorbei. An der Wand hing ein großes gerahmtes Foto, Dutzende von feierlich dreinblickenden Männern, die sich in langen Reihen zum Gruppenbild aufgestellt hatten. Es war die gesamte uniformierte Polizeitruppe der Edendale Section, aufgenommen anlässlich einer königlichen Visite in den achtziger Jahren. Cooper konnte sich noch gut an das Ereignis und an das Foto erinnern. In der zweiten Reihe, zwischen den anderen Sergeants, stand sein Vater.

»Ich verstehe, Sir. Es macht nichts. Es macht überhaupt nichts.«

Der Arzt hatte ihnen erklärt, dass Isabel Cooper ein starkes Neuroleptikum bekommen hatte. Er hatte ihnen den Namen des Medikaments buchstabiert, und Cooper hatte ihn sich gewissenhaft aufgeschrieben. Chlorpromazin. Es blockiere die Dopaminrezeptoren und verursache Veränderungen im Nervensystem, welche zu Nebenwirkungen führen könnten, sagte der Arzt.

Als Cooper am Bett seiner Mutter saß, hatte er den Eindruck, als bewegte sie unaufhörlich die Lippen, die Zunge und die Gesichtsmuskeln. Sie schnitt Grimassen und wühlte mit der Zunge im Mund herum, als ob sie Essensreste zwischen den Zähnen hätte. Auch ihre Beine waren unter der Decke in ständiger Bewegung, sie strampelte wie ein Radrennfahrer.

Der Arzt hatte es sich nicht nehmen lassen, Ben und Matt darauf hinzuweisen, dass die Medikamente ihre Mutter nicht heilen würden. Schizophrenie sei unheilbar, man könne lediglich die schwersten Symptome mildern. Die Liste der Symptome schien kein Ende nehmen zu wollen – Denkstörungen, Verfolgungswahn, Halluzinationen, Wahnvorstellungen, körperliche Verwahrlosung, Kontaktstörungen, Angst- und Erregungszustände. Ihr Leiden könne sich nur verschlimmern. Gelegentlich allerdings könne sich ihr Zustand vorübergehend bessern, und Mrs. Cooper würde fast wieder so sein wie früher. Der Arzt schien zu glauben, dass die Brüder diese Auskunft als tröstlich empfinden würden.

»Ich falle euch doch allen nur noch zur Last«, sagte Isabel und sah Ben mit alten Augen an.

»Nein, Mum. Natürlich nicht. Mach dir keine Sorgen.«

»Bist du das, Ben?«

»Ja, Mum. Ich bin hier.«

Er saß schon fast vierzig Minuten neben dem Bett und unterhielt sich mit ihr. Matt war nach einer halben Stunde hinausgegangen. Er musste an die frische Luft, wie er sagte.

»Du bist ein lieber Junge. Es geht mir nicht gut, nicht wahr?«

»Du wirst schon wieder gesund, Mum.«

Sie wandte ihm den Kopf zu und tastete, hilflos grinsend und blinzelnd, nach seiner Hand. Ein dünner Speichelfaden war ihr auf das Nachthemd gelaufen. Eine kleine Vase mit weißem Gipskraut stand auf dem Nachtschränkchen, weiß wie die Bettwäsche, weiß wie ihre Haut. Es war so warm in dem Krankenzimmer, dass Cooper schwitzte, aber die Hand seiner Mutter war kalt und klamm.

»Du bist genau wie dein Dad«, sagte sie. »Ein Bild von einem Mann.«

Er lächelte sie an und drückte ihre Hand, obwohl ihm vor der Frage graute, die als nächstes kommen musste. Er wusste einfach nicht, was er sagen sollte.

»Bist du schon verheiratet, Ben?«

»Nein, Mum. Das weißt du doch.«

»Du findest sicher bald ein nettes Mädchen. Ich würde dich gern verheiratet sehen und Kinder haben.«

»Das wird schon.«

Er wusste, dass seine Antwort sinnlos war. Aber in seinem ganzen Wortschatz schien es keine Begriffe zu geben, aus denen sie beide Sinn und Trost hätten schöpfen können.

Isabels Schultern zuckten, ihre Beine zappelten und raschelten unter der Decke wie unruhige Tiere. Sie schob die Zunge heraus, während sie sich, verwirrt blinzelnd, im Zimmer umsah. Dann konzentrierte sie sich auf ihren Sohn. Sie suchte sein Gesicht, ihr Blick verzweifelt und flehend. Eine stumme Bitte lag darin, ein letzter Wunsch.

»Genau wie dein Vater«, sagte sie.

Er wartete. Seine Muskeln waren starr, sein Kopf leer. Er war wie ein Kaninchen, das auf den tödlichen Biss wartete. Er hielt den Atem an, bis ihm die Lunge wehtat. Er wusste, dass er sie nicht würde enttäuschen können.

»Haben sie dich schon zum Sergeant befördert, Ben?«

»Ja, Mum«, sagte er, obwohl ihm die Lüge das Herz zerriss.

21

Es war Diane Frys erster Besuch in der Villa. Die Dekosäulen, die Dreiergarage und das schmiedeeiserne Tor konnten sie nicht beeindrucken. Sie empfand das Haus als geschmacklos, ein weißer Kasten, der sich auffällig von dem dahinterliegenden Tal abhob und überhaupt nicht zu den nur wenige Meter entfernten Cottages passte. Als ob man es aus einem Vorort von Birmingham hierher verpflanzt hätte. Aus Edgbaston oder Bournville vielleicht. Es fügte sich nicht im Geringsten in die Landschaft ein.

Sie hatte die Aufgabe, ein Gespräch mit Charlotte Vernon zu führen, und zwar im Hinblick auf die Befragungen ihres Mannes und Sohnes duch DCI Tailby. Charlotte hatte bis jetzt noch nicht viel gesagt, aber sie hatte auch kaum im Zentrum des Interesses gestanden. Doch nun hatten sich neue Fragen ergeben, vor allem Fragen über Lee Sherratt. Obwohl er noch immer den aussichtsreichsten Tatverdächtigen abgab, hatte Mr. Tailby eine mögliche Tatbeteiligung der Familie nie außer Acht gelassen. Womöglich besaß Charlotte Vernon den Schlüssel zur Lösung des Falles, so oder so.

Daniel Vernon öffnete ihr die Tür. Er machte einen sehr bedrückten, düsteren Eindruck auf Fry und hatte wenig Ähnlichkeit mit der Beschreibung des zornigen jungen Mannes aus den Berichten. Doch als sie ihm den Anlass für ihren Besuch nannte, führte er sie wort- und blicklos durch das Haus, auf jeden Anschein von Höflichkeit verzichtend. Schade, dass er ein hieb- und stichfestes Alibi hatte.

Die Beamten hatten Charlotte Vernon als attraktiv beschrieben, wenn nicht sogar als sehr attraktiv. Fry hatte die verhätschelte Frau eines reichen Mannes erwartet, die sich ausschließlich um ihr Aussehen und ihre Fitness kümmerte, das Haar teuer gestylt, das Make-up tadellos. Stattdessen fand sie eine müde, resignierte Enddreißigerin vor. Sie trug tatsächlich Make-up. Einen Mann hätte sie damit vielleicht täuschen können, aber Fry erkannte, dass sie sich ohne innere Überzeugung geschminkt hatte.

Charlotte trug eine cremefarbene Hose und eine Seidenbluse. Sie sah elegant aus, aber das war auch kein Wunder, wenn man bedachte, dass sie für Hunderte von Pfund Garderobe am Leib hatte. Fry war durchaus bereit gewesen, Mitgefühl für die Frau zu entwickeln, die gerade ihre Tochter verloren hatte. Sie war bereit, die Aussage des Sohnes zu vergessen und sich die Version der Mutter unvoreingenommen anzuhören. Doch dann war ihr auf Anhieb die ganze Art unsympathisch, wie sich die Frau in einem Sessel niederließ, den Kopf schräg legte und sich eine Zigarette anzündete. Sie kräuselte die Lippen und betrachtete ihr Gegenüber kritisch von oben bis unten. Fry bekam keine Gelegenheit für Mitgefühl, da Charlotte Vernon sofort zum Angriff überging.

»Sie brauchen mich nicht mit Samthandschuhen anzufassen. Es geht mir wieder gut.«

»Ich hätte einige Fragen an Sie, Mrs. Vernon.«

»Ja. Ich habe Sie bereits erwartet. Natürlich war Dan bei Ihnen. Ich konnte ihn nicht aufhalten. Der arme Junge – wenn es um Sex geht, hat er solche Komplexe. Manche Männer brauchen ewig, um erwachsen zu werden. Dan leidet an verzögerter Pubertät.«

»Ihr Sohn hat eine Aussage hinsichtlich Ihres Verhältnisses zu Lee Sherratt gemacht, Mrs. Vernon.«

»Sie wollen sagen, er hat herausgefunden, dass ich Sex mit dem Gärtner hatte, Kindchen?«

Fry starrte sie ausdruckslos an. Sie befanden sich in einem Zimmer mit wunderschönen alten Möbeln mit polierten, aufgeräumten Flächen. An den Wänden hingen drei oder vier große Aquarelle, und ein Parkettboden führte zu einer Flügeltür. Dahinter lag eine gepflasterte Terrasse mit einer Steinbalustrade.

Fry hätte zu gern das Badezimmer und die Küche erkundet. Sicher gab es in der Villa einen Whirlpool, einen Automatikherd, Einbauschränke, einen Kühlschrank mit Abtauautomatik und eine digitale Mikrowelle.

»War es so, Mrs. Vernon?«

»Sicher. Es war nur ein paar Mal, aber wir sind beide auf unsere Kosten gekommen. Er war nicht sehr subtil, aber dafür mit Feuereifer bei der Sache. Und er ist phantastisch gebaut. Bei einer Frau in meinem Alter ist es gut für die Moral, wenn einem immer noch die jungen Männer nachlaufen.«

»Ging die Initiative von Ihnen aus?«

»Ob ich ihn verführt habe? Ja. Es war nicht schwer.«

»Wann hat Ihr Mann davon erfahren?«

Charlotte zuckte die Achseln. »Das weiß ich wirklich nicht. Ist es denn wichtig?«

»Ich denke schon.«

»Warum?«

»Weil er sicher etwas dagegen hatte.«

»Sie vermuten falsch, meine Liebe. Er geilt sich daran auf, der gute alte Graham. Das ist für uns beide praktisch. Ich kann so viele Liebhaber haben, wie ich will, ohne Komplikationen befürchten zu müssen. Graham gestehe ich natürlich das gleiche Recht zu.«

»Aber er hatte etwas dagegen oder nicht? Er hat Sherratt entlassen.«

»Das ist wahr.« Charlotte blies einen Rauchring, der zwischen ihnen in der Luft hing. »Aber hat Graham Ihnen nicht gesagt, dass er ihn wegen Laura gefeuert hat?«

»Stimmt das?«

»Wenn Graham es sagt, wird es wohl so gewesen sein.«

»Haben Sie ebenfalls bemerkt, dass Lee Sherratt ein Auge auf Ihre Tochter geworfen hatte? Immerhin hatten Sie ja ein sehr viel engeres Verhältnis zu ihm.«

»Spreche ich Sie mit Detective Constable an?«

»Wenn Sie möchten.«

»Detective Constable, ich weiß nicht, was Sie sich vorstellen, was ich mit Lee Sherratt im Gartenhaus getrieben habe, aber wir haben uns auf jeden Fall nicht über meine Tochter unterhalten.«

»Aber denken Sie …«

»Er hatte genug mit mir zu tun, meine Liebe. Ich kann nämlich unersättlich sein.«

»Ja, und warum sollte man sich um das Lamm bemühen, wenn man das alte Schaf haben kann, nicht wahr?«

Charlotte entblößte die Zähne zu einem höhnischen Lächeln, das in ein freudloses Lachen überging.

»Ein Punkt für Sie, Kindchen. Ich hätte nicht gedacht, dass Sie sich in der bäuerlichen Metaphorik so gut auskennen.«

Fry war enttäuscht, dass sie nicht an die Frau herankam. Vielleicht lag unter der provokativen, spröden Schale ja doch ein weicher, verletzlicher Kern.

»Wussten Sie, dass Laura einen Freund hatte? Simeon Homes?«

»Nein.« Charlotte seufzte. »Erst seit Sie und Ihre Kollegen ihn ausfindig gemacht haben. Es besteht wohl kein Zweifel, dass sie etwas miteinander hatten?«

»Nicht der geringste.«

»Anscheinend ist sie ganz nach mir geraten. Allerdings hat sie mir nichts davon erzählt. Normalerweise hat Laura mir ihre Geheimnisse immer anvertraut, aber in diesem Fall nicht.«

»Vielleicht dachte sie, er wäre Ihnen nicht gut genug. Schließlich stammt er aus einfachsten Verhältnissen und fährt Motorrad.«

»Nicht gut genug? Ich bitte Sie.«

»Sie hätten nichts dagegen gehabt?«

»Schließlich habe *ich* mit dem Gärtner gevögelt.«

Fry knirschte mit den Zähnen. Charlotte drückte ihre Zigarette aus und rutschte unruhig im Sessel herum. Der Aschenbecher war bereits voll, und die Luft roch nach kaltem Rauch, gemischt mit dem Duft eines teuren Parfüms.

»Ich hoffe, ich schockiere Sie nicht«, sagte Charlotte. »Ich weiß ja, dass die Polizei recht puritanisch sein kann. Aber Graham und ich haben schon immer eine offene Ehe geführt. In unseren Kreisen ist das durchaus nicht unüblich.«

»Sie haben erwähnt, dass Sie noch andere Liebhaber hatten, Mrs. Vernon. Ich muss Sie um die Namen bitten.«

»Wirklich? Wie viele Jahre soll ich zurückgehen?«

»Die letzten ein, zwei Monate müssten genügen.«

»Zieht die Polizei etwa Eifersucht als Motiv in Betracht? Wie originell.«

»Die Namen.«

»Na schön. Ein, zwei Geschäftsfreunde meines Mannes. Nur flüchtige Affären. Nichts Ernstes.«

Bei einem der drei Namen, die sie nannte, stutzte Fry.

»Andrew Milner?«

»Er arbeitet für Graham.«

»Ich weiß, wer er ist.«

Fry starrte Charlotte Vernon an. Konnte das wirklich die verzweifelte Mutter sein, die in den Polizeiprotokollen beschrieben war? Vielleicht stand sie unter dem Einfluss von Medikamenten. Doch auch das wäre keine Erklärung dafür, dass sich die Persönlichkeit eines Menschen dermaßen verändern konnte. Charlotte beobachtete ihre Miene und lachte ihr kaltes Lachen.

»Ja, ja. Wenn es mich überkommt, bin ich nicht sehr wählerisch.«

»Hat es Sie schon einmal überkommen, seit Laura getötet wurde? Macht Sie der Gedanke an, dass Ihre Tochter überfallen und ermordet wurde?«

In Charlottes Gesicht zuckte es, Tränen schossen ihr in die Augen. Sie zitterte, und ihre Schultern sackten nach unten. Es war, als ob sie sich plötzlich in eine kaputte Puppe verwandelt hätte.

»Ich gehe jeden Abend dorthin«, sagte sie.

»Wohin?«, fragte Fry, die auf diese Veränderung nicht gefasst gewesen war.

»Ich gehe abends, wenn sonst niemand unterwegs ist. Graham kann es nicht ausstehen. Ich bringe ihr Blumen.«

»Wohin gehen Sie?«

»Zu der Stelle da unten. Zu der Stelle, wo Laura gestorben ist.« Sie hob flehend den Blick. »Ich bringe ihr Rosen und Nelken aus dem Garten. Meinen Sie, es sind die richtigen Blumen?«

Als Ben Cooper müde in den Einsatzraum geschlurft kam, traf er dort nur zwei EDV-Spezialisten an, die vor den Computern hockten, und DI Baxter, der einige Akten wegräumte. Cooper überprüfte die Aufgabenliste, doch für ihn war nichts dabei.

»Ich melde mich zum Dienst zurück, Sir.«

»Wir haben nichts für Sie zu tun, Cooper«, sagte Baxter. »Einige der Teams werden neu eingeteilt. Ihr DI hat Sie wieder angefordert. Melden Sie sich bei DS Rennie.«

»Scheiße.«

»Nichts zu machen, mein Sohn.«

Baxter, der Cooper für seinen Ausbruch vor den EDV-Leuten eigentlich hatte zurechtweisen wollen, überlegte es sich anders, als er Coopers Gesicht sah. Er hatte keine Lust, einem Mann, der bereits am Boden war, noch einen Tritt zu verpassen.

»Mr. Tailby glaubt, dass das Labor…«

»Ja, ich weiß. Danke.«

Cooper stapfte wieder nach unten. Ein DC telefonierte, und Rennie hielt triumphierend einen Bericht in die Höhe. Als er Cooper hereinkommen sah, winkte er ihm zu.

»Ben. Willkommen in der realen Welt.«

Cooper versetzte seinem Stuhl einen Fußtritt und schlug mit der Faust auf den Papierstapel, der sich seit Montag auf seinem Schreibtisch angesammelt hatte.

»Was ist denn das für ein Krempel?«

»Heh, beruhige dich. Spiel dich nicht auf wie eine Primadonna, nur weil du nicht mehr mit den großen Jungs in dem Mordfall ermitteln darfst.«

»Schon gut. Was haben wir denn hier? Geknackte Autos. Wir sollen etwas gegen die Autoknacker unternehmen? Das ist ja mal ganz was Neues.«

»Aber dafür habe ich etwas Neues zu bieten«, sagte Rennie und schwenkte den Bericht. »Hier, sieh dir das mal an.«

Der Bericht landete auf Coopers Schreibtisch. Er trug die Aufschrift des National Criminal Intelligence Service. »Was ist das?«

»Neue Ansätze, um Kfz-Delikte aufzuklären. Tolle Sache. Der Superintendent ist begeistert. Das war die Idee von der Neuen.«

»Doch nicht etwa Diane Fry?«

»Du sagst es. Ich finde, für eine Frau ist sie gar nicht übel.«

»Und wo ist sie? Arbeit sie bereits daran?«

»Die doch nicht«, sagte Rennie. »Die ist immer noch bei der Vernon-Ermittlung.«

Als Fry bei Vernon Finance anrief, wurde sie zu einer besonders abweisenden Sekretärin durchgestellt, die ihr mitteilte, dass Andrew Milner den ganzen Nachmittag außer Haus sein würde. Immerhin gelang es ihr, der Frau seine Handy-Nummer abzuringen. Während sie wählte, aß sie schnell ein Tunfischsandwich. Milner meldete sich, offenbar war er mit dem Auto unterwegs. Im Hintergrund war starker Verkehrslärm zu hören, und er sprach extrem laut, was auf eine Freisprechanlage hindeutete.

»Was haben Sie gesagt? Wer sind Sie? Augenblick, ich fahre gerade auf die A57.«

Als er endlich verstanden hatte, wer sie war, blieb es einen Augenblick still. Vielleicht war er auch nur zwischen Stanage Edge und den Hallam Moors in ein Funkloch geraten.

»Warten Sie einen Moment, ich fahre auf einen Parkplatz«, sagte er.

Während des Gesprächs mit Andrew Milner, das mehrere Minuten dauerte, versuchte Fry, durch das Rauschen der vorbeirollenden Lastwagen und das schwankende Funksignal seinen Antwortton zu deuten. Er klang nervös und defensiv, aber was die Beziehung zwischen ihm und der Frau seines Arbeitgebers anging, blieb er fest: Eine Affäre sei eine lächerliche Unterstellung, der blanke Unsinn. Charlotte Vernon müsse verwirrt sein.

Schließlich ließ Fry ihn weiterfahren; er war auf dem Weg zu einer wichtigen Besprechung, zu der er nicht zu spät kommen wollte. Sie war überzeugt, dass er etwas verbarg. Aber um ihm die richtigen Fragen stellen zu können, brauchte sie mehr Informationen. Es wurde Zeit, sich Andrew Milners Frau vorzuknöpfen.

Die Milners wohnten in einem Backsteinhaus aus der Vorkriegszeit, auf einem Hügel, der auf das Zentrum von Edendale hinunterblickte. Die Haustür hatte einen bogenförmigen Windfang und ein rundes Fenster mit einem Mosaik aus Buntglas.

Alle Autos hatten rosa Aufkleber an der Windschutzscheibe, und an den Laternenmasten hingen Schilder, die die Straße als Anliegerparkzone auswiesen. Fry fand für ihren Peugeot in einer kleinen Einfahrt vor einem Carport Platz. Neben dem Haus stand ein alter gemauerter Schornsteinaufsatz, der mit roten Geranien bepflanzt war.

Margaret Milner führte sie in das Wohnzimmer, das von einem bleiverglasten Erkerfenster mit Gardinen dominiert wurde. In der Mitte des Raums prangte ein radförmiger Kronleuchter mit Kerzenlampen. Eine Vitrine enthielt limitierte Figurinen, kleine Cottages und Gedenkplaketten.

»Andrew arbeitet natürlich«, sagte Margaret. »Er hat sehr viel zu tun, seit der Sache mit Laura Vernon. Aber Graham sagt, er kommt ab Montag wieder ins Büro. Anscheinend geht es Charlotte schon besser. Aber ich denke, die meisten Menschen fangen sich erst nach der Beerdigung wieder.«

»Haben Sie persönlich mit den Vernons gesprochen?«

Margaret zögerte. »Ich habe versucht, Charlotte anzurufen, aber es nimmt niemand ab. Man bekommt nur den Anrufbeantworter.«

»Ich komme gerade aus der Villa«, sagte Fry.

»Ach.« Offenbar wusste Margaret nicht, was sie sonst hätte sagen sollen. Sie trug einen langen Rock und flache Riemchenschuhe und hatte sich einen leichten Pullover um die Schultern geschlungen. Sie sah erhitzt aus, aber das war bei diesem Wetter nichts Ungewöhnliches.

»Ich habe mit Mrs. Vernon gesprochen.«

»Ist sie … Wie wird sie damit fertig?«

»Nicht ganz so, wie man es erwarten würde.«

»Ach«, wiederholte Margaret.

Fry ging zum Erkerfenster und blickte durch die Gardine in den Vorgarten. Aus der Nähe waren die Geranien welk und braun, die dunkelroten Blütenblätter sammelten sich um den Fuß des Schornsteinaufsatzes.

»Wie würden Sie das Verhältnis zwischen Ihrem Mann und den Vernons beschreiben?«, fragte sie.

»Er arbeitet für Graham. Es ist eine gute Stelle, und Andrew muss sehr viel leisten.« Margaret setzte sich auf die Kante eines Sessels und zog nervös ihren Rock glatt. Sie sah Fry beklommen an. Anscheinend behagte es ihr nicht, dass die Beamtin es vorzog, am Fenster stehen zu bleiben und den Wink mit dem Zaunpfahl zu ignorieren. »Er war nämlich eine Zeit lang arbeitslos. Umso glücklicher ist er jetzt, dass er wieder eine feste Stelle hat.«

»Ist es nur ein ganz normales Arbeitgeber-Arbeitnehmer-Verhältnis? Oder mehr?«

»Ich weiß wirklich nicht, was Sie meinen«, antwortete Margaret. »Sie arbeiten sehr eng zusammen. Dass sich dabei auch ein persönliches Verhältnis entwickelt, bleibt wohl nicht aus.«

»Ein persönliches Verhältnis? Dann sind sie Freunde? Verkehren Sie gesellschaftlich mit den Vernons? Waren Sie schon einmal bei ihnen zu Besuch?«

»Doch. Ein-, zweimal. Graham ist sehr gastfreundlich.«

Fry beobachtete sie genau. Ihr entging nicht, dass Margarets Blick plötzlich flackerte und ihre Hände fahrig umhertasteten, als ob sie am liebsten etwas gerade gerückt hätte. Aber die Situation ließ sich nicht einfach mit einem Aufschütteln oder Glattstreichen entschärfen.

»Und Charlotte Vernon?«, sagte Fry. »Ist sie ebenso gastfreundlich?«

»Kann ich Ihnen eine Tasse Tee anbieten?«, fragte Margaret mit einem fast verzweifelten Unterton in der Stimme.

»Nein, danke.«

»Ich glaube, ich brühe uns trotzdem eine Kanne auf.«

»Wie Sie möchten.«

Fry begleitete sie in die Küche und lehnte sich lässig an einen furnierten Eichenschrank, sodass sie fast die Kühlschranktür blockierte. Margaret Milner wurde immer nervöser. Sie starrte Fry über die Tür hinweg an, eine Plastikflasche mit halbfetter Milch in der Hand.

»Was wollen Sie eigentlich von mir?«

»Bloß ein bisschen Hilfe«, sagte Fry. »Ich versuche, ein paar Einzelheiten zu klären.«

Die kalte Luft aus dem offenen Kühlschrank stand zwischen ihnen, sodass Fry fröstelte und die Stahlflächen beschlugen. Margaret schien sich nicht überwinden zu können, die Tür wieder zu schließen, als ob sie Angst hätte, Fry zu nahe zu kommen und sich bei ihr womöglich mit etwas zu infizieren, wogegen man mit Scheuermitteln und Chlorbleiche nicht ankam.

»Ich weiß nicht, bei welchen Einzelheiten ich Ihnen helfen könnte. Ich weiß es beim besten Willen nicht.«

Margaret ließ die Kühlschranktür tatsächlich einen Spalt breit offen und schaltete den Wasserkocher ein. Als Fry die Tür zuschlug, zuckte sie wie angeschossen zusammen. Wasser schwappte auf die Arbeitsplatte.

»Wüssten Sie, wo genau Sie Mr. Milner jetzt erreichen könnten, wenn es dringend wäre?«

Margaret warf automatisch einen Blick auf die Wanduhr. »Im Büro könnte man Ihnen sagen, wo er ist. Er ist viel mit dem Auto unterwegs. Besprechungen mit Klienten. Er hat so viel zu tun. Es ist möglich, dass es heute Abend wieder spät wird.«

So, so, er kam also abends spät nach Hause, und sie wusste nie genau, wo er gerade war. Fry fragte sich, ob Andrew Milner tatsächlich so beschäftigt war, wie er seine Frau glauben machte. Sie musste alle Möglichkeiten in Betracht ziehen.

»Kann es vorkommen, dass Sie nicht wissen, wo Ihr Mann gerade ist, aber Graham Vernon genau weiß, wo er sich aufhält?«

»Natürlich.«

»Und manchmal weiß vielleicht auch Charlotte Vernon, wo er ist?«

Margaret starrte auf den brummenden Wasserkocher, als ob er ein unanständiges Wort von sich gegeben hätte. Dann riss sie Mund und Augen auf und fuchtelte mit den Fingern. »Aber nein. Was wollen Sie damit sagen?«

»Das liegt doch klar auf der Hand. Mrs. Vernon hat recht offen darüber geredet.«

»Hat sie irgendwelche Andeutungen über Andrew gemacht? Das ist doch lächerlich. Offensichtlich geht es ihr nicht gut. Sie muss sehr angeschlagen sein, wenn sie solche Sachen erfindet.«

»Dann glauben Sie nicht, dass es stimmt?«

»Ob ich es glaube? Was für ein Unsinn! Andrew? Unsinn!«

»Ihnen ist klar, dass es die eigene Frau immer als letzte erfährt?«

»Nein, also wirklich… Andrew?« Sie lachte künstlich. »Das ist ausgeschlossen.«

»Okay.« Das Wasser begann zu kochen, aber niemand achtete darauf. Eine Dampfwolke driftete durch die Küche, doch sie löste sich auf, bevor sie Frys eiskalte Hände wärmen konnte. »Noch ein letztes Detail, Mrs. Milner. Sind Sie mit einem Jungen namens Simeon Homes verwandt?«

»Simeon ist der Sohn meiner Cousine Alison. Sie wohnen in der Devonshire-Siedlung.«

»War Ihnen bekannt, dass er Lauras Freund war?«

Margaret rang die Hände und starrte aus dem Erkerfenster. »Erst seit gestern Abend, als Alison es mir erzählt hat. Sie sagte, dass er auf die Polizeiwache musste.«

»Also noch eine Tatsache, von der Sie nichts wussten?«

»Nein, nein«, rief Margaret. »Nicht Andrew. Das ist absurd!«

Fry trat auf die rutschigen Blätter der Geranienblüten, als sie das Haus verließ. Von oben leuchteten sie noch scharlachrot, darunter aber waren sie schwarz und modrig. Absurd? Absurd war einzig und allein die Vorstellung, dass sie in dem Raum mit den

Gardinen und den Cottage-Miniaturen mit Margaret Milner Tee getrunken hatte.

Während sie den Peugeot wendete, fiel Fry noch jemand ein, bei dem sie ihr Glück versuchen konnte. Sie freute sich schon auf den Besuch, vor allem, wenn sie daran dachte, wie Helen Milner Ben Cooper auf der Straße in Moorhay angehimmelt hatte.

Als der Anruf von ihrer Mutter kam, hatte Diane Fry das Haus in Edendale gerade erst verlassen, und es dauerte einige Minuten, bis Helen sie wieder beruhigt hatte. Danach rief Helen sofort ihre Großeltern an. Sie benutzten das Telefon kaum und hatten sich nur überreden lassen, sich für den Notfall eines anzuschaffen und weil Andrew die Grundgebühr bezahlte. Als Helen das Freizeichen hörte, konnte sie sich gut vorstellen, wie das Klingeln die alten Leute alarmieren würde. Doch dann würde Harry langsam aufstehen und den Hörer abnehmen. Telefonieren war schließlich Männersache.

»Granddad, ich bin es. Helen.«

»Hallo, Helen. Was gibt es?«

»Die Polizei, Granddad. Sie stellen Fragen über Dad.«

»Was du nicht sagst. War es der eingebildete Affe, der so geschwollen daherredet, oder der unsympathische Kerl, den er bei sich hatte?«

»Keiner von beiden.«

»War es …?«

»Nein, es war die Frau. Detective Constable Fry.«

»Die? Dieses Kind?«

»Trotzdem …«

Harry hielt inne und überlegte. »Aye, du hast Recht. Gut, dass wir Bescheid wissen.«

Helen Milner wohnte in einem von vier winzigen Cottages, die bei der Umwandlung einer Scheune entstanden waren.

Hinter der Scheune mit dem welligen Dach standen mehrere alte Gebäude, für die noch niemand eine Verwendungsmöglichkeit eingefallen war. Die Räume hatten unverputzte Steinwände, Flügelfenster und geschwärzte Balken. Die Einrichtung bestand vorwiegend aus abgebeizten Kiefernmöbeln, aufgelockert mit Rattanstühlen und einem Binsenteppich auf dem Küchenfußboden.

Helen zeigte sich nicht überrascht, Diane Fry zu sehen, und die Beamtin vermutete, dass die Telefone nicht mehr stillgestanden hatten, seit sie in Edendale losgefahren war. Sie machte sich darauf gefasst, dass die Tochter genauso wenig mitteilsam wäre wie die Eltern und ihr die Schockierte und Ahnungslose vorspielen würde.

Doch dann war sie überrascht, wie lange das Gespräch dauerte. Was Helen Milner ihr bei einer Tasse Pulverkaffee aus handgetöpferten Bechern zu erzählen hatte, war so faszinierend und erhellend, dass Fry den Anlass für ihren Besuch bei der zweiten Tasse fast vergessen hatte.

22

Die drei alten Männer hatten sich in Moorhay in der Post getroffen, um ihre Rente abzuholen. Es herrschte viel Betrieb, nicht nur wegen des für einen Donnerstag üblichen Rentnerandrangs, sondern auch wegen der Wanderer, die sich mit Schokoladen- und Erdbeereis aus der Kühltheke eindeckten. Es war so voll, dass man sich kaum an den Ständern mit den Ansichtskarten vorbeizwängen konnte. Dicke Rucksäcke warteten vor der Tür auf ihre Besitzer, die in Reiseführern blätterten und sich die Tischsets mit den Abbildungen vom Nationalpark ansahen.

Bald würden die Wanderer das Dorf wieder verlassen, um das Café in der Alten Mühle oder den Picknickplatz in Quith Holes anzusteuern und sich anschließend auf den Weg zum Eden Valley Trail zu machen, von wo aus sie sich auf die Wanderwege nach Norden und Süden verteilen würden. Binnen einer halben Stunde würden sie Moorhay verlassen haben.

Harry Dickinson hatte ein tiefgefrorenes Hähnchen aus der Gefriertruhe genommen, für Gwen. Es lag schwer in seiner Hand und betäubte seine Finger. Doch während er in der Schlange vor der Ladentheke stand, um es zu bezahlen, wurde er plötzlich von einer Horde Jugendlicher umringt, die ihn anrempelten und ihm rücksichtslos die Ellenbogen in die Rippen stießen. Sie schienen ihn überhaupt nicht wahrzunehmen, als ob er nur ein Hindernis wäre, das sie überwinden mussten, um an die nächste Cola Light zu kommen.

In Harrys Schläfe begann ein Äderchen zu pochen, als sich ein Mädchen an ihm vorbeiquetschte. Sie trug ein knappes, bauchfreies Oberteil und gestreifte Leggings, in denen ihre Hüften und ihr Po riesig aussahen. Das blond gefärbte Haar stand ihr wie schlecht gebündeltes Stroh vom Kopf ab, und als sie ihren Freunden etwas zurief, bemerkte er, dass sie eine silberne Perle in der Zunge hatte.

Während sich das Mädchen vordrängte, trat sie Harry kräftig mit ihren Doc Martens auf den Fuß, sodass das auf Hochglanz polierte Leder seiner Schnürstiefel eine schmutzige Schramme abbekam. Wenn sie sich entschuldigt hätte, hätte er kein Wort gesagt. Aber sie drehte ihm den Rücken zu, ohne ihn weiter zu beachten, als ob sie in etwas Unappetitliches hineingetreten wäre, das sie später abwischen konnte.

Als Harry ihr auf die Schulter tippte, starrte sie ihn ungläubig an und grinste so breit, dass zwischen ihren Zähnen ein grauer Klumpen Kaugummi zum Vorschein kam. Sie hatte auch einen Knopf im Bauchnabel, der zu dem in ihrer Zunge passte.

»Hast du keine Manieren?«, sagte er.

Sie sah ihn an, als hätte er eine Fremdsprache benutzt.

»Was willst du denn, Opa?«

Sie sprach den heimischen Dialekt, und Harry hatte das Gefühl, sie schon einmal im Dorf gesehen zu haben. Aber das spielte keine Rolle.

»Wenn du dich schon vordrängelst und mir auf die Füße trittst, könntest du dich wenigstens entschuldigen.«

»Ich habe genauso viel Recht, hier einzukaufen wie Sie.«

»Genauso viel, aber nicht mehr. Merk dir das.«

»Ach, verzieh dich«, sagte sie. Sie quetschte den Kaugummi durch die Zähne, sodass er sich auf ihren Lippen verteilte. Dann fischte sie die Masse mit der Zunge wieder in ihren Mund und glotzte Harry unverschämt an. Doch dann bewegte sich die Schlange vorwärts, und sie beachtete ihn nicht weiter.

Harry wog das schwere Hähnchen in der linken Hand und starrte auf den Hinterkopf des Mädchens. Die Brust des Hähnchens war glatt und hart, mit einer dicken Eisschicht bedeckt. Er packte es bei den Schenkeln und schwang es.

Das Mädchen schrie auf und machte einen Satz nach vorn, sodass sie auf den Jungen prallte, der in der Schlange vor ihr stand. Alle Augen richteten sich auf sie, während sie den alten Mann wütend beschimpfte. Sie rieb sich die Stelle auf dem Rücken, wo das eiskalte Hähnchen ihre nackte Haut wie ein Brandeisen versengt hatte.

»Entschuldigung«, sagte Harry.

Unter der wehenden Eisfahne vor der Post rutschte Sam Beeley auf einer weggeworfenen Coladose aus und landete zur allgemeinen Bestürzung mit einem schmerzvollen Plumps auf dem Bürgersteig, der Spazierstock mit dem Elfenbeingriff rollte klappernd in die Gosse. Zwei hoch gewachsene junge Männer mit australischem Akzent halfen ihm auf die Beine und hoben seinen Stock auf. Drei Mädchen, die gerade ihre geliehenen Mountainbikes an das Schaufenster gelehnt hatten, stürzten sich besorgt auf ihn, um ihn zu fragen, ob er sich verletzt hätte. Während sie ihm den Staub abklopften, beäugten sie interessiert die Australier. Alles stand um Sam herum, ein Kaleidoskop aus bunten Hemden und brauner Haut, wie Schmetterlinge, die sich kurz zu einer vertrockneten, blattlosen Pflanze verirrt hatten, bevor sie von neuen Düften angezogen wurden.

Schließlich ließen ihn die jungen Leute in der Obhut von Harry und Wilford zurück, die ihnen versicherten, dass er ganz in der Nähe wohne. Obwohl seine Freunde ihn stützten, musste Sam sich bereits nach wenigen Schritten auf eine Mauer setzen. Die Beine taten ihm so weh, dass er kaum Luft bekam. Er zündete sich eine Zigarette an und sah blinzelnd auf die andere Straßenseite hinüber, wo die Grabsteine auf dem Friedhof weiß in der Sonne leuchteten.

»Da könnt ihr mich auch bald hinbringen«, sagte er trocken.

»Da landen wir früher oder später alle«, sagte Wilford.

»Ein Wettrennen kann ich euch nicht liefern. Aber lange wird es nicht mehr dauern.«

»Du musst dich damit abfinden«, sagte Harry, »dass der Tod in unserem Alter hinter jeder Ecke lauern kann.«

»Wisst ihr noch, damals im Bergwerk, als ich fast gestorben wäre?«, fragte Sam.

»Das ist auch schon ein paar Jährchen her.«

Sam warf einen Blick auf seine Beine. »Aye, aber ein Andenken ist mir geblieben.«

Die drei Männer starrten schweigend vor sich hin, ohne die vorbeifahrenden Autos oder die jungen Wanderer wahrzunehmen, die ihnen ausweichen mussten.

Seit dem Unfall in der Glory Stone Mine waren mehr als zwanzig Jahre vergangen. Sie waren in einem knapp zwei Meter breiten und mehr als dreißig Meter hohen abgebauten Flöz gewesen. Der Streb endete in einem mit Kalzitgeröll bedeckten Hang, über dem, in fast zwanzig Metern Höhe, ein Bergmann mit dem Bohrhammer arbeitete, die Silhouette nur vom Schein seiner Helmleuchte hervorgehoben. Die Luft war rauchig vom Sprengen, und das Licht verlor sich nach oben in der dämmerigen Dunkelheit. Es war eine riesige, dunstige Höhle voller Grau- und Schwarztöne, die säuerlich nach Sprengstoff roch und in der dichter Staub hing.

Sam war der Mann am Ende des Strebs gewesen. Er war damals Mitte fünfzig gewesen, ein erfahrener Bergmann, der fast sein ganzes Leben unter Tage gearbeitet hatte. Als der Bohrhammer das brüchige Gestein spaltete und der Boden unter seinen Füßen wegbrach, wurde er nach hinten geschleudert und stürzte, in den zuckenden Schatten hilflos um sich schlagend, bis an den Fuß des Hanges hinunter, wo er unter einer Kalzitlawine begraben wurde. Wilford hatte Harry gesucht, und zusammen hatten sie Sam im Dunkeln mit den bloßen Händen ausgegraben und weggeschleppt. Dass er sich beide Beine gebrochen hatte, merkten sie erst, als er zu schreien anfing.

»Wenn die Schmerzen unerträglich wären«, sagte Wilford wie zu sich selbst, »würde man sich dann das Leben nehmen?«

Sam machte ein nachdenkliches Gesicht. »Aye, ich glaube schon.«

Harry nickte. »Wenn man sonst nichts mehr vom Leben hätte.

Keine Hoffnung. Ich glaube, dann bleibt einem nichts anderes übrig.«

»Kommt darauf an, woran man glaubt«, sagte Wilford. »Findet ihr nicht?«

»Wie meinst du das?«

»Manche Leute denken, es ist falsch, sich das Leben zu nehmen.«

»Ja, ja, die Religion.« Sam schmunzelte.

»Selbstmord ist eine Sünde«, sagte Wilford. »Oder, Harry?«

Harry zündete seine Pfeife an. Die beiden anderen fassten sich in Geduld. Sie spürten, dass er ein Urteil oder eine Entscheidung verkünden würde. Harry konnte immer dann am besten denken, wenn seine Pfeife brannte.

»Meiner Meinung nach«, sagte er, »gibt es verschiedene Arten von Sünden. Eine Sünde ist nicht das Gleiche wie das Böse. Eine Sünde würde Gott vergeben.«

Sie nickten. Es klang richtig und vernünftig. Keiner von ihnen hatte seine fast acht Jahrzehnte hinter sich gebracht, ohne die eine oder andere Sünde zu begehen.

»Aber man bräuchte schon ein bisschen Mut dafür. Es gibt keine leichte Methode.«

»Man könnte Schlaftabletten nehmen.«

Harry räusperte sich verächtlich. »Pillen sind was für Weiber, Sam.«

»Man könnte sich irgendwo runterstürzen. Von der Raven's Side zum Beispiel«, schlug Wilford vor.

»Zu unappetitlich. Außerdem wäre man auch nicht unbedingt gleich tot.«

Sie schauderten. »Das wäre nichts.«

»Und ich habe sowieso Höhenangst. Mir wird schon schwindelig, wenn ich bloß irgendwo runtergucke.«

»Siehst du.«

»Man könnte sich natürlich aufhängen«, sagte Harry. »Wenn man weiß, wie man den Knoten richtig bindet.«

»Und man muss tief genug springen, sonst ...«

Wilford spitzte die Lippen und fuhr sich mit den Fingern durch das weiße Haar. »Was sonst?«

»Sonst ist es kein schneller Tod. Man erdrosselt sich, und das geht langsam.«

»Ich habe mal gelesen, dass es Kerle gibt, die extra so tun, als ob sie sich aufhängen«, sagte Sam. »So lange, bis sie fast tot sind. Nur so zum Spaß.«

»Du großer Gott. Was ist denn der Sinn des Ganzen?«

»Sex«, sagte Sam ernst. »Davon soll man einen Riesenständer kriegen.«

»Aha. Na, das wäre wenigstens mal 'ne Abwechslung.«

»Man kann nie wissen. Vielleicht würde es sich dafür tatsächlich lohnen.«

»Da stand was über einen Kerl in der Zeitung«, sagte Sam. »Vierundsiebzig Jahre war er alt. Er hat seine Brustwarzen und Hoden unter Strom gesetzt. In dem Artikel hieß das *autoerotisches Experiment*.«

»Aye? Und was ist passiert?«

»Die Ladung war zu stark. Er ist gestorben. Wahrscheinlich hat es ihm die Eier abgerissen.«

»Im Alter hat man eben immer noch Lust darauf. Man kann es bloß nicht mehr richtig«, sagte Harry.

Sie nickten bedächtig und sahen zu, wie die drei jungen Mädchen mit ihren Mountainbikes vorbeiradelten. Die langen Beine wirbelten, die Speichen flirrten in der Sonne.

»Das Mädchen im Laden«, sagte Sam. »Die mit dem fetten Hintern und der Schraube im Mund. Das war die Tochter von Sheila Kelk, aus dem Wye Close.«

»Ach ja?«, sagte Harry gleichgültig.

»Sie wohnen nicht weit von den Sherratts.«

Irgendwo in der Howe Lane rumpelte und zischte der Wagen der Müllabfuhr. Die Mülltonnen, markiert mit den Hausnummern oder Häusernamen, warteten auf dem Bürgersteig auf ihn. Der gesammelte Abfall hätte ein ganzes Leben erzählen können.

»Mit dem Auto würde es auch gehen«, sagte Wilford. »Das

kommt doch dauernd vor. Irgendwelche Leute aus Sheffield und so. Sie fahren in die Berge, wo man sie nicht findet, und vergiften sich mit Auspuffgasen.«

»Stimmt, Wilford. Hast Recht. Eine verdammte Landplage, überall stehen sie in der Gegend rum.«

»Ich habe schon seit Jahren kein Auto mehr«, sagte Sam. »Das können wir also vergessen.«

Er stemmte sich hoch und stützte sich gequält auf den Spazierstock mit dem Elfenbeingriff, während Harry seinen Ellenbogen nahm. Bis zu Sams Haus waren es nur noch wenige Schritte, doch es hätten genauso gut Kilometer sein können.

»Aber *ich* habe einen Wagen«, sagte Wilford.

Cooper wartete, bis Rennie und der andere Beamte das Büro verlassen hatten, bevor er Helen Milner anrief. Die Bemerkungen seines Bruders waren ihm nicht aus dem Sinn gegangen, und seit er an seinem Schreibtisch saß, beschäftigten sie ihn immer mehr. Er musste wissen, was Helen ihm verschwieg.

Sie klang zurückhaltend, als sie sich meldete. Umso mehr überraschte es ihn, wie bereitwillig sie ihm von den Partys in der Villa erzählte, fast als ob sie den Text einstudiert hätte.

»Man geht zu den Vernons, weil es dort gutes Essen, reichlich zu trinken und jede Menge Sex gibt«, sagte sie. »Vermutlich auch weiche Drogen. Es wurde kein Geheimnis daraus gemacht. Alle schienen genau zu wissen, was sie in der Villa zu erwarten hatten. Alle außer mir.«

»Reden wir hier von Partnertausch?«

»Könnte man sagen. Graham und Charlotte Vernon haben auf jeden Fall mit jedem getauscht, der einen Partner hatte. Ich glaube, es war ihr Hobby. So wie andere Leute sich für Dampflokomotiven interessieren oder einen Volkstanzkurs belegen«, sagte sie bitter.

Für die sexuellen Aktivitäten auf den Partys der Vernons, die Helen beschrieb, traf Matts Ausdruck Orgie für Coopers Begriffe durchaus zu. Ältere Menschen wurden nicht eingeladen, nur

Gleichaltrige oder Jüngere. Graham wählte die meisten Gäste offenbar persönlich aus, andere kamen auf Empfehlung von Freunden. Cooper gewann allerdings auch den Eindruck, dass die Partys für Graham Vernon nicht nur ein Freizeitvergnügen waren. Sie waren auch gut fürs Geschäft, da sämtliche Gäste Klienten oder potenzielle Klienten waren. Ein Arrangement, von dem beide Seiten profitierten. Es war eine etwas andere Form der Kundenbetreuung.

»O ja, es ging dabei auch ums Geschäft«, bestätigte Helen, als er sie darauf ansprach. »Wahrscheinlich setzt er die Getränke von der Steuer ab.«

»War Laura auch auf diesen Partys?«

»Ja, aber nur am Anfang. Ihre Eltern haben sie immer vorgezeigt, wenn die Gäste eintrafen. Aber bevor es richtig losging, wurde sie zu einer Freundin aus dem Reitclub verfrachtet, wo sie dann auch übernachtet hat. Aus den Augen, aus dem Sinn, wie Großmutter sagen würde.«

»Wir wissen, dass sie sexuell nicht unerfahren war. Denkst du, sie könnte sich mit einem Bekannten ihres Vaters eingelassen haben?«

»Ein besonderer Bonus für Daddys beste Klienten? Möglich. Das wäre Graham Vernon durchaus zuzutrauen.«

Helen klang sehr bitter, es klang nach mehr als Empörung über die Vernachlässigung eines jungen Mädchens. Man musste kein Polizeibeamter sein, um zu wissen, dass heutzutage weitaus schlimmerer Missbrauch an der Tagesordnung war. Cooper dachte an seine Nichten Josie und Amy und ballte die Fäuste. Er wollte gar nicht daran denken, was er tun würde, wenn ihnen jemand zu nahe käme.

»Sie hat es richtig ausgekostet, im Mittelpunkt des Interesses zu stehen«, sagte Helen. »Aber ich hatte den Eindruck, dass es eher eine Show für Daddy war. Sie war Papas Liebling. Obwohl Charlotte Vernon dir vermutlich etwas anderes erzählen würde. Für Charlotte war Laura ein Engel, und sie glaubte wirklich, dass sie keine Ahnung hatte, was sich auf den Partys abspielte. Ich bin mir sicher, das hat Laura ganz besonders gereizt. Sie hat die Spannung genossen, ein gefährliches Leben zu führen und in ein großes Geheimnis eingeweiht zu sein.«

Cooper fragte sich, worauf sich diese Einschätzung gründete, aber er hatte noch zu viele andere Fragen auf dem Herzen, um sich auf einen Nebenschauplatz zu begeben.

»Papas Liebling?«

»Das kannst du verstehen, wie du willst. Stell dir ruhig das Schlimmste vor. Meiner Meinung nach ist Graham Vernon zu allem fähig.«

»Du kannst ihn wirklich nicht leiden, nicht wahr?«

»Ich hasse ihn.«

Er runzelte die Stirn. Das Wort hassen schien nicht zu Helen zu passen.

»Und du, Helen?«, fragte er vorsichtig. »Wie bist du auf diese Partys geraten?«

»Ich wurde eingeladen, weil ich Graham Vernon ein paar Wochen vorher bei meinen Eltern kennen gelernt hatte.«

»Ich nehme an, er hatte ein Auge auf dich geworfen.«

Sie seufzte. »Ich fasse es bis heute nicht, wie naiv ich war. Daddy wollte nicht, dass ich hinging, aber er hat mir nicht gesagt, warum. Ich fand es aufregend. Aufregender jedenfalls als das Lehrerzimmer der Grundschule. Anfangs war es auch recht harmlos. Alle waren sehr nett. Richtig aufmerksam.« Im Telefonhörer vibrierte es, als ob die Erinnerung sie schaudern ließ. »Ich habe etwas zu viel getrunken, aber nicht mehr als alle anderen auch. Ich wurde ziemlich schnell wieder nüchtern, als Graham Vernon mich in ein Schlafzimmer zerrte.«

Ben Cooper dachte zuerst, er hätte sich verhört. Helens Worte ließen vor seinem geistigen Auge kein rationales Bild entstehen. Das Bild, das er hatte, war falsch. Völlig falsch.

»Warte mal. Soll das etwa heißen...«

Aber Helen hörte nicht zu. Sie war gefangen von ihren Erinnerungen. »Er ist so ein kräftiger Mann. Er war viel zu stark für mich. Bevor ich wusste, was los war, hatte er mich auf das Bett gestoßen, zwischen all die teuren Mäntel, und sich auf mich geworfen, sodass ich kaum noch Luft bekam. Er lachte die ganze Zeit, als ob er es spaßig fand, wie ich mich wehrte. Ich rieche seine Weinfahne heute noch und spüre, wie sich seine Finger in meine Arme krallen, das Gesicht so dicht über mir, dass ich die Augen schließen musste...«

Cooper wartete ihren Redefluss schweigend ab. Am liebsten hätte er ihr gesagt, sie solle aufhören, er hätte schon genug Informationen. Manchmal schadete zu viel Wissen nur. Doch es brach immer weiter aus ihr heraus, kalt und schnell, wie ein Bach, der vom Wintereis befreit ist.

»Das Schlimmste war, dass ich mich nicht überwinden konnte, um Hilfe zu rufen. Weil ich in *seinem* Haus war, Ben. Es war mir peinlich, zu rufen oder zu schreien. Peinlich! Das klingt lächerlich, nicht wahr? Vollkommen hirnrissig. Ich wollte keinen Ärger machen.«

Zuletzt versagte ihr die Stimme, und hinter ihrer emotionslosen Schilderung trat die Wahrheit hervor. Cooper hatte sich noch nie so hilflos gefühlt, noch nie so sprachlos.

»Ich denke immer an die vergewaltigten Frauen«, sagte Helen, »die vor Gericht erklären müssen, warum sie sich nicht gewehrt oder um Hilfe gerufen haben. Vor jenem Abend konnte ich sie nie verstehen, Ben. Aber jetzt verstehe ich alles.«

Cooper erinnerte sich an einen Bericht über den Prozess eines berüchtigten amerikanischen Serienkillers, der für schuldig befunden worden war, mehrere Frauen brutal vergewaltigt und ermordet zu haben. Als der Richter den Mörder zum Tod auf dem elektrischen Stuhl verurteilte, machte er die berühmt gewordene Bemerkung: »Der männliche Sexualtrieb ist so stark, dass er in keinem Verhältnis zu dem Zweck steht, dem er dient.« Manchen Männern diente er allein dem Zweck der Machtausübung.

»Es war meine Rettung, dass irgendwann jemand an die Tür klopfte. In der Diele stand ein ganzes Trüppchen, das sich königlich amüsierte. Natürlich war ich überzeugt, dass sie über mich lachten. Dumm, nicht wahr? Und als Graham Vernon mich schließlich gehen ließ, musste ich an ihnen vorbei, als ob nichts geschehen wäre. Es war furchtbar, dass sie mich in dieser Verfassung anstarrten, vollkommen durcheinander, mein bestes Kleid zerdrückt, mit wirren Haaren. Das war das einzige, woran ich in dem Moment denken konnte. Dabei war es ihnen vermutlich egal, was ich getrieben hatte. Weil sie alle genauso waren wie er, wie Graham Vernon. Frag mich nicht, warum ich ihn hasse, Ben.«

Cooper wünschte, er könnte die Hand ausstrecken, sie berühren und ihr sagen, dass alles in Ordnung war. Aber vielleicht wäre es sowieso die falsche Reaktion gewesen, selbst wenn er bei ihr gewesen wäre und nicht am anderen Ende der Telefonleitung.

»Danke, dass du es mir erzählt hast, Helen«, sagte er, obwohl er wusste, wie hohl es klang.

»Es hilft, darüber zu reden. Und bei dir fällt es mir nicht schwer, Ben.«

»Ich bin froh.«

Sie hielt inne. »Ben …«

»Ja?«

»Hast du irgendwann dienstfrei?«

»Natürlich. Heute Abend.« Er zögerte, ein fatales Zögern. »Aber … ich habe leider schon etwas vor.«

»Verstehe.«

Er hatte nicht vergessen, was er Diane Fry versprochen hatte, und er enttäuschte niemanden gern. Aber manchmal ging es nicht anders, man konnte tun, was man wollte, man konnte sich noch so bemühen. Manchmal musste man den einen oder anderen enttäuschen. Normalerweise sich selbst.

23

Das Kampfsportzentrum Way of the Eagle lag versteckt im Keller eines ehemaligen Textillagerhauses in Stone Bottom, am Ende des Bargate. Im Erdgeschoss war ein Software-Unternehmen, in den drei Etagen darüber waren Kunsthandwerker, Creativdesigner, ein Kleinverlag für Naturbücher und eine Jobvermittlung untergebracht. Auf der Treppe zum Dojo roch es immer nach frisch gebackenem Brot, ein Duft, der aus dem Ventilator einer Bäckerei im Hollowgate herüberwehte.

Diane Fry folgte Ben Cooper, der mit dem Toyota aus dem Bargate abbog. Zwischen einer Eckkneipe und einem Ensemble dreistöckiger Reihenhäuser mit kleinen Treppen, die von Eisengeländern gesäumt wurden, holperten sie die neu verlegten Pflastersteine hinunter. Auf der linken Seite führte eine steile Gasse hinauf zum Market Square und zu Edendales wichtigsten Einkaufsstraßen.

Der Tagesparkplatz für die Kunsthandwerker und die Büroangestellten war mit einer Schranke versperrt, aber neben dem alten Lagerhaus lag ein von kaputten Ziegelsteinen und schulterhohen Disteln eingerahmtes unbebautes Grundstück voller schlammiger Schlaglöcher, das als provisorische Abstellfläche diente. Sie parkten zwischen einigen anderen Wagen. Dumpfes Poltern und heisere Schreie drangen durch die vergitterten Fenster dicht über der Erde.

In Stone Bottom standen die Gebäude so dicht gedrängt, dass sie sich auf groteske Weise einander zuzuneigen schienen, dunkle Schemen, die sich vom Himmel abhoben, mit langen Reihen kleiner leerer Fenster. Als sie die Wagentüren zuschlugen, wurde das

Geräusch laut von den Wänden zurückgeworfen und wanderte über das Pflaster weiter, bis zu der schmalen Brücke, die über den River Eden führte.

Fry nahm ihre Sporttasche aus dem Kofferraum und traf sich mit Cooper am Eingang. Obwohl die Bäckerei längst für den Abend geschlossen hatte, roch es auf der Kellertreppe und in den dunklen Ecken zwischen den Gebäuden noch immer nach warmem Hefebrot.

»Davon kriege ich Hunger. Ich habe seit heute Mittag nichts mehr gegessen, und das war auch nur ein Sandwich zwischen zwei Vernehmungen«, sagte sie.

Cooper zuckte die Achseln. Er war am Mittag im Krankenhaus gewesen und hatte überhaupt nichts gegessen. Er dachte nicht ans Essen. Was in ihm rumorte, hatte nichts mit den Backgerüchen zu tun, sondern mit dem Wunsch, sich zu beweisen, dass er wenigstens eine Sache richtig machen konnte. Und zwar besser als Diane Fry.

»Und, was haben Sie heute so getrieben, Diane?«

»Heute Morgen habe ich Charlotte Vernon befragt. Die Frau ist einfach unglaublich, Ben. Sie hat versucht, mir etwas vorzuspielen. Sie wollte mir weismachen, sie wäre eine abgebrühte, sexbesessene Hexe, der alles egal ist, vor allem ihre Tochter. Die Nummer war leicht zu durchschauen. Die Frau ist innerlich ein Wrack. Aber warum sollte jemand so eine Show abziehen wollen?«

Er zögerte und musterte Fry interessiert. »Ich könnte mir verschiedene Gründe denken.«

»Zum Beispiel?«

»Vielleicht glaubt sie, die Rolle spielen zu müssen, die man von ihr erwartet. Das kommt oft vor. Man versucht, dem eigenen Image gerecht zu werden oder die Erwartungen anderer Leute zu erfüllen, als ob man keine eigene Persönlichkeit mehr hat. Oder sie wollte Sie nur ablenken. Es könnte natürlich auch ein doppelter Bluff gewesen sein. Sie hat Ihnen die Wahrheit so dick aufs Brot geschmiert, dass Sie ihr nicht mehr glauben konnten.«

»Ich staune, Ben. Bei Ihnen hören sich die Leute furchtbar

kompliziert an. Meiner Erfahrung nach haben sie meistens ganz einfache, langweilige Motive.«

»Motive wie Ehrgeiz und Machtgier? Unsere alten Lieblinge? Ja, solche Motive können einen Menschen wirklich rücksichtslos und selbstsüchtig werden lassen, nicht wahr?«

Fry reagierte gereizt auf seinen Ton, obwohl sie nicht verstand, worauf er hinauswollte. »Und Sex, natürlich«, sagte sie.

»Ach ja. Den Sex dürfen wir natürlich auf keinen Fall vergessen.« Cooper ließ sich zwei Spindschlüssel geben und trug Fry wütend in das Gästebuch ein. »Aber mit dem Sex ist es auch nicht so einfach.«

»Für manche von uns ist es sehr einfach, glauben Sie mir. Aber das gilt offenbar nicht für die Vernons und Milners.«

Cooper blieb stehen, um einen hoch gewachsenen jungen Mann zu begrüßen, der auf dem Weg zum Umkleideraum war. Er war auch Mitglied des Dojo und ebenfalls ein Kandidat für den braunen Gürtel. Alle Schüler und Lehrer kannten Ben Cooper – für ihn war die Kampfsportschule wie seine zweite Familie, vereint durch eine gemeinsame Philosophie und ein gemeinsames Ziel. Der Sensei, sein Lehrer, war fast so etwas wie ein Vater für ihn.

»Warum schließen Sie die Milners dabei mit ein?«, fragte er.

»Charlotte Vernon hat mir Andrew Milner als einen ihrer zahlreichen Liebhaber genannt. Er und seine Frau haben es abgestritten. Aber seine Tochter hatte Interessantes zu berichten. Wussten Sie, dass Simeon Holmes ihr Cousin ist?«

»Sie haben heute mit Helen Milner gesprochen?«

»Ja. Wieso?«

Cooper hatte sein Handy in der Sporttasche, weil es zu riskant gewesen wäre, es im Auto zu lassen. Helens Telefonnummer wusste er auswendig.

»Gehen Sie schon mal vor, Diane«, sagte er. »Ich habe Sensei Hughes gesagt, dass Sie heute mitkommen. Machen Sie sich inzwischen warm. Ich muss erst noch telefonieren. Es könnte ein paar Minuten dauern.«

Fry machte ein überraschtes Gesicht. »Okay, von mir aus.«

Im Umkleideraum hing der vertraute Geruch von Schweiß und Seife. Auf der einen Seite standen drei Reihen Metallspinde für die Wertsachen der Mitglieder. Neben der Tür lehnte eine Maki-wara, eine hölzerne Wand für das Schlagtraining.

Cooper wählte und fing an, sich auszuziehen. Mit einer Hand knöpfte er sein Hemd auf und rollte den Gi auseinander, den wei-ten weißen Anzug, der in der Trainingshalle Pflicht war. Das Bün-del war mit seinem braunen Gürtel verschnürt, dem Zeichen für die vierte Stufe, nur eine Stufe unter den verschiedenen Dans, den Meistern der schwarzen Gürtel. Das Telefon klingelte so lange, dass er es fast wieder ausgeschaltet hätte.

»Hallo?«

»Helen?«

»Ben? Was für eine Überraschung – zwei Anrufe an einem Tag. Fast hättest du mich nicht mehr erwischt, ich wollte gerade weg.«

»Ach. Hast du etwas Interessantes vor?«

Sie lachte. »Dart-Abend der Eltern-Lehrer-Vereinigung. Wir ziehen mit einem Team durch die Pubs und Clubs, um Geld für die Schule einzuspielen.«

»Ich wusste gar nicht, dass du Dart spielen kannst.«

»Kann ich auch nicht. Ich glaube, mich nehmen sie nur mit, damit ich für ein paar Lacher sorge.«

»Ich will dich nicht aufhalten. Aber ich möchte dich noch et-was fragen. Über die Vernons.«

»Ja?«

»Diese Partys in der Villa, von denen du erzählt hast. Du hast gesagt, dein Vater wusste davon?«

»Aber natürlich, er ist ja selbst einmal da gewesen. Für Vernon war es ein Riesenspaß, Mum und ihn einzuladen. Dad war total schockiert. Er hat gesagt, es wäre der peinlichste Abend seines Lebens gewesen, die größte Beleidigung, die er sich vorstellen könnte. Ja, ich dachte mir schon, dass du danach fragen würdest. Damit fing eigentlich alles an.«

»Wie meinst du das?«

»Ich bin überzeugt, dass das der Grund war, warum Graham

Vernon mich später eingeladen hat. Es ging natürlich gegen Dad. Um ihn noch mehr zu ärgern. Ich glaube, das war überhaupt das Schlimmste daran. Dass er Dad durch mich gequält hat.«

»Trotzdem hat dein Vater dich gehen lassen?«

»Er hat sich nicht getraut, etwas zu sagen. Vernon hat mich schließlich vor seinen Augen eingeladen. Armer Dad. Er war schon immer ein großer Feigling. Es war vielleicht die größte Beleidigung, die er erlebt hatte, aber trotzdem konnte er sich nicht zur Wehr setzen.«

»Hast du deinem Vater erzählt, was sich an dem Abend in der Villa abgespielt hat?«

»Aber ja. Meine Mutter war auch dabei. Ich war so wütend. Da ist alles herausgekommen.«

»Was hat er gemacht?«

»Gemacht? Er ist zu Graham Vernon gegangen und hat protestiert.«

»Protestiert? Sonst nichts?«

»Es war bestimmt nur ein zaghafter Protest. Und das hat er seitdem immer zu spüren bekommen. Von meiner Mutter und von meinen Großeltern. Ganz besonders von Großvater, der ihn deshalb verachtet. Er hält meinen Vater für einen ausgemachten Schlappschwanz. Seit es passiert ist, hat er keine Ruhe mehr. Er kann einem richtig Leid tun.«

»Soll das heißen, dass er durch einen Streit mit Vernon seine Stelle nicht gefährden wollte – obwohl es dabei um dich ging?«

»Natürlich. Du kannst dir anscheinend nicht vorstellen, was die Angst, den Job zu verlieren, bei einem Mann in seinem Alter anrichten kann. Dad denkt, wenn Vernon ihn entlässt, findet er nie wieder eine Anstellung. Dabei ist er ein Mensch, der ganz für seine Arbeit lebt. Keiner von uns möchte, dass er in der Selbstmordstatistik auftaucht. So enden heutzutage viel zu viele Männer. Wenn sie ihre Arbeit verlieren, verlieren sie ihre Selbstachtung, und dann haben sie gar nichts mehr.«

»Und dein Großvater? Was hat er dazu gesagt?«, fragte Cooper.

»Er scheint mir nicht der Mann zu sein, der es bei einem zaghaften Protest bewenden lässt.«

»Nein, Granddad nicht. Er war außer sich. Er sagte, er hätte Graham Vernon umgebracht, wenn er dabei gewesen wäre.«

Helens Stimme schwankte. Er konnte sich ihren besorgten Blick vorstellen, nachdem ihr plötzlich wieder eingefallen war, wer und vor allem was er war. Ein paar kostbare Minuten lang hatte sie den Polizisten vergessen und nur Ben Cooper, den Freund, in ihm gesehen. Ihm wurde warm ums Herz.

»Schon gut, schon gut«, sagte er. »Das ist nur eine Redewendung. Das sagt man so daher. Es heißt noch lange nicht, dass man tatsächlich jemanden umbringen würde.«

»Nein«, sagte Helen matt. »Ich glaube, er hätte es tatsächlich getan.«

Cooper hörte Helen atmen. Es erinnerte ihn an den Nachmittag in Moorhay, als er in der engen Diele des Dial Cottage so dicht neben ihr gestanden hatte. Er wusste noch, dass er die Wärme gespürt hatte, die sie ausstrahlte, und dass er sich der Bewegung ihrer Brüste bewusst gewesen war, als sie sich in ihrem ärmellosen Top umgedreht hatte, um die Haustür zu schließen.

»Offenbar ist mein Cousin Simeon mit Laura gegangen«, sagte sie. »Davon wusste ich nichts.«

»Deshalb mussten wir ihn zwangsläufig in die Ermittlungen einbeziehen.«

»Natürlich. Aber wir haben nicht viel mit seinen Eltern zu tun.« Helen hielt inne, ihr Ton wurde sanfter und zögerlicher. »Es war nett von dir, dass du Großmutter gestern besucht hast, Ben. Das hatte ich wirklich nicht erwartet. Aber eigentlich warst du früher auch schon sehr rücksichtsvoll. Du warst immer ein bisschen anders als die anderen Jungen.«

Cooper wurde rot. »Ehrlich gesagt, habe ich deinen Großvater gesucht.«

»Ach. Dann warst du also im Dienst. Davon hat sie mir gar nichts gesagt.«

»Ja.«

»Heißt das, dass du Großmutter verhört hast?«

»Nein... So kann man das eigentlich nicht nennen.«

Helen klang zutiefst enttäuscht. Fieberhaft überlegte er, wie er den Schaden wieder gutmachen konnte. Er musste unbedingt wissen, woran er bei Helen war. Was Matt ihm erzählt hatte, hatte ihn verwirrt. Sollte es möglich sein, dass es einen Hoffnungsschimmer gab? Den hatte er bitter nötig. Aber in seiner gegenwärtigen Verfassung war er nicht im Stande, eine derart heikle Situation mit Fingerspitzengefühl zu meistern. Er hatte nur zwei Alternativen – auflegen oder den Stier bei den Hörnern packen.

Bevor er sich entscheiden konnte, wurde die Tür des Umkleideraums aufgestoßen und der hoch gewachsene Schüler mit dem braunen Gürtel kam aus der Halle herein, verschwitzt und grinsend.

»Heh, Ben. Ich dachte, deine Bekannte wäre eine Anfängerin. Wir hatten ja keine Ahnung, wie gut sie ist.«

»Was?«

»Sensei Hughes ist schwer beeindruckt.«

»Ben – bist du noch da?«

»Ja, entschuldige, Helen. Ich spreche übers Handy. Einen Augenblick.«

Cooper öffnete leise die Tür und sah hinüber in die Trainingshalle. Durch das Glas der Scheiben verzerrt, wirkten die Gestalten in der Halle unnatürlich groß. Diane Fry, die ihren Gi trug, absolvierte die Kata-Routine, die festgelegte Folge von Kombinationen, mit denen man sich auf einen Kampf vorbereitet. Block nach unten, Katzenstellung, Bereitschaftsstellung, Block nach oben. Ihre Bewegungen waren kontrolliert und flüssig, präzise und kraftvoll wie die eines Tieres. Um die Taille trug sie den schwarzen Gürtel der besten Karatekas.

»Und sie hat den vierten Dan«, sagte der Schüler mit dem braunen Gürtel, der hinter ihm stand. »Sie ist phantastisch, Ben. Wo hast du sie aufgestöbert?«

»Helen...«

»War sonst noch etwas, Ben? Weil ich jetzt wirklich langsam los muss.«

»Nur eine Idee«, sagte er. »Können wir uns vielleicht mal treffen, auf einen Drink oder zum Essen? Was meinst du?«

Helen schien sich seinen Vorschlag durch den Kopf gehen zu lassen, aber sie antwortete mit einer Gegenfrage.

»Du denkst, dass Großvater etwas mit Laura Vernons Tod zu tun hat, nicht wahr?«

Cooper bekam einen roten Kopf, und er war froh, dass sie nicht sehen konnte, wie verlegen er war.

»Wir müssen alle Möglichkeiten in Betracht ziehen.«

Korrekt ausgeführt waren die Katas schön wie ein Kunstwerk. Und Fry beherrschte sie perfekt. Handkantenschlag, Hakenstoß, Ellenbogenschlag, Fingerstoß. Tritt nach vorn, Tritt zur Seite, Tritt nach hinten, Sichelfußtritt, immer schneller und geschmeidiger, je lockerer die Muskeln wurden. Jede Bewegung des Handgelenks war streng kontrolliert, jeder Stoß mit der Ferse von der Technik und vom Timing her einwandfrei. Sie war kein Tier. Sie war eine Maschine.

»Aber die meisten anderen Polizisten würden ihn in Ruhe lassen, Ben«, sagte Helen. »Sie finden, es lohnt sich nicht, sich näher mit ihm zu beschäftigen. Die Initiative, ihn weiter unter Druck zu setzen, geht von dir aus.«

»Wie kommst du darauf?«

»Deine Kollegin hat es mir erzählt.«

Schwinger, Speerhand, Hammerschlag und Stampftritt. Eine Hand in den Unterleib, ein trockener Schlag gegen die Kehle. Diane Fry zielte auf die empfindlichsten Körperstellen – Gesicht, Hals, Solarplexus, Wirbelsäule und Nieren. Die Schläge kamen schnell und hart und fanden genau ihr Ziel. Jeder von ihnen war tödlich.

»Dazu hatte sie kein Recht.« Kein Recht? Was für eine wilde Untertreibung. Ein solches Verhalten widersprach allen Gepflogenheiten. Und wenn sie seine Chancen bei Helen mit Absicht hätte sabotieren wollen, hätte sie es nicht geschickter anstellen können. Sein Magen krampfte sich vor Wut zusammen. Womöglich war es wirklich Absicht gewesen.

»Aber es stimmt, nicht wahr, Ben? Das höre ich dir doch an.«

»Helen, ich weiß nur, dass irgendetwas faul ist. Und es hat mit deinem Großvater zu tun.«

»Ach ja? Und woher willst du das wissen?«

Cooper schüttelte den Kopf, er konnte nicht antworten. Er beobachtete Fry. Sein Kopf war hochrot, aber nicht mehr vor Verlegenheit, sondern vor Wut.

»Gib mir Bescheid, wenn du irgendwann mal kein Polizist bist«, sagte Helen. »Bis es soweit ist, nehme ich deine Einladung lieber nicht an. Unter diesen Umständen ist es vermutlich das Beste.«

Die Umstände. Was für ein Wort. Wie oft man es hochtrabend und sinnlos gebrauchte. Doch das ganze Leben ließ sich auf dies eine Wort reduzieren. Schwierige Umstände. Die falschen Umstände. Den Umständen zum Opfer gefallen.

Um Diane Fry hatte sich ein Halbkreis bewundernder Dojo-Mitglieder gebildet – Coopers Mitschüler, seine zweite Familie. Sensei Hughes beobachtete sie und applaudierte, als sie die Kata beendete. Sie verneigte sich und atmete tief durch. Sie war bereit, bereit für das Kumite, die Kampfübung. Bereit, Ben Cooper vor seinen Freunden zu demütigen.

Der hoch gewachsene Schüler sah erstaunt zu, wie Ben Cooper das Telefon hinwarf, auf dem Absatz herumwirbelte und mit geballter Faust auf die Makiwara einhämmerte, so fest, dass er in dem weichen Holz eine Delle hinterließ. Der Schrei, den er dabei ausstieß, war kein Kampfschrei, wie man ihn im Way of the Eagle Dojo lernte, aber er kam aus tiefster Seele.

Helen hatte genau auf Ben Coopers Stimme geachtet, als er das Gespräch beendete. Sie hörte ihm an, dass er sich bemühte, gefasst zu klingen, und sich nicht anmerken zu lassen, dass er sich zurückgewiesen und gekränkt fühlte. Aber er hatte seine Gefühle noch nie gut verbergen können.

Sie spürte, wie er litt, und deshalb tat es ihr besonders Leid, dass sie der Grund dafür war. Es tat ihr Leid, was er über Harry gesagt hatte. Obwohl sie wusste, dass Ben Recht hatte.

Nachdem Fry sich zehn Minuten lang mit Sensei Hughes unterhalten hatte, wunderte sie sich allmählich, wo Ben Cooper wohl abgeblieben war. Der Sensei schickte einen der Schüler in den Umkleideraum, um ihn zu suchen, aber Cooper war nicht mehr da.

Fry zuckte verständnislos mit den Schultern. »Er wollte noch telefonieren, vielleicht musste er plötzlich weg.«

»Eine dringende Angelegenheit. Als Polizist weiß man eben nie, was das Leben als Nächstes bringt. Das verstehen wir«, sagte Hughes.

Sie verstand sich gut mit dem Lehrer und den anderen Schülern, die wissen wollten, wo sie ausgebildet worden war. Der Sensei lud sie ein, an den nächsten Prüfungen teilzunehmen. Er glaubte, dass sie den fünften Dan schaffen könnte. Nach dem Ende der Stunde ging sie noch mit einer Gruppe von Schülern in das Millstone Inn, die Kneipe an der Ecke, wo sie Lasagne und Pommes frites aßen und sich über Sport unterhielten.

Als sie schließlich wieder auf der Straße stand und sich von den anderen verabschiedete, tippte ihr der hoch gewachsene Schüler mit dem braunen Gürtel auf die Schulter und erwähnte Ben Coopers seltsames Benehmen. Er war ein ernsthafter junger Mann. Was er im Umkleideraum mit angesehen hatte, widersprach in seinen Augen der Selbstdisziplin und der positiven Geisteshaltung, die im Dojo gelehrt wurde. Er kannte Ben seit zwei Jahren, und er machte sich Sorgen.

Plötzlich bekam Fry es mit der Angst zu tun. Vor ihrem geistigen Auge spulten sich Szenen der vergangenen Tage ab. Zunächst sah sie Ben Cooper als tüchtigen, selbstbewussten Polizisten, dessen Erfolge und Popularität man ihr so lange unter die Nase gerieben hatte, bis sie kaum noch seinen Namen hören konnte, ohne in Rage zu geraten.

Doch allmählich änderte sich das Bild, und Cooper verwandelte sich in einen trübsinnigen, nervösen und unberechenbaren Mann, der wütend und aufgebracht aus dem Dojo gestürmt war. Sie wusste, dass sie selbst zu dieser Veränderung zum Schlechten beigetragen hatte, und sie musste sogar zugeben, dass sie es absichtlich gemacht hatte. Sie hatte ihn als Herausforderung angesehen.

»Wissen Sie, wo er hingegangen sein könnte? In einen Pub vielleicht?«

Der Schüler zuckte mit den Achseln. »Er kennt in Edendale viele Kneipen. Aber das Training ist ihm zu wichtig, deshalb geht er nicht oft aus.«

Nach dem vierten oder fünften Glas Bier war Cooper alles egal. Nach dem siebten Bier und ein paar Whiskys zum Nachspülen krochen aus allen Ecken des Pubs schwarze Hunde hervor, die knurrend darauf lauerten, dass er ihnen den Rücken zudrehte, um sich auf ihn zu stürzen.

Er hatte den ganzen Tag nichts gegessen, und von dem vielen Bier, das er im Magen hatte, wurde ihm der Kopf schwer. Seine Hände und sein Hals waren gerötet, seine Hände zitterten und seine Lippen wurden taub. Der Whisky brannte sich durch seinen Körper und verlieh ihm das Gefühl, Mauern einreißen zu können.

Der Pub war keines seiner Stammlokale. Er war schon seit Jahren nicht mehr hier gewesen. Das Gute daran war, dass ihn niemand erkannte, als er sich allein an einen Tisch setzte, um seine Gedanken und Gefühle zu betäuben. Sein Blick war so finster, dass die meisten anderen Gäste einen großen Bogen um ihn machten.

Nicht weit von ihm saß eine Gruppe Jugendlicher, die immer lauter und streitlustiger wurden, je länger der Abend dauerte. Auch sie waren nicht mehr nüchtern. Woher sie es wussten, hätte Cooper nicht zu sagen vermocht, aber aus irgendeinem Grund sahen sie ihm an, dass er Polizist war. Sie verhöhnten ihn immer aggressiver, als er auf ihre Sticheleien nicht einging.

»Habt ihr heute Schwein auf der Speisekarte?«, riefen sie der Bedienung hinter der Theke zu. »Ein schönes Stück Schweinespeck? Töte ein Schwein für mich, Süße.«

»Grunz, grunz. Ich habe mich schon gewundert, wo der Gestank herkommt.«

»Guck mal, wie der den Rüssel ins Bier steckt.«

»Heh, Bullenschwein, hast du eine alte Sau zu Hause?«

»Grunz, grunz.«

Die Jugendlichen amüsierten sich prächtig. Ben Cooper kannte diese Sprüche, seit er als junger Bobby in den Siedlungen Streife gegangen oder Samstagabends im Stadtzentrum Patrouille gefahren war. Aber noch nie hatte sich in ihm eine solche Wut aufgestaut, die bei der nächsten Provokation aus ihm herausbrechen konnte. Vom Whisky beflügelt hätte er eine Auseinandersetzung sogar willkommen geheißen. Es würde ihm gut tun, sich abzureagieren.

Als die Jugendlichen keine Antwort auf ihre Schweinewitze bekamen, änderten sie die Taktik.

»Hast du da einen Schlagstock in der Tasche, oder bist du bloß scharf auf mich?«

»Bitte, bitte, leg mir Handschellen an. Ich bin ein böser Junge gewesen.«

»Ach was, der hat keinen Bock auf so was. Die Bullenschweine haben genug damit zu tun, den Mörder von der Tussi aus Moorhay zu finden.«

»Meinst du den, der es Laura Vernon besorgt hat?«

Einer der Jungen lachte schallend und machte eine obszöne Handbewegung.

»Laura Vernon? Die hätte doch jeden gefickt. Junge Böcke, alte Knacker, ihren eigenen Dad.«

»Die hätte sogar Tiere gefickt.«

Sie schüttelten sich aus vor Lachen. »Genau, sogar Bullen. Kapiert, Bulle?«

Ein Junge beugte sich über den mit Gläsern vollgestellten Tisch und glotzte Cooper herausfordernd an. Er hatte einen Ring im linken Nasenflügel und kleine Narben um den Mund.

»Hast du es immer noch nicht kapiert, Bullenschwein?«

Dann machte er einen schweren Fehler. Er runzelte die Stirn, kniff die Augen zusammen und musterte Cooper noch einmal genau. Er hatte ihn erkannt.

»Heh, Augenblick mal, sind Sie nicht Sergeant Coopers…«

Ohne zu wissen, was er tat, hielt Cooper plötzlich das leere Glas in der Hand. Er sprang auf und packte den Jungen mit der anderen Hand am Kragen. Ein Stuhl fiel um, und das Glas zersplitterte an der Tischkante. Die Freunde des Jungen warfen sich dazwischen, hielten Coopers Arme fest und rammten ihm die Knie in den Unterleib, ein knurrendes, keuchendes Rudel, das sich bei Gefahr zusammenrottete.

Ben Cooper stellte sich ihnen, kochend vor Wut, die Faust fest um das zerbrochene Glas geschlossen.

Becky Kelk war vierzehn Jahre alt. Sie wohnte im Wye Close, nicht weit von Lee Sherratt. Sie ging in dieselbe Schule wie Simeon Holmes. Sie hatte alles über die getöteten Mädchen gehört, das eine aus Buxton, das andere aus Moorhay, Laura Vernon, das Mädchen aus der Villa. Bis zu diesem Moment hatte sie nicht daran gedacht, dass sie das nächste Opfer sein könnte.

Der Polizist, der noch immer den Tatort bewachte, brauchte nur ihren Schreien zu folgen. Er fand sie in einer Senke, versteckt hinter einem Brombeergestrüpp, nicht weit von dem Weg entfernt, der auf den Baulk führte. Sie hatte keinen Slip an, ihre gestreiften Leggings waren zerrissen, Oberteil und BH zerknittert. Sie hatte Grasflecken auf den Schultern und den Abdruck einer Baumwurzel im Kreuz. »Ich bin vergewaltigt worden«, sagte sie.

Der PC zückte sein Funkgerät und blickte sich forschend nach dem Angreifer um.

»Wann ist das passiert?«

»Gerade eben.«

»Haben Sie ihn erkannt?«

»Es war der alte Mann«, sagte sie.

»Was für ein alter Mann?«

Becky Kelk wusste, wo der alte Mann wohnte, auch wenn sie seinen Namen nicht kannte. Sie zeigte bestimmt den Hügel hinauf zum Dorf, zum Dial Cottage, dessen Dach in den letzten Strahlen der Abendsonne zwischen den anderen Reihenhäuschen leuchtete.

Harry Dickinson erwartete sie schon im Wohnzimmer. Er trug seinen besten Anzug. Die spärlichen Haare hatte er mit Pomade zurückgekämmt, den blauen Schlips sorgfältig geknotet. Seine Schuhe waren blank gewienert, und der *Guardian* lag ordentlich zusammengefaltet auf dem Tisch. Feierlich und steif saß er auf seinem Stuhl, wie ein Mann im Wartezimmer eines Krankenhauses, der auf eine schlechte Nachricht wartet.

Als Gwen die Polizisten hereinführte, zeigte er weder Überraschung noch sonst eine Gefühlsregung. Er klopfte lediglich seine Pfeife aus und legte sie in den Ständer auf dem Mahagonischränkchen. Er nahm seine Mütze, zog seine Hosenbeine straff und stand langsam auf.

»Das ging ja schnell. Alle Achtung.«

24

He da, Schluss jetzt!«

Der stämmige Wirt drängte sich zwischen sie, gefolgt von einem struppigen Schäferhund, der knurrend nach ihren Beinen schnappte. Cooper stieß den Jungen weg und stellte das Glas auf den Tisch. Keuchend und vor Anstrengung zitternd standen sie voreinander, während das Adrenalin weiter durch ihre Adern strömte.

»Raus mit euch!«, sagte der Wirt. »Ihr habt Hausverbot.«

»Verdammte Scheiße. Wir haben doch bloß Quatsch gemacht. Das war doch nicht ernst gemeint«, sagte der Anführer der Clique.

»Ernst oder nicht ernst, das ist mir egal. So was lasse ich mir in meiner Kneipe nicht bieten. Das ist ein anständiges Haus.«

»Und was ist mit dem da? Dem braven Polizisten?«

»Habt ihr nicht gehört? Raus! Aber dalli!«

Die drei jungen Kerle zogen laut schimpfend ab und knallten die Tür hinter sich zu. Der Wirt und sein Hund sahen ihnen mit finsteren Blicken nach. Allmählich stieg der Geräuschpegel wieder auf Normalmaß, Liebespärchen tuschelten aufgeregt miteinander. In der Musikbox lief schon seit einigen Minuten der alte Rolling-Stones-Hit »I Can't Get No Satisfaction«. Eine Bedienung kam mit Schaufel und Handfeger hinter der Theke hervor und kehrte die Glassplitter zusammen.

»Entschuldigung«, sagte Cooper.

»Ich kenne Sie nicht, mein Junge, aber wenn ich es richtig verstanden habe, sind Sie bei der Polizei.«

»Ja.«

»Dann müssten Sie es eigentlich besser wissen.«

Coopers Beine gaben nach, er sank auf einen Stuhl. Der Wirt schätzte mit professionellem Blick ab, wie betrunken er war.

»Ich lasse Ihnen einen Kaffee bringen. Und dann gehen Sie wohl lieber nach Hause.«

»Nein, danke. Nur noch einen Whisky, dann sind Sie mich los.«

»Seien Sie vernünftig.«

»Geht schon in Ordnung.«

»Sie sind doch nicht mit dem Auto da, oder?«

»Natürlich nicht.«

»Na schön. Aber nur noch ein Glas. Mehr gibt es nicht.«

Diane Fry hatte alles in der richtigen Reihenfolge erledigt. Sie hatte zuerst bei Ben Cooper zu Hause angerufen. Sie hatte mit seinem Bruder Matt gesprochen, der ebenfalls besorgt klang, als sie ihm sagte, dass sie auf der Suche nach Ben sei. Dann wählte sie seine Handynummer, aber sie bekam keine Antwort. Zuletzt hatte sie zwei Dutzend Kneipen abgeklappert. Auch eine Art, die Stadt besser kennen zu lernen.

Es war ein Glück, dass Coopers roter Toyota so auffällig war. Sie entdeckte ihn schließlich auf einem Kneipenparkplatz hinter dem Busbahnhof, wo sich der Gestank der Dieselabgase mit dem Geruch nach neuem Plastik und verbranntem Öl aus den Fabriken im Gewerbegebiet Edenside mischte.

Das Unicorn lag kurz vor einer Kreuzung in einer Straße mit Reihenhäusern, die zum Teil in Ladenlokale umgewandelt worden waren – Autoersatzteile, Versicherungsagentur, China-Imbiss. Das Eckgebäude war irgendwann abgerissen worden, und das Grundstück diente nun dem Pub als Parkplatz. Am Ende der Straße gab es keine Laternen, und die Backsteinwände der Kneipe waren ebenfalls unbeleuchtet. Das helle Licht des nahen Busbahnhofs machte die Dunkelheit nur noch schwärzer. Doch als Fry um die Ecke bog, sah sie den Toyota plötzlich im Scheinwerferlicht aufblitzen und stoppte vor dem Imbiss.

Es war die Art von Kneipe, in der jeder neue Gast neugierig

angestarrt wurde. Zumindest, wenn man eine Frau und ohne Begleitung war. Sogar der Wirt gaffte Fry an, während sie sich suchend umblickte. Endlich entdeckte sie Cooper an einem Ecktisch. Sein Gesicht war aufgedunsen, seine Augen halb geschlossen, und er klammerte sich an ein halb leeres Whiskyglas. Sie erkannte mit einem Blick, dass er sinnlos betrunken war.

»Ben?«

Er musterte sie trübe. »Scheiße, was wollen Sie denn?«

Sie ignorierte seinen aggressiven Ton. »Was machen Sie hier, Ben?«

»Ich saufe mir einen an. Was geht Sie das an?«

»Sind Sie verrückt geworden? Wollen Sie sich komplett zum Idioten machen?«

»Schon möglich. Warum nicht?«

Es waren zu viele Leute in der Nähe, die mithören konnten. Sie nahm Platz, beugte sich zu ihm über den Tisch und sah ihm in die Augen. »Sie sind Polizeibeamter. Ist Ihnen eigentlich klar, dass Sie erledigt sind, wenn sich diese Geschichte bis ins Revier rumspricht? Dann können Sie Ihre Beförderung abschreiben, Ben.«

»Ach ja? Die ist doch sowieso längst abgeschrieben. Darüber brauche ich mir keine Gedanken mehr zu machen. Und überhaupt, Sie haben es schließlich so gewollt.«

»Was reden Sie denn da?«

»Ach, ich habe keine Lust, darüber zu reden. Verschwinde und lass mich einfach in Ruhe.«

Sie zog an seinem Ärmel. »Kommen Sie, Ben. Gehen wir. Ich fahre Sie nach Hause.«

Aber er riss seinen Arm weg, so heftig, dass er fast den Whisky umgestoßen hätte. »Mit dir gehe ich nirgendwohin, du Aas.«

Sie wurde langsam wütend. »Jetzt reicht es mir, Ben. Kommen Sie freiwillig mit, oder muss ich Sie rausschleifen?«

»Lass mich in Frieden!«

Er war aufgestanden und hatte den Tisch angerempelt, ohne sich um die neugierigen Blicke der anderen Gäste zu kümmern.

Der Wirt kam erneut hinter der Theke hervor, um mit ihm zu reden.

»Ich will dich nicht in meiner Nähe haben, Fry«, sagte Cooper unter Aufbietung des letzten Rests an Würde, der ihm noch geblieben war. »Bleib mir vom Leib. Okay?«

Fry knirschte mit den Zähnen. Sie musste sich beherrschen, sonst hätte sie ihn ins Gesicht geschlagen. Er kippte den letzten Rest Whisky runter und wankte in die Nacht hinaus. Ihr war klar, dass sie ihm folgen und ihm die Autoschlüssel abnehmen musste, wenn nötig mit Gewalt, damit er sich nicht ans Steuer setzen konnte. Andererseits hätte sie ihn am liebsten seinem Schicksal überlassen.

»Sind Sie eine Freundin von ihm?«, fragte der Wirt, der ihr über die Schulter sah.

»So was Ähnliches.«

»Ein guter Rat – in dem Zustand sollte man ihn nicht alleine durch die Gegend wandern lassen.«

»Ich bin nicht sein Kindermädchen. Auch wenn es vielleicht so aussieht, aber ich bin es nicht.«

»Bringen Sie ihn nach Hause, oder lassen Sie mich ein Taxi rufen. Aber man darf ihn nicht alleine auf die Straße lassen.«

»Okay, okay.«

Sie trat vor die Tür, blieb einen Augenblick im Eingang stehen und starrte auf die dunkle Straße, die Blicke der Kneipengäste im Rücken. Die Laternen endeten gleich hinter dem Lokal, und die andere Seite des Parkplatzes lag in tiefer Dunkelheit. Neben der Baulücke war eine schmale Gasse, die zwischen hohen Backsteinmauern bis zum Hintereingang des Busbahnhofs verlief.

»Ben!«

Keine Antwort. Sie ging auf den Parkplatz, wo Coopers Toyota stand, leer und abgeschlossen.

Sie sah die Straße hinunter, dahin, wo ihr eigener Wagen stand. Keine Spur von einer torkelnden Gestalt zwischen den Laternen, und es lag auch niemand vor den unbeleuchteten Fenstern des China-Imbisses und der Versicherungsagentur.

»Wo zum Henker …«

Plötzlich hörte sie etwas. Höhnisches Gelächter im Dunkeln. Stolpernde Schritte, ein tierisches Knurren, erstickte Schreie. Das Echo eines dumpfen Rumpelns und Polterns, das von einer Mauer abprallte. Es überlief sie eiskalt. Sie lief zum Eingang der Gasse und spähte ins Dunkel. Sie sah schemenhafte Gestalten, die sich aufeinander zu und voneinander weg bewegten und Arme und Beine fliegen ließen, wie bei einem primitiven Tanz. Sie konnte vier Gestalten ausmachen. Drei von ihnen waren kaum zu erkennen, sie hatten die Kragen hoch geschlagen und die Mützen tief in die Stirn gezogen. Sie schlugen und traten abwechselnd nach der vierten, mechanisch und brutal, gezielte Schläge und Tritte, die verletzen sollten. Die vierte Gestalt war Ben Cooper.

»Ben!«

Drei Gesichter wandten sich ihr zu. Cooper lehnte zusammengesunken an der Wand, ohne sie zu bemerken, hilflos auf den Schlag wartend, der ihn endgültig niederstrecken würde, direkt vor ihre Springerstiefel.

Fry lief los, doch schon nach wenigen Schritten blieb sie wieder stehen und überlegte fieberhaft. Sie hatte zwei Möglichkeiten. Eigentlich müsste sie sich als Polizeibeamtin zu erkennen geben, über Funk Verstärkung anfordern und versuchen, eine Festnahme vorzunehmen, bevor Ben Cooper zu schwer verletzt war. Aber wenn sie das tat, würde Coopers Ausraster öffentlich bekannt werden. Er hatte eine Chance verdient. Vielleicht nicht mehr als eine. Aber eine bestimmt.

Die zweite Alternative war gefährlicher. Aber wenn sie sich dafür entschied, durfte sie keine Zeit verlieren. Sie sprintete in die Gasse und spürte sofort, wie ihr die Kraft in die Glieder strömte. Sie atmete ein paar Mal tief durch, um ihre Muskeln mit Sauerstoff zu versorgen. Die drei Jugendlichen starrten sie überrascht an. Mit einem Angriff hatten sie nicht gerechnet.

»Wer ist das denn?«

»Eine Tussi.«

»Bestimmt auch ein Bulle.«

»Bullensau!«

Fry konnte sie riechen, sie konnte sehen, wie sie sich im Dunkeln auf sie zu bewegten. Die Erinnerungen stürzten auf sie ein. Es war derselbe Film, der immer wieder vor ihrem geistigen Auge ablief, der immer wieder von vorn anfing, sobald der Höhepunkt erreicht war. Ihr war heiß, sie fühlte sich schmutzig und hatte Schmerzen. Eine wilde Wut stieg in ihr auf, die ihren inneren Widerstand mit sich riss, und sie hatte nur noch den Wunsch, zuzuschlagen.

Die Jugendlichen, die vor Aufregung keuchten, grinsten sie an. Sie nahmen sie nicht ernst, obwohl sie inzwischen nah herangekommen war. Einer von ihnen drehte sich noch einmal um, um dem angeschlagenen Cooper einen letzten Fußtritt zu verpassen. Fry reagierte. Sie verpasste ihm einen Schlag in die Nieren, riss ihm die Beine weg und brach ihm mit einem brutalen Handkantenschlag die Nase.

Mit einem überraschten Aufschrei ging der zweite Jugendliche von links auf sie los. Aber er hatte zu lange gezögert, und sie lenkte seine Faust mit einem Unterarmblock ab. Sie fuhr herum, brach ihm mit einem scharfen Tritt die Kniescheibe und schlug ihn mit einem Ellenbogenschlag gegen den Unterkiefer k.o.

Plötzlich legte sich von hinten ein Arm um ihren Hals. Der dritte Jugendliche war stark und viel größer und schwerer als sie. Er hielt ihre Arme fest und rammte sie gegen die Mauer, sodass sie mit der Stirn gegen die Steine stieß. Als sie sich nicht mehr bewegen konnte, drückte ihr der Angreifer die Kehle zu. Sie roch seine Bierfahne, sein Atem brannte ihr im Nacken. Mit dem Körper, der sich an sie presste, mit dem Geruch der schweißnassen Männerhände kam das Grauen zurück, die schwarzen Albträume kehrten wieder, die sie seit über einem Jahr quälten, die stammelnden, kreischenden Dämonen in ihrem Hinterkopf, jedes Mal, wenn sie die Augen schloss oder im Dunkeln stand.

In ihrer Panik schoss sie über das Ziel hinaus. Sie holte tief Luft, knickte in der Hüfte nach vorne und rammte ihm rückwärts den Absatz in den Unterleib und den Ellenbogen in den Solar plexus. Er ächzte vor Schmerz und lockerte seinen Griff. Sie wirbelte herum und schüttelte seine Hände mit einem Aufwärtsblock ab. Er stolperte nach hinten, und sie zielte mit der Speerhand genau auf seine ungeschützte Kehle, mit einem Kiai, einem Kampfschrei tief aus dem Bauch.

Als sie zum letzten Schlag ansetzte, wusste sie, dass er tödlich sein würde.

Harry hatte nicht damit gerechnet, dass sie ihm seine Sachen wegnehmen würden. Er hatte sich schon seit Jahren nicht mehr vor fremden Menschen nackt ausgezogen. Während er in dem kleinen Untersuchungsraum des Reviers stand, sah er verwundert zu, wie jedes Teil, das er ablegte, sorgfältig eingetütet, beschriftet und versiegelt wurde. Zuerst nahmen sie ihm Mütze, Anzugjacke und Hose ab. Dann die auf Hochglanz gewienerten Schuhe und die Socken. Sie nahmen sein Hemd und sogar seine Krawatte. Sie untersuchten jedes Kleidungsstück, griffen mit ihren behandschuhten Händen in seine Taschen und betasteten die Säume.

Der Untersuchungsraum roch stark nach Desinfektionsmitteln, gemischt mit dem Gestank nach altem Erbrochenen. Trotz der Wärme zitterte der alte Mann, die weißen, eingefallenen Hüften und die sehnigen Arme nackt dem grellen Licht der Neonröhren ausgesetzt. Die Haare an seinen Beinen waren grau und drahtig, nur an den Waden hatte er nackte, helle Stellen, wo die Haut so glatt wie die eines Babys war, wächsern und bleich, als ob nie ein Sonnenstrahl dorthin gedrungen wäre.

Mit jeder Lage, die er ablegte, verkroch Harry sich ein wenig mehr in sich selbst. Eine distanzierte Ruhe umgab ihn, wie Schichten von Schleiern, die sein Innerstes verhüllten und seine Würde bewahrten, ja sogar stärkten. Er starrte stur vor sich hin und würdigte den Labortechniker und den Kripobeamten, der ihm seine Sachen abnahm, sie untersuchte und zusammenfaltete, keines Blickes. Er schwieg, kein Wort des Protestes kam über seine dünnen Lippen, die er fest zusammenpresste. Der Beamte protokollierte jedes Kleidungsstück und beschriftete die Etiketten mit einer Sorgfalt, als ob er einen Haufen Altkleider auszeichnete, die Harry für einen wohltätigen Zweck gespendet hatte.

Schließlich musste er auch noch Unterhemd und Unterhose ausziehen. Für die Unterhose schienen sie sich besonders zu interessieren, denn sie wendeten sie und untersuchten den Schlitz genauestens auf Flecken, bevor sie sie, wie die übrigen Sachen, verpackten und versiegelten.

Als Harry völlig nackt war, gaben sie ihm einen weißen Overall aus Wachspapier, der sich auf der Haut eiskalt anfühlte und bei jeder Bewegung raschelte. Die Ärmel reichten ihm kaum bis zu den Handgelenken, und der Kragen ließ sich nicht schließen.

Sie erklärten ihm zum wiederholten Mal, dass er einer Vergewaltigung verdächtigt wurde. Sie fragten ihn, ob er auch wirklich bereit sei, sich Proben für die Analyse abnehmen zu lassen, mit deren Hilfe sich der Verdacht gegen ihn möglicherweise entkräften lassen würde. Er stimmte zu, ohne den Sinn der Frage ganz zu begreifen. Er dachte, sie meinten seine Sachen, die ja bereits in Plastiktüten verstaut waren und nur noch im Labor untersucht werden mussten.

Aber das Schlimmste kam noch.

»Haben Sie irgendwelche Krankheiten?«, fragte Dr. Inglefield, während er ein Paar Gummihandschuhe überstreifte.

Harry starrte ihn an. »Ich hatte eben erst meine jährliche Untersuchung. Ich gehe lieber zu meinem Hausarzt, aber trotzdem, danke.«

»Ich muss wissen, ob Sie irgendwelche Krankheiten haben. Hautkrankheiten vielleicht? Schuppenflechte, Ekzeme, Herpes? Sind Sie Diabetiker oder Bluter? Irgendwelche Geschlechtskrankheiten? Hepatitis? Sind Sie HIV positiv?«

»Ich bin gesund«, sagte Harry mürrisch.

»Nehmen Sie irgendwelche Medikamente ein? Wer ist Ihr Hausarzt? Sind Sie sicher, dass Sie keine Krankheiten haben? Gar nichts? In Ihrem Alter wäre das ungewöhnlich.«

Harry schüttelte den Kopf.

»Nun gut. Dann wollen wir Sie erst einmal äußerlich untersuchen.«

»Wozu soll das alles gut sein? Ich dachte, ich werde ausgefragt und fertig.«

»Das kommt später.«

Harry musste sich hinsetzen, während der Arzt seinen Kopf untersuchte. Zuerst kämmte er ihm ein paar lose Haare aus, die er in kleine Plastikbeutel steckte. Dann riss er ihm einige Haare aus und hielt sie ans Licht, um sich zu überzeugen, dass sie noch Wurzeln hatten, bevor sie ebenfalls in einem Beutel verschwanden. Der Kripobeamte befestigte Etiketten daran, die der Arzt abzeichnen musste.

Harry ließ die Prozedur stoisch über sich ergehen und behandelte die Männer wie Luft, das Gesicht so ernst und würdevoll, als ob er in der Kirche auf das Ende einer langweiligen Predigt wartete. Nach einer Weile färbte sein Verhalten auf den Arzt und den Kripobeamten ab, die immer nervöser und schweigsamer wurden, während sie ihrer Arbeit nachgingen.

Dr. Inglefield holte einige Abstrichtupfer, die an große Wattestäbchen erinnerten, und rieb damit über Harrys offene Handflächen und in seinen Fingerzwischenräumen herum.

»Öffnen Sie bitte den Overall.«

»Wozu denn das?«

»Ich brauche noch weitere Haarproben.«

Harry rührte sich nicht.

»Schamhaare. Mr. Dickinson?«

Harry stand sehr langsam auf und öffnete den Papieroverall. Der Arzt bückte sich, um seine verschrumpelten Genitalien zu untersuchen. Wieder holte er den Kamm. Er musste mehrere Male durch Harrys Schamhaare fahren, bis er mit seiner Ausbeute zufrieden war. Zuletzt zupfte er mit den behandschuhten Fingern noch ein graues Haar heraus. Harry zuckte zusammen – die erste unwillkürliche Bewegung, seit er den Untersuchungsraum betreten hatte.

Ein weiterer Tupfer kam zum Einsatz. Der alte Mann starrte ins Leere, während der Arzt seinen Penis anhob und seine Eichel betupfte.

»Nun nehme ich Ihnen noch eine Blutprobe ab.«

Die Spritze Blut, die er Harry aus dem Arm abnahm, wurde auf zwei kleine Plastikröhrchen aufgeteilt, eines für die DNS-Analyse, das andere zum Vergleich der Blutgruppe. Der Beamte sammelte die Päckchen ein und legte sie in den Kühlschrank, bis sie in das gerichtsmedizinische Labor gebracht werden konnten. Nun fehlte nur noch eine Probe. Der Arzt hielt Harry ein Schälchen hin.

»Spucken Sie bitte hier hinein, Mr. Dickinson.«

Bei dieser Probe war Harry nur zu gern zu Diensten.

Als es vorbei war, zitterte Fry am ganzen Körper, es war eine Mischung aus Wut und Angst. Sie sah fassungslos auf ihre Hände, entsetzt über das, was sie getan hatten. Wo war die Selbstkontrolle? Wo war die Disziplin? Wo waren die edlen Beweggründe? Sie hätte Trost und Unterstützung gebraucht, aber sie hatte nur Ben Cooper, der bewusstlos auf dem Beifahrersitz des Peugeots hing.

Ben ins Auto zu schaffen, war der schwierigste Teil der ganzen Angelegenheit gewesen. Er würde seinen Toyota eben morgen abholen müssen, wenn er wieder nüchtern und ein wenig beweglicher war.

Da sie keine Ahnung hatte, wo er wohnte, war ihr nichts anderes übrig geblieben, als ihn mit zu sich nach Hause zu nehmen. Das Letzte, was sie wollte, war ein fremder Mensch in ihrer kahlen, seelenlosen Wohnung, und Ben Cooper schon gar nicht. Aber was hätte sie sonst tun sollen?

Coopers Kopf rollte hin und her, Blut lief ihm von der Stirn auf den Hals. Über dem einen Auge bildete sich eine dicke Beule, seine Lippen waren aufgeplatzt und geschwollen. Fry hatte noch nie einen derart übel zugerichteten Menschen gesehen. Sie konnte nur hoffen, dass er sich nicht in ihrem Auto übergeben musste. Während sie die Castleton Road hinauffuhr, beschimpfte sie ihn wüst, weil er sie in diese Situation gebracht hatte.

Immerhin konnte sie sich wenigstens damit trösten, dass es ihr im letzten Augenblick gelungen war, den tödlichen Schlag doch noch abzufangen. Aber obwohl sie den Hals des dritten Jugendlichen lediglich gestreift hatte, war er ebenfalls besinnungslos neben seinen Freunden zusammengesackt.

Plötzlich merkte sie, dass das Suzanne-Vega-Band lief. Der Kassettenrekorder hatte sich automatisch eingeschaltet, als sie den Wagen anließ. Aber die Musik war einfach zu deprimierend.

Gereizt nahm sie die Kassette heraus, legte »Ancient Heart« von Tanita Tikaram ein und drehte voll auf. Tikaram sang eines ihrer Lieblingsstücke, das eine Textzeile enthielt, die ihr meistens noch lange im Kopf blieb: *Now Your Conscience is Clear.* Sie warf einen Blick auf Cooper; er hatte die Augen halb geöffnet, als ob die Musik zu ihm durchdrang. Aber seine Pupillen waren starr, und er stierte einen Augenblick lang blind vor sich hin. Dann fiel ihm der Kopf wieder auf die Brust.

In der Grosvenor Road gelang es Fry, Cooper so weit wachzurütteln, dass er es auf seinen eigenen Beinen bis ins Haus schaffte und auch die Treppe halbwegs selbstständig bewältigte, auch wenn sie ihn dabei stützen musste. Durch einen Riss in seinem Hemd fühlte sie seinen Herzschlag. Er roch nach Bier und Männerschweiß, ein fast betäubendes Gemisch, das sie aus dieser Nähe schon seit Ewigkeiten nicht mehr gerochen hatte.

Sie brachte ihn ins Schlafzimmer, ließ ihn auf das Bett kippen und befreite sich von seinen schlaffen Gliedern. Dann fing sie an, ihn auszuziehen – die zerschrammten Schuhe, die Jacke und das zerfetzte Hemd, und zuletzt riss und zerrte sie so lange an seiner Jeans, bis sie sie ihm über die Füße ziehen konnte.

Dann holte sie eine Schüssel warmes Wasser und ein Tuch, wusch ihm das Blut von der Stirn und reinigte seine Schürfwunden auf dem Rücken und an den Beinen. So drahtig und sehnig, wie er gebaut war, würde er von den Verletzungen, die sich auf seiner Brust und seinen Flanken abzeichneten, wahrscheinlich nicht mehr als Blutergüsse davontragen. Keine Knochenbrüche. Während sie eine Schnittwunde an seinem Oberschenkel abtupfte, bemerkte Fry, dass sich in seinen Boxershorts etwas rührte. Cooper bekam eine Erektion.

Sie sah in sein Gesicht. Er hatte sich umgedreht und starrte sie bitter und aggressiv aus halb geschlossenen Augen an. Sein Gesicht war gerötet, die Haare fielen ihm wirr in die Stirn. Zuerst hatte sie den Eindruck, dass er gar nicht wusste, wer sie war. Doch dann wurde sein Blick klar.

»Fry? Was hast du, was ich nicht habe? Wieso kann dich nichts erschüttern? Hast du Titten aus Stahl oder was?«

Sie fuhr bis an die Bettkante zurück, als ob er sie geschlagen hätte. Sie kehrte ihm den Rücken zu, ballte die Fäuste und biss die Zähne zusammen. Sie war außer sich vor Wut über so viel Undankbarkeit. Ihr juckten die Hände; am liebsten hätte sie ihm bewiesen, wie ungerecht sein Vorwurf war. Sie war *kein* eiskaltes Aas, keine gefühllose Maschine. Er hatte so Unrecht.

Sie spürte Coopers nackten, durchtrainierten Körper und war sich der dunklen, gekräuselten Haare auf seiner Brust bewusst, die hinunterreichten bis zum Unterleib, bis zu seiner strammen Erektion.

»Stahltitten? Dir werd' ich's zeigen«, sagte sie. Mit einem Ruck zog sie sich die Bluse über den Kopf und hatte im nächsten Augenblick ihren BH aufgehakt. Sie drehte sich zu ihm um und beugte sich über seine nackte Brust. Dann hielt sie inne. Fast schon hart vor Erregung glitten ihre Brustwarzen über seine heiße, nackte Haut. Plötzlich wurde ihr Gesicht dunkelrot vor Wut. Sie packte Cooper bei den Schultern und schüttelte ihn heftig. Sein Kopf sackte nach vorn, seine Wange stieß gegen ihre weichen Brüste. Ben Cooper war bewusstlos und schnarchte.

»Du Schwein!«

Als sie ins Wohnzimmer ging, wiederholte sie in Gedanken immer wieder, was er zu ihr gesagt hatte. *Titten aus Stahl.* Was hatte er damit gemeint? Sie zog sich aus, brachte mechanisch und ohne Begeisterung ihre Übungen hinter sich, legte sich aufs Sofa und schlüpfte unter die Decke. Sie war erschöpft, aber ihre Gedanken drehten sich im Kreise. Sie versuchte zu lesen, aber der Text verschwamm vor ihren Augen. Sie legte das Buch weg, wälzte sich unruhig hin und her und knipste schließlich das Licht aus. Sie presste das Gesicht ins Kopfkissen, umfasste ihre Titten aus Stahl und weinte.

25

Der alte Mann saß kerzengerade auf dem Plastikstuhl im Vernehmungszimmer und starrte DCI Tailby und DC Fry würdevoll an, als wüsste er als einziger Anwesender, wie man sich richtig benahm.

»Vernehmungsbeginn 14:30 Uhr, Freitag, den 27. August. Anwesend sind Detective Chief Inspector Tailby...«

»Detective Constable Fry...«

Tailby nickte Harry zu. »Würden Sie sich bitte für die Aufnahme identifizieren, Sir?«

»Ich heiße Harry Dickinson.«

»Sie haben das Recht, einen Anwalt hinzuzuziehen, Mr. Dickinson. Haben Sie einen eigenen, oder sollen wir Ihnen einen Pflichtverteidiger stellen?«

»Ich brauche keinen.«

»Sind Sie sicher?«

Harry ignorierte die Frage. Tonband hin oder her, schien er zu sagen, es gab Zeiten, wo jedes Wort zu viel gewesen wäre.

»Sind Verpflegung und Ruhezeiten ausreichend?«, fragte Tailby förmlich. »Hat man Ihnen Gelegenheit gegeben, einen Telefonanruf zu tätigen?«

»Wo ist mein Hund?«

»Er wird versorgt, Mr. Dickinson«, sagte Fry.

»Sie ist eine Sie, kein Er«, sagte er mit unverhohlener Verachtung.

Tailby warf ihm einen zornigen Blick zu. »Wir müssen Ihnen noch weitere Fragen stellen, Mr. Dickinson.«

Harry starrte ihn stoisch an. Obwohl er noch immer den Wachspa-

pieroverall trug, erweckte er fast den Eindruck, einen Anzug zu tragen.
Die Turnschuhe, die man ihm gegeben hatte, sahen beinahe so aus, als
ob sie über Nacht geputzt worden wären.

»Dann fragen Sie«, sagte er.

Harrys Vernehmung dauerte mit Unterbrechungen den ganzen
Tag. Man sorgte dafür, dass er zu den gewohnten Zeiten zu essen
bekam und sich zwischen den Sitzungen ausruhen konnte. Immer wieder wurde er gefragt, ob er einen Anwalt wollte.

Nach dem Polizeigesetz waren die Beamten dazu verpflichtet
zu gewährleisten, dass er die ihm gestellten Fragen verstand, dass
er weder depressiv noch erschöpft war oder unter dem Einfluss
irgendwelcher bewusstseinsverändernder Substanzen stand, dass
er ausreichend verpflegt wurde und die Toilette benutzen durfte.

Wechselnde Teams lösten sich bei der Befragung ab, um Zielrichtung und Art der Fragen immer wieder ändern und Harrys
Aussage so vielleicht erschüttern zu können. Die abgelösten Beamten hörten in der Zwischenzeit die öden Aufnahmen über
Kopfhörer ab und hielten die Aussagen im Vernehmungsprotokoll fest. Zwischen den Sitzungen analysierten sie die Ergebnisse
und überlegten sich das weitere Vorgehen. Außerdem hatten auch
die Beamten – nach einer Stunde mit Harry Dickinson – eine
Pause bitter nötig.

*»Natürlich können auch alte Männer sich mal geil fühlen, das verstehen wir, Harry. Der Geschlechtstrieb verschwindet schließlich nicht
ganz. Stimmt's, Harry? Nicht wie manche Leute denken. Die jungen
Dinger erregen Sie immer noch, stimmt's?«*

*DI Hitchens beugte sich weit über den Tisch und sah Harry
forschend an. Er suchte nach einem Sprung in der starren Maske.
Um irgendeine Reaktion zu provozieren, bohrte und stocherte er weiter.*

*»Es ist bloß kein schöner Gedanke, dass der eigene Großvater immer
noch hinter den jungen Dingern her ist, genau wie früher. Deshalb tut
man lieber so, als ob so was nicht vorkommt. Kehren wir es unter den*

Teppich, und reden wir nicht davon. Was ich nicht weiß, macht mich nicht heiß. Aber wir wissen es besser. Nicht wahr, Harry?«

Harry schwieg, eingehüllt in seine Lebenserfahrung, und sah Hitchens an, als ob er einen Einfaltspinsel vor sich hätte.

»Weil es manchmal zu weit geht. Weil Sie sich manchmal nicht beherrschen können. Habe ich Recht, Harry?«

Der alte Mann zog verächtlich eine Augenbraue hoch. Was seine Selbstbeherrschung anging, konnte er noch manchem Jüngeren etwas vormachen.

Alle Beamten, die an den Vernehmungen teilnahmen, waren in Befragungstechnik ausgebildet. Der Schlüssel zum Erfolg waren offene Fragen wie wer, warum, wann, wo und wie, mit denen man sich an das Ziel herantastete. Auf die Antworten folgte das gezielte Nachfassen. Die Theorie besagte, dass es umso unmöglicher wurde, eine erfundene Geschichte aufrechtzuerhalten, je länger und genauer man ihr auf den Grund ging.

Und was Entscheidungsfragen anging, also Fragen, die sich mit einem einzigen Wort beantworten ließen, so waren sie für jemanden wie Harry ein gefundenes Fressen.

»Uns liegt die Aussage eines Mr. Gary Edwards vor, eines Vogelbeobachters, der in der Nähe des Fundortes von Laura Vernons Leiche eine Person gesehen hat, auf die Ihre Beschreibung passt. Eine Person, die von einem Hund begleitet wurde. Waren Sie das, Mr. Dickinson?«

Diane Fry sah Harry erwartungsvoll an. Er wirkte von Minute zu Minute entspannter und ruhiger, als ob es ihn nicht das Geringste anginge, was in dem klaustrophobischen Vernehmungsraum passierte. Ironischerweise schien ihm der Stress, unter dem die Beamten litten, nichts anhaben zu können. Sie wussten, dass sie ihm bald eine weitere Pause gönnen mussten, ohne dass sie auch nur einen einzigen Schritt weitergekommen wären.

»Helles Kerlchen, dieser Vogelfreund, hm? Hat er mich so genau gesehen, dass er Ihnen zum Beispiel sagen konnte, was für eine Farbe meine Augen haben?«

»*Mr. Edwards hat einen alten Mann gesehen.*«

»*Sehen wir etwa alle gleich aus?*«, *sagte Harry und grinste unverschämt.*

»Unsinnige und dumme Bemerkungen werden ignoriert«, hieß es im Lehrbuch. Aber die Vernehmungsbeamten stürzten sich auf jede Bemerkung, die Harry fallen ließ, ganz gleich, wie unsinnig oder dumm sie auch war. Sie waren froh über jede Reaktion, die nicht nur aus einem versteinerten, verächtlichen Blick bestand.

Harry gab sich ganz wie ein Mann, der eine ungeheuerliche Zumutung geduldig über sich ergehen ließ. Obwohl er keine Emotionen zeigte, ließ er die Beamten wortlos spüren, dass sie sich ihn für immer zum Feind gemacht hatten.

»*Ist das die Taktik, die Sie bei Ihrer Frau anwenden, Harry? Was sie nicht weiß, macht sie nicht heiß? Frauen glauben immer gleich das Schlechteste, ganz egal, was man ihnen erzählt. Deshalb ist es besser, man erzählt ihnen gar nichts. Ist es nicht so? Und am glücklichsten sind sie sowieso, wenn man sie glauben lässt, was sie wollen. Habe ich nicht Recht, Harry?*«

Das einzige, was Harry fehlte, war seine Pfeife, aber er würde ihnen nicht die Freude machen, ihm das Rauchen zu verbieten. Er blickte leicht abwesend von Hitchens zu Fry, fast so, als ob er sich fragte, was sie in seinem Zimmer verloren hatten.

»*Oder weiß Gwen sogar Bescheid, was Sie treiben? Vielleicht würde sie es uns gern erzählen. Wir haben sie nämlich hier, Harry. Sie ist in einem anderen Vernehmungsraum. Was sagen Sie dazu?*«

»*Wer füttert meinen Hund?*«, *fragte Harry.*

Ben Cooper bearbeitete die Routinefälle, die über Nacht hereingekommen waren. Ihm dröhnte der Kopf, als ob jemand einen Presslufthammer durch sein Gehirn trieb. Sein Mund war trocken, er hatte einen ekelhaften Geschmack auf der Zunge, und sein ganzer Körper tat ihm weh. Er hatte DS Rennie gesagt, dass die Wunde am Kopf von einem Unfall auf der Farm herrührte.

Dann hatte er eine halbe Stunde lang einen Schafschänderwitz nach dem anderen über sich ergehen lassen müssen, während ihm speiübel war und sich ihm fast der Magen umgedreht hätte.

Als er am Morgen aufgewacht war, hatte er keine Ahnung gehabt, wo er sich befand. Ein fremdes Bett in einer fremden Wohnung und keine Erinnerung daran, wie er hergekommen war. Die einzigen Anhaltspunkte, die er hatte, waren ein teuflischer Kater und sein zerschlagener, mit Schrammen übersäter Körper, doch auch die halfen ihm nicht viel weiter.

Aufschluss gab ihm erst ein alter Briefumschlag auf dem Nachttisch, auf den eine Nachricht gekritzelt war. »Musste ins Büro. Schlage vor, du meldest dich krank. Was immer du tust, verschon mich damit.« In seinem Zustand dauerte es mehrere Minuten, bis er darauf kam, um wen es sich bei diesem »DF« handelte, der die Nachricht unterschrieben hatte.

Allmählich meldeten sich dann auch ein paar graue, bruchstückhafte Erinnerungen zurück. Er erinnerte sich an den Besuch im Dojo und an das Telefongespräch mit Helen Milner. Plötzlich wusste er auch wieder, wie Diane Fry ihn fertig gemacht und erniedrigt hatte. Es lag klar auf der Hand, dass sie seine Chancen bei Helen mit voller Absicht sabotiert hatte und ihn vor seinen Freunden im Dojo blamieren wollte. Sonst hätte sie ihm nicht verschwiegen, dass sie den vierten Dan und den schwarzen Gürtel hatte, als er angegeben und sie zum Kampf herausgefordert hatte. Als er merkte, dass sie ihn ins offene Messer laufen lassen wollte, war er wutentbrannt aus dem Studio gestürmt.

Undeutlich erinnerte er sich an den Pub hinter dem Busbahnhof. Es war das dritte Lokal, das er aufgesucht hatte. Er wusste auch noch, dass dort irgendetwas geschehen war. Doch danach ließ ihn sein Gedächtnis völlig im Stich. War es um Schweine gegangen? Doch, schon möglich. Das erklärte aber noch lange nicht, wie er in Diane Frys Bett gelandet war und woher seine Verletzungen stammten. Ob sie ihn zusammengeschlagen hatte? Zuzutrauen wäre es ihr. Sie hatte ihn ja auch sonst nach Strich und Faden fertig gemacht.

Auch als Cooper sich schließlich ins Büro geschleppt hatte, kehrten die Erinnerungen nicht zurück. Das einzige, woran er denken konnte, waren seine schwarzen Hunde – die Katastrophen, die ihm den Boden unter den Füßen weggezogen hatten, eine nach der anderen.

Plötzlich fiel ihm seine Mutter ein, die im Krankenhaus lag. Er stöhnte. Wie hatte er sie bloß vergessen können? Wie hatte er sich eine solche Dummheit leisten können? Er dachte an das Gespräch mit Superintendent Jepson und fluchte heftig. Das war garantiert auch Diane Frys Werk – sie hatte sich an DI Hitchens rangemacht und ihn becirct. Wahrscheinlich, als sie über Nacht zusammen in Yorkshire gewesen waren. Sehr gemütlich. Damit konnte er natürlich nicht konkurrieren.

Cooper schämte sich, dass er seine Mutter angelogen hatte. Er war verzweifelt, dass Helen Milner ihn abgewiesen hatte. Kein Mensch hatte etwas für ihn übrig. Und jetzt hatte er sich letzte Nacht auch noch mindestens zum Narren gemacht und sinnlos betrunken. Gott weiß, was er sich sonst noch alles geleistet hatte. Genauso gut konnte er nach Hause gehen und sich in die Jauchegrube stürzen. Er hatte nur noch knurrende schwarze Hunde im Kopf. Schwarze Hunde und Schweine.

Unter den neu hereingekommenen Straftaten war auch ein Bericht über drei Jugendliche, die bei einer nächtlichen Prügelei in Edendale leichtere Verletzungen davongetragen hatten. Alles deutete auf eine Meinungsverschiedenheit unter Betrunkenen hin. Die Jugendlichen selbst hatten sich nicht zur Sache geäußert und waren nach Hause geschickt worden. Es gab dringendere Fälle – eine Reihe von Einbrüchen und Autodiebstählen, sowie einen Überfall auf eine Sparkasse.

Außerdem hatte DS Rennie ihn über eine Vergewaltigung in Moorhay informiert, bei der man Harry Dickinson als Tatverdächtigen festgenommen hatte. Er schüttelte den Kopf und kramte in seiner Schreibtischschublade erfolglos nach einem Schmerzmittel. Heute Morgen ging aber auch alles schief. Einfach *alles*.

Im Laufe des Vormittags tauchte Diane Fry im Kripo-Büro auf. Weil Cooper nicht wusste, was er zu ihr sagen sollte, hielt er den Blick lieber gesenkt. Was *sagte* man auch zu einer Frau, in deren Bett man aufgewacht war, ohne die leiseste Ahnung zu haben, was sich in den davor liegenden Stunden abgespielt hatte? Es gab nur einen Ausweg, er musste sie zuerst etwas sagen lassen – wenn sie wollte.

Aber sie ließ ihn erst einmal mehrere Minuten schmoren. Sie blätterte in ihren Unterlagen, machte sich ein paar Notizen und telefonierte. Schließlich kam sie zu ihm herüber. Er sah noch immer nicht hoch und hoffte inständig, dass sie ihn zuerst ansprechen würde.

»Du siehst beschissen aus.«

»Danke, so fühle ich mich auch.«

Fry ging weiter. Cooper blieb benommen sitzen, bis sie mit einer Hand voll Berichten zurückkam.

»Willst du eine Kopfschmerztablette?«

»Es geht schon.«

»Hauptsache, du kotzt nicht auf den Tisch. Ich kann den Gestank nicht ausstehen.«

»Es geht schon. Wirklich.«

»Okay.«

Obwohl Cooper nicht auf der Höhe war, merkte er doch, dass Fry, die wie eine rachsüchtige Matrone hinter ihm stand, zögerte. Schuldgefühle strahlte sie nicht aus, nur eine leise Wut, gepaart mit unwilliger Besorgnis. Cooper versuchte, die Abläufe der vergangenen Nacht zu rekonstruieren. In seiner Erinnerung klafften immer noch riesige Lücken, und die Sache mit den Schweinen wollte nirgendwo hineinpassen, aber plötzlich wusste er, dass er etwas Schlimmes angerichtet hatte, etwas absolut Schwachsinniges. Was erwartete sie also von ihm? Dass er sich entschuldigte? Aber wie sollte man sich für etwas entschuldigen, woran man sich nicht erinnern konnte?

»Danke jedenfalls«, sagte er matt. »Danke, Diane – wofür auch immer.«

Sie seufzte laut, legte die Berichte weg und hockte sich auf seinen Schreibtisch. Cooper zuckte zusammen.

»Ich weiß nicht, ob du in der Verfassung bist, darüber zu reden. Aber wusstest du, dass wir Harry Dickinson festgenommen haben?«

»Ja.« Cooper sah hoch. Sie musterte ihn mit einer Mischung aus Mitleid und Spott. Immerhin ein kleiner Fortschritt. »Was hat er gesagt?«

Sie schnaubte verächtlich. »So gut wie gar nichts. Er macht sich mehr Gedanken um seinen blöden Köter als um sich selbst.«

»Und wo ist das Mädchen, das er überfallen haben soll?«

»Bei der Opferbetreuung. Sie wird gerade befragt.«

»Glauben Mr. Tailby und Mr. Hitchens, dass sie Harry Dickinson zu einem Geständnis bewegen können?«

Fry machte ein nachdenkliches Gesicht, zog sich einen Stuhl heran und hockte sich neben Cooper. Abwesend schob sie seine Akten beiseite, um auf dem Schreibtisch etwas Platz zum Aufstützen zu bekommen.

»Irgendwie ist es eine komische Sache. Die Kollegen, die ihn festgenommen haben, hatten den Eindruck, als ob er schon auf sie gewartet hätte. ›Das ging ja schnell‹, mehr hat er nicht gesagt. Trotzdem werde ich das Gefühl nicht los, dass er überhaupt nicht richtig begreift, worauf wir hinauswollen. Als ob wir ihm von Anfang an die falschen Fragen gestellt haben und er nicht versteht, warum.«

»Ein Gefühl, Diane?«

»Ja. Na und?«

»Nur so.«

Cooper begann, mit dem Kugelschreiber etwas auf einen Zettel zu kritzeln. Der Nebel in seinem Kopf lichtete sich allmählich. Das hier war besser als eine Kopfschmerztablette, um die Gedanken ins Rollen zu bringen.

»Was machst du da, Ben?«

»Ich glaube, du könntest Recht damit haben, dass ihr ihm die falschen Fragen gestellt habt. Sieh dir das mal an. Es muss eine Verbindung geben.«

Er hatte eine Skizze aufs Papier geworfen. Sie zeigte verschiedene Mitglieder der Familien Vernon und Milner, die durch Linien miteinander verbunden waren. Harry Dickinson war mit Laura Vernon durch das Finden ihrer Leiche verbunden, sein Schwiegersohn Andrew mit Graham Vernon durch die Firma und Helen Milner wiederum mit Graham durch den Zwischenfall auf der Party. Eingezeichnet war auch Helens Cousin Simeon, der Lauras Freund gewesen war und Harry und den anderen alten Männern auf der Farm geholfen hatte. Und zuletzt tauchte wieder Harry auf, mit einer geschlängelten Linie zu Graham Vernon, die das geplante Treffen zwischen den beiden repräsentierte, dessen Zweck unbekannt war.

Fry deutete auf Harrys Namen.

»Genau genommen hat er nicht …«

»… die Leiche gefunden, ich weiß. Nur den Turnschuh.«

»Und das war eigentlich auch nicht er, sondern sein Hund.«

»Aber hinter dem beabsichtigten Treffen mit Vernon, von dem er uns erzählt hat, steht ein dickes Fragezeichen. Was *wollte* er von ihm? Außerdem hat ihn der Vogelfreund gesehen.«

»Vielleicht. Vielleicht auch nicht.«

»Harry Dickinson hat irgendetwas mit der Sache zu tun. So viel steht fest.«

»Das fühlst du?«

»Nein. Das weiß ich.«

Er sah Fry vorsichtig an. Seit sie den Fall Vernon besprachen, schien sich die Spannung zwischen ihnen wie durch ein Wunder verflüchtigt zu haben. Sie hatte jemanden gebraucht, mit dem sie reden konnte, und sie war zu ihm gekommen, obwohl in ihrem Blick noch so etwas wie Verachtung lag. Was auch immer zwischen ihnen vorgefallen war, vielleicht konnte sie es irgendwann vergeben oder zumindest ignorieren, damit sie sich wieder um ihre Arbeit kümmern konnten. Vielleicht würde ihm sogar eines Tages wieder einfallen, was passiert war.

»Okay. Nehmen wir mal an, dass Harry Dickinson irgendwie mit drinsteckt. Dann wäre es doch möglich, dass er jemanden deckt.«

»Auf keinen Fall Graham Vernon.«

»Die beiden können sich auf den Tod nicht ausstehen.«

»Also muss es jemand aus der Familie sein«, sagte Cooper.

»Ja, eine Familie hält zusammen. Wenn es gegen Fremde geht, schließt man die Reihen.«

»Dazu sind Familien da.«

»Vielleicht deckt er Simeon Holmes, seinen Großneffen.«

»Der Familie zuliebe würde Harry versuchen, ihn zu schützen.«

»Familienbande. Ein starkes Motiv.«

»Aber Simeon behauptet, mit dreißig anderen Motorradfahrern in Matlock Bath gewesen zu sein, fast fünfzig Kilometer entfernt«, sagte Cooper. »Habt ihr das Alibi knacken können?«

»Hast *du* mal versucht, als Polizist aus dreißig Motorradfahrern etwas über einen Kumpel herauszuholen?«

Ihm dröhnte der Kopf. Ein paar Minuten lang hatte er die Schmerzen fast vergessen gehabt.

»Da wäre übrigens noch etwas, Diane. Ich finde, du solltest noch einmal mit Gary Edwards sprechen, dem Vogelbeobachter.«

»Mit dem? Warum?«

»Irgendetwas stimmt nicht an seiner Aussage.«

»Da hast du Recht. Dave Rennie hat sie aufgenommen. Mr. Tailby hat selbst gesagt, dass sie nichts taugt. Rennie hat Edwards nie auf die genaue Zeit festgenagelt.«

»Hat in der Zwischenzeit noch einmal jemand bei ihm nachgehakt?«

Fry runzelte die Stirn. »Nein, ich glaube nicht. Es war bestimmt geplant, aber nachdem wir Sherratt festgenommen hatten, wurde es wahrscheinlich in der Priorität heruntergestuft.«

»Und dann ist es irgendwo im System versandet.«

»Und nachdem sie angefangen haben, die Leute von der Ermittlung abzuziehen ...«

»Ja, mich zum Beispiel. Rede doch selbst noch einmal mit ihm, Diane, ja? Machst du das?«

»Du meinst, er kann Harry eindeutig identifizieren? Seine Beschreibung ist doch viel zu vage.«

»Dann musst du ihn ein bisschen bearbeiten. Er weiß etwas, ganz bestimmt. Du musst es machen.«

Fry schwieg, nur ihr Atem war zu hören. »*Wer* glaubst du eigentlich, wer du bist, Ben?«

Cooper hob erstaunt den Kopf. Eine Zeit lang hatte er seine Sorgen vergessen und überhaupt nicht mehr daran gedacht, dass er mehr als einen Grund hatte, Diane Fry zu hassen. Doch ihr wütender Blick und ihr aggressiver Ton ließen keinen Zweifel daran aufkommen, dass das Gefühl der Abneigung auf Gegenseitigkeit beruhte.

»Ich bin nur vorbeigekommen, um dich auf dem Laufenden zu halten, weil ich dachte, dass es dich interessieren würde. Aber Tatsache ist, du arbeitest nicht mehr an diesem Fall. Du hast genug andere Dinge zu tun. Ich brauche mir von dir keine Anweisungen geben zu lassen. Wer glaubst du eigentlich, wer du bist?«

Cooper wurde ebenfalls wütend. Noch nie hatte er sich so über einen Menschen ärgern müssen wie über Diane Fry. Wie schaffte sie es bloß, ihn so zu provozieren, dass er Dinge zu ihr sagte, die er im Traum nicht zu irgendeinem anderen Menschen gesagt hätte?

»Im Moment habe ich keine Ahnung, wer ich bin. Manchmal habe ich das Gefühl, dass ich niemand bin. Als ob ich nur eine Rolle einstudiere, in der meine Familie mich sehen möchte. Bis ich genau wie mein Vater bin.«

»Ach ja? Na, wenigstens *hast* du eine Familie«, sagte sie.

»Was soll denn das jetzt wieder heißen?«

»Nichts. Es spielt keine Rolle.« Sie stand plötzlich auf und sah sich angeekelt das Durcheinander auf seinem Schreibtisch an.

»Dann willst du mich also hängen lassen?«, fragte er.

Sie antwortete nicht und wechselte das Thema. »Ich habe noch eine Neuigkeit für dich. Lee Sherratt ist auf Kaution draußen.«

»Was?«

»Er behauptet, dass er nie die Absicht hatte, das Gewehr zu benutzen. Er sagt, du hättest ihn erschreckt, und er hätte es gerade zufällig in der Hand gehabt. Er hätte es gereinigt. Es war sowieso nur ein Luftgewehr. Dafür braucht man noch nicht mal einen Waffenschein. Okay, er gibt zu, dass er gewildert hat, aber was kostet ihn das schon? Ein paar Pfund Strafe?«

Fry wollte gehen, zurück zu den Vernehmungsräumen und einer weiteren Sitzung mit Harry Dickinson.

»Und was ist mit Laura Vernon?«, fragte Cooper.

»Was soll mit ihr sein? Wir können Sherratt in Bezug auf Laura Vernon nichts nachweisen. Mr. Tailby hat sein Möglichstes getan.«

»Macht er sich keine großen Hoffnungen?«

»Wir haben keine Beweise. Sicher, das Sperma in dem gebrauchten Kondom stammt von ihm – aber wir haben Charlotte Vernons Aussage, dass sie mehr als einmal Sex mit ihm hatte. Es wäre auch durchaus möglich, dass Sherratt derjenige war, der an dem fraglichen Abend um 18:15 Uhr noch mit Laura gesprochen hat. Ich bin sogar felsenfest überzeugt davon. Aber wenn er es nicht zugibt? Beweisen können wir es ihm nicht. Und das weiß Sherratt ganz genau.«

»Aber wir haben doch noch die Bissspuren. Hat man ihm zu Vergleichszwecken einen Gebissabdruck abgenommen?«

»Sinnlos. Das zahnmedizinische Gutachten aus Sheffield ist da. Mr. Tailby ist wütend, dass sie uns auf dieses Ergebnis so lange haben warten lassen.«

»Was für ein Ergebnis?«

»Ben – der Biss hat die falsche Form. Nicht nur, dass er nicht von Lee Sherratt stammt, er ist noch nicht einmal menschlich.«

»Was meinen Sie, was jetzt aus Ihrem Hund wird, Mr. Dickinson?«

»Was soll das heißen?«

Diane Fry reckte angriffslustig das Kinn vor. »Wenn Ihr Hund Laura Vernon angegriffen und gebissen hat, könnten wir das als

schwere Ordnungswidrigkeit im Sinne des Kampfhundegesetzes wer-
ten.«

»Das verstehe ich nicht.«

»Das Gericht könnte veranlassen, dass Ihr Hund eingeschläfert
wird«, sagte sie.

»Da müssen sie vorher mich einschläfern.«

»Aber es ist tatsächlich nicht auszuschließen«, sagte Hitchens, der
Harrys Reaktion gespannt verfolgt hatte. »Wenn Ihr Hund für den An-
griff verantwortlich war, der zu Laura Vernons Tod geführt hat, wäre
es sogar mehr als wahrscheinlich. Wie ist noch einmal der genaue Wort-
laut, Diane?«

»Das Gesetz spricht von ›unbeaufsichtigten Hunden, die Privatper-
sonen verletzen‹.«

»Sie können doch gar nicht wissen, dass es Hundezähne sind«, sagte
Harry.

»Und ob wir das wissen können. Für solche Fragen haben wir heut-
zutage Experten, Harry. Experten mit sehr aufwändigen Instrumen-
ten. Wie zum Beispiel Computertomographen und elektronischen Bild-
verstärkern. Damit können die Fachleute so etwas erkennen.«

»Aye?«

»Wollen Sie hören, was einer dieser Experten zu sagen hat? Ich habe
das Gutachten hier.« Hitchens zog den Bericht des Odontologen her-
vor. Geflissentlich übersprang er den Absatz, in dem ausgeführt wurde,
dass die teuren Geräte nur deshalb zum Einsatz gekommen waren, weil
die Bissspuren nicht tief genug waren, um sie mit den üblichen Metho-
den auszuwerten. »Da hätten wir es ja. Der Gutachter schreibt: ›Es
wird festgehalten, dass der menschliche Biss durch eine einzigartig
ovale Form des Abdrucks gekennzeichnet ist, in deren Mitte sich fast
immer ein ›Saugfleck‹ abzeichnet. Die meisten Menschenbisse weisen
Abdrücke von mehreren der sechs oberen oder unteren Schneidezähne
auf, gelegentlich auch von beiden Zahnreihen. Im Gegensatz zum run-
deren Menschenbiss haben Hundebisse eine eckige Form, wie ein Karo.
Mit Hilfe der elektronischen Bildverstärkung lässt sich unter dem Mik-
roskop eindeutig das Verletzungsmuster eines Hundebisses erkennen‹.«

Hitchens blickte auf. »Mit anderen Worten, es war ein Hundebiss,

Harry. Laura Vernon wurde von einem Hund gebissen. Wir meinen, dass es Ihr Hund war.«

Harry starrte ins Leere. Die Beamten warteten ab. Instinktiv erkannten sie, dass es besser war zu schweigen.

»Und wenn ich Ihnen sagen würde, dass ich die Kleine getötet habe und dass sie erst hinterher gebissen wurde? Würde das etwas nützen?«

Fry staunte. Konnte es wirklich so einfach sein? Nachdem der alte Mann sie so lange auf Granit hatte beißen lassen? DI Hitchens reagierte zurückhaltender. Er hatte schon zu oft Aussagen gehört, die in der gespannten Atmosphäre des Vernehmungszimmers wie Geständnisse klangen und sich dann im kalten Licht des Gerichtssaals nicht halten ließen. Und Harrys Bemerkung war noch nicht einmal eine Aussage gewesen, sondern eine Frage.

»Sie müssen uns erst überzeugen, Harry. Wollen Sie uns jetzt erzählen, was wirklich passiert ist?«

Aber Fry unterbrach ihn. Sie hatte eine Frage, die nicht warten konnte.

»Würden Sie sich wirklich für einen Hund opfern?«

Harry sah sie ruhig an. Der Schmerz in seinen Augen sprach Bände. Seine harte Schale hatte einen Riss bekommen. Er konnte seine Gefühle nicht mehr zurückhalten. Sie brachen mit Macht hervor und ließen sich auch durch eisernen Stolz nicht länger eindämmen.

»Sie würden das nicht verstehen«, sagte er. »Das sieht doch ein Blinder, dass Sie keinen Funken Liebe im Leib haben.«

26

Es ist doch bloß ein Hund«, sagte Fry.

Ben Cooper wandte sich ab. »Sicher.«

»Was hat er damit gemeint, Ben? Mit dem, was er bei der Vernehmung gesagt hat?«

»Er wollte dich nur reizen, Diane. Denk nicht mehr daran.«

Er sah sie besorgt an. Sie schien sich Harry Dickinsons Stichelei viel zu sehr zu Herzen zu nehmen. Er hatte gerade mit einem Autofahrer telefoniert, dem man am Vorabend einen Wagen gestohlen hatte, als Fry wieder in das Kripo-Büro gestürmt kam und unbedingt über die Vernehmung reden wollte. Cooper war kaum Zeit geblieben, das Gespräch zu beenden, als sie ihm auch schon Harry Dickinsons Aussage Wort für Wort wiederholte.

»Aber es ist doch bloß ein *Hund*.«

»Gehen wir in die Kantine«, sagte er.

Offenbar hatte der alte Mann etwas an sich, was Fry vollkommen fremd war. Cooper selbst hatte manchmal den Eindruck, dass er halbwegs mit Harry auf einer Wellenlänge lag, aber eben nur halbwegs. Auch er konnte nie vorhersagen, was er als Nächstes tun würde. Doch für Diane Fry schien er so etwas wie ein Außerirdischer zu sein.

Wenige Minuten später saßen sie vor zwei großen Tassen Kaffee in der Kantine und versuchten, den Lärm von ein paar uniformierten Kollegen am Nebentisch zu ignorieren.

»Wir müssen ihn natürlich laufen lassen«, sagte Fry, die sofort ruhiger geworden war, als das Koffein in ihre Adern strömte. »Es wird keine Anklage erhoben.«

»Raus damit, ich kann es kaum erwarten.«

»Als endlich das angebliche Vergewaltigungsopfer zur Sache befragt wurde, gab das Mädchen zu, sich die ganze Geschichte nur ausgedacht zu haben. Sie hatte ihren Freund ohne Gummi rangelassen, und nachdem sie bei der Nummer wohl nicht ganz auf ihre Kosten gekommen war, fielen ihr plötzlich solche Sachen wie Schwangerschaft und AIDS wieder ein. Von wütenden Eltern ganz zu schweigen.«

»Sie ist in Panik geraten?«

»Ja, angeregt durch halb verdauten Aufklärungsunterricht und eine blühende Phantasie. Nach allem, was in letzter Zeit in der Zeitung stand, fiel ihr nichts Besseres ein, als Vergewaltigung zu schreien.«

»Das soll schon vorgekommen sein.«

Fry zuckte die Achseln. »Wir wissen doch alle, dass es mehr erfundene Vergewaltigungen gibt als echte. Ihr Freund ist übrigens fünfzehn.«

»Aber wie kam sie ausgerechnet auf Harry?«

»Anscheinend waren die beiden früher am Tag in einem Laden aneinander geraten. Harry war dabei der Sieger nach Punkten, und das hatte sie ihm nicht verziehen. Und nach dem ganzen Gerede im Dorf dachte sie wohl, dass man ihr die Geschichte abkaufen würde. Jedenfalls hat sie gesagt, er wäre ein fieser alter Knacker und hätte es nicht besser verdient. Komisch, auf was einige manchmal kommen.«

»Was hat sie eigentlich genau gesagt, als der Kollege sie gefunden hat?«

»Wenn ich mich recht erinnere, hat sie gesagt: ›Es war der alte Mann.‹«

Cooper nickte, er war nicht überrascht. »Es war der alte Mann.« Er dachte an die alten Geschichten der Bergarbeiter aus den Bleiminen über den Berggeist, der in den unbeleuchteten Stollen sein Unwesen trieb und den sie den »alten Mann« nannten. Der »alte Mann« hatte an allem Schuld, was in einer Grube schief ging, von unerklärlichen Geräuschen in der Dunkelheit bis zu tauben Adern und tödlichen Unfällen. Aber er war auch ein

Schutzgeist, die kollektive Seele aller längst verstorbenen Bergleute und des Bergwerkes selbst. Was das Mädchen gesagt hatte, war ein Echo jener Legende. »Es war der alte Mann, der alte Mann.« Ein uraltes Mantra des Aberglaubens.

»Jetzt haben wir sie wegen Vortäuschung einer Vergewaltigung in den Akten. Die dumme Gans. Wir haben sie nach Hause geschickt, mit der Pille für den Morgen danach. Eine Kollegin ist mitgegangen, um mit den Eltern zu reden. Sollen sie sehen, wie sie mit ihr fertig werden.«

»Und Harry?«, fragte Cooper.

»Wieso?«

»Wie hat er das Ganze verkraftet?«

»Der? Der kommt schon darüber hinweg. Der ist zäh wie Leder, wenn du mich fragst. Und viel zu stolz für sein Alter. Wieso machst du dir Sorgen um ihn?«

»Es ist nicht gerade angenehm, als Vergewaltiger festgenommen zu werden.«

Fry zuckte mit den Schultern. »Sein Pech.«

»Hat es jemand Gwen erklärt?«

»Das soll er ihr ruhig selbst erklären.«

»Das kann ich mir nicht vorstellen«, sagte Cooper nachdenklich. »Ich glaube nicht, dass er irgendwelche Erklärungen abgeben wird.«

»Wie ich schon sagte, viel zu stolz.«

»Aber da steckt noch mehr dahinter. Ich glaube, er will möglichst viel Aufmerksamkeit auf sich ziehen. Einer von den Kollegen, die ihn festgenommen haben, hat gesagt, dass es so aussah, als ob er sie erwartet hätte. Er war bereit. Er hat sie mit den Worten begrüßt: ›Das ging ja schnell.‹ Warum sollte er so etwas sagen?«

Fry stellte bedächtig ihre Kaffeetasse ab. »Du denkst wieder an deine Verbindungslinien, nicht wahr, Ben? Hast du die Zeichnung noch?«

»Ja.«

Er breitete die Skizze auf dem Tisch aus und strich sie glatt.

»Ich habe es Mr. Tailby aufgezeichnet, nachdem wir Dickinson wieder in seine Zelle zurückgeschickt hatten«, sagte Fry.

»Wirklich? Und?«

»Ich habe ihm erzählt, was du gesagt hast. Dass der alte Mann aus Familiensinn den Täter decken würde. Aber wer könnte das sein? Das ist die Frage. Darin war Mr. Tailby ganz deiner Meinung.«

Cooper beobachtete sie gespannt.

»Aber er ist überzeugt, dass er nicht Simeon Holmes deckt«, sagte sie.

Er seufzte und ließ die Schultern hängen. »Das hatte ich befürchtet«, sagte er.

Er trank seinen Kaffee aus. Es wurde Zeit, sich wieder seinen Autodiebstählen zu widmen.

»Diane, würdest du mir einen Gefallen tun?«

Fast hätte sie gesagt »noch einen«, aber sie verkniff es sich. »Was denn?«

»Rede noch einmal mit dem Vogelfreund.«

Sie seufzte. »Du bist ja regelrecht besessen von dem Mann.«

Cooper brachte es kaum über die Lippen, aber es ging nicht anders. Es war ihm einfach zu wichtig.

»Bitte, Diane.«

In den letzten Tagen hatte die Stimmung in der Villa ständig gewechselt, und Graham Vernon hatte sich mit allen erdenklichen Emotionen konfrontiert gesehen. Nur positive hatte es nicht gegeben.

Bis gestern war es Charlotte einigermaßen gelungen, sich einen Anschein von Normalität zu geben, doch dann hatte der Besuch der Polizistin ihre Selbstbeherrschung wie ein Kartenhaus in sich zusammenfallen lassen. Seitdem kam von ihr kaum noch ein Wort, kaum eine Reaktion. Heute hatte sie den ganzen Tag das Foto von Laura an sich gepresst, das die Polizei endlich wieder zurückgegeben hatte.

Und was Daniel anging, so schien sich zwischen ihnen, seit er sein Pulver verschossen hatte, ein unsicherer Friede anzubahnen. An diesem Morgen hatte Graham sogar den Eindruck gehabt, dass sich das Verhältnis zwischen seinem Sohn und ihm entscheidend verbessern könnte, wenn diese Sache erst einmal ausgestanden war. Aber wann würde das sein?

»Was treiben sie denn jetzt schon wieder?«, fragte Daniel.

»Keine Ahnung«, sagte Graham. »Mir sagen sie ja nicht, was sie vorhaben.«

Ihnen fehlte der Dorfklatsch, den Sheila Kelk normalerweise nur zu gern bei Charlotte abgeladen hätte. Der einzige andere Mensch, den sie möglicherweise hätten fragen können, war Andrew Milner, aber für Graham war es undenkbar, sich diese Art von Informationen von seinem Angestellten zu beschaffen.

Vater und Sohn standen halbwegs einträchtig an der Terrassentür. Graham war froh, dass Daniel sich schließlich doch noch ein wenig hergerichtet hatte. Er hatte sich die Haare gewaschen und irgendwo im Haus frische Sachen zum Anziehen gefunden. Auch die Küche war erst kürzlich geputzt worden, und das war gewiss nicht Charlotte gewesen. Eigentlich war er überrascht, dass sein Sohn immer noch zu Hause war. Er beobachtete Daniel, um zu verstehen, was in ihm vorging, und weil er eine weitere, ihm unbegreifliche rebellische Geste befürchtete.

Aber Daniel starrte in den Garten hinaus, den Blick auf die dunklen Gestalten geheftet, die zwischen den Koniferen an der unteren Mauer herumstöberten.

»Wonach suchen sie, Dad?«

»Ich weiß es wirklich nicht«, sagte Graham.

Sie sahen zu, wie sich die Polizisten für ein paar Minuten in der Mitte des Rasens versammelten und sich die Erde von den Knien klopften, während sie das weitere Vorgehen besprachen. Dann verteilten sie sich wieder. Die Beamten zogen ihre Handschuhe an und gingen auf die dichten Büsche am Ostrand des Grundstücks zu. Sie arbeiteten sich immer näher an das Tor heran, das auf den Baulk hinausführte. Die Suche ging weiter.

Am Nachmittag suchte Cooper eine Familie aus East Anglia auf, die in der Nähe von Bakewell ein Ferienhaus gemietet hatte. Vor der Höhle in Castleton hatte man ihnen ihren Mitsubishi gestohlen, wie üblich mitsamt Kamera, Fernglas, Handy, Brieftasche und Scheckheft, die im Handschuhfach eingeschlossen gewesen waren. Sie hatten Glück, dass ihnen die Versicherung bis zum Ende der Ferien einen Leihwagen zugestand, aber Cooper hatte das Gefühl, dass sie nicht noch einmal in Derbyshire Urlaub machen würden. Immerhin glaubte ein Familienmitglied, die Diebe in der Nähe des Autos gesehen zu haben, als sie zur Höhle gingen. Eine winzige Spur.

Von Bakewell aus fuhr er über die A6 bis Ashford-in-the-Water. Überall am Straßenrand lagen kleine Strohbüschel und Halme, die vom Fahrtwind hochgewirbelt wurden und wie goldene Sonnenfäden wieder zu Boden sanken.

Die Schulferien dauerten noch eine Woche, und die Touristenrouten durch den Peak District waren von Autos und Wohnwagen verstopft. Wenn sich das schöne Wetter noch etwas länger hielt, würden die Ausflugsziele am Wochenende wieder überfüllt sein und Tausende von Menschen auf den engen Landstraßen schwitzend im Stau stehen, umgeben von Abgaswolken und dem Gestank des heißen Asphalts.

Die Straßen in Ashford waren zugeparkt, und auf der Brücke über das Wehr drängten sich Leute, die zusahen, wie die Enten im seichten Wasser herumpaddelten oder Familien am grasigen Ufer picknickten. In der Mitte des Dorfes, gleich hinter der Kirche, lag ein kleiner Parkplatz, aber da er dicht von Häusern umstanden war, war er relativ sicher. Cooper fuhr weiter.

Von Ashford aus führte eine Straße zum Monsal Head hinauf, dessen spektakuläre Aussicht auf den Eisenbahnviadukt über das bewaldete Wye-Tal viele Touristen zum Anhalten verlockte. Die Bahnlinie war schon lange nicht mehr in Betrieb, und die Trasse wurde inzwischen als Wanderweg genutzt. Auf der anderen Seite des Monsal Dale lagen die Gemeinde Brushfield und eine Hochebene mit einigen stillgelegten Schachtanlagen, die auch sonst zu

Hunderten die Landschaft verschandelten. Cooper war inzwischen tief in das von glitzernden Bächen und sattgrünen Weiden durchzogene White-Peak-Land vorgedrungen, wo sich schmale Seitentäler durch den prähistorischen Meeresboden schoben und felsige Schluchten bildeten.

Nördlich vom Monsal Head kam er an den Kalksteintagebauen vorbei, bevor er nach rechts in Richtung Foolow und Eyam abbog. Nach einem Abstecher zu einem stillgelegten Steinbruch, den Touristen, die auf dem Limestone Way wandern wollten, als unerlaubten Parkplatz benutzten, fuhr Cooper noch über die Eyam Edge, um zuletzt, nicht ganz zufällig, auf der Straße nach Moorhay herauszukommen.

Er stellte den Toyota in Quith Holes an der Alten Mühle ab und redete sich ein, auch dieser Abstecher sei Teil seiner Aufgabe, den Autodiebstählen an Ausflugszielen auf den Grund zu gehen. Es parkten noch andere Autos dort, und auf der Wiese hatten sich einige Familien an Tischen niedergelassen. Hinter der Mühle, in einer engen Straße mit einem »Privat – Durchfahrt verboten«-Schild, drängten sich mehrere Cottages.

Cooper überquerte eine kleine Steinbrücke in der Nähe der ursprünglichen Furt und nahm den Weg, der um die Raven's Side herumführte. Obwohl ihm Beine und Rücken von den Prellungen wehtaten, war er froh, ein bisschen Bewegung zu bekommen. Er musste die Landkarte zu Hilfe nehmen, weil er den Weg bisher noch nie aus dieser Richtung gegangen war. Aber indem er seinen Instinkten folgte und sich leicht bergab hielt, kam er bald in die Gegend, wo er vor vier Tagen mit Harry Dickinson gegangen war.

Wieder verließ er den Pfad und kletterte über die Ansammlung von Felsblöcken zum Fundort der Leiche oberhalb des Baches hinauf. Bis auf eine breite, kahle Stelle, wo das Unterholz bis auf die Erde abgeholzt worden war, um es im Labor untersuchen zu können, deutete nichts mehr darauf hin, dass hier ein Verbrechen geschehen war.

Er blickte zum Bach hinunter. Ihm war klar, dass er dort nichts sehen würde, was nicht längst von der Spurensicherung gefunden und identifiziert worden war. Es war eher ein Gefühl, eines dieser Gefühle, die ihn manchmal überkamen und die er sich selbst nicht erklären konnte. In der Dienststelle E redete er nicht viel darüber. Er konnte es sich nicht leisten, als Exzentriker abgestempelt zu werden. Im Polizeidienst musste man sich anpassen, man musste ein Mannschaftsspieler sein und sich an die Vorschriften halten. Doch nun stand er an der Stelle, wo Laura Vernons Leiche gefunden worden war, und hoffte auf eine Eingebung. Eine vage Idee, die er wegen der Nachwehen seines Katers nicht richtig zu fassen bekam, ließ ihn nicht los. Sie war ihm in der letzten Nacht gekommen. Es ging dabei um Hunde. Oder waren es Schweine gewesen?

Cooper hatte ein deutliches Bild vor Augen. Er sah eine spitze schwarze Schnauze mit weißen Zähnen, die zuschnappten und an bleichem, totem Fleisch rissen. Er sah geifernde Kiefer und eine rosafarbene zuckende Zunge. Ein grollendes Knurren entrang sich einer fellbedeckten Brust. Böse rote Augen stierten mit irrem Blick, während die Zähne zubissen und in das Fleisch eindrangen. Die weiße Haut verfärbte sich dunkel und riss ein, doch sie blutete nicht. Schließlich sah Cooper, wie der Hund sein Opfer losließ, zu den dunklen, verkrümmten Formen der Witches hinaufstarrte und zu heulen begann. Enttäuscht kratzte er mit den lehmverkrusteten Krallen in der Erde. Der Schwarze Hund hatte eine Seele holen wollen, doch er war zu spät gekommen.

Aber irgendetwas stimmte nicht an diesem Bild. Cooper schüttelte den Kopf, um einen klareren Blick zu bekommen. Er wusste, dass dieser schwarze Hund sein eigener war. Er schleppte ihn seit seiner Kindheit mit sich herum. Der Hund hatte ihn holen wollen, nicht Laura Vernon.

Er wartete vergeblich auf eine Eingebung. Nach einigen Minuten gab er es auf, kehrte auf den Weg zurück und sah den Berg hinauf. Eigentlich musste er zurück nach Quith Holes, zurück zum Wagen und seinen Routineermittlungen. Der Fall Vernon ging ihn nichts mehr an.

Aber er drehte sich um und schleppte sich in Richtung Moorhay den Berg hinauf, obwohl ihn der Muskelkater quälte und die geprellten Rippen schmerzten. Als er aus den Bäumen heraus war, brannte ihm die Sonne auf Rücken und Schultern und ihm wurde leicht schwindelig. Was er hier trieb, war nicht gerade der beste Weg, sich wieder für den Posten des Sergeants zu empfehlen. Aber irgendetwas war hier draußen auf dem Baulk geschehen. Wen hatte Laura Vernon getroffen? War es ein geplantes oder ein zufälliges Treffen gewesen? War ihr jemand gefolgt, oder war sie den Weg mit dem Mann hinuntergegangen, mit dem sie hinter dem Garten der Villa gesprochen hatte?

Vielleicht würden ihnen die Ergebnisse der kriminaltechnischen Untersuchungen darüber endgültig Aufschluss geben. Immerhin wussten sie inzwischen schon, dass die Bissspuren am Oberschenkel des Opfers nicht von einem Menschen stammten. Möglicherweise von einem Hund. Doch genauso gut hätte es auch ein Fuchs gewesen sein können, der die verwesende Leiche im Unterholz aufgestöbert hatte. Aber ob das Labor auch die Identität des Täters feststellen konnte? Cooper bezweifelte es.

Kurz vor dem Dial Cottage stieß er auf Harry Dickinson, der unter einem Baum im Schatten stand, seinen Hund zu seinen Füßen. Er starrte Cooper wortlos an.

»Sie sind es.«

»Aye, ich. Unkraut vergeht nicht.«

»Aber normalerweise gehen Sie doch um diese Zeit nicht mit dem Hund spazieren, Mr. Dickinson.«

»Ich musste den Geschmack der Polizeiwache loswerden, Junge.«

»Und was haben Sie seitdem so getrieben?«

»Mich um meine eigenen Angelegenheiten gekümmert.«

Cooper, der unter der Sonne litt und dem alle Glieder wehtaten, wollte wütend antworten. Aber Harry legte den Kopf auf die Seite und sah ihn mit einem unergründlichen Blick an.

»Wollen Sie mich wieder verhaften? Es sind keine jungen Mädchen im Wald – nicht um diese Tageszeit.«

»Darüber sollte man keine Witze machen, Mr. Dickinson. Finden Sie nicht auch?«

»Aye, vielleicht haben Sie Recht, mein Junge. Vielleicht habe ich für einen Tag schon genug Spaß gehabt.«

Cooper merkte auf. Der Anflug von Verbitterung in der Stimme des alten Mannes war ihm nicht entgangen. Bei Harry war jede Gefühlsregung eine Seltenheit. Seine Worte hatten etwas Abschließendes, als ob sich irgendetwas dem Ende zuneigte. Er hatte genug – aber wovon?

»Sie haben Jess auf der Polizeiwache in einen Zwinger gesperrt«, sagte Harry. »In einen Käfig, zusammen mit lauter Promenadenmischungen und Streunern. Als ob sie jemals einem Menschen etwas angetan hätte. Womit hat sie das verdient?«

Cooper überkam ein seltsames Gefühl, eine starke, körperlich spürbare Erregung, die ihm einen Schauer über den Rücken laufen ließ. Er sah zu Boden, wo Jess, die schwarze Labradorhündin, neben Harrys Füßen im Gras lag. Die heraushängende Zunge hob sich leuchtend rosa von dem schwarzen Fell ab.

»Ja«, sagte er. Er rang um Atem. »Ja, genau.«

Harry musterte ihn misstrauisch. Cooper schüttelte sich und starrte den alten Mann an. Zum ersten Mal seit Tagen begann er zu lächeln.

Gwen Dickinson, die aus dem Küchenfenster nach Harry Ausschau gehalten hatte, sah Ben Cooper den Weg heraufkommen. Ihr Gesicht war abgehärmt, die Augen von Schlafmangel und Tränen gerötet.

Cooper musste daran denken, dass auch sie in einem Vernehmungsraum in Edendale befragt worden war, wo man sie darüber in Kenntnis gesetzt hatte, dass ihr Mann der Vergewaltigung verdächtigt wurde. Ihm wurde übel bei dem Gedanken, was man Menschen wie Gwen antat – unschuldigen Menschen, die rein zufällig in den Sog einer wichtigen Ermittlung geraten waren, weil sie etwas gesehen hatten oder irgendwelche Informationen besaßen, die die Polizei unter allen Umständen aus ihnen herausholen wollte, während vor ihren Augen das Fundament ihres Lebens zerstört wurde. Für Gwen würde das Zusammenleben mit Harry nie wieder so sein wie vorher.

»Was hat er gesagt?«, fragte Gwen, als er die Hintertür des Häuschens erreicht hatte. Sie klammerte sich an seinen Arm, als ob sie erwartete, dass er alles wieder in Ordnung bringen könnte. »Sie haben doch mit Harry gesprochen.«

»Er hat gar nichts gesagt. Es tut mir Leid.«

Cooper wusste selbst nicht, wofür er sich entschuldigte. Aber er hatte Gwen enttäuscht, das sah er ihr an. Sie drehte sich um und ging zurück ins Haus, abgewetzte Pantoffeln an den Füßen, die mit rosa Rosen verziert waren.

»Kommen Sie rein. Helen ist da.«

»O nein, nicht nötig. Ich will nicht stören.«

Er wollte sich zurückziehen, aber da erschien auch schon Helen in der Küche, angelockt durch seine Stimme. Sie trug Jeans und ein T-Shirt und hatte ein Staubtuch in der Hand. Das rote Haar hatte sie mit einer Schleife zurückgebunden.

»Komm rein, Ben. Bleib doch nicht da draußen stehen.«

»Helen hat ein bisschen bei mir geputzt«, sagte Gwen. »Ich kann mich nicht mehr dazu aufraffen.«

Die alte Frau schlurfte ins Wohnzimmer und ließ sich seufzend im Sessel nieder. Helen sah Cooper bekümmert an.

»Ich kann wirklich nichts dafür«, sagte er.

»Ich weiß. Es tut mir Leid, Ben.«

»Ich arbeite sowieso nicht mehr an dem Fall. Man braucht mich nicht mehr.«

Helen legte ihm die Hand auf den Arm; sie spürte, wie schlecht er sich fühlte. »Ich mache mir wirklich Sorgen um Großvater. Ich glaube, er hat etwas vor. Deshalb weicht er mir auch aus, seit er von der Polizeiwache zurück ist. Weil er Angst hat, dass ich ihn durchschaue; er weiß, dass ich ihn verstehe. Wir haben ein sehr enges Verhältnis. Ich glaube, das ist der Grund, warum er sich so merkwürdig aufgeführt hat. Er lässt Großmutter und mich nicht an sich heran, damit wir nicht erraten, was er vorhat. Aber er heckt irgendetwas aus. Kannst du uns nicht helfen, Ben?«

»Hat er überhaupt nichts gesagt?«

»Nur einen Satz, gleich nachdem er wieder da war. Und der hat mich noch mehr beunruhigt. Er hat gesagt: ›Es hat Vernon gegolten.‹«

Das Klingeln des Telefons schrillte laut durch das kleine Cottage. Gwen zuckte erschreckt zusammen, aber sie stand nicht auf. Sie umklammerte die Armlehnen und warf Helen einen flehenden Blick zu. Ihre Enkelin ging an den Apparat. Cooper sah, wie sich ihr Gesichtsausdruck veränderte und wie sie unter der braunen Haut blass wurde. Offensichtlich noch eine schlechte Nachricht.

Nachdem sie den Hörer wieder auf die Gabel gelegt hatte, drehte Helen sich langsam zu Gwen und Cooper um. Aber sie konnte Cooper nicht in die Augen sehen. »Das war Mum«, sagte sie. »Die Polizei hat Dad zum Verhör abgeholt.«

DCI Tailby ließ Andrew Milner nicht aus den Augen. Ihm war die Nervosität seines Gegenübers nicht entgangen, genauso wenig wie die feinen Schweißperlen, die sich auf dessen Stirn gebildet hatten. Auf dem Tisch im Vernehmungszimmer stand eine Tasse Tee, unangerührt und vergessen. Auf der Flüssigkeit hatte sich ein trüber Film ausgebreitet.

»Mr. Milner, Ihre Tochter Helen hat uns von den Partys in der Villa erzählt.«

»Ach«, sagte Andrew. Er machte ein entgeistertes Gesicht.

»Sie hat einen Vorfall geschildert, an dem Graham Vernon beteiligt war. Ihr Chef, Mr. Milner.«

»Ja.«

»Sie wissen über dieses Vorkommnis Bescheid? Ich beziehe mich auf den Abend, an dem Mr. Vernon Ihre Tochter in eines der Schlafzimmer gelockt hat. Nach ihrer Schilderung könnte man den Übergriff durchaus als versuchte Vergewaltigung einstufen.«

»Ja, Helen hat es mir erzählt. Sie war sehr aufgeregt.«

»Und wie haben Sie darauf reagiert, Mr. Milner?«

»Ich war natürlich schockiert und empört. Ich hatte immer ein gutes Verhältnis zu Graham Vernon. Natürlich wusste ich über die Partys Bescheid, die Charlotte und er gaben. Ich werde nie begreifen, was sie daran finden. Das ist eine andere Welt, Chief Inspector. Auf jeden Fall ist es nicht meine Welt.«

»Sie wussten, was sich auf diesen Partys abspielte? Aber Sie haben Helen trotzdem nicht daran gehindert, die Einladung anzunehmen?«

»Ich? Helen hindern? Wie denn?« Andrew breitete Verständnis heischend die Hände aus. »Sie ist erwachsen. Sie hört nicht auf mich.«

»Sie haben sie noch nicht einmal gewarnt?«

»Ich habe gehofft, dass nichts passieren würde. Ich habe nicht damit gerechnet, dass Graham… so etwas probieren würde… nicht bei Helen, bei meiner Tochter. Ich dachte, es würde gut gehen. Und sie wollte unbedingt hingehen. Ich hätte sie nicht aufhalten können. Ich dachte, es würde gut gehen.«

»Aber es ging nicht gut.«

Er sackte zusammen. »Nein.«

»Haben Sie Mr. Vernon zur Rede gestellt?«

»Ja, das habe ich.«

»Was haben Sie zu ihm gesagt?«

»Nun… dass ich empört war über das, was Helen mir erzählt hatte. Dass sie behauptet hat, er hätte sie angegriffen. Sexuell.«

»Und seine Reaktion?«

Andrew rang die Hände, sein Blick bat um Mitleid. Er durchlebte das ganze Gespräch noch einmal, genau wie Tailby es erwartet hatte. Mit einem lauten Seufzer sank Andrew schließlich noch tiefer auf seinem Stuhl zusammen.

»Er hat nur gelacht«, sagte er.

»Er fand es lustig, dass er über Ihre Tochter hergefallen war?«

Andrew nickte. »Offensichtlich. Er sagte, solche Spielchen seien auf seinen Partys nun mal das Salz in der Suppe. ›Spielchen‹. Ich solle mir nichts daraus machen, Helen sei schließlich ein großes Mädchen. Ich wusste nicht, was ich sagen oder tun sollte. Ich kam mir so dumm vor. Er gab mir das Gefühl, ich sei derjenige, der nicht wüsste, was sich gehört. So fühle ich mich in seiner Gegenwart immer.«

»Andere Väter hätten genau gewusst, was zu tun ist«, warf Hitchens ein.

»So ein Vater bin ich wohl nicht. Ich bin auch nicht so ein Mann. Für mich war Gewalt noch nie eine Lösung.«

»Gewalt. Aha. Meinen Sie, ich wollte darauf hinaus?«

»Nicht?«, fragte Andrew erstaunt. Er sah den Beamten vorwurfsvoll an, als ob der ihn in eine Falle gelockt hätte.

»Und natürlich ist Mr. Vernon fast zehn Zentimeter größer als Sie, und schwerer, jünger und fitter ist er auch. Unter diesen Umständen war es klüger, Vorsicht walten zu lassen. Sehr weise.«

Andrew senkte den Kopf und nahm die Spitze widerspruchslos hin.

»Sie hätten ihn anzeigen können. Sie hätten kündigen können«, sagte Tailby. »Aber Sie ziehen es vor, weiter für diesen Mann zu arbeiten.«

»Chief Inspector, ich kann es mir nicht leisten, meine Stelle zu verlieren. Ein Mann in meinem Alter und mit meinem beruflichen Hintergrund findet nur schwer wieder Arbeit. Ich habe eine Frau, eine Hypothek. In der Vergangenheit habe ich beruflich Pech gehabt. Das darf mir nicht noch einmal passieren. Ich brauche den Job bei Vernon. Kündigen? Ausgeschlossen.«

Tailby ließ sich nicht anmerken, dass Andrew ihm Leid tat. »Dann wechseln wir das Thema und kommen zu Charlotte Vernon.«

»Charlotte?«

»Mrs. Vernon hat ausgesagt, Sie seien einer ihrer Liebhaber.«

Andrew sperrte den Mund auf und schüttelte heftig den Kopf. »O nein.«

»Heißt das, sie hat gelogen?«

»Ich war nicht ihr Liebhaber.«

»Nein? Wieso sollte sie so eine Lüge erfinden, Mr. Milner?«

»Das weiß ich nicht.«

»Aber Sie waren doch einmal auf einer dieser Partys bei den Vernons, nicht wahr?«

»Ja, gut. Aber bei… bei so etwas würde ich nie mitmachen.«

Tailby schwieg eine Zeit lang. Andrew Milner ließ den Kopf hängen und wartete schicksalsergeben auf die nächste Frage.

»Wo waren Sie Samstagabend, Mr. Milner?«

Andrew machte ein verwirrtes Gesicht. »Das habe ich doch schon vor Tagen gesagt«, sagte er angriffslustig.

»Ach ja.« Tailby warf einen Blick in seine Unterlagen. »Sie waren bei einer Besprechung mit Klienten in Leeds. Ist das nicht etwas ungewöhnlich für einen Samstagabend?«

»Überhaupt nicht. Wir hatten sehr viel zu tun. Wenn die Klienten samstags arbeiten, arbeiten wir auch.«

»Und Sie sagen aus, Sie seien müde gewesen und hätten auf dem Heimweg eine Pause gemacht.«

»An der Raststätte Wolley Services auf der M1. Ich hatte einen langen Tag hinter mir. Ich glaube, ich habe fast eine Stunde geschlafen. Wenn man übermüdet ist, sollte man nicht Auto fahren.«

»Wie wahr. Weiter sagen Sie aus, Sie hätten anschließend auf der M1 im Stau gestanden.«

»Ja, und nachdem ich von der Autobahn abgefahren war, auch. Als ich durch Sheffield kam. Ich glaube, es hatte irgendwo einen Unfall gegeben. Und dazu noch die üblichen Baustellen.«

Tailby schlug mit der flachen Hand auf die Akte. »Natürlich gab es Baustellen. Es gibt immer Baustellen. Und für den Rest Ihrer Aussage gibt es keinerlei Beweise.«

»Daran kann ich auch nichts ändern.«

»Also gut«, sagte der DCI. »Kommen wir noch einmal auf Ihr Verhältnis zu Mr. Vernon zu sprechen. Sie können es sich nicht leisten zu kündigen, und Sie können es sich nicht leisten, zu hart mit dem Boss aneinander zu geraten. Ist das richtig? Also sitzen Sie einfach da und drehen Däumchen, während der Mann über Ihre Tochter herfällt. Sie finden sich mit der Demütigung ab.«

»Ich fürchte, genauso war es.«

Tailby stand auf und beugte sich wütend über Andrew Milner, der auf seinem Stuhl noch kleiner wurde.

»Nein, das nehme ich Ihnen nicht ab, Mr. Milner. Ich glaube nicht, dass Sie sich einfach so gefügt haben.«

»Worauf wollen Sie hinaus?«

»Ich denke, Sie konnten die Demütigung nicht verwinden. Ich denke, es hat an Ihnen genagt, die Wut, die Erniedrigung, der Selbstekel. Die Scham, dass Sie nicht Manns genug waren, so zu reagieren, wie die meisten anderen Väter reagiert hätten. Sie hassten Graham Vernon ohnehin schon, weil er Sie missachtet und wie einen Dienstboten behandelt. Doch nun wurde Ihr Hass übermächtig, und Sie wollten zurückschlagen. Ich denke, Sie fanden das ideale Mittel zum Zweck – seine eigene Tochter. Ihr Motiv war Rache, sehe ich das richtig, Mr. Milner? Rache für die Erniedrigung, für Helens schreckliches Erlebnis und für Ihre eigene Hilflosigkeit. Wie du mir, so ich dir. Laura Vernon bot sich als Angriffsziel geradezu an.«

»Ich weiß wirklich nicht, wovon Sie reden.«

»Ich glaube, das wissen Sie genau. Was haben Sie *wirklich* am Samstagabend gemacht, Mr. Milner?«

Die Stille wurde unerträglich, während Tailby sich zu Andrew hinunterbeugte und auf eine Antwort wartete. Die Tonbänder liefen surrend weiter. Andrew Milner rührte sich nicht. Dann verzerrte sich sein Gesicht. Er rang die Hände, und Tränen liefen ihm über die Wangen.

27

Ben Cooper setzte den Feldstecher an und ließ den Blick über den Berg gleiten, die Ellenbogen auf das warme Gestein gestützt. Es dämmerte bereits, und die verstreuten Gebäude wirkten grau und flach. Zum ersten Mal seit Tagen hatte sich im Westen eine Wolkenbank aufgetürmt, die die untergehende Sonne verbarg. Trotzdem hatte er den weißen Wagen, der den Feldweg heraufgeholpert gekommen war, gut erkennen können, genauso gut wie die drei Gestalten, die sich jetzt langsam vor dem baufälligen Gehöft hin und her bewegten.

»Jetzt sind alle drei da.«

»Lass mich mal sehen.«

Er reichte den Feldstecher vorsichtig weiter und legte sich etwas bequemer hin. Er lag auf der Erde, das Profil im Schatten des Berges, fast unsichtbar vor den Felsen in seiner dunklen Kleidung.

»Harry hat den Hund dabei.«

»Wie immer.«

»Im Moment scheinen sie einfach nur herumzustehen.«

»Normalerweise wären sie um diese Zeit im Pub. Sie sind spät dran. Übrigens, warum sollten Harry und Sam Beeley auf die Farm kommen? Es wäre doch viel einfacher für sie, sich mit Wilford unten im Pub zu treffen. Sie wohnen beide in der Nähe, und Wilford hat ein Auto.«

Diane Fry sah weiter durch den Feldstecher. Cooper betrachtete gespannt ihr Gesicht. Sie hatte sich zwar überreden lassen, nach Dienstschluss mit ihm auf die Raven's Side zu kommen, war aber noch lange nicht überzeugt, dass er nicht schon wieder irgendeine Eselei vorhatte. Als er vor zwei Tagen auf der Raven's Side gesessen und sich an die Legende von den schwarzen Hunden erinnert hatte, die in den Bergen umgingen, hatte er auch diese Stelle entdeckt, von der aus man die Thorpe Farm gut beobachten konnte.

»Vielleicht wollen sie Wilford nur helfen, die Tiere zu füttern«, sagte sie.

Cooper lächelte. »Was für Tiere?«

Fry fragte sich, wonach sie eigentlich Ausschau hielt, während sie den Feldstecher über die Gebäude gleiten ließ. In den morschen Schuppen und Hütten konnte alles Mögliche verborgen sein. Wenn es jemals zu einer Durchsuchung käme, wäre es der reinste Albtraum.

Rechts neben den Gebäuden konnte sie gerade noch den berühmten Misthaufen ausmachen. Er lag da wie eine riesige Ladung Kot, die ein monströses Wesen auf dem Weg nach Moorhay fallen gelassen hatte. Selbst aus dieser Entfernung konnte sie die Dunstschwaden erkennen, die von ihm aufstiegen. Sie bildete sich sogar ein, dass die Abendluft danach stank, und schüttelte sich.

»Es ist wirklich ziemlich ruhig auf den Feldern«, sagte sie. »Die Tiere sind sicher schon im Bett.«

Als Cooper verächtlich schnaubte, nahm sie den Feldstecher herunter und funkelte ihn böse an. Genau wie er trug auch sie Jeans und eine dunkle Jacke. Es lag sich nicht gerade bequem auf der harten Erde, und sie hatte ein ungutes Gefühl bei dem, was sie taten. Sie erinnerte sich noch allzu gut an Dienstagabend, als sie Ben Cooper zu der Wildererhütte gefolgt war – hinein in den Schlamassel. Sie begriff nicht, warum sie sich von ihm noch einmal zu so einem hirnrissigen Unternehmen hatte überreden lassen, obwohl sie wusste, dass es ein Fehler war.

»Entschuldigung«, sagte er. »Was machen sie jetzt?«

»Nichts. Wahrscheinlich hat Wilfords Frau irgendwas gekocht und sie gehen gleich zum Essen.«

Er runzelte die Stirn. »Was hast du gesagt? Wer hat was …?«

»Ich sagte, sie gehen bestimmt gleich essen. Daran sollten wir auch langsam denken, Ben.«

»Okay, okay. Ich lade dich nachher zum Chinesen ein. Was meinst du? Wir gehen zu Fred Kwok. Das ist der beste Chinese in Edendale. Wie wäre es nachher mit ein paar ausgebackenen Wan Tan?«

»Jetzt wären sie mir lieber. Jetzt würde ich sogar eine Fleischpastete mit Erbsenpüree im Drover essen.«

Er schwieg, aber sie wusste, dass er sie mit diesem bittenden Blick ansah, der sie verwirrte und wütend machte, weil er Gefühle in ihr wachrief, die sie seit langem zu unterdrücken versuchte. Gefühle, die sie in letzter Zeit nur einmal an die Oberfläche gelassen hatte, mit erniedrigenden Konsequenzen. Das sollte ihr nicht noch einmal passieren.

»Ich habe bestimmt Recht, Diane«, sagte er.

Doch als sie Cooper jetzt ansah, wurde ihr klar, dass sie einzig und allein deshalb mitgekommen war. Deshalb hatte sie sich auf diese ungenehmigte Observierung eingelassen. Nur wegen seiner Zivilcourage und seines unerschütterlichen Selbstvertrauens. Er hatte lediglich ein paar Fakten mit seinen unausgegorenen Ideen, Instinkten und Gefühlen vermischt, und schon war er aufrichtig überzeugt, Recht zu haben. Ben Cooper war ein Mann, der zu seinen Überzeugungen stand; wenn er an etwas glaubte, war er mit echter Leidenschaft dabei. Alles in allem eine absurd attraktive Mischung.

»Ben – du hast dich schon einmal geirrt. Du arbeitest nicht einmal mehr an dem Fall. Gib lieber jetzt auf, sonst tut es dir hinterher Leid.«

»Was habe ich denn noch zu verlieren?«, blaffte er.

»Pst. Gleich wissen die da unten, dass wir hier sind.«

»Ich verspreche dir, dass ich Recht habe.«

»Okay, okay.«

Direkt unter ihnen schmiegte sich ein Waldstück an den Berg. Leise Geräusche drangen herauf, von Tieren, die sich ein Nachtlager suchten oder auf die Jagd gingen. Etwa fünfzig Meter weiter, wo der Mühlensandstein zu Tage trat und der Boden kahl und felsig wurde, dünnte der Wald aus. Hinter ihnen erhoben sich hohe Felsnasen, die von den geologischen Kräften und dem Wetter bizarr verformt worden waren. Ihre Namen verdankten sie zum großen Teil der düsteren Phantasie der Landbevölkerung – Horse Stone, Poached Egg Stone, Mad Woman.

Dabei bin ich hier die Wahnsinnige, dachte Fry. Es ist ein Wahnsinn, dass ich mitgekommen bin.

Cooper wusste, dass er sie mit Samthandschuhen anfassen musste. Sie war so angespannt wie eine Feder – ein falsches Wort, und sie würde aufstehen und gehen. Aber es war schwierig, bei Diane Fry nicht das Falsche zu sagen. Außerdem hatte er viel zu viele Fragen, die er ihr außerhalb des Büros gerne gestellt hätte. An erster Stelle stand die Frage, was sich zwischen ihr und DI Hitchens auf dem Abstecher nach Yorkshire abgespielt hatte. Doch es war wohl klüger, sich diese Frage für später aufzusparen.

»Tippt Mr. Tailby immer noch auf Andrew Milner?«, fragte er, ein weniger heikles Thema anschneidend.

»Deine Skizze hat ihn in seiner Meinung bestärkt. Das und die fehlenden Beweise gegen Simeon Holmes. Wenn Harry Dickinson jemanden deckt, muss es Milner sein.«

»Ja. Harry hält zwar nicht viel von seinem Schwiegersohn, aber seiner Tochter zuliebe würde er ihn schützen. Um der Familie willen.«

»Familiensinn. Wie du sagtest, ein starkes Motiv.«

»Ja, das würde passen«, sagte Cooper traurig.

»Milner ist von Graham Vernon bis aufs Blut gereizt worden. Vielleicht hat es ihm schließlich gereicht, und er hat sich gerächt.«

»Er wurde nicht nur von Vernon bis aufs Blut gereizt, auch seine eigene Familie hat ihn an sein Versagen erinnert. Vor allem Harry hat ihm seine Schwäche vorgehalten. Wenn Harry herausgefunden hatte, was passiert ist, würde er sich schuldig fühlen, ja sogar mitverantwortlich für die Tat. Er würde es wieder gutmachen wollen. Das klingt plausibel.«

Cooper dachte an seinen ersten Besuch im Dial Cottage. Er erinnerte sich an den blutverschmierten Turnschuh, der auf dem Küchentisch auf dem *Buxton Advertiser* gelegen hatte, an die gespannte, erstickte Atmosphäre in den vollgestellten Räumen. Er erinnerte sich daran, wie verstört die alte Frau gewesen war. Es hatte nicht nur der harmlose Fund des Turnschuhs dahinter gesteckt.

»Ich frage mich, ob es bei ihrem Streit darum ging«, sagte er. »Und wenn ja, wer auf wessen Seite stand.«

Fry macht ein verständnisloses Gesicht, aber sie fragte nicht weiter nach. »Auf jeden Fall hat Milners Alibi von Anfang an nichts getaugt.«

»Nein?«

»Es ist völlig ausgeschlossen, jemanden zu finden, der sich an ihn erinnert. Er hätte zur Tatzeit überall sein können.«

»Aber einen Beweis dafür, dass er am Tatort war, haben wir auch nicht.«

»Der DCI meint, es lohnt sich, an ihm dranzubleiben. Und er ist kein zweiter Harry Dickinson. Mr. Tailby hat ihn inzwischen bestimmt schon weich gekocht.«

Cooper schwieg. Er musste einen Augenblick völlig stillliegen, weil ihm der Brustkorb wehtat.

»Andrew Milner kann es nicht gewesen sein«, sagte er.

»Aber du hast doch gerade gesagt, dass bei ihm alles zusammenpasst!«

»Es passt ja auch. Zumindest stimmt es mit den Fakten überein. Aber er kann Laura Vernon trotzdem nicht getötet haben.«

»Warum nicht?«

Er zuckte mit den Schultern. »Ich weiß auch nicht. Er kann es einfach nicht gewesen sein.«

»Du spinnst. Du hast wirklich nicht alle Tassen im Schrank.«

Eine Zeit lang lauschten sie nur noch auf die Geräusche aus dem Wald. Ein kleiner Schwarm Dohlen umkreiste den benachbarten Felsen. Bis die Vögel endlich einen Platz für die Nacht gefunden hatten, übertönten ihre harschen, blechernen Schreie alle anderen Geräusche, die aus dem Tal heraufdrangen.

Die Minuten vergingen, ohne dass etwas passierte. Die drei alten Männer standen immer noch vor dem Haus um den weißen Pick-up-Truck herum. Noch eine halbe Stunde, und es würde völlig dunkel sein. Fry gab den Feldstecher an Cooper weiter. Dann wälzte sie sich auf die Seite und steckte die Hand in die Jackentasche. Sie zog eine Tüte bunte Bonbons heraus.

»Ich habe mal irgendwo gelesen, dass man in den Bergen immer was zu essen dabei haben soll. Wegen der Energie.«

Cooper nahm ein Bonbon und steckte es in den Mund. Er sah sie nachdenklich an. Sie wandte sich ab und tat so, als ob ihr im Wald etwas aufgefallen wäre. Jenseits des Tals zog ein Düsenjet, der auf dem Weg nach Manchester war, einen dünnen Streifen über den Himmel.

»Diane«, sagte er zögernd.

»Ja?«

»Was ist mit deiner Familie?«

Fry starrte weiter in die Ferne. Eine Sehne zuckte in ihrem Hals, als sie die Zähne zusammenbiss. Doch das war auch schon das einzige Anzeichen, dass sie ihn gehört hatte.

Er betrachtete ihr Profil und versuchte, ihre Gedanken zu lesen, ihre Gefühle zu erahnen. Aber ihre Miene war versteinert und ausdruckslos, die Augen starr auf etwas geheftet, was tief im Wald oder noch weiter dahinter liegen mochte.

Eine Amsel, die unter den Bäumen im toten Laub scharrte, pfiff und schnatterte vor sich hin. Weiter unten im Tal rief ein Rebhuhn. Sie hörten den Motor eines Autos, das aus Moorhay kam und in Richtung Edendale den Berg hinauffuhr.

»Du brauchst es mir nicht zu erzählen, wenn du nicht willst«, sagte er leise.

Da wandte sie ihm das Gesicht zu. Die Lippen hatte sie immer noch zu einem dünnen Strich zusammengepresst, aber ihr Blick war nicht mehr abwesend.

»Manchmal bist du wirklich nicht zu fassen, Ben.«

»Bin ich so unglaublich?«

»Ist das vielleicht der ideale Augenblick, um mit mir über mein Privatleben zu sprechen?«

»Ich dachte, du hättest vielleicht Lust, dich ein bisschen zu unterhalten, während wir warten.«

»Weißt du, worauf ich Lust hätte? Dir eins auf die Nase zu geben.«

»Oh, tu das nicht. Meine Schreie würden unsere Position verraten.«

»Okay.«

Wieder verstrichen die Minuten. Die Amsel keckerte im Laub auf dem Waldboden. Ein Eichhörnchen, das von einem Baum zum anderen sprang, raschelte in den Zweigen. Ein großer, heller Nachtfalter flatterte Fry vor der Nase herum, bis sie ihn wegscheuchte. Auf den Hängen des Baulk schrie ein Waldkauz. Schließlich stieß Fry einen tiefen Seufzer aus.

»Ich kam mit neun Jahren in eine Pflegefamilie. Angeblich hatten meine Eltern meine elfjährige Schwester missbraucht. Angeblich waren sie beide daran beteiligt. Also kamen wir in Pflegefamilien, aber andauernd zu anderen Leuten. Es waren so viele, dass ich mich gar nicht mehr an alle erinnern kann. Es hat Jahre gedauert, bis ich gemerkt habe, dass wir wegen meiner Schwester nirgendwo lange geblieben sind. Sie hat überall nur Ärger gemacht. Keiner konnte mit ihr fertig werden. Aber ich habe sie vergöttert und wollte mich nicht von ihr trennen lassen.«

»Und du?«

»Ich? Meinst du, ob ich auch missbraucht wurde? Ich weiß es nicht.«

»War es…«

»*Ich weiß es nicht.*«

Die Amsel flog durchs Unterholz davon und stieß einen Warnruf aus. Das Eichhörnchen verharrte auf einem Ast, den Körper aufrecht, den Kopf wachsam auf die Seite gelegt. Automatisch zogen Cooper und Fry die Köpfe ein und schmiegten sich dichter an den Boden. Allmählich kehrten die normalen Berggeräusche zurück. Das Eichhörnchen beruhigte sich und kletterte weiter.

»Und was ist aus deinen Eltern geworden?«

»Ich habe wirklich nicht die leiseste Ahnung. Und ich will es auch gar nicht wissen. Okay?«

»Und deine Schwester?«

Fry zögerte. Als sie antwortete, hatte ihre Stimme alle Schärfe verloren. Sie richtete den Blick wieder nach innen, auf die Bilder in der Dunkelheit, die nur sie allein sehen konnte. »Ich habe sie nicht mehr gesehen, seit sie sechzehn war. Sie ist von unseren Pflegeeltern abgehauen und nie wieder zurückgekommen.«

Sie brach ab, und Cooper dachte, sie hätte alles gesagt, was sie sagen wollte. Doch dann kam noch ein Flüstern von ihr, voll von Wut und unbewältigtem Schmerz.

»Natürlich hing sie zu der Zeit bereits an der Nadel.«

Ein Schwarm Gänse zog in einer unregelmäßigen V-Formation über sie hinweg. Mit heiseren Schreien hielten sie die Verbindung, zu einer lebenden Einheit verschmolzen, die sich wie ein einziges Lebewesen fortbewegte. Weiter unten im Tal arbeitete noch ein Mähdrescher. Seine Scheinwerfer leuchteten, und das Klappern der Klingen auf dem Gerstenfeld drang klar und scharf zu ihnen herüber. Über dem Mähdrescher stand eine Staubwolke, goldene Staubkörnchen glitzerten im schwächer werdenden Licht.

Fry wünschte sich, ihre Erinnerungen würden mit den Gänsen davonfliegen, von den Klingen des Mähdreschers zerstückelt werden, in einer Staubwolke aufgehen. Aber in dem dunklen Tal ihrer Seele kamen die Albträume nie zur Ruhe; es gab keine Ernte.

»Diane ...«

»Was ist jetzt schon wieder?«

»Hast du mich letzte Nacht mit nach Hause genommen?«

»Wer sonst?«

»Also … danke.«

»Keine Ursache. Aber rechne nicht damit, dass ich dir diesen Gefallen öfter tue. Ich habe mich schon besser amüsiert.«

»Schon klar.«

Er lutschte das Bonbon zu Ende und rieb mit dem Ärmel die Linsen des Fernglases sauber.

»Da wäre noch etwas, Diane. Ich kann mich kaum noch daran erinnern, was gestern Abend passiert ist. Aber eine Sache ist irgendwie hängen geblieben. Und danach wollte ich dich fragen. Es spukt mir die ganze Zeit im Kopf herum.«

Fry erstarrte, ihre Arm- und Beinmuskeln waren krampfhaft angespannt, ihr Magen zog sich zusammen, und sie drehte das Gesicht weg, damit er nicht sah, dass sie rot wurde. Wie hatte sie sich nur einbilden können, dass er diese Blamage vergessen würde? Sie hatte keine Ahnung, was sie ihm sagen sollte. Sie konnte keinen klaren Gedanken fassen.

»Diane …?«

Es gelang ihr nur mit Mühe, sich so etwas wie ein fragendes Knurren abzuringen, doch das genügte ihm schon, um fortzufahren.

»Ich erinnere mich noch, dass ich im Wagen Musik gehört habe, als du mich zu deiner Wohnung gefahren hast. In meinem Suff muss sie sich mir irgendwie eingeprägt haben, jetzt geht sie mir nicht mehr aus dem Sinn. Ich wollte nur wissen, was es war.«

Fry lachte vor Erleichterung laut auf. »Das gibt's doch nicht!«

»Es war eine Sängerin. Ich stehe eigentlich mehr auf die Waterboys und die Levellers. Aber das Stück klang nicht schlecht.«

»Das war Tanita Tikaram. Die Platte heißt ›Ancient Heart‹.«

»Danke.«

»Wenn du willst, leihe ich dir die Kassette. Dann kannst du dir eine Kopie machen.«

»Das wäre toll …«

In Frys Jackentasche piepste es. »Scheiße.«

»Wozu hast du denn das Ding mitgebracht?«

Fry holte den Piepser heraus, schaltete den Ton aus und las die Telefonnummer ab. »Das war jemand, hinter dem ich den ganzen Tag hertelefoniert habe«, sagte sie. »Jetzt hat er gerade versucht, mich zurückzurufen.«

»Etwas Wichtiges?«

»Der Vogelbeobachter – Gary Edwards.«

»Ach. Du hast daran gedacht.«

»Glaubst du immer noch, dass es wichtig ist? Soll ich zum Auto gehen und ihn zurückrufen?«

Cooper überlegte einen Augenblick. »Ja, ich glaube, das wäre besser.«

Sie stand auf und ging los in Richtung Parkplatz, der ein paar hundert Meter unter ihnen an der Alten Mühle lag. »Dann bis gleich.«

»Okay.«

Verdammt, dachte Cooper. Ausgerechnet jetzt musste sie gehen, als er sie gerade nach Hitchens fragen wollte.

Er hielt sich den Feldstecher vor die Augen. Die drei Gestalten neben dem weißen Pick-up waren kaum noch zu erkennen. Sie schienen sich über ein Blatt Papier zu beugen und zu beraten. Sie nickten mit den Köpfen, als ob sie zusammen an der Lösung eines Kreuzworträtsels bastelten.

Diane Fry war erst wenige Minuten fort, als er sah, dass sich zwei der dunklen Gestalten vom Haus entfernten. Sie nahmen den Feldweg, der von der Farm wegführte. Der dritte Mann blieb, an den Pick-up gelehnt, allein zurück.

Cooper verfolgte die beiden Gestalten, während sie durch das erste Gatter und weiter bis zur Straße gingen. Als sie abbogen und auf die andere Straßenseite wechselten, um zu dem schmalen Durchgang in der Mauer zu gelangen, hinter dem der Weg zum Baulk anfing, war ihm klar, dass er ihnen folgen musste.

Er sah auf seine Uhr. Kurz vor acht. Hatte nicht irgendjemand acht Uhr erwähnt? Er überlegte hin und her, bis ihm schließlich Frys Bericht über die Vernehmung von Charlotte Vernon einfiel. Jeden Abend um diese Uhrzeit besuchte Charlotte die Stelle auf dem Baulk, wo die Leiche ihrer Tochter gefunden worden war.

»Können wir Ihre Aussage noch einmal durchgehen, Mr. Edwards?«, sagte Fry. »Sie standen in der Nähe des Steinhügels auf der Raven's Side, als sie einen alten Mann mit einem schwarzen Hund am Ende des Wanderwegs vorbeigehen sahen.«

»Nein.«

»Was meinen Sie damit, nein? So haben Sie es in Ihrer Aussage geschildert.«

»Nein, habe ich nicht. Wie kommen Sie darauf?«

Fry starrte durch die Windschutzscheibe auf den Parkplatz und die erleuchteten Fenster der Alten Mühle. Sie wusste immer noch nicht genau, was sie sich von dem Gespräch mit dem Vogelfreund eigentlich versprach. Was die geschätzte Uhrzeit anging, zu der Gary Edwards den alten Mann gesehen hatte, beharrte er auf seinen früheren Angaben. Seine Uhr gehe genau, und er sei sich der Uhrzeit gewiss. Er notiere sich immer die exakte Zeit einer Vogelsichtung.

Jetzt aber schien sie plötzlich einen wunden Punkt berührt zu haben. Sie konsultierte die Notizen, die sie sich von seiner Aussage gemacht hatte.

»Ich habe das Protokoll hier vor mir liegen, Mr. Edwards, die Aussage, die Sie selbst unterschrieben haben. Ich möchte Ihnen ein Stück vorlesen. Hier steht: ›Mit meinem Feldstecher sah ich einen Hundekopf. Er tauchte im Unterholz auf, dicht über der Erde. Er schnupperte an einem abgebrochenen Ast. Er war schwarz.‹«

»Korrekt.«

»Sie fahren fort: ›Dann sah ich, dass ein Mann bei dem Hund war. Es war ein alter Mann, der eine Mütze trug. Er bewegte sich langsam nach links aus meinem Blickfeld. Er rannte nicht. Ich nahm den Feldstecher herunter und sah, wie der Mann und der Hund zwischen den Bäumen verschwanden. Es war in der Nähe des Baches, der neben dem Wanderweg verläuft, der Eden Valley Trail heißt.«

»Nun…«

»Also war es ein schwarzer Hund.«

»Nein, das habe ich nicht gesagt.«

»Aber es steht hier. Sie haben es unterschrieben. ›Er war schwarz‹, haben Sie gesagt.«

»Sie hören nicht zu. Genauso wenig wie der andere – der hat auch nicht zugehört.«

»Detective Sergeant Rennie?«

»Ja, den meine ich. Er hat auch bloß aufgeschrieben, was ihm in den Kram passte. Also, hören Sie zu. Ich habe durch den Feldstecher nur den Kopf des Hundes gesehen. Der *Kopf* war schwarz.«

»Und?«

»Es ist möglich, dass der Hund nicht ganz schwarz war. Verstehen Sie? Nachdem ich den Feldstecher abgesetzt hatte, konnte ich das nicht mehr erkennen. Ich habe den Hund erst ganz gesehen, als er aus dem Unterholz herausgekommen war. Aber da war das Licht schon nicht mehr sehr gut. Es war spät, und die Sonne stand tief. Da verschwimmen die Farben.«

»Okay, ich verstehe. Aber soweit Sie sehen konnten, war der Hund schwarz, richtig?«

»Nein. Also… ich glaube eher, er war schwarzweiß.«

»Warum? Sie haben doch gerade gesagt…«

»Na, weil diese Hunde normalerweise immer schwarzweiß sind. Wenn man sie im Fernsehen sieht, sind sie schwarz mit weißen Flecken. Das soll gut für die Tarnung sein, damit die Schafe sie am Berg nicht so leicht sehen.«

»Wovon reden Sie denn?«

»*One Man and His Dog* – die Sendung über Geschicklichkeitsprüfungen für Hütehunde. Es war ein Hütehund, einer mit einem struppigen Fell. Ein Border-Collie.«

»Kein Labrador? Sie müssen einen schwarzen Labrador gesehen haben.«

»Wenn ich es Ihnen doch sage. Ich bestehe darauf, dass Sie es richtig aufschreiben. Ich kann schließlich noch einen Labrador von einem Collie unterscheiden. Und dieser Hund war ein Border-Collie. Ein schwarzweißer Border-Collie. Definitiv.«

Fry seufzte. »Dann müssen wir Sie wohl morgen Vormittag noch einmal aufsuchen und Ihre neue Aussage zu Protokoll nehmen, Mr. Edwards.«

»Wie Sie meinen. Aber Sie müssen sich beeilen. Im Stanton Moor ist ein Schnepfenpärchen gesichtet worden.«

Nachdem Diane Fry das Gespräch mit Edwards beendet hatte, tauchte eine Erinnerung vor ihr auf, die so deutlich vor ihr stand, dass ihr fast das Telefon aus der Hand gefallen wäre. Es ging um das Foto von Laura Vernon, die Originalaufnahme, die man für die Fahndung verwendet hatte. Für die Polizeifotos war lediglich der Ausschnitt mir ihrem Gesicht vergrößert worden. Fry hatte das Original nur einmal gesehen. Sie hatte heimlich einen Blick in die Akte geworfen, als das Mädchen noch als vermisst galt. Laura stand im Garten der Villa, fröhlich lachend; die Sonne schien. Auf dem Bild lag ein Hund zu ihren Füßen. Ein schwarzweißer Border-Collie.

Stewart Tailby rief DI Hitchens in sein Büro. Es war spät, aber als leitende Beamte bekamen sie ohnehin keine Überstunden bezahlt.

Die Männer waren müde und angespannt. Sie warteten auf das Resultat der Fingerabdruckanalyse eines Fundes, der am frühen Abend gemacht worden war. Obwohl sie es kaum auszusprechen wagten, war ihnen klar, dass das Ergebnis von entscheidender Wichtigkeit sein konnte. Im Laufe der Ermittlungen hatte Tailby seine Erwartungen schon so oft in die kriminaltechnischen Untersuchungen gesetzt, dass er seine Hoffnung lieber für sich behielt, es könnten sich außer Laura Vernons Fingerabdrücken auch noch die eines anderen auf dem zweiten Turnschuh befinden. Der zweite Turnschuh, dessen Suche sie so viele Arbeitsstunden gekostet hatte. Der Turnschuh, der von der Suchmannschaft schließlich im Garten der Villa gefunden worden war, zwischen den Wurzeln einer Hecke an der hinteren Mauer.

Ein verheulter Andrew Milner war inzwischen für die Nacht nach Hause geschickt worden, versehen mit der Warnung, man würde am nächsten Morgen eventuell noch einmal mit ihm sprechen müssen, sowie mit dem freundlichen Rat, sich mit seiner Frau auszusprechen.

»Also hatte Margaret Milner doch Recht, dass er nicht Charlotte Vernons Liebhaber war«, sagte Tailby.

»Aber von der Sekretärin hatte sie keine Ahnung.«

»Mmm. Haben Sie schon einmal daran gedacht, dass Graham Vernon über Andrews Affäre Bescheid gewusst haben könnte?«

Hitchens schnippte mit den Fingern. »Aber natürlich. Er hatte ihn nicht nur deshalb in der Hand, weil Milner Angst um seinen Arbeitsplatz hatte. Sondern auch, weil er sein schmutziges Geheimnis kannte.«

»Und das hat er nach Kräften ausgenutzt. Deshalb war Andrew Milner ihm hilflos ausgeliefert, auch nachdem Vernon sich an seine eigene Tochter herangemacht hatte.«

»Können wir Milner also als Tatverdächtigen ausschließen?«

»Nein. Dafür ist der Hass zu groß. Hass auf Graham Vernon, aber auch Selbstverachtung. Irgendwo muss er mit diesen Gefühlen hin.«

Tailby stützte sich müde auf seinen Schreibtisch und ließ die Schultern hängen. Die Klimaanlage lief noch, und je kühler der Abend wurde, desto kälter wurde es auch im Büro. »Nein, er scheidet noch nicht aus, so lieb es mir wäre. Solange wir sein Alibi nicht bestätigen können, steht er weiter unter Verdacht. Der arme Kerl. Er konnte nicht einmal mehr seine Aussage ändern und behaupten, er wäre bei seiner Mätresse gewesen.«

Verärgert stellte Tailby fest, dass Hitchens ihn verwundert musterte. Der DI schien sich zu amüsieren, entweder über seinen altmodischen Ausdruck oder über sein Mitleid mit dem Verdächtigen. Oder über beides. Wenn seine Untergebenen schon über ihn lachten, wurde er vielleicht allmählich zu alt für den Job. Vielleicht sollte er die Stelle im Corporate Development Department im Polizeipräsidium in Ripley annehmen. Sie suchten einen Chief Inspector als Leiter der »Prozess-Entwicklung«. Was immer das bedeuten sollte.

»Wir haben gegen Andrew Milner nichts in der Hand«, sagte Hitchens.

»Das weiß ich, verdammt noch mal.«

»Von den anderen Namen auf der Liste scheidet Simeon Holmes aus. Er war zur Tatzeit fast 30 Kilometer entfernt, und es gibt genug Zeugen, die das bestätigen.«

»Motorradfahrer«, sagte Tailby.

»Aber keine Rocker, Sir. Sie würden sich wundern, was für Typen sich am Wochenende in ihre beste Lederkluft schmeißen, um sich in Matlock Bath zu treffen. Einige, die wir befragt haben, waren Ehepaare mit Kindern. Andere waren schon Mitte fünfzig.«

Tailby entschied, dass er Hitchens nicht leiden konnte. Es lag an seiner Jugend und an seinem herablassenden Lächeln. Wahrscheinlich würde er es noch weit bringen. Wahrscheinlich würde er schon bald zum DCI befördert werden. Was könnte »Prozess-Entwicklung« eigentlich bedeuten? Die drei anderen Abteilungen im Corporate Development Department hießen »Planungs-Strategie«, »Polizei-Entwicklung« und »Qualitätsverbesserung«. Das half ihm auch nicht weiter.

Hitchens zählte die Verdächtigen an seinen Fingern ab wie ein Grundschullehrer. »Wir wissen, dass Lee Sherratt am Tatort gewesen sein könnte. Es *könnte* sich bei ihm um den jungen Mann handeln, mit dem Laura kurz vor ihrem Verschwinden gesprochen hat, was er aber schlauerweise nicht zugibt. Ohne handfeste Beweise können wir ihn nicht festnageln. Es hat ihn niemand gesehen, der ihn identifizieren kann.«

»Okay. Nehmen wir den Vater, Graham Vernon.«

»Ja, Sir.« Hitchens streckte nach dem Zeigefinger nun auch den Mittelfinger aus. Auf seinen Vorgesetzten wirkte es fast wie eine obszöne Geste. »Graham Vernon wurde gesehen und identifiziert.

Von Harry Dickinson. Aber natürlich war Mr. Vernon auf der Suche nach Laura, die nicht zum Abendessen erschienen war. Vollkommen verständlich. Eine harmlose Erklärung. Nachdem er eine Zeit lang vergeblich nach ihr gesucht und vielleicht auch ein paar Mal ihren Namen gerufen hatte, machte er sich allmählich Sorgen. Er ging wieder nach Hause und rief uns an. Also genau das, was man von einem besorgten Vater erwarten würde.«

Offenbar verriet Tailbys Miene, was er von Graham Vernon hielt, denn Hitchens fuhr fort: »Ich weiß, dass Sie ihn nicht mögen, Sir. Aber Gefühle helfen uns nicht weiter. Wir brauchen Beweise.«

Hitchens war inzwischen richtig in Fahrt gekommen. Da will das Ei wieder einmal klüger sein als die Henne, dachte der DCI. Er wollte Hitchens' Wortschwall stoppen und wieder die Initiative übernehmen, aber er hatte nicht die Kraft dazu. Resigniert lieferte er ihm das nächste Stichwort.

»Harry Dickinson.«

»Ja, Harry Dickinson. Er war mit Sicherheit am Tatort.« Hitchens sah auf seine Hand. Er schien sich verzählt zu haben. Er hielt bereits fünf Finger hoch, doch es waren immer noch nicht genug. »Aber war er auch zur Tatzeit dort? Das kann uns niemand bestätigen. Niemand kann ihn mit Sicherheit identifizieren, nicht einmal der Vogelfreund.«

»Er hat die Leiche gefunden, Paul.«

»Nun ja, genau genommen…«

»Ja, ich weiß!«

Tailby war klar, dass ihm die Situation zu entgleiten drohte. Er durfte nicht die Beherrschung verlieren. Aber die Warterei war einfach unerträglich. Was trieben die Fingerabdruckexperten bloß so lange? Dabei wusste er natürlich, wie schwierig es war, Abdrücke von einer Lederoberfläche abzunehmen, und dass es Stunden dauern konnte. Sie konnten nur hoffen, dass der Täter das Oberleder des Turnschuhs angefasst und schweißnasse Hände gehabt hatte. Sie konnten nur hoffen, dass er ihn nicht an den Schnürsenkeln oder am Innenfutter hochgehoben hatte. Sie konnten nur hoffen, dass es jemand war, den sie kannten.

Wenn sie einen verwertbaren Abdruck fanden, gingen die Ermittlungen weiter und sie konnten mit dem Abgleich beginnen. Wenn nicht, waren sie wieder einmal in einer Sackgasse gelandet.

»Womöglich müssen wir jedem Jugendlichen in Eden Valley Fingerabdrücke abnehmen, um den Täter zu finden«, sagte Hitchens eine Spur zu selbstsicher.

»Genauso gut können wir im Wald alle Füchse einfangen und versuchen, denjenigen zu identifizieren, der Laura Vernon ins Bein gebissen hat. Viel mehr ist bei den kriminaltechnischen Untersuchungen bis jetzt wirklich nicht herausgekommen.«

»Es kann ein Fuchs gewesen sein«, sagte Hitchens. »Oder ein Hund.«

»Ja, genau«, sagte Tailby. »Das ist aber auch fast alles, was wir in der Hand haben. Es könnte ein verdammter Hund gewesen sein.«

Besaßen die Vernons überhaupt einen Hund? Hatte das bis jetzt etwa keiner ermittelt? Während Diane Fry hastig eine Nummer ins Telefon tippte, fragte sie sich, wie sie nur so blind hatten sein können. Waren sie denn *alle* nur auf Harry Dickinson fixiert gewesen? Sie schlug gereizt mit der Faust aufs Armaturenbrett. Bei den Vernons meldete sich niemand.

Was sollte sie jetzt machen? Natürlich konnte sie versuchen, Mr. Tailby oder DI Hitchens zu erreichen, und sie fragen, wie sie weiter verfahren sollte. Aber dann dachte sie an Ben. Was hätte er ihr geraten? Sie hörte seine Antwort so deutlich, als säße er neben ihr. Sheila Kelk, die Putzfrau der Vernons. Ihre Adresse stand in der Akte. Ein Anruf im Büro genügte, dann hatte sie sich vom Dienst habenden Beamten in der Einsatzzentrale die Telefonnummer der Frau durchgeben lassen.

Mrs. Kelk klang so erschrocken, als Fry sich vorstellte, als hätte sie jede Menge finstere Geheimnisse zu verbergen.

»Ich habe nur eine Frage, Mrs. Kelk. Besitzen die Vernons einen Hund?«

»O nein. Mrs. Vernon mag keine.«

»Aber im Wohnzimmer der Villa steht ein Foto, auf dem Laura mit einem schwarzweißen Collie zu sehen ist. Sie müssen also einen Hund gehabt haben, als die Aufnahme gemacht wurde.«

»Nein, ich glaube, der gehörte dem Gärtner. Laura liebte Tiere. Hunde und Pferde, einfach alles. Ich glaube, sie hat mit mir einmal über den Hund gesprochen, als ich den Krimskrams auf der Vitrine abgestaubt habe. Sie hat mir auch seinen Namen gesagt, aber ich kann mich nicht mehr daran erinnern.«

»Er gehörte dem Gärtner? Dann ist es also Lee Sherratts Hund?«

»Nein, nein. Sein Hund war das nicht. Lee Sherratt? Der war doch überhaupt kein richtiger Gärtner. Und dass er Tiere hat, glaube ich auch nicht. Der würde sie eher abknallen, als für sie zu sorgen. Nein, es war der Gärtner vor ihm. Das Foto müsste ungefähr ein Jahr alt sein, würde ich meinen.«

»Wer war das, Mrs. Kelk? Wem gehörte der Hund?«

»Dem alten Gärtner. Das war leider vor meiner Zeit in der Villa. Ich kenne ihn nicht. Aber Laura hat gesagt, dass es ein alter Mann war. Ein komischer alter Mann aus dem Dorf.«

28

Diane Fry fuhr zur Thorpe Farm. Diesmal hatte sie keine Schwierigkeiten mit dem Gatter oder mit den Gänsen, von denen keine Spur zu sehen war. Das rostige Rinnsal aus dem kaputten Rohr war versiegt, und über den Gebäuden lag eine unnatürliche Stille.

Das Licht ihrer Scheinwerfer fiel auf den weißen Pick-up-Truck, der neben einem kleinen Holzschuppen stand. Sie parkte vor dem Wagen und stieg aus. Die Türen des Trucks waren nicht versperrt, der Zündschlüssel steckte im Schloss. Dann sah sie Sam Beeley. Er war allein. Nur wenige Schritte entfernt lehnte er an einer Mauer, fast unsichtbar in der Dämmerung. Seine Miene war ausdruckslos, das Gesicht von Trauer und Schmerz gezeichnet, sein Blick ging ins Leere. Er war so tief in seine Gedanken verloren, dass er Fry erst bemerkte, als sie dicht vor ihm stand.

»So allein, Mr. Beeley? Wo sind Ihre Freunde?«

Er sah sie unsicher an. »Harry und Wilford? Die sind gegangen.«

Sam war erschreckend blass, obwohl die Sonne seit Wochen erbarmungslos vom Himmel brannte. An seinem Hals und zwischen den spärlichen grauen Bartstoppeln an seinem Kinn schimmerten die Adern hervor. Die faltige Haut hing ihm schlaff von den Wangen, und er hatte blauschwarze Ringe unter den Augen.

»Geht es Ihnen gut, Mr. Beeley?«

»So gut wie immer.«

Fry drehte sich um und sah zu den Felsen der Raven's Side hinauf, wo sie noch vor einer halben Stunde mit Ben Cooper gelegen und auf die Thorpe Farm hinuntergeblickt hatte. Als sie den

416

steilen Weg vom Parkplatz wieder heraufgekraxelt war, war er spurlos verschwunden. Kein Anhaltspunkt, wo er abgeblieben war, keine Nachricht, kein Zettel. Es war mal wieder typisch, dieses nervtötende Benehmen – wie nicht anders zu erwarten von ihm.

»Haben Sie Detective Constable Cooper heute Abend gesehen? Sie wissen doch, wen ich meine, Ben Cooper?«

»Eh? Sergeant Coopers Jungen? Ja, ich weiß.« Die Andeutung eines Lächelns spielte um Sams blasse Lippen, als er sich an das Fiasko mit dem Komposthaufen erinnerte.

»Haben Sie ihn gesehen? Ist er hier gewesen?«

Sam sah sie mit leeren Augen an und schüttelte verständnislos den Kopf.

»Und wo sind Mr. Dickinson und Mr. Cutts hingegangen?«

Er schien sich nicht zu einer Antwort aufraffen zu können. Am liebsten hätte Fry ihn bei der Jacke gepackt und kräftig durchgeschüttelt, aber er sah so hinfällig aus, dass sie Angst hatte, ihn zu zerbrechen.

»Mr. Beeley, ich muss es wissen. Wo sind sie hingegangen?«

Sam riss sich für einen Augenblick aus seiner Lethargie, als ob ihr scharfer Ton ihn wachgerüttelt hätte. Er hob die Hand, doch mehr als die Andeutung einer Geste wurde nicht daraus. »Draußen auf den Baulk.«

Der alte Mann sackte wieder in sich zusammen. Er umklammerte den Stock mit dem Elfenbeinknauf, als ob sein Leben davon abhinge. Die Sehnen spannten sich und die Knöchel traten weiß hervor, so fest hielt er den Schäferhundkopf gepackt.

Fry dachte zurück an ihren ersten Besuch auf der Farm. *»Er sieht gar nicht so aus, als ob er sehr viel Kraft in den Handgelenken hat. Es kommt auf die Technik an«*, hatte Wilford Cutts gesagt. Sie hatte selbst gesehen, wie er mit bloßen Händen einem großen Vogel das Genick gebrochen hatte. Sie dachte an die drei alten Männer, und sie dachte daran, dass Harry Dickinson jemanden deckte, der in den Mord an Laura Vernon verwickelt war. Aber musste es sich dabei *zwangsläufig* um ein Familienmitglied handeln? Sie musterte Sam, als sähe sie ihn zum ersten Mal. Er wirkte wie ein geschlagener Mann, ein Mann, der seit Jahren an starken Schmerzen litt, Schmerzen, die ihn auch jetzt quälten. Aber waren diese Schmerzen rein körperlicher Natur?

»Könnte ich einen Blick auf Ihren Spazierstock werfen, Mr. Beeley?«

»Auf meinen Stock? Den habe ich seit einer Ewigkeit.«

»Darf ich?«

Sie streckte die Hand aus, und Sam legte ihn zögernd hinein. Der Stock war schwer und stabil, eine ausgezeichnete Arbeit, und er lag gut in der Hand. Der Knauf, dem Kopf eines Schäferhundes nachgebildet, war in Sam Beeleys Händen glatt und glänzend geworden. Mit dem harten, gerundeten Hinterkopf des Hundes hätte man einem Menschen leicht den Schädel einschlagen können, wenn man genügend Kraft besaß. Oder natürlich auch mit der richtigen Technik.

Sie untersuchte den Griff. Es gab keine sichtbaren Spuren. Aber er konnte natürlich längst gereinigt sein, und nach sechs Tagen ständigen Gebrauchs wären Blutspritzer oder Gewebereste längst durch die pergamentdünnen Handflächen des Besitzers abgerieben worden. Aber im Labor würde sich diese Frage schnell klären lassen, so oder so.

»Ich muss Sie bitten, mich aufs Revier zu begleiten, um ein paar Fragen zu beantworten«, sagte Fry.

Sam nickte müde. »Aber ich brauche meinen Stock.«

»Ich fürchte, Sie müssen eine Zeit lang ohne ihn auskommen.«

»Ohne meinen Stock kann ich nicht gehen«, insistierte er.

Sam zitterte noch stärker als gewöhnlich. Er sah eher aus, als könnte er einen Krankenwagen gebrauchen als eine Fahrt zur Polizeiwache. Fry zögerte. Die Fehler, die bis jetzt einen Durchbruch bei den Ermittlungen verhindert hatten, standen ihr nur allzu deutlich vor Augen. Das Letzte, was sie gebrauchen konnte, war ein alter Mann, der einen Kollaps erlitt, während er sich in Polizeigewahrsam befand.

Während sie fieberhaft überlegte, sah sie an Sam vorbei in den

418

Schuppen. Es war stockdunkel darin, aber ihr Blick wurde von einer leisen Bewegung angezogen. Da war etwas in dem Schuppen, schwärzer als die es umgebenden Schatten, etwas, was Augen hatte und sie beobachtete, als sie ihr Handy aus dem Peugeot holte. Sie brauchte Rat. Jemand anders sollte entscheiden, ob sie einen offensichtlich hilflosen alten Mann zur Vernehmung aufs Revier schleppen sollte.

Sie bekam den Dienst habenden Beamten im Einsatzraum an den Apparat, gab ihre Position durch und erkundigte sich nach Tailby und Hitchens. Aber der Beamte hatte Neuigkeiten für sie. Und was er ihr zu sagen hatte, ließ sie Sam Beeley fürs Erste vergessen.

Nachdem Fry noch ein paar Fragen abgeklärt hatte, forderte sie jeden Mann an Verstärkung an, der zu dieser späten Stunde verfügbar war. Sie beendete das Gespräch und wählte noch einmal, diesmal Ben Coopers Nummer. Sie musste ihm die Neuigkeit sofort sagen. Er musste Bescheid wissen, bevor er Harry Dickinson gegenübertrat.

Der Kollege hatte ihr erzählt, dass das Gebüsch hinter dem Garten der Villa am Nachmittag ein zweites Mal durchsucht worden war, und zwar diesmal mit dem Ziel, Indizien dafür zu finden, ob sich Andrew Milner auf dem Gelände aufgehalten hatte. Die Suche hatte sich eher zufällig auf den Garten ausgedehnt, und unter einer akkurat gestutzten Ligusterhecke hatte man am späten Nachmittag Laura Vernons zweiten Turnschuh gefunden.

Der Diensthabende war sehr gesprächig gewesen. Es war ein einsamer Job, und niemand machte sich die Mühe, den Stand der Ermittlungen mit ihm zu besprechen.

»Was meinen Sie, was hier los war?«, sagte er genüsslich. »Der Schuh kam schnurstracks ins Labor, wo sie Fingerabdrücke von zwei verschiedenen Personen gefunden haben. Mr. Tailby war total aus dem Häuschen. Vor allem, weil der Garten doch schon einmal durchkämmt worden war. Aber so ist es immer, nicht wahr?«

Fry hielt den Atem an, Sam Beeley und den Schuppen vor Augen, ohne sie wahrzunehmen.

Ein Fingerabdruckexperte hatte bis in die späten Abendstunden daran gearbeitet, die Fingerabdrücke von dem zweiten Turnschuh zu untersuchen und mit denen auf dem ersten zu vergleichen. Auf dem ersten Schuh hatten sie nur Lauras eigene Abdrücke gefunden – identifiziert anhand ihrer Leiche – und die von Harry Dickinson, der den Turnschuh ins Dial Cottage gebracht hatte. Als der Fingerabdruckbericht endlich fertig war, zeigte sich, dass die Abdrücke in beiden Fällen identisch waren. Das bedeutete, dass Harry Dickinson beide Turnschuhe in der Hand gehabt hatte. Aber nur einer von ihnen war bei der Leiche gefunden worden. Wer außer Laura Vernons Mörder hätte den zweiten Schuh berührt haben können?

Ben Coopers Telefon klingelte und klingelte, aber er meldete sich nicht. Fry wusste natürlich, dass er das Handy im Wagen gelassen hatte. Trotzdem ließ sie es weiterklingeln. Sie hatte noch das Echo des Satzes im Kopf, mit dem er sie zu diesem aberwitzigen Unternehmen überredet hatte: »*Du lässt mich doch nicht im Stich?*«

Während sie wartete und sich dabei auf die Lippe biss, stellten sich ihre Augen allmählich auf die Dunkelheit im Eingang des Schuppens ein. Und dann erkannte sie nur allzu klar, was in dem Schuppen war.

Eine Zeit lang gelang es Ben Cooper, die beiden Gestalten aus sicherer Entfernung von der Raven's Side aus im Auge zu behalten. Langsam arbeitete er sich den steilen Hang hinunter, indem er zunächst die Felsen, weiter unten dann die ersten Bäume als Deckung benutzte. Die beiden alten Männer hatten es nicht eilig. Sie sahen aus, als wollten sie einen Sonntagsspaziergang machen, so gemächlich schlenderten sie den Weg entlang, fast Schulter an Schulter und offenbar ins Gespräch vertieft.

Cooper war froh, dass sie mit sich selbst beschäftigt waren, als er ein Stück offenes Gelände überqueren musste, über versteckte Kaninchenlöcher stolperte und sich die Zehen an halb aus der Erde ragenden Steinen anstieß. Bevor er die Talsohle erreichte, waren Harry und Wilford hinter einer Kehre verschwunden. Er erinnerte sich an einen zweiten Pfad, der diagonal zur Felswand verlief und in den Hauptweg mündete, der zum Baulk führte. Sobald er ihn gefunden hatte, lief er los. Er hob die Füße möglichst hoch und setzte sie so vorsichtig er konnte auf, um nicht von irgendwelchen unsichtbaren Hindernissen zu Fall gebracht zu werden und die Distanz zu den alten Männern zu verringern. Die Bäume wurden immer höher und dichter, eine schwere, dumpfe Stille senkte sich herab, die ihn von der Welt abschnitt, zu der er oben auf dem Berg noch gehört hatte.

Während er lief, dachte Cooper über Diane Frys Gespräch mit Charlotte Vernon nach. Wenn sie wirklich jeden Abend auf den Baulk ging, um die Stelle zu besuchen, wo ihre Tochter gestorben war, würde Harry Dickinson sicher darüber Bescheid wissen. In dieser Gegend schien kaum etwas ohne Harrys Wissen zu geschehen. Bestimmt hatte er Charlotte mit ihrem Blumenstrauß auf dem Weg gesehen, so wie er am Tatabend auch ihren Mann auf dem Baulk entdeckt hatte. Cooper fragte sich, was für eine Absicht Harry tatsächlich verfolgt hatte, die Begegnung mit Graham Vernon zu suchen. Er fragte sich auch, ob Harry diese Absicht nun wohl an Vernons Frau wahr machen wollte. Cooper hatte nicht den leisesten Zweifel, dass es heute Abend im Wald gefährlich werden würde.

Ausnahmsweise hatte Harry seinen Hund Jess nicht bei sich. Stattdessen wurde er von Wilford Cutts begleitet, der ihm aber ein ebenso treuer Freund war.

Schwer atmend erreichte Cooper den Hauptweg und folgte ihm in Richtung Baulk. Der Bach und der Eden Valley Trail, der daneben verlief, lagen jetzt rechts unter ihm. Durch das dichte Laub hörte er das leise Wispern des Wassers. Der Schrei einer Schleiereule hallte durch das Tal – ein unheimlicher, lang gezogener Jagdruf, der ihn frösteln ließ, obwohl er ihn kannte.

Er war gespannt, ob Diane Fry aus dem Vogelfreund etwas Neues herausbekommen hatte, und wünschte sich, sie wäre an seiner Seite. Irgendwo bellte ein Fuchs, vielleicht derselbe, der seine Zähne in Laura Vernons erkaltenden Oberschenkel geschlagen hatte.

Mehrere Minuten lang hastete Cooper so schnell wie möglich weiter und spähte immer wieder in die Dunkelheit, die vor ihm lag. Er konnte nur hoffen, dass er die beiden Männer nicht verloren hatte. Er kam an den steinernen Überresten eines zerfallenen Gebäudes vorbei, bog um die Kurve und blieb wie angewurzelt stehen, als er plötzlich weiter vorn eine Bewegung ausmachte. Er stellte sich neben den Weg unter einen herabhängenden Holunderast und beobachtete die alten Männer. Sie standen an einer Weggabelung, so nah beieinander, dass sie zu einer einzigen dunklen Gestalt verschwammen, wie Liebende, die sich umarmten. Dann drehten sie sich um und nahmen die rechte Abzweigung, ohne sich umzublicken. Sanft abfallend führte der Weg zunächst zwischen dicht stehenden Bäumen hindurch, später wurde das Gelände steiler und steiniger und war von tiefen Schluchten durchzogen.

Auf dem steinigen Untergrund fiel Cooper immer weiter zurück. Als er die erste Schlucht erreichte, waren die alten Männer in der Nacht verschwunden, als ob es sie nie gegeben hätte.

Er blieb stehen und wartete unter den Bäumen. Es blieb ihm nichts anderes übrig. Er fragte sich, was Diane Fry wohl getan hatte, als sie vom Parkplatz zurückgekommen war und ihn nicht mehr vorgefunden hatte. Gewiss würde sie diesmal so vernünftig sein, über Funk Verstärkung anzufordern. Sie würde den gleichen Fehler nicht noch einmal machen. Bestimmt nicht. Sie würde ihm nicht blindlings in die Gefahr folgen.

Fry hatte den Wald kaum betreten, als sie merkte, dass es sie wieder überkam. Obwohl sie diesmal eine Taschenlampe dabei hatte, war es, als ob der schmale Lichtkegel zu ihren Füßen die Dunkelheit ringsum nur noch bedrohlicher machte. Sie fühlte sich vollkommen abgeschnitten und allein. Gierig kroch die Dunkelheit unter den Bäumen hervor, um schleimig nach ihr zu greifen und sich mit Ekel erregender, erstickender Vertraulichkeit an sie zu pressen.

Die Nacht war von winzigen, wispernden Bewegungen erfüllt, wie das leise Zittern auf der Oberfläche einer Schüssel voller Maden. Frys Körperhärchen stellten sich auf, und sie hatte das Gefühl, sich kratzen zu müssen. Dann schwärmten unsichtbare Ameisen über ihren Körper, kneifend und beißend, Tausende winziger Insektenfüße kribbelten über ihre Arme und Beine, unter ihre Brüste und in die feuchte Wärme zwischen ihren Schenkeln, bis sie vor Ekel fast geschrien hätte.

Sie wollte sich an irgendetwas Solidem festhalten, aber sie konnte ihre Hand nicht bewegen, weil sie Angst vor dem hatte, was ihre Finger greifen würden. Immerhin gelang es ihr, einen Fuß vor den anderen zu setzen, automatisch wie ein Roboter, der nur für eine einzige Handlung programmiert war. Mit jedem Schritt, den sie machte, wurde ihre Angst größer. Jede Bewegung war wie ein Sprung ins Leere, wie ein Schritt in ein unsichtbares Grauen.

Sie wusste, dass sie machtlos war, die Schatten ihrer verdrängten Erinnerungen aufzuhalten. Die Erinnerungen waren zu stark und zu gierig, um sie begraben, zu lebendig, um sie auslöschen, zu tief in ihre Seele eingeätzt, um sie vergessen zu können. Tief in ihrem Inneren verborgen, lauerten sie nur auf eine Gelegenheit, wieder an die Oberfläche zu drängen.

Während sie ging, drehte sie den Kopf hin und her, um sich im Dunkel unter den Bäumen keine Bewegung entgehen zu lassen. In undurchdringlichen Reihen standen sie da, wie drohende Gestalten, die sie umringten und immer näher kamen. Es waren ein, zwei Dutzend, vielleicht sogar mehr, und sie war allein. Andere Gestalten, weiter entfernt in der Dunkelheit, waren nur zu erahnen. Sie gafften und lachten, warteten gespannt darauf, was als Nächstes kommen musste. Rasselnde, murmelnde Stimmen. »Sie ist ein Bulle«, sagten die Stimmen. »Sie ist eine Bullensau.«

Sie versank in einem Strudel der Erinnerungen. Da waren Bewegungen, die schleichend und raschelnd näher kamen, da waren kurze, bruchstückhafte Blicke auf Gestalten, die vom Licht der Straßenlaternen in ihre Einzelteile zerlegt wurden; da war der

Ekel erregende Gestank nach Schnaps und Gewalt. Und dann schien sie die Stimmen zu hören – die raue Stimme mit dem nuschelnden Birminghamer Akzent, die aus der Dunkelheit auf sie zu kam. »Wie gefällt dir *das*, Bullensau?« Wieder das höhnische Gelächter in den Schatten. Überall die dunklen, bedrohlichen Gestalten um sie herum, wohin sie sich auch drehte und wendete. Eine Hand in ihrem Kreuz, ein ausgestrecktes Bein, das sie zu Fall brachte. Dann stürzte sie kopfüber ins Schwarze. Hände packten sie, kneifend und zerrend und schlagend. Ihre Arme wurden von unsichtbaren Fingern gehalten, die sie so fest umklammerten, dass es wehtat, so brutal, dass es ein Schock war. Dann ihre eigene Stimme, unnatürlich schrill und von Angst verzerrt, als sie zu schreien versuchte. Aber sie konnte es nicht.

Nun ließ sich die Flut der erinnerten Sinneseindrücke nicht mehr eindämmen. Der Geruch einer schweißnassen Hand auf ihrem Mund, ihr Kopf, der auf den Boden schlug, während sie ihn hilflos von einer Seite auf die andere warf. Ihre Kleidung, hochgezerrt und zerrissen, der Schock, die grausame Luft auf Teilen ihres Körpers zu spüren. »Wie gefällt dir *das*, Bullensau?« Und dann das Grapschen und Wühlen und Quetschen, die heißen, drängenden Finger. Und dann, deutlich hörbar in der Nacht, das Ratschen eines Reißverschlusses. Noch ein Lachen, ein Murmeln, ein erregtes Keuchen. Und schließlich das Eindringen. Der reißende Schmerz und der Schrei, den die Hand auf ihrem Gesicht erstickte, das verzweifelte Ringen nach Luft. »Wie gefällt dir *das*, Bullensau? Wie gefällt dir *das*, Bullensau?« Tierische Geräusche und noch mehr Gelächter, eine warme Nässe, die sie ausfüllte, bevor es zu Ende war. Die Erleichterung, als die schwere Last von ihr rutschte, als die dunkle Gestalt verschwand und sie dachte, es wäre vorbei.

Aber dann geschah es noch einmal.

Und noch einmal.

Wie eine Blinde ging sie weiter, ohne etwas von ihrer Umgebung wahrzunehmen, alle Anstrengungen darauf ausgerichtet, die Reaktionen ihres Körpers zu kontrollieren. Sie versuchte, sich auf Ben Cooper zu konzentrieren, der irgendwo vor ihr im Wald war, ohne zu wissen, in welcher Gefahr er schwebte. *»Du lässt mich doch nicht im Stich?«*, hatte er gesagt.

Schließlich kam sie auf eine Lichtung, sie spürte es gleich am Untergrund. Ein Geräusch drang zu ihr durch, ein echtes Geräusch, das ins Hier und Jetzt gehörte, ein Geräusch, für das sie eine Erklärung finden musste.

Als sie sich umdrehte, um das Geräusch in den bedrohlichen Schatten zu identifizieren, zwang ihr die Erinnerung noch immer Bilder auf, die sie nicht sehen wollte. Sie stand neben einem großen hohen Baum, dessen dichte Krone vor dem blassen Himmel kaum auszumachen war. In den Blättern rauschte und raschelte es leise, als ob eine riesige Kolonie kleiner Tiere direkt über ihr in den Ästen säße. Sie dachte an Tausende winziger Fledermäuse, die ihre dünnen, papierzarten Flügel entfalten, um sich in flatternden Schwärmen auf sie zu stürzen und auf ihren Schultern zu landen. Es gab nichts Schlimmeres als etwas, was man nur hören, aber nicht sehen konnte.

Plötzlich knarrte es laut, als der Wind einen schweren Ast ergriff, und das Knacken im Laub wurde stärker. Der unverkennbare Geruch nach Urin und Kot stieg ihr in die Nase. Plötzlich nahm sie eine schwerfälligere Bewegung zwischen den Ästen wahr, und ein großes Etwas schwang auf sie zu.

Dreihundert Meter von Diane Fry entfernt setzte Ben Cooper die Verfolgung fort, nachdem einer der alten Männer wieder auf dem Weg aufgetaucht war. Er hörte ihn kommen, bevor er ihn sah, hörte ihn atmen und kaum vernehmlich murmeln.

Der Mann nahm die linke Abzweigung, ging ein paar hundert Meter und verschwand plötzlich zwischen den Bäumen. Cooper hatte Schwierigkeiten, die genaue Stelle zu finden, wo er den Weg verlassen hatte. Kaum war er selbst unter den Bäumen, wusste er nicht mehr weiter. Es war aussichtslos, jemanden zwischen wild rankenden Brombeerbüschen und dicht an dicht stehenden

Stämmen alter Eichen und Buchen aufspüren zu wollen. In der Luft hing noch schwach der Geruch von Pfeifenrauch. Aber er musste sich damit abfinden, dass er den alten Mann verloren hatte, dem er gefolgt war.

Von Verzweiflung erfüllt hob Cooper den Kopf, als ein schriller Schrei die Stille des Waldes durchschnitt.

29

Das Dial Cottage war fast völlig dunkel. Nur hinter den Esszimmervorhängen brannte Licht, ein huschendes, changierendes Leuchten, das erstarb, bevor es den Garten oder das dahinter liegende Dunkel erreichte.

Im Schein der beiden Taschenlampen, die auf den gepflasterten Weg gerichtet waren, fielen die Schatten der Rosensträucher über die Blumenbeete, wie Knochenfinger, die nach dem Haus griffen. Aus Richtung Edendale näherte sich das Heulen einer Sirene dem Dorf. Das Blaulicht eines Krankenwagens wurde vom Nachthimmel reflektiert.

Ben Cooper und Diane Fry wussten, dass er nicht mehr benötigt wurde. Fry stand noch allzu deutlich das Bild des alten Mannes vor Augen, der an einem drei Meter hohen Ast gehangen hatte, die Spitzen seiner schwarzen Schnürstiefel zur Erde gerichtet, den Kopf schief auf die Seite gelegt, wie zu einem letzten spöttischen Gruß. Als sie sich dem sanft schwingenden Toten zögernd genähert hatte, war ihr aufgefallen, dass er mit der rechten Hand eine alte lederne Hundeleine umklammert hielt.

Sie hatte geschrien, als die dunkle, leise raschelnde Gestalt, vom Wind in Schwingungen versetzt, sie mit den baumelnden Füßen im Gesicht getroffen hatte. Dann war auch schon Ben Cooper da gewesen; er war mit voller Wucht auf sie geprallt, als er ihr zu Hilfe eilte. Instinktiv hatte sie ihn sofort erkannt, an seinem Geruch oder an seinem Atem, sodass sie ihn nicht angegriffen hatte, wie sie es bei jedem Fremden getan hätte, der sich aus dem Dunkeln auf sie gestürzt hätte. Stattdessen hatte sie sich verzweifelt an ihn geklammert und Trost in seiner Stärke gefunden.

Zusammen hatten sie die Leiche abgeschnitten. Cooper war auf den Ast geklettert und hatte das Nylonseil mit seinem Taschenmesser durchtrennt. Der alte Mann war offensichtlich tot gewesen, lange bevor sie ihn heruntergeholt hatten. Es war eine saubere, akkurate Arbeit gewesen, der Knoten der Schlinge fachmännisch gebunden und unter dem Kieferknochen positioniert, die Höhe mehr als ausreichend für den Fall. Es war ein glatter Genickbruch.

Als sie das alte hölzerne Gartentor am Ende des Gartens erreichten, zögerte Ben Cooper. Er fragte sich, ob sie wohl beide gerade denselben Gedanken hatten. Aber er wollte nicht der erste sein, der ihn aussprach.

»Also hatte Sam Beeley den Hund«, sagte er stattdessen.

»Den Border-Collie, ja. In einem Schuppen auf der Thorpe Farm versteckt.«

Sie hatten gewartet, bis die bei einem plötzlichen Todesfall übliche Routine angelaufen war. Nachdem Fry im Revier angerufen hatte, war zuerst ein Streifenwagen mit zwei uniformierten Beamten eingetroffen. Dann kam ein Krankenwagen, dicht gefolgt vom Polizeiarzt, der offiziell den Tod feststellte. Alle mussten aufpassen, dass sie nicht auf den kleinen Berg verblasster, halb vertrockneter Rosen und Nelken traten, die, mit Schleifen geschmückt, auf der Erde lagen und die Stelle markierten, wo Laura Vernon gestorben war.

Dann waren Cooper und Fry zusammen nach Moorhay hinaufgestiegen. Cooper ging den Weg in dieser Woche nun schon zum dritten Mal. Aber diesmal hatte er Diane Fry bei sich, die die Taschenlampe mit leicht zitteriger Hand auf die Reihe der Cottages richtete.

Cooper war nicht entgangen, dass Fry sich inzwischen wieder unter Kontrolle hatte. Gleich nachdem sie die Leiche gefunden hatten, gleich nachdem sie sich in seine Arme geworfen hatte und die aufgestaute Angst aus ihr hervorgebrochen war, hatte sie wie selbstverständlich das Kommando übernommen. Klar und präzise gab sie ihre Anweisungen, als ob sie für die Führungsrolle geboren wäre.

Und dann hatte er erfahren, dass sie schon auf der Thorpe Farm gewesen war, mit Sam Beeley gesprochen und den Hund gefunden hatte. Sie hatte im Revier angerufen, sie hatte Verstärkung angefordert. Sie hatte alles richtig gemacht. Sie würde alles Lob einstreichen.

Doch Cooper war alles ein bisschen zu perfekt. Es war fast so, als ob Fry heute Abend nicht deshalb mitgekommen war, um ihm zu helfen, sondern um sich eine Gelegenheit zu verschaffen, ihren eigenen Namen unter den abschließenden Bericht im Fall Vernon zu setzen.

»Wer soll es machen?«, fragte sie.

Cooper nickte; er war erleichtert, dass sie es zuerst ausgesprochen hatte.

»Wenn du willst, mache ich es.«

Sie gingen den Gartenweg hinauf. Aus dem Cottage drang künstliches Gelächter. Cooper klopfte an. Es war schon spät, und das Lachen kam ihm viel zu laut vor. Als Gwen Dickinson die Tür öffnete, stieg der Geräuschpegel noch an, und er merkte, dass sie ferngesehen hatte.

»Mrs. Dickinson, wann haben Sie Harry zuletzt gesehen?«, fragte Cooper.

»Kommen Sie bitte rein«, sagte sie.

Sie führte die Beamten durch das Esszimmer, wo eine Talk-Show lief, ins Wohnzimmer. Im Halbdunkel hing der Geruch nach Pfeifenrauch in der Luft, der Cooper im Wald aufgefallen war.

»Ich wusste die ganze Zeit, dass etwas faul war«, sagte Gwen.

»Wir haben einen Toten gefunden«, sagte Cooper. »Er hing auf dem Baulk an einem Baum.«

»Um Gottes willen.« Gwen griff sich an die Brust, als würde ihr vor Schreck das Herz stehen bleiben. Sie tastete nach dem Sessel, der hinter ihr stand, und ließ sich schwerfällig hineinsinken. Sie starrte durch das Zimmer auf den Sessel gegenüber.

»Sie wissen natürlich, um wen es sich handelt«, sagte Cooper. Aber diesmal galt seine Bemerkung nicht der alten Frau.

»Natürlich«, antwortete Harry. Er hatte seine Pfeife im Mund, und sein Kopf ruhte auf der mit einem Deckchen verzierten Rückenlehne des Sessels. Obwohl die eine Lampe, die in der Ecke brannte, nicht viel Licht abgab, konnte Cooper erkennen, dass der alte Mann ihn spöttisch musterte. »Er wusste eben immer, was sich gehört, der alte Wilford.«

Jess lag zu Harrys Füßen, ihr schwarzes Fell glänzte. Ein Auge hatte sie, die gespannte Atmosphäre witternd, furchtsam auf die Besucher geheftet.

»Wollen Sie damit sagen, dass er Selbstmord begangen hat, Mr. Dickinson?«

»Natürlich«, sagte Harry.

»Und warum sollte er das tun, Mr. Dickinson?«

»Weil er das Mädchen getötet hat. Die Kleine aus der Villa. Es war die einzige Lösung. Er hätte es im Gefängnis nicht ausgehalten. In einer Zelle vor sich hin zu vegetieren und das Tageslicht nicht mehr zu sehen. Das hätte er nicht ertragen.«

»Er hat Laura Vernon getötet. Und Sie, Mr. Dickinson, Sie haben ihm von Anfang an geholfen?«

»Dafür war er schließlich mein Freund.«

Cooper hockte sich auf die Kante eines Stuhls. Der Labrador hob den Kopf und beobachtete Fry, die unruhig im Zimmer auf und ab ging. Aus der Kehle des Hundes kam ein leises Knurren, das Harry mit einem kaum wahrnehmbaren Laut unterband.

»Möchten Sie es uns erzählen?«, fragte Cooper.

Harry blickte einen Augenblick lang schweigend von einem zum anderen. Er schien nicht so sehr zu überlegen, was er sagen sollte, als vielmehr abzuwägen, welche Wirkung es haben würde.

»Ich habe Wilford an jenem Abend auf dem Baulk gesehen, an dem Samstag«, sagte er. »Er war völlig durcheinander, und er hat mir erzählt, was passiert war. Ich habe ihm natürlich versprochen, ihm zu helfen.«

»Also haben Sie die Ermittlungen behindert.«

»Aye, ich habe mir mit dem Auffinden der Leiche ein bisschen Zeit gelassen. Und ich habe den anderen Schuh versteckt.«

Harry warf einen Blick auf das Mahagonischränkchen neben seinem Sessel. Schuhcreme, Putzlappen und Bürste, die davor auf dem Boden gelegen hatten, waren verschwunden. Cooper erinnerte sich daran, dass ihm die Sachen am Mittwoch aufgefallen waren, weil sie so gar nicht in das ordentliche Zimmer passten. Nun wurde ihm klar, dass sie nur deshalb herumgelegen hatten, weil sie nicht mehr in das Schränkchen gepasst hatten. Der Platz darin hatte nur für einen Reebok Größe 38 gereicht.

»Ich habe ihn am Mittwochabend in den Garten der Villa geworfen. Ihr solltet denken, dass vielleicht Vernon selbst der Täter war.« Er seufzte. »Aber es läuft eben nicht immer so wie im Fernsehen. Es hat ewig gedauert, bis ihr ihn gefunden hattet. Und bis dahin hatte dann schon längst die andere Kleine dazwischengefunkt.« Er lachte böse. »Das war wirklich ein starkes Stück.«

»Sie meinen Becky Kelk? Das Mädchen, das behauptet hat, Sie wären über sie hergefallen?«

»Ein sauberes Früchtchen. Überhaupt keine Kinderstube, wenn Sie mich fragen. Trotzdem, ich müsste mich wohl fast geschmeichelt fühlen.«

»Mr. Dickinson«, sagte Cooper. »Die Beamten, die Sie abgeholt haben, hatten den Eindruck, Sie hätten sie schon erwartet.«

»Habe ich ja auch«, sagte Harry. »Aber doch nicht deswegen. Mir waren nämlich inzwischen die Fingerabdrücke eingefallen. Ich hatte den zweiten Turnschuh angefasst. Ich wusste, dass ihr wieder bei mir auf der Matte stehen würdet, sobald ihr ihn gefunden hattet. Aber auf diese andere Geschichte war ich überhaupt nicht gefasst. Ich dachte, ihr würdet mich bloß wegen dem Schuh verhören.«

»Stattdessen hat Becky Kelk Sie fälschlich beschuldigt und Sie wurden wie ein potenzieller Vergewaltiger behandelt.«

»Das war sehr lehrreich, das kann ich Ihnen sagen.«

»Und das haben Sie alles für Wilford Cutts auf sich genommen?«, fragte Fry. »Obwohl Sie wussten, dass er Laura Vernon getötet hatte?«

Harry nickte. »Aye, weil er mein Freund war.« Er drehte den Kopf und sah Fry direkt an. »Außerdem war die Kleine ein Teufel.«

Als der alte Mann Laura Vernon erwähnte, geriet seine Stimme vor Zorn ins Stocken. Für Cooper war so etwas nichts Neues. Es begegnete ihm bei jedem Fall, an dem er arbeitete. Jedes Mal, wenn sie das Leben eines Opfers durchleuchteten, schillerte der Mensch, der dabei zum Vorschein kam, in den Augen derer, die ihn gekannt hatten, in den unterschiedlichsten Facetten. Wo Charlotte Vernon zum Beispiel nur die glitzernde Oberfläche wahrnahm, kostbar und makellos, sah Harry Dickinson nichts als unedles Blei.

Plötzlich erinnerte Cooper sich wieder an Gwen, die sich völlig im Hintergrund hielt, wie ein verblasster Schatten vor der dunklen Wand. Ihr Blick war starr und ausdruckslos, ihre Miene so streng, dass Cooper erschrak.

»Wie ist es passiert?«, fragte er Harry.

»Wilford hat früher bei den Vernons gearbeitet. Der Garten der Villa ist sein Werk. Er hatte ein Händchen dafür. Nicht wie der junge Lee Sherratt. Der ist kein Gärtner. Der kann vielleicht eine Schubkarre schieben, aber von der Gärtnerei hat er keine Ahnung. Dann hat Wilford herausgefunden, was in der Villa vor sich ging. Diese Orgien und so weiter. Er hat ihnen gehörig die Meinung gesagt, dass so etwas gottlos und lasterhaft wäre. Da hat Vernon ihn gefeuert.«

»War das, bevor Ihre Enkelin auf die bewusste Party ging?«

»Ja, davor«, sagte Harry. Er musterte Cooper. »Wenn Sie darüber Bescheid wissen, mein Junge, werden Sie verstehen, dass ich mit Wilford einer Meinung war, was die Vernons anging. Hat Helen es Ihnen erzählt?«

»Ja.«

»Helen mag Sie. Werdet ihr euch wieder sehen, wenn diese Sache vorbei ist? Ihr würdet gut zueinander passen.«

Fry trat von einem Fuß auf den anderen und gab Cooper ein Signal mit ihren Augen. Geh nicht darauf ein, sagte es. Ermutige ihn nicht, vom Thema abzuschweifen. Halte dich an die Anweisungen.

»Bleiben Sie bei Laura Vernon, Mr. Dickinson«, sagte sie.

»Aye. Wilford hat auch dem Mädchen tüchtig den Marsch geblasen. Er hat ihr alles Mögliche an den Kopf geworfen. Aber die war hart im Nehmen. Das hat sie nur noch mehr gereizt. Man würde es nicht für möglich halten, dass ein junges Mädchen solche Ausdrücke über die Lippen bringt. Sie hat sich über Wilford lustig gemacht. Er war eine Herausforderung für sie. Sie hat ihm gesagt, dass er von allen Männern, die jemals in der Villa waren, der einzige wäre, mit dem sie nicht geschlafen hätte. Ist das zu fassen? Ein fünfzehnjähriges Mädchen?« Sein Blick wurde hart. »Aber sie hat es nicht anders gelernt.«

Er paffte heftig an seiner Pfeife. Der Rauch stieg in einer dicken Wolke hoch und sammelte sich unter der gelben Zimmerdecke.

»Dann hat sie Wilford an jenem Samstag auf dem Baulk getroffen. Und sie hat ihn wieder verspottet, schlimmer als je zuvor. Sie hat sich ihm an den Hals geschmissen und sich halb ausgezogen, sie hat ihn verhöhnt, die kleine Hure. Und dann hat sie ihn angefasst…« Harry schluckte ein paar Mal, leise knirschend bewegte sich die Pfeife zwischen seinen Zähnen. »Wilford hatte diese Wutanfälle, wissen Sie. Die verdankte er einem Kriegserlebnis. Wussten Sie, dass er einen Kopfschuss hatte? Danach war er irgendwie angeknackst, und er kriegte hin und wieder diese Wutanfälle. Aber es war richtig. Wilford hat immer gewusst, was richtig ist.«

»Was richtig ist?«, kam es vorwurfsvoll von Gwen, die bis jetzt geschwiegen hatte.

»Das habe ich gesagt.«

»Aber er hat doch das Mädchen getötet. Er hat sie ermordet. Unten im Wald hat er sie totgeschlagen. Wie kannst du da sagen, dass das richtig war?«

Harry schwieg eine Zeit lang und starrte aus dem Fenster in

433

die Dunkelheit hinaus, als ob er die Berge sehen und den Gesang der Lerche und die Sprengungen im Steinbruch hören könnte. Vielleicht kostete er in seiner Phantasie noch einmal die Luft und die Erde, vielleicht schmeckte er den halb verblassten Erinnerungen an eine Welt unter Tage nach, in deren Enge und Dunkelheit man sich nur auf zwei Dinge verlassen konnte, auf die eigenen Hände und auf den Mann, der hinter einem stand.

»Es hat keinen Sinn. Du würdest es nie verstehen«, sagte er.

Gwen verzog das Gesicht und fing an zu weinen. Die Beamten waren verlegen.

»Was hat Wilford denn im Krieg erlebt?«, fragte Cooper.

»Hatte es etwas mit den französischen Torten zu tun?«, fragte Fry. Cooper sah sie verwundert an.

»Ja, ja, die kleinen Französinnen«, sagte Harry. »Hat Sam es Ihnen erzählt? Ich habe Gwen nie etwas davon gesagt. Ich habe ihr überhaupt nie viel über den Krieg erzählt. Frauen ängstigen sich immer gleich – die machen viel zu viel Wind um alles.«

Er nickte weise mit dem Kopf. »Wir hatten Glück, Sam und ich. Aber Wilford nicht. Er war immer ein bisschen zu anständig. Er fand, es gehörte sich nicht. Und dann gab es da diesen Jungen, auf den er große Stücke gehalten hat. Er hat ein bisschen auf ihn aufgepasst. Und eines Tages sind die beiden dann in einer Gasse einer kleinen Französin begegnet. Sie war noch nicht alt, und sie hat sich mächtig an sie rangemacht. Wilford wollte natürlich nichts davon wissen, aber der Junge war ganz aus dem Häuschen. Er ist mit ihr gegangen, in ein kleines dunkles Haus, und Wilford musste wohl oder übel mit, obwohl er die ganze Zeit versucht hat, es ihm auszureden. Der Junge hätte es sich fast noch anders überlegt, aber da hat die Kleine seine Hand gegriffen und in ihren Schlüpfer gesteckt. Tja …«

Harry paffte an seiner Pfeife und hing seinen Erinnerungen nach.

»In dem Haus hatten sich zwei deutsche Soldaten versteckt, die nur darauf gewartet haben, dass ihnen die Kleine einen Tommy reinlockt. Sie haben den Jungen mit dem Bajonett aufgespießt.

Als Wilford durch die Tür kam, hingen dem Jungen schon die Gedärme raus. Wilford hat die Deutschen mit seiner Maschinenpistole erschossen. Dann hat er das Mädchen erschossen. Aber weil er dabei eine deutsche Kugel in den Kopf bekommen hatte, wurde er nach Hause geschickt. Danach ist er nie wieder ganz derselbe geworden. Er hat etwas davon zurückbehalten. Man wusste nie, wann er wieder einen Koller kriegen würde. Oben in der Villa hatte er wohl auch einen, wenn ich das richtig sehe. Kein Wunder, dass Vernon ihn entlassen hat. Und manchmal überkam es ihn auch bei den Tieren, obwohl er es kaum übers Herz bringen konnte, ihnen wehzutun.«

Fry sog scharf die Luft ein. Cooper suchte ihren Blick. Er erinnerte sich ebenfalls. Er sah eine Wolke dunkler Federn, die aus einer Tür stöberten, sich auf Wilford Cutts' Schultern setzten und in seinem Haar verfingen. Er sah den Lieferwagenfahrer, der verstört aus der Hütte gekommen war. Und er erinnerte sich daran, wie das Huhn in Wilfords Händen gehangen hatte, die Flügel gebrochen, der Blick glasig vor Schmerz, nur darauf wartend, von seinem Leid erlöst zu werden.

Harry erzählte weiter, ohne ihren Blick zu bemerken. »Er konnte es nicht ertragen, wie die kleine Vernon ihn gequält hat. Dabei hat er sich an Frankreich erinnert und an den Jungen, dem die Gedärme aus dem Leib gequollen waren. Sie war genau wie dieses französische Flittchen. Durch und durch böse. Da hat er einen Stein aufgehoben …« Harrys Blick konzentrierte sich auf Fry, als ob er sie zum ersten Mal wahrnähme und sich fragte, was sie hier wollte. »Es war nur eine schwache Sekunde. Dafür kann man sechzig Jahre Freundschaft nicht einfach vergessen.«

»Freundschaft?«

»Aye. Freundschaft.«

Harry betrachtete Diane Fry. Bei ihrem ersten Besuch im Cottage hatte er sie völlig ignoriert, genau wie bei seiner Vernehmung auf dem Polizeirevier. Nun aber sah er sie mit anderen Augen an, als ob er spürte, dass sie sich verändert hatte. Neugierig ließ er den Blick von ihr zu Cooper wandern.

»Sie wussten es, nicht wahr, mein Junge?«

Cooper nickte. »Wegen der Schweine.«

Fry musterte ihn erstaunt. »Die Schweine im Komposthaufen? Ich bitte dich. Das war doch ein einziger Witz.«

»Nein. Weißt du noch, wie ich den Ärger in der Kneipe hatte? Einer von den Jugendlichen hat andauernd was von Schweinen gefaselt. Das ist mir nicht mehr aus dem Kopf gegangen. Wie die Musik, die du im Auto laufen hattest. Tanita Tikaram? Das sind so ungefähr die einzigen beiden Sachen, an *die* ich mich erinnere.«

Der alte Mann nickte Cooper zu, wie ein stolzer Vater, der seinen Sohn ermunterte.

»Was zum Teufel haben die Schweine damit zu tun?«, fragte Fry.

»Mir wurde langsam klar, was auf der Thorpe Farm tatsächlich vor sich ging. Die beiden anderen haben Wilford geholfen, die Tiere loszuwerden. Er wollte sie nicht zurücklassen. Er konnte sie nicht einfach im Stich lassen, dafür haben sie ihm zu viel bedeutet. Sie waren seine Familie, wenn du so willst. Außer den Schweinen ist im Laufe einer Woche jedes einzelne Tier verschwunden.«

»Ehrlich?«

»Erinnerst du dich noch an die Hennen, als wir das erste Mal auf der Farm waren? Er hat sie alle verkauft. Als ich ein paar Tage später wiederkam, war die Ziege auch weg. Da hätte ich es mir denken müssen. Aber ich bin nicht darauf gekommen. Erraten habe ich es erst wegen der Schweine. Schweine kann man nämlich nicht einfach so verkaufen. Man braucht eine Genehmigung vom Landwirtschaftsministerium, bevor sie den Hof verlassen dürfen.«

»Wegen der Schweinepest«, warf Harry ein.

»Aber dafür reichte die Zeit nicht. Es musste schnell gehen. Ihm blieb nur ein Ausweg, nämlich, sie schmerzlos zu töten und im Komposthaufen zu vergraben.«

»Dann sind alle Tiere weg? Die ganze Menagerie?«

»Alles. Die Farm ist wie ausgestorben. Von Wilfords ganzer Familie ist nur noch seine Hündin übrig.«

Harry nickte. »Wir haben sie versteckt, nachdem wir von dem Vogelbeobachter gehört hatten. Einmal hätten Sie sie fast gesehen, im Pub, aber sie war mit Jess draußen hinter dem Haus. Wilford brauchte Zeit, das ist alles. Und die habe ich ihm verschafft. Wir konnten nicht zulassen, dass er verhaftet wurde. Er wusste, was er tun musste, aber er brauchte mehr Zeit. Wir haben ihm dabei geholfen, Sam und ich. Wie Sie sagen, jetzt ist nur noch die Hündin übrig.«

»Also hat er seine ganze Familie mitgenommen. Aber was ich noch gern wüsste, Diane«, sagte Cooper. »Was hat dich auf die Idee gebracht, dass Wilford Cutts verheiratet ist?«

»Ich weiß auch nicht.« Sie runzelte die Stirn. »War er es denn nicht?«

»Seine Frau ist schon vor Jahren gestorben.«

»Es ist bestimmt nicht wichtig. Er hat einmal von Connie gesprochen, als ich auf der Farm war, und ich weiß noch, dass ich mich gefragt habe, wie sie es bloß mit ihm und seinen Freunden aushält. Vielleicht hat er bloß vergessen, dass sie tot ist.«

»Seine Frau hieß Doris«, sagte Cooper.

Harry nickte. »Vielleicht haben Sie doch das Zeug zu einem Inspector Morse.«

»Sie haben sich also nach Kräften angestrengt, den Verdacht auf Graham Vernon zu lenken. Haben Sie ihn an dem betreffenden Abend tatsächlich auf dem Baulk gesehen? Oder war das eine Lüge?«

»Nein, mein Junge, das war nicht gelogen. Ich denke, er hat nach dem Mädchen gesucht. Er konnte sich wohl denken, was sie da draußen im Wald trieb. Die Mutter hatte natürlich keine Ahnung. Sie dachte immer, das Mädchen wäre der reinste Engel.«

Der alte Mann kräuselte verächtlich die Lippen. »Aye, Vernon war tatsächlich auf dem Baulk. Und wenn ich ihn erwischt hätte, hätte ich *gern* ein Wörtchen mit ihm gewechselt. Wenn Helen es Ihnen erzählt hat, können Sie sich ja denken, worüber. Aber als er mich kommen sah, hat er sich schnell verdrückt. Mir war es nur Recht. So konnte er uns nicht in die Quere kommen. Und es hat auch nicht geschadet, dass ihr Bullen ihn ein bisschen ausgequetscht habt.«

»Und dann haben Sie sogar versucht, sich selbst in Verdacht zu bringen.«

Harry zuckte mit den Schultern. »Ihr solltet ruhig denken, dass ich das Mädchen umgebracht hatte. Das war egal.«

»Egal?«

»Na, ich war doch schließlich unschuldig. Ich wusste, dass Wilford mich früher oder später raushauen würde. Er hat das Richtige getan. So, wie er es von Anfang an gesagt hat.«

»Aber was Sie durchmachen mussten«, sagte Cooper. »Es muss doch entsetzlich für Sie gewesen sein.«

Harry zuckte mit den Schultern. »So gehört es sich eben für einen Freund.«

Aber Fry war noch nicht zufrieden. Sie war immer noch wütend. Sie baute sich vor dem alten Mann auf, der sie aus seinem Sessel musterte. »Sie haben uns große Schwierigkeiten gemacht, Mr. Dickinson«, sagte sie. »Ist Ihnen klar, dass Sie soeben verschiedene Straftaten gestanden haben?«

»Wenn Sie es sagen.«

»Mr. Dickinson, Sie haben die Polizei absichtlich in die Irre geführt. Sie haben Beweismittel unterschlagen. Und das ist erst der Anfang. Es steht längst noch nicht fest, dass Wilford Cutts tatsächlich Selbstmord begangen hat. Nach den kriminaltechnischen Untersuchungen könnten noch schwer wiegende Anschuldigungen auf Sie zukommen.«

»Sam hat den Abschiedsbrief«, sagte Harry. »Wenn Sie den brauchen. Wir haben alles so gemacht, wie es sich gehört.«

»Ich verstehe.«

Harry machte ein besorgtes Gesicht. »Es müsste jemand nach Sam sehen. Es geht ihm nicht gut.«

»Detective Constable Cooper macht sich gleich auf den Weg zu ihm«, sagte Fry.

Cooper sah sie an, und ihre Blicke trafen sich. Alles, was zwischen ihnen stand, kam in diesem langen Blick zum Ausdruck, die aufgestaute Abneigung und Eifersucht, die Ablehnung der Ansichten und Methoden, Lebensweise und Herkunft des jeweils anderen, die Erinnerungen an das, was zwischen ihnen vorgefallen war, der Schmerz von Intimität und Verrat. Doch Cooper spürte noch etwas darin. Er fühlte, dass Fry ihn bat, ihr zu vertrauen.

»Ja, Ben?«

Es klang wie eine Bitte. Doch es schwang auch ein Unterton von Autorität darin mit, natürlich und selbstverständlich wie ein angestammtes Recht. Sie erwartete von ihm, dass er ihre Anweisung befolgen würde. Es war schließlich ihr Fall, schien sie zu sagen. Und damit hatte sie vollkommen Recht. Diane Fry hatte alles richtig gemacht; sie hatte sich im Revier gemeldet, sie hatte Verstärkung angefordert, sie hatte den Tatort gesichert. Ben Cooper dagegen hatte offiziell nichts mehr mit dem Fall zu tun. Eigentlich hätte er gar nicht hier sein dürfen. Wie konnte er da erwarten, dass Lob und Anerkennung auf ihn abfärben würden?

Er nickte und ging zur Haustür. Er wollte einen vorbeifahrenden Streifenwagen anhalten und sich zur Thorpe Farm mitnehmen lassen. Als er das Wohnzimmer verließ, hörte er noch, wie Fry mit der üblichen Litanei anfing.

»Harold Dickinson, Sie sind wegen des Verdachts der Irreführung der Behörden vorläufig festgenommen. Sie haben das Recht zu schweigen, aber Ihr Schweigen kann vor Gericht gegen Sie verwendet werden...«

Sam Beeley machte ein erleichtertes Gesicht, als der Polizeiwagen den Feldweg zur Farm heraufkam. Er hielt einen verschlossenen Briefumschlag mit der Aufschrift »An alle, die es angeht« in der Hand. Cooper wurde klar, dass Fry und er den drei alten Männern dabei zugesehen hatten, wie sie den Brief auf der Motorhaube des Pick-up-Trucks aufgesetzt hatten. Und er hatte gedacht, sie tüftelten an einem Kreuzworträtsel herum.

Er musterte Sam genau. »Wir bringen Sie zum Arzt, Mr. Beeley. Es ist vorbei.«

Sam schwenkte kraftlos seinen Stock. »Jemand muss sich um den Hund kümmern.«

»Aber sicher.«

Cooper ging zu dem Schuppen hinüber und öffnete die untere Hälfte der Tür. Ein schwarzweißer Border-Collie kam aus der Dunkelheit auf ihn zugeschossen, schnupperte an seinen Beinen, leckte seine Hand und blickte hoffnungsvoll zu ihm auf. Vermutlich ahnte das Tier, dass sein Herrchen nicht mehr lebte. Hunde schienen so etwas immer zu spüren. Das Vertrauen und die Liebe, die sie an einen Menschen banden, waren so stark, dass nur der Tod sie zerbrechen konnte.

Cooper bückte sich und streichelte dem Tier den Kopf, eine schwache Geste des Trostes.

»Wir kümmern uns um dich, Connie«, sagte er.

30

Einige Tage später verließ Diane Fry ihre Wohnung und stieg in ihren schwarzen Peugeot. Bald hatte sie Edendale hinter sich gelassen. Sie fuhr nach Süden in Richtung des Kalksteinplateaus und kam an Durham Edge und Camphill vorbei, wo es einen Privatflugplatz gab. Sie sah, wie die Segelflugzeuge in die Luft schnellten, in der aus den Tälern aufsteigenden Thermik an Höhe gewannen und in der warmen Luft über den Hügelkuppen seitlich abdrifteten. Ihr war so leicht zu Mute, als würde sie ebenfalls abheben und über das Land hinweggleiten, das sie allmählich als ihre Heimat betrachtete. Sicher hatte man von dort oben eine phantastische Aussicht, doch so gut sie auch sein mochte, Fry konnte darauf verzichten. Auch hier unten sah sie ihre Zukunft deutlich abgesteckt vor sich liegen. Alles lief bestens.

Nachdem sie die Bridge End Farm gefunden hatte, fuhr sie langsam den holprigen Feldweg hinunter und parkte auf dem Hof. Ben Cooper stand im Schatten einer Scheune an einem Gatter. Er unterhielt sich mit einem Mann, der etwas älter und kräftiger war als er und der die gleiche Haarfarbe und das gleiche jungenhaft offene Gesicht hatte. Das musste Matt sein, der Bruder, der die Farm betrieb. Die beiden Männer verglichen ihre Gewehre, einen Hund zu ihren Füßen.

Fry nahm die Kassette aus dem Handschuhfach und steckte sie in die Jackentasche. »Ancient Heart« von Tanita Tikaram. Er hatte sich danach erkundigt und ihr gesagt, dass ihm die Musik gefiel. Vielleicht ließen sich bei ihm mit ihrer Hilfe ein paar verschüttete Erinnerungen an die Oberfläche holen.

Als sie ausstieg, drehte Cooper sich um. Er sah sie entgeistert an.

»Diane – ist etwas passiert?«

»Nein, Ben. Ich wollte dich bloß besuchen.«

»Ach so.« Er wurde nervös und warf einen Blick auf seinen Bruder. »Das ist übrigens Matt. Matt – Diane Fry. Eine Kollegin.«

»Nett, Sie kennen zu lernen«, sagte Matt und sah seinen Bruder mit einem merkwürdigen Lächeln von der Seite an. »Leider habe ich keine Zeit für ein Schwätzchen. Es gibt viel zu tun. Bis dann, Ben.«

»Unsere Mutter ist wieder zu Hause«, sagte Cooper, als ob damit alles erklärt wäre. Aber Fry verstand kein Wort. Sie hatte nicht einmal gewusst, dass seine Mutter fort gewesen war.

Sie standen vor der Scheune und sahen sich an. Obwohl Fry sich vorher genau überlegt hatte, was sie sagen wollte, kamen ihr die Worte nun nicht über die Lippen. Plötzlich war sie voller Zweifel. Es hatte irgendwie nicht ganz richtig geklungen, wie er sie seinem Bruder als »eine Kollegin« vorgestellt hatte. Es war schließlich Cooper, der das unbehagliche Schweigen brach.

»Wie war deine Besprechung mit dem Superintendenten?«, fragte er. »Hat er dir auf die Schulter geklopft?«

Sie holte tief Luft und hielt sich an der Kassette in ihrer Tasche wie an einem Glücksbringer fest. »Er hat mich gefragt, ob ich mich nicht für die Stelle als Sergeant bewerben will, wenn nächsten Monat die Auswahlgespräche stattfinden«, antwortete sie. »Ich dachte, das sage ich dir lieber selbst.«

Bevor sie seine Miene deuten konnte, hatte Cooper sich abgewandt, um die Schrotflinte in den Landrover zu legen und in einem Stahlkasten zu verschließen. Sie konnte zwar sein Gesicht nicht sehen, aber sie merkte, wie sich seine Schultern verspannten.

Auf dem Feld hinter der Scheune sprang stotternd ein Traktor an. Das plötzliche Geräusch scheuchte eine Schar Saatkrähen auf, die sich hoch in die Luft schraubten und über Camphill ihre Kreise zogen.

»Ich freue mich sehr für dich«, sagte Cooper, der ihr immer noch den Rücken zuwandte. »Ich bin überzeugt, du wirst einen erstklassigen Detective Sergeant abgeben, Diane. Du hast immer alles unter Kontrolle. Du tust immer das Richtige. Du wirst schnell weiterkommen. Du wirst die Karriereleiter raufschießen«, er knallte die Tür des Landrovers zu, »als ob du eine Rakete im Arsch hättest.«

Fry zuckte zusammen. Sie hatte ihn fast nie fluchen hören. Nur ein einziges Mal hatte er in diesem Ton mit ihr gesprochen, in der Gaststube des Unicorn, als er betrunken und vor Wut außer sich gewesen war. An dem Abend hatte er sie ein Aas genannt, aber sie hatte seine Ausfälligkeit auf das Bier geschoben.

Sie spürte, dass ihr das Gespräch unaufhaltsam entglitt. So hatte sie sich ihren Besuch nicht vorgestellt. Sie überlegte verzweifelt, was sie sagen sollte, und deutete schließlich mit dem Kopf auf den Hund.

»Und? Hat sie es gut verkraftet?«

»Connie? Ja, sie ist ein Prachtkerl. Treu wie Gold.«

»Sie ist sicher ein guter Kamerad.«

Cooper tätschelte dem Border-Collie, der bewundernd zu ihm aufsah, den Kopf. »Connie ist mehr als ein Kamerad«, sagte er betont. »Sie ist eine Freundin.«

Fry drehte sich um, sie hatte ein Geräusch gehört. Ein zweiter Wagen hielt vor dem Bauernhaus, einer, der ihr bekannt vorkam. Die Tür ging auf, und eine Frau stieg aus, doch sie kam nicht auf Ben zu, sondern blieb zögernd neben dem Auto stehen. Es war Helen Milner. Fry fröstelte, ihr wurde eiskalt, während ihr gleichzeitig das Blut in den Hals schoss. Sie wusste, dass sie sich zum Narren gemacht hatte.

»Tja, sieht so aus, als ob deine andere Freundin zu Besuch gekommen ist, Ben. Du solltest sie lieber nicht warten lassen.«

Ihr spöttischer Ton ließ Cooper wütend herumfahren, doch dann erinnerte er sich daran, was der Superintendent über Gefühlsausbrüche gesagt hatte, und er riss sich zusammen. Er machte ein paar Schritte auf Helens Auto zu, bevor er noch einmal stehen blieb und zu Fry zurücksah. Er hatte sich wieder beruhigt, und seine Worte waren mit Bedacht gewählt.

»Du wirst das vielleicht nicht verstehen. Aber jeder Mensch braucht manchmal einen Freund, Diane.«

Damit drehte er sich um und ließ sie im Schatten der Scheune stehen. Fry merkte, dass sie die Kassette in ihrer Tasche so fest umklammert hielt, dass sich die scharfen Ecken in ihre Handflächen drückten und ihr vor Schmerzen die Tränen in die Augen stiegen. Sie erwiderte etwas, aber so leise, dass Cooper es unmöglich hören konnte.

»Wem sagst du das, Ben?«, sagte sie. Und sie sah ihm hinterher.

Ein Turmfalke stand reglos in der Luft. Den warmen Aufwind unter den Flügeln, spähte er nach Beutetieren, die sich auf den Berghängen zwischen den Kalksteinfelsen versteckten. Die meisten tiefer gelegenen Felder in diesem Tal wurden als Mähwiesen und Weideland verwendet. Aber in Richtung Great Hucklow gab es auf halber Höhe des Berges noch eine Wiese mit Wildblumen, Margariten und Majoran, die bunt aus dem eintönigen Grün der Weiden hervorleuchtete.

Kurz bevor sie die Wiese erreichten, bat Ben Cooper Helen, in eine Einfahrt zu fahren und anzuhalten. Sie sah ihn verwundert an und fragte sich, was ihn wohl plötzlich störte. Aber sie schaltete den Motor aus und kurbelte das Fenster herunter. Eine Zeit lang beobachteten sie ein Segelflugzeug, das unhörbar über das Tal glitt und mit den Flügeln die Sonne grüßte, bevor es über Durham Edge verschwand.

Sie waren auf dem Weg zum Light House, wo sie zusammen zu Mittag essen wollten, als ob es die natürlichste Sache der Welt wäre. Aber für Cooper war es mehr als das. Er hatte das Gefühl, sehr bald aus der Dunkelheit in eine andere Welt zu treten, und diesen Augenblick wollte er ganz bewusst genießen und voll auskosten. Als Helen sich aus dem Autofenster lehnte, um das Flugzeug mit den Augen zu verfolgen, fing ihr Haar das Sonnenlicht ein und verwandelte es in einen flüchtigen, kupferfarbenen Schleier, den er sich ewig hätte ansehen können.

Aber schließlich wanderte sein Blick doch wieder hinunter in das Tal, zur Bridge End Farm, die halb im Schatten des Berges vor einer Kulisse aus Bergulmen lag. Er konnte die Fenster erkennen, hinter denen der kühle, dunkle Raum lag, in dem seine Mutter im Bett lag und sich mit Hilfe von Medikamenten vor einer fremden, veränderten Welt in Träume flüchtete. Hinter dem Haus konnte er den Traktor seines Bruders sehen, dessen Scheibenegge eine Staubwolke hinter sich herzog. Und er konnte Diane Frys schwarzen Peugeot sehen, der sich den Feldweg hinauf zur Straße quälte, vor jedem Schlagloch zögernd, als hätte er Angst, hineinzufallen. Das Gesicht der Fahrerin war hinter der spiegelnden Windschutzscheibe nicht zu erkennen.

Dann hallte ein Hundebellen den Berg herauf. Auf dem Hof der Farm lag der Border-Collie, der Wilford Cutts gehört hatte, geduldig neben dem Gatter. Der Hund drehte den Kopf in den Schatten und beobachtete, wie sich der Peugeot entfernte. Sein drahtiges Fell wirkte einen Augenblick lang weicher und blasser, sodass seine Silhouette vor dem staubigen Untergrund verschwamm. Doch dann bewegte sich der Collie und sah den Berg hinauf, als spürte er Coopers Anwesenheit. Die weißen Flecken in seinem Gesicht und auf seinen Flanken schimmerten und leuchteten, als sie das helle Sonnenlicht auffingen, das die Kalksteinmauern reflektierten.

Für Ben Cooper war alles vollkommen klar. Er konnte nichts mehr falsch machen, nicht in diesem Licht und nicht in diesem Augenblick seines Lebens.

ELIZABETH GEORGE

43577

44982

42203

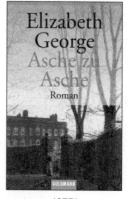

43771

MINETTE WALTERS

Die ungekrönte Königin der britischen Kriminalliteratur – exklusiv bei Goldmann.

»Minette Walters erzeugt Spannung auf höchstem Niveau.«
Brigitte

42462

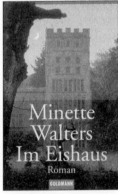

42135

43973

44703

GOLDMANN